17. JUNI 1953

Arbeiteraufstand in der DDR

Herausgegeben von
Ilse Spittmann
Karl Wilhelm Fricke

Edition
Deutschland
Archiv

© 1982 bei Edition Deutschland Archiv
im Verlag Wissenschaft und Politik
Berend von Nottbeck, Köln
Herausgegeben von Ilse Spittmann-Rühle
und Gisela Helwig
Umschlaggestaltung Rolf Bünermann
Gesamtherstellung Mohndruck
Graphische Betriebe GmbH, Gütersloh
ISBN 3-8046-0318-1

Kuba
Wie ich mich schäme

Maurer – Maler – Zimmerleute. Sonnengebräunte Gesichter und weißleinene Mützen, muskulöse Arme, Nacken – gut durchwachsen, nicht schlecht habt ihr euch in eurer Republik ernährt, man konnte es sehen. Vierschrötig kamt ihr daher . . . Als wenn man mit der flachen Hand ein wenig Staub vom Jackett putzt, fegte die Sowjetarmee die Stadt rein. Zum Kämpfen hat man nur Lust, wenn man die Ursache dazu hat, und solche Ursache hattet ihr nicht. Eure schlechten Freunde, das Gesindel von drüben, strich auf seinen silbernen Fahrrädern durch die Stadt wie Schwälbchen vor dem Regen. Dann wurden sie weggefangen. Ihr aber dürft wie gute Kinder um neun Uhr abends schlafen gehen. Für euch und den Frieden der Welt wachen die Sowjetarmee und die Kameraden der Deutschen Volkspolizei.
Schämt ihr euch so, wie ich mich schäme?
Da werdet ihr sehr viel und sehr gut mauern und künftig sehr klug handeln müssen, ehe euch diese Schmach vergessen wird.

Kuba (Kurt Barthel), Nationalpreisträger,
Sekretär des Schriftstellerverbandes der DDR,
in Neues Deutschland vom 20. Juni 1953.

Bertolt Brecht
Die Lösung

Nach dem Aufstand des 17. Juni
Ließ der Sekretär des Schriftstellerverbandes
In der Stalinallee Flugblätter verteilen,
Auf denen zu lesen war, daß das Volk
Das Vertrauen der Regierung verscherzt habe
Und es nur durch verdoppelte Arbeit
Zurückerobern könne. Wäre es da
Nicht einfacher, die Regierung
Löste das Volk auf und
Wählte ein anderes?

Gesammelte Werke, Bd. 10, S. 1009 f.

Wir haben eine Verfassung, die das gesamte deutsche Volk auffordert, die Einheit Deutschlands zu vollenden – und viele unserer Schüler wissen kaum etwas über Deutschland. Traut man sich auf unseren Schulen nicht mehr, von der Einheit Deutschlands vor seinen Schülern zu sprechen? Wenn dem so ist – und die genannten Untersuchungen deuten darauf hin –, dann ist es an der Zeit, nach den Gründen dieser merkwürdigen Zurückhaltung zu forschen.

Es ist wahr, die Worte Nation, Volk und Vaterland sind fürchterlich mißbraucht worden. Aber darf das ein Grund sein, aus unserer Jugend die Trauer über die Teilung Deutschlands hinauszukritisieren oder die Jugend in Unkenntnis über das zentrale Problem ihres Volkes zu lassen? Will man den Begriff Deutschland denn wirklich den Rechtsextremisten überlassen? Mit allen sich daraus ergebenden möglichen katastrophalen Folgen? Und wenn dann der Begriff Deutschland wieder jene widerlich braune Färbung erhält, vor der sich unsere Nachbarn zu Recht fürchten, dann wird es wieder keiner gewesen sein.

Man kann von Deutschland in einem friedlichen, freiheitlichen Sinn reden. Man braucht dabei nicht in Hitlers Haßgeschrei oder in Kaiser Wilhelms Hurra-Patriotismus zu verfallen. Und wer es noch nicht kann, der sollte es bald lernen.

Die Lehrer dieses Landes haben sich an die Verfassung zu halten, und die Länderregierungen haben die Pflicht, die Voraussetzungen dafür zu schaffen, daß sich die Lehrer an die Verfassung halten können. Es darf nicht geschehen, daß die deutsche Einheit durch unsere eigene Nachlässigkeit und Gedankenlosigkeit verspielt wird.

Bundespräsident Walter Scheel
am 17. Juni 1978
anläßlich der 25. Wiederkehr des 17. Juni 1953

Der Arbeiteraufstand
Vorgeschichte, Verlauf, Folgen

Karl Wilhelm Fricke

Drei Jahrzehnte danach ist der Arbeiteraufstand vom 17. Juni 1953 in Ost-Berlin und wichtigen Industriezentren der DDR zwar historisches Ereignis, aber hat sich dies dem Geschichtsbewußtsein der Deutschen eingeprägt? Zweifel sind erlaubt. In der Bundesrepublik macht die Erinnerung an das dramatische Geschehen damals eher politisch verlegen als selbstbewußt – und in der DDR ist eine auf die geschichtliche Wahrheit verpflichtete öffentliche Besinnung auf den 17. Juni 1953 überhaupt tabu, versteht sich, denn für die Staatskommunisten hat der Arbeiteraufstand, aufs Ganze gesehen, auch dreißig Jahre danach wie gehabt als »konterrevolutionärer Putschversuch«[1] zu gelten; sie können und wollen sich nicht eingestehen, daß sich damals im Staat der SED die Arbeiter spontan zu Solidarität und gemeinsamer Aktion zusammenfanden. »Ich bin stolz auf den 17. Juni«, bekannte ein Arbeiter wenige Tage nach dem Aufstand in einer Belegschaftsversammlung in Ost-Berlin, er habe die Arbeiter gelehrt, »daß sie eine Kraft sind und einen Willen haben«[2]. Dieser Kraft und dieses Willens waren sie sich bewußt geworden. »Der 17. Juni hat die ganze Existenz verfremdet«, vertraute Bertolt Brecht seinem Arbeitsjournal jener Tage an. »In aller ihrer Richtungslosigkeit und jämmerlicher Hilflosigkeit zeigen die Demonstrationen der Arbeiterschaft immer noch, daß hier die aufsteigende Klasse ist. Nicht die Kleinbürger handeln, sondern die Arbeiter.«[3] Was war geschehen, und wie konnte, was geschehen war, Ereignis werden?

Der Aufbau des Sozialismus oder: Die Verschärfung des Klassenkampfes

Die Ursachen und Bedingungen des Arbeiteraufstands vom 17. Juni 1953, wie vielschichtig und widerspruchsvoll sie auch immer waren, wurzelten letztlich in den tiefgreifenden Strukturveränderungen, die Herrschaft und Gesellschaft seit dem Zusammenbruch der Nazi-Diktatur im Machtbereich der SED erfahren hatten. Im wesentlichen lagen sie in der planmäßigen, zielbewußten Errichtung eines politischen Regimes begründet, das – dem Schein nach ein Mehr-Parteien-System – tatsächlich auf eine Diktatur der SED hinauslief und das alle politischen Freiheiten und Bürgerrechte einschließlich des Rechts auf Selbstbestimmung durch freie Wahlen verweigerte. Sechs Wochen vor dem Juni-Aufstand charakterisierte Walter Ulbricht, damals Generalsekretär des Zentralkomitees der SED, die DDR erstmalig als einen Staat, »der erfolgreich die Funktionen der Diktatur des Proletariats ausführt«[4]. In der veröffentlichten Meinung war dieser Begriff bis dahin vermieden worden.

Gewiß hatten weniger die durch die Verstaatlichung des Banken- und Versicherungswesens sowie der Schlüssel- und Grundstoffindustrie bedingten Veränderungen der ökonomischen Basis Protest und Widerstand in der Arbeiterschaft heranreifen lassen: Es waren die sozialen und politischen Folgen dieses radikalen Umbruchs. Eine seiner Konsequenzen bestand darin, daß den Arbeitern »volkseigener« Betriebe nicht mehr der private Unternehmer, die Verwaltung eines kapitalistischen Konzerns gegenüberstand, sondern der Staat in der Rolle des Arbeitgebers, so daß soziale Konflikte zwischen Arbeitnehmern und Arbeitgebern unvermeidlich die Qualität politischer Gegensätze annahmen.

Die Spannungen wurden zusätzlich dadurch verschärft, daß sich die Leitungen »volkseigener« Betriebe bei der Durchsetzung ihrer ökonomischen Ziele politischer Hebel bedienten und sich auf die Betriebsparteiorganisationen der SED und auf die Betriebsgewerkschaftsleitungen des FDGB stützten, wodurch Konflikte zusätzlich politisiert wurden.

Anmerkungen s. S. 21.

Soziale Konflikte

Sozialer Konfliktstoff aber mußte sich angesichts der sozialen Lage der Arbeiter und Rentner in der DDR zur Genüge anreichern. 1952 belief sich das monatliche Durchschnittseinkommen aller Beschäftigten auf 308 Mark, davon der Produktionsarbeiter auf 313 Mark[5]. Die Stundenlöhne für Arbeiter lagen damals durchweg unter zwei Mark. Geradezu erbärmlich nahmen sich mit monatlich 65 Mark die Mindestrenten für Alters-, Invaliden- und Unfallrentner und mit 55 Mark für Witwen aus[6]. Solche Löhne und Renten mußten um so bedrückender empfunden werden, als die SED durchaus zu Recht stets darauf verwies, daß in der DDR die zerrüttete Wirtschaft seit 1945 wiederaufgebaut war und beachtliche Erfolge besonders in der Energie-, Stahl- und Chemieproduktion aufzuweisen hatte. *»Demgegenüber blieb die Entwicklung der Konsumgüterindustrie zurück. Trotz vieler Versprechungen war der Lebensstandard weiterhin relativ niedrig (und erheblich bescheidener als in der Bundesrepublik). Noch immer mußten Fett, Fleisch und Zucker rationiert werden, sehr viele Güter waren Mangelware, und die Qualität ließ oft zu wünschen übrig. Außerdem waren die hohen Preise in den HO-Läden für viele Arbeiter unerschwinglich.«*[7] Da die Arbeiter infolge Gleichschaltung der Gewerkschaften, die sich seit 1950 als Erfüllungsgehilfen der SED empfanden, ihrer herkömmlichen Interessenvertretungen beraubt waren, da vor allem die Löhne in Betriebskollektivverträgen nach staatlichen Bestimmungen festgesetzt wurden, besaßen sie praktisch keinerlei Möglichkeiten mehr, auf ihre wirtschaftlichen und sozialen Lebensbedingungen Einfluß zu nehmen.

Die 2. Parteikonferenz der SED, die vom 9. bis 12. Juli 1952 in Ost-Berlin tagte, faßte Beschlüsse, die die wirtschaftliche und soziale Lage der arbeitenden Menschen wie generell der Bevölkerung weiterhin verschlimmerte. Kernthese war ihre durch nichts begründete Feststellung: *»Die politischen und die ökonomischen Bedingungen sowie das Bewußtsein der Arbeiterklasse und der Mehrheit der Werktätigen sind so weit entwickelt, daß der Aufbau des Sozialismus zur grundlegenden Aufgabe in der Deutschen Demokratischen Republik geworden ist.«*[8] Ökonomisch hieß dies vor allem Auf- und Ausbau der Energiewirtschaft, des Hüttenwesens und des Schwermaschinenbaus, verbunden mit einer allgemeinen Steigerung der Arbeitsproduktivität durch höhere, »technisch begründete« Arbeitsnormen, was sinkende Löhne und somit Konsumverzicht nach sich ziehen mußte – ganz zu schweigen von den Folgen, die die auf der 2. Parteikonferenz verfügte Kollektivierung der Landwirtschaft für die Ernährung zeitigte, ganz zu schweigen auch von den finanziellen Lasten, die der ebenfalls beschlossene Aufbau bewaffneter Streitkräfte der DDR-Bevölkerung auferlegte.

Der Widerspruch zwischen Herrschaft und Gesellschaft mußte sich um so schroffer zuspitzen, als die 2. Parteikonferenz ausdrücklich auch die Verschärfung des Klassenkampfes sanktioniert hatte. *»Was wird nun demnächst in der DDR geschehen? fragen einige ängstliche Gemüter. Wird es eine Explosion geben, einen Umsturz?«* Auf die so gestellte Frage in der »Berliner Zeitung« vom 11. Juli 1952 lautete die lakonische Antwort: *»Keineswegs«*! Ein halbes Jahr später dementierte der Arbeiteraufstand vom 17. Juni 1953 die Selbstzufriedenheit des Leitartiklers auf ungeahnte Weise. Denn die Folgen der verschärften Politik blieben nicht aus. Die DDR driftete einer schweren ökonomischen Krise entgegen. Selbst Historiker im Parteiauftrag gestehen das heute ein. *»Wurde der Volkswirtschaftsplan 1953 im ersten Quartal insgesamt zu 96,7 Prozent erfüllt, so in der Lebensmittelindustrie lediglich zu 90 Prozent. Die Lebenslage der Werktätigen begann sich zu verschlechtern.«*[9] Das ist eher schönfärberisch formuliert.

Hand in Hand mit dem verschärften Kurs in der Wirtschaftspolitik gingen Beschlüsse und Maßnahmen, die auf die Straffung und Zentralisierung der Staatsmacht zielten. *»Das Hauptinstrument bei der Schaffung der Grundlagen des Sozialismus ist die Staatsmacht«*[10], hatte die 2. Parteikonferenz der SED dekretiert. Im Trend dieser Zielsetzung lag die durch Gesetz vom 23. Juli 1952 beschlossene Neugliederung der Verwaltung[11], die mit der Umgliederung der fünf Länder (Brandenburg, Mecklenburg, Sachsen, Sachsen-Anhalt und Thüringen) in vierzehn Bezirke (Chemnitz, Cottbus, Dresden, Erfurt, Frankfurt, Gera, Halle, Leipzig, Magdeburg, Neubrandenburg, Potsdam, Rostock, Schwerin und Suhl) auch die Auflösung der Landtage und der Landesregierungen bewirken sollte. Auch der Aufbau des Gerichssystems wurde dem angepaßt[12], die zentrale Anleitung und politische Kontrolle der Rechtsprechung wurde weiter ausgebaut.

Politische Verfolgung

Ihren konkreten Niederschlag fand die Verschärfung des Klassenkampfes – einen sich vehement zuspitzenden Kirchenkampf einmal beseite gelassen – in der Radikalisierung der politischen Strafjustiz. Für politische Delikte wie »Boykotthetze«, aber auch für Wirtschaftsstraftaten, selbst für belanglose Zollvergehen, Schwarzhandelsgeschäfte oder Nichterfüllung des landwirtschaftlichen Ablieferungssolls wurden barbarisch hohe Freiheitsstrafen verhängt. Die Zahl willkürlicher Verurteilungen stieg sprunghaft in die Höhe. Das Oberste DDR-Gericht führte mehrere politische Schauprozesse gegen »Saboteure« und »Agenten«.

Selbst auf Regierungsebene suchte sich die politische Justiz ihre Opfer. Am 15. Dezember 1952 wurde der Liberaldemokrat Dr. Karl Hamann, Minister für Handel und Versorgung, zusammen mit zwei Staatssekretären in Haft genommen. Ihnen wurde die Versorgungskrise der DDR als »Sabotage« angelastet. Vier Wochen später wurde Georg Dertinger (DDR-CDU), Außenminister seit 1949, wegen *feindlicher Tätigkeit* gegen die DDR verhaftet. Symptome einer politischen Krise, die sich im übrigen an einer sich nach der 2. Parteikonferenz dramatisch steigernden Flucht- und Abwanderungsbewegung aus der DDR ablesen ließ. Bis zum Jahresende 1952 trug sie Monat für Monat 15 000 bis 23 000 Menschen mit sich nach Westen.

Letztlich schlug die Krise der DDR auch voll auf die SED selbst durch. Ihre innere Situation wurde zunehmend von politischer Intoleranz und gegenseitigem Mißtrauen bestimmt. Außer der Eliminierung ehemaliger Sozialdemokraten in ihren Reihen richtete das Zentralkomitee der SED seinen Bannstrahl auch gegen »Trotzkisten« und andere »Verräter«, gegen »Spione« und »zionistische Agenten« in ihren Reihen. Charakteristisch dafür war ein vom 20. Dezember 1952 datierender Beschluß »Lehren aus dem Prozeß gegen das Verschwörerzentrum Slansky«[13], mit dem über Paul Merker, Leo Bauer, Bruno Goldhammer, Kurt Müller und andere prominente deutsche Kommunisten der Stab gebrochen wurde. Sie befanden sich, als das ZK sein Verdikt sprach, bereits in Haft.

Zu dieser Zeit, etwa ab Spätherbst 1952, traten auf Baustellen und in Industriebetrieben Symptome des Unmuts, des Protestes und des Widerstands unter der Arbeiterschaft immer offener zutage. In Magdeburg zum Beispiel, einer Stadt mit großen sozialdemokratischen Traditionen, wurden wiederholt *»Arbeitsniederlegungen«* und *»feindliche Aktionen«* aus mehreren Großbetrieben des Schwermaschinenbaus gemeldet, die auf *»Mißstände bei den Lohn- und Gehaltsfragen«*[14] zurückzuführen waren. Indes wußte die SED die Zeichen der Zeit nicht zu deuten.

Die Politik der SED nach Stalins Tod

In die sich buchstäblich von Tag zu Tag verschärfende Krise traf die Nachricht vom Tode J. W. Stalins am 5. März 1953 – ein politischer Schock ohnegleichen für die führenden Männer der SED, die auf den Stalinismus blindgläubig eingeschworen waren. Als das Zentralkomitee der SED einen Tag danach zu einer Trauersitzung zusammengekommen war, gelobte es in *»unermeßlichem Schmerz«* über den Tod *»des großen Führers der fortschrittlichen Menschheit«, »des genialen Fortsetzers der Sache Lenins«,* feierlich: »Die Sozialistische Einheitspartei Deutschlands wird der siegreichen Lehre Stalins stets die Treue bewahren.«[15] Zwölf Tage nach Stalins Tod faßte das ZK einen Beschluß darüber, wie *»das Vermächtnis des großen Stalin«* zu erfüllen sei: u. a. durch Herausgabe seiner Werke, durch Reproduktionen von Stalinbüsten und Stalinstatuen sowjetischer Künstler, durch Umbenennung der Wohnstadt des Eisenhüttenkombinats Ost in

Stalinstadt.[16] Der Stalinkult war in der SED auch nach dem Tod des Diktators nicht überwunden. Wegen Verächtlichmachung Stalins verurteilte das Bezirksgericht Leipzig am 17. April 1953 zwei Arbeiter zu vier beziehungsweise sechs Jahren Zuchthaus, weil sie Genugtuung über seinen Tod und die Hoffnung auf bessere Zustände geäußert hatten.[17]

Die Führung der DDR-Staatspartei war nicht nur schockiert, sie war auch irritiert, als sie erleben mußte, daß unmittelbar nach Stalins Tod Diadochenkämpfe um sein politisches Erbe einsetzten. Ihr erstes Kapitel endete mit dem Sieg N. S. Chruschtschows, der G. M. Malenkow als Erster Sekretär des Zentralkomitees der Kommunistischen Partei der Sowjetunion ablöste, ihn allerdings in seinem bis dahin in Personalunion ausgeübten Amt als Vorsitzender des Ministerrates der UdSSR beließ. Die dritte Schlüsselfigur in dieser Troika, L. B. Berija, sollte zuerst geopfert werden: Am 26. Juni 1953 fand er sich als »Verräter« entlarvt und verhaftet, ein halbes Jahr später zum Tode verurteilt.[18] Logischerweise mußten die Ereignisse im Kreml die Männer um Ulbricht in tiefe Verunsicherung stürzen.

Harte Maßnahmen verschärfen die Krise

Damit ist der Entwicklung freilich weit vorausgegriffen. Mit Gewißheit kann gefolgert werden, daß die Führung der SED der inneren Krise der DDR im Frühjahr 1953 nicht mehr Herr zu werden wußte. Andererseits konnte sie sich auch nicht zu einem Wechsel ihrer Linie verstehen. Selbst entsprechende Empfehlungen aus Moskau verfehlten ihren Zweck. *»Anfang April wandte sich die Parteiführung offiziell mit einem Hilfeersuchen an Moskau; sie bat, ›die entstandene Lage zu überprüfen und die DDR durch Rat und Tat zu unterstützen‹. Die neue sowjetische Führung legte am 15. April den deutschen Genossen dringend nahe, den harten Kurs zu mildern; eine finanzielle und materielle Hilfe komme nicht in Betracht. Ulbricht und seine Parteigänger setzten sich indessen über diesen Ratschlag hinweg.«*[19] Die SED beharrte auf ihrem stalinistischen Kurs. Zug um Zug setzte sie die auf der 2. Parteikonferenz proklamierte Strategie und Taktik in Politik um.

Selbst als die Radikalisierung ihrer Agrarpolitik die Flucht unter der bäuerlichen Bevölkerung anschwellen ließ, was kurzfristige Rückwirkungen auf die Versorgung mit landwirtschaftlichen Produkten hatte, wurde die »sozialistische Umgestaltung des Dorfes« nicht gebremst. Unter diesen Bedingungen mußte der Flucht- und Abwanderungsstrom aus der DDR unausweichlich weiter anwachsen. Im ersten Halbjahr 1953 suchten nicht weniger als 426 000 Menschen den Weg nach Westen, in eine gewiß ungewisse Zukunft, weil ihnen die Gegenwart im Osten unerträglich geworden war. Allein im März 1953 kamen knapp 59 000 – eine Zahl, die den absoluten Höhepunkt der »Republikflucht« markiert[20].

Zu welchen unsinnigen Entscheidungen die SED damals imstande war, demonstrierte sie einmal mehr, als sie bestimmten sozialen und beruflichen Gruppen kurzerhand die Lebensmittelkarten entziehen ließ – eine Maßnahme, die durch Ministerratsbeschluß vom 9. April 1953 legalisiert wurde. Mit Wirkung vom 1. Mai erhielten danach private Unternehmer und Großhändler, Handwerker mit mehreren Beschäftigten, selbständige Rechtsanwälte und Steuerberater, Gaststättenbesitzer und Einzelhändler, die Eigentümer »devastierter« Landwirtschaftsbetriebe sowie Hausbesitzer, die überwiegend vom Mietzins lebten, keine Lebensmittelkarten mehr – alles in allem etwa zwei Millionen Menschen, mehr als ein Zehntel der DDR-Bevölkerung. Die Willkürmaßnahme wurde zusätzlich verschärft, als wenige Tage später in der DDR die Verbraucherpreise für Fleisch, Wurst, Backwaren und Marmelade angehoben wurden.

Zu einer weiteren Verschlechterung der politischen Atmosphäre führte der immer massiver werdende Druck gegen die Evangelische Kirche und ihre Jugendarbeit. Oberschüler, die sich zur »Jungen Gemeinde« bekannten, wurden von den Schulen verwiesen. Lehrer, die die »Junge Gemeinde« unterstützten, wurden aus dem Schuldienst entlassen. Studenten, die sich in der Arbeit der evangelischen Studentengemeinden an Hochschulen und Universitäten engagiert hatten, wurden rigoros relegiert. Es kam zu Verurteilungen evangelischer Geistlicher und Laien wegen Boykotthetze im Sinne von Artikel 6 der DDR-Verfassung. Den vorläufigen Schlußpunkt setzte das Ministerium des Innern durch eine Stellungnahme vom 28. April, in welcher die »Junge Gemeinde«, ohne daß ein formales Verbot ausgesprochen worden wäre, zur »illegalen Organisation«[21] erklärt wurde.

Währenddessen nahm die Versorgungskrise ein Ausmaß an, das an die frühe Nachkriegszeit erinnerte. Wie sich die Stimmung in der DDR entwickelte, ließ sich selbst an den Zeitungen der SED ablesen. »Kollegen, was sich jetzt bei uns tut, ist für uns Arbeiter beschämend. Siebzig Jahre nach dem Tode von Karl Marx müssen wir noch über die elementarsten Lebensbedingungen debattieren. Wenn Karl Marx dieses ahnte, würde er sich im Grabe umdrehen.«[22] Empört zitierte ein Provinzblatt der Partei diese Äußerung eines Arbeiters, der auf einer Belegschaftsversammlung im Hydrierwerk Zeitz aus seinem Herzen keine Mördergrube gemacht hatte, als Beispiel dafür, wie weit »offene Provokationen gegen die Partei« inzwischen gedeihen konnten. Die Stimmung hingegen war mit dem Arbeiterwort treffend wiedergegeben.

Normerhöhung provoziert Streiks

So trat das Zentralkomitee am 13./14. Mai 1953 in einer gespannten und gereizten Atmosphäre zu seiner 13. Tagung zusammen. Seine Tagesordnung sah einerseits die Erörterung neuer Aufgaben in der Industrie sowie auf dem Gebiet von Handel und Versorgung vor, andererseits die Diskussion darüber, warum aus dem Schauprozeß gegen das »Verschwörerzentrum Slansky« in der SED nur „ungenügend" Konsequenzen gezogen waren. Führende deutsche Kommunisten, die während der Nazi-Diktatur in westlicher Emigration gelebt hatten, wurden erneut heftig attackiert. Prominentestes Opfer einer neuen Säuberung wurde Franz Dahlem, der mit seinem Ausschluß aus dem Zentralkomitee auch seiner Funktionen als Mitglied des Politbüros und Sekretär des Zentralkomitees für Kaderpolitik entbunden wurde.

Auf demselben 13. Plenum beschloß die SED, »daß die Arbeitsnormen insgesamt um mindestens 10 Prozent erhöht werden. Diese Erhöhung der Arbeitsnormen muß der erste Schritt zur Beseitigung der bestehenden rückständigen Arbeitsnormen und der Ausgangspunkt einer systematischen Arbeit auf dem Gebiet der technischen Arbeitsnormung sein«[23]. Die Führung der Partei reagierte damit auf das negative Ergebnis einer seit Monaten in Betrieben und auf Baustellen geführten Kampagne mit dem Ziel, die bestehenden Arbeitsnormen »freiwillig« zu erhöhen. Vierzehn Tage später, durch Beschluß vom 28. Mai, ordnete der Ministerrat eine generelle Überprüfung aller Normen mit dem Ziel an, »zunächst eine Erhöhung der für die Produktion entscheidenden Arbeitsnormen im Durchschnitt um mindestens 10 Prozent bis zum 30. Juni 1953 sicherzustellen«[24]. Wieder einmal bewies die SED damit ihre Unfähigkeit, politische und ökonomische Probleme anders als auf stalinistisch-administrative Weise zu lösen.

Das hieß Öl in die schwelende Glut gießen. Schon im April war es punktuell zu Arbeitsniederlegungen gekommen, in mehreren Abteilungen der Jenaer Zeiss-Werke zum Beispiel und im Mansfeld-Kombinat »Wilhelm Pieck«, der wichtigsten Kupferhütte der DDR. Im Mai streikten die Arbeiter zweier Betriebe der Werkzeugmaschinenfabrik (Ost-)Berlin; ferner die Schlackensteinarbeiter, die sogenannten Facher, im Mansfelder Kupferbergbau; ihnen sollten wetterbedingte Feierschichten künftig nicht mehr bezahlt werden. Nachdem die Werkleitung die Streikführer hatte festnehmen lassen, erzwangen Arbeiterdelegationen aus anderen Betriebsbereichen deren Freilassung und die Erfüllung ihrer Forderungen durch die Drohung mit einer allgemeinen Arbeitsniederlegung. In den letzten Mai- und ersten Junitagen häuften sich erneut punktuelle Kurzstreiks. Zu Arbeitsniederlegungen hauptsächlich wegen der verfügten Normerhöhung kam es in Finsterwalde, Gotha, Hennigsdorf, Karl-Marx-Stadt und Nordhausen sowie auf Baustellen in Ost-Berlin und im Reichsbahnausbesserungswerk Treptow.[25] Unaufhaltsam trieb die DDR in ihrer inneren Entwicklung jenem kritischen Punkt zu, an dem die Quantität ökonomischer Beschwernisse und sozialer Nöte umschlug in die Qualität offener Empörung, in Streiks, Demonstrationen und Unruhen.

Der Neue Kurs oder:
Die Entschärfung des Klassenkampfes

Sah die SED gleichwohl noch eine Chance, das Ruder des Staatsschiffes herumzureißen und die innere Krise der DDR zu meistern? Nicht ohne politischen Druck aus Moskau, für die Öffentlichkeit jedoch völlig überraschend, ohne jede propagandistische Vorbereitung, beschloß das Politbüro am 9. Juni 1953 eine Politik des Neuen Kurses. In einem Kommuniqué gestand die Parteiführung offen ein, *»daß seitens der SED und der Regierung der Deutschen Demokratischen Republik in der Vergangenheit eine Reihe von Fehlern begangen wurde ... Eine Folge war, daß zahlreiche Personen die Republik verlassen haben ... Aus diesen Gründen hält das Politbüro des ZK der SED für nötig, daß in nächster Zeit im Zusammenhang mit Korrekturen des Planes der Schwerindustrie eine Reihe von Maßnahmen durchgeführt werden, die die begangenen Fehler korrigieren und die Lebenshaltung der Arbeiter, Bauern, der Intelligenz, der Handwerker und der übrigen Schichten des Mittelstandes verbessern«*[26]. Im einzelnen sicherte das Politbüro neben Verbesserungen in der Lebenshaltung Steuererleichterungen für Bauern und den gewerblichen Mittelstand zu, Erleichterungen im innerdeutschen Reiseverkehr, Lockerungen im Zulassungsverfahren zum Besuch von Oberschulen und Universitäten für junge Menschen »nichtproletarischer« Herkunft, die Rückgabe beschlagnahmten Eigentums an heimkehrende Flüchtlinge und eine Teilamnestie. Der Neue Kurs alles in allem als Entschärfung des Klassenkampfes! Zugleich versicherte das Politbüro, *»bei seinen Beschlüssen das große Ziel der Herstellung der Einheit Deutschlands im Auge* (zu haben), *welches von beiden Seiten Maßnahmen erfordert, die die Annäherung der beiden Teile Deutschlands konkret erleichtern«*[27].

Druck aus Moskau

Die Kursschwenkung, deren sensationeller Charakter nicht zu übersehen war, war ziemlich überstürzt zustande gekommen. Auffällig war allein schon, daß darüber lediglich im Politbüro, nicht einmal im Zentralkomitee beschlossen worden war. Die Bedeutung und Tragweite der Beschlüsse hätten eine höhere Entscheidungsebene erfordert. Der Apparat und die Organisationen der SED wurden propagandistisch unvorbereitet damit konfrontiert. Was hier das Politbüro beschlossen hatte, stand zur Politik der Partei in den vorausgegangenen Jahren in diametralem Gegensatz. Konnte es überraschen, daß viele Funktionäre und Genossen den Neuen Kurs, als sie in den Zeitungen davon lasen, mit ungläubigem Staunen hinnahmen, manche ihn gar für »Agentenwerk« hielten?

Der Beschluß ging auf eine Intervention aus Moskau zurück. Darauf deutete schon sein zeitliches Zusammentreffen mit der am 5. Juni gemeldeten Rückkehr des kurz zuvor neu ernannten Hohen Kommissars W. S. Semjonow, der vermutlich der Führung der SED aus Moskau die Weisung für einen Neuen Kurs überbrachte, um einer weiteren Zuspitzung der inneren Krise der DDR entgegenzuwirken.[28]

Die Regierung korrigiert sich

Zwei Tage später, am 11. Juni, wurde durch Beschluß des Ministerrates rechtsverbindlich wirksam, was das Politbüro des ZK der SED »empfohlen« hatte. Wie die Regierung durch Kommuniqué verlautbaren ließ, hatte sie Maßnahmen beschlossen, *»durch welche die auf den verschiedensten Gebieten begangenen Fehler der Regierung und der staatlichen Verwaltungsorgane korrigiert werden«*[29] sollten. Im einzelnen war vorgesehen, daß alle DDR-Bürger wieder Lebensmittelkarten »wie früher« bekamen. Die zwei Monate zuvor angeordneten Preiserhöhungen wurden zurückgenommen, sämtliche Zwangsmaßnahmen zur Eintreibung von Steuer- und Sozialversicherungsbeiträgen wurden ausgesetzt. Enteignete Betriebe sollten zurückgegeben worden, »republikflüchtige Personen« bei Rückkehr in die DDR ihr Eigentum und ihre Bürgerrechte zurückerhalten. Der Justizminister und der Generalstaatsanwalt wurden angewiesen, *»alle Verhaftungen, Strafverfahren und Urteile zur Beseitigung etwa vorliegender Härten sofort zu überprüfen«*[30]. Auch Ministerpräsident Otto Grotewohl äußerte, wie zuvor das Politbüro in seinem Beschluß, daß die Politik des Neuen Kurses *»dem Grundinter-esse der Annäherung und Verständigung aller deutschen Patrioten im Kampf für die Einheit Deutschlands und den Frieden«* dienen sollte. Ein gewiß nicht unwichtiger Bestandteil der Politik des Neuen Kurses war der *»vom Geiste gegenseitiger Verständigung«* bestimmte Ausgleich zwischen Kirche und Staat. Nach einer Zusammenkunft am 10. Juni zwischen führenden Männern der Evangelischen Kirche, unter ihnen Bischof D. Otto Dibelius, sowie Ministerpräsident Otto Grotewohl und weiteren Ministerratsmitgliedern erklärte sich die Regierung in neun Punkten bereit, ihre antikirchlichen Aktivitäten zurückzunehmen. *»Es sind keinerlei weitere Maßnahmen gegen die sogenannte ›Junge Gemeinde‹ und sonstige kirchliche Einrichtungen einzuleiten«*, hieß es. *»Alle im Zusammenhang mit der Überprüfung der Oberschüler und der Diskussion über die Tätigkeit der ›Jungen Gemeinde‹ aus den Oberschulen entfernten Schüler sind sofort wieder zum Unterricht zuzulassen.«* Entsprechendes galt für entlassene Lehrer und relegierte Studenten. *»Die Urteile sind zu überprüfen und ungerechte Härten zu beseitigen.«*[31] Ein Rückzug auf breiter Front. Selbst sowjetischerseits wurden Fehler eingestanden, indem der am 28. Mai 1953 aufgelösten Sowjetischen Kontrollkommission für die DDR nachgerufen wurde, *»in gewissem Maße ebenfalls für die begangenen Fehler verantwortlich«*[32] zu sein – was ja auch in der Tat zutraf.

Zu spät

Die Politik des Neuen Kurses vermochte die revolutionäre Situation in Ost-Berlin und der DDR dennoch nicht mehr zu entspannen. Eher wirkte sie stimulierend, weil die bis dahin als »unfehlbar« gepriesene Partei, »die immer recht hat«, offiziell schwerwiegende Fehler zugegeben und damit ihre Funktionäre und Genossen um ihre Selbstsicherheit gebracht hatte, während sich umgekehrt die Bevölkerung in ihrer kritischen Haltung bestätigt, in ihrer oppositionellen Stimmung bestärkt fand. Vor allem aber war es ein gravierender Fehler, daß weder der Politbüro-Beschluß vom 9. Juni noch der Beschluß des Ministerrates zwei Tage später das Problem der Normerhöhung aufgegriffen, geschweige denn gelöst hatten. Die hauptsächliche Ursache für die unaufhaltsam wachsende Empörung der Arbeiterschaft war mithin nicht beseitigt. Mehr noch: Das Gewerkschaftsblatt »Tribüne« veröffentlichte am 16. Juni einen Artikel aus der Feder von Otto Lehmann, damals Sekretär beim Bundesvorstand des FDGB, in dem die administrative Normerhöhung ausdrücklich bestätigt wurde: *»Im Zusammenhang mit der Veröffentlichung des Kommuniqués des Politbüros und des Ministerrats vom 9. bzw. 11. Juni 1953 wird in einigen Fällen die Frage gestellt, inwieweit die Beschlüsse über die Erhöhung der Arbeitsnormen noch richtig sind und aufrechterhalten bleiben. Die Beschlüsse über die Erhöhung der Normen sind in vollem Umfang richtig.«*[33] Nach allem, was sich in den Monaten und Wochen zuvor an Unmut unter den Arbeitern aufgestaut hatte, mußte dieser Artikel, zumal nach dem Eingeständnis durch die SED begangener Fehler, den Massenprotest geradezu provozieren. *»Das ist der Zünder gewesen für die Erregungswelle.«*[34]

Der Arbeiteraufstand

Es waren die Bauarbeiter, die Maurer und Zimmerleute auf den Baustellen der Stalinallee in Ost-Berlin, die das Signal zum Aufstand setzten, ohne sich zunächst dessen bewußt zu sein. Seit Wochen hatte es unter ihnen Diskussionen über die umstrittene Normerhöhung gegeben. Die Auseinandersetzungen waren heftiger geworden, als sich die Genossen unter ihnen auf einer Parteiaktivtagung einstimmig verpflichtet hatten, *»ihre Brigaden bis zum 1. Mai für eine durchschnittliche Normerhöhung von 15 Prozent zu gewinnen«*[35]. Warnstreiks und passiver Widerstand waren damit programmiert. Als die Normerhöhung zum 1. Juni tatsächlich wirksam geworden war, kam es zum Eklat. Immerhin bedeutete sie *»für einen Facharbeiter die Schrumpfung seines wöchentlichen Prämienlohnes von 168 DM Ost auf 72 DM Ost. Der Wochenlohn weiblicher Bauhilfsarbeiter verringerte sich von 52,80 DM Ost auf 46,— DM Ost«*[36]. Das mußte böses Blut machen. Den Bauarbeitern hatte der Neue Kurs nichts eingebracht, »nur den Kapitalisten«. Schon am 15. Juni war daher auf Block 40, der Keimzelle des Aufstands in Ost-Berlin, die Arbeit niedergelegt und in gemeinsamer Beratung beschlossen worden, die Rücknahme der Normerhöhung zu fordern. Als die Bauarbeiter Tags darauf besagten Artikel in der Gewerkschaftszeitung zu Gesicht bekamen, brach die Empörung los. Etwa achtzig Bauarbeiter begannen sich gegen 9 Uhr zu einem Protestzug zu formieren. »*Wir fordern Herabsetzung der Normen*« – las man auf einem provisorisch gefertigten Transparent.[37] Auf ihrem Marsch durch die Stalinallee schlossen sich ihnen die Kollegen anderer Baustellen zu Hunderten an. Die Stimmung hob sich. »Kollegen, reiht euch ein, wir wollen freie Menschen sein« – Losungen wie diese, von den demonstrierenden Arbeitern immer wieder skandiert, wirkten wie befreiend, unglaublich hoffnungsvoll. Als der Demonstrationszug den Strausberger Platz erreicht hatte, konnte die Volkspolizei ihn nicht aufhalten. Entgegen der ursprünglichen Absicht, vor das Gewerkschaftshaus in der Wallstraße zu ziehen und dort gegen die Arbeitsnormen zu protestieren, entschied sich der Zug, als das Gewerkschaftshaus verschlossen angetroffen wurde, für ein anderes Marschziel – für das Haus der Ministerien in der Leipziger Straße. Um die Mittagsstunde hatten sich hier mehrere Tausend Arbeiter und Demonstranten, unter ihnen auch West-Berliner, versammelt, Sprechchöre brandeten auf: »Nieder mit den Normen«, »Rücktritt der Regierung«, »Freie Wahlen«! Und immer wieder verlangten die Demonstranten nach Walter Ulbricht und Otto Grotewohl, um mit ihnen zu sprechen. Sie verweigerten sich den Arbeitern.

Als der damalige Minister für Erzbergbau und Hüttenwesen, Fritz Selbmann, ein alter Kommunist, der in der Nazi-Zeit seinen Mut hinter Zuchthausmauern bewiesen hatte, aus dem Haus der Ministerien heraustrat und sich den Arbeitern stellte, um eine Rede zu halten, kam er über ein paar Sätze nicht hinaus. Er wurde niedergeschrien. Es kam zu tumultartigen Szenen. Ein Volkskammer-Abgeordneter, der sein Glück ebenfalls versuchen und zu den Demonstranten sprechen wollte, wurde ausgelacht. Sein Name: Robert Havemann.

Statt dessen sprachen Bauarbeiter: »*. . . wir sind nicht nur die Bauarbeiter von der Stalinallee . . . wir sprechen für die Arbeiter der ganzen Zone . . . wir verlangen Freiheit . . . das hier ist die Revolution*«. Danach ergriff ein junges Mädchen das Wort, in Windjacke und Blauhemd der FDJ, rednerisch äußerst wirkungsvoll. »*Eine Hetzbombe von seltener Brisanz*«, erinnerte sich Fritz Selbmann später voller Bosheit, »*es wurde viel geklatscht*«[38]. Mehrmals wechselten die Redner, bis einer das entscheidende Wort aussprach: „Generalstreik". Nicht lange danach löste sich die Versammlung auf, der Demonstrationszug zog zurück zur Stalinallee. Lautsprecherwagen der Regierung suchten die Massen zu beschwichtigen. Ihren Durchsagen wurde nicht geglaubt. Gegen 17 Uhr etwa, als sich der Zug aufgelöst hatte, war die Losung vom Generalstreik in aller Munde. Am kommenden Morgen wollten sich die Bauarbeiter der Stalinallee auf dem Strausberger Platz sammeln, um erneut zu demonstrieren.

Politbüro nimmt Normerhöhung zurück

Zu dieser Zeit hatte das Politbüro, das routinemäßig wie jeden Dienstag getagt hatte, den ursprünglich gefaßten Beschluß über die administrative Erhöhung der Arbeitsnormen bereits zurückgenommen und verworfen: »*Das Politbüro hält es für völlig falsch, die Erhöhung der Arbeitsnormen in den Betrieben der volkseigenen Industrie um 10 Prozent auf administrativem Wege durchzuführen. Die Erhöhung der Arbeitsnormen darf und kann nicht mit administrativen Methoden durchgeführt werden, sondern einzig und allein auf der Grundlage der Überzeugung und der Freiwilligkeit.*«[39] In diesem Sinne hob der Ministerrat seinen Normenbeschluß vom 28. Mai in aller Form auf. Die Meldung darüber wurde vom Rundfunk verbreitet, aber sie erreichte die aufgebrachten Massen nicht. Vielmehr erfaßte und bewegte die Nachricht von den Streiks und der Demonstration der Bauarbeiter die Menschen in Ost-Berlin und der DDR, wohin sie in der Hauptsache gewiß von westlichen Rundfunksendern transportiert worden war. In der Provinz wirkte sie wie der Katalysator eines chemischen Prozesses.

In den späten Nachmittagsstunden erschien eine Delegation Ostberliner Bauarbeiter, von denen die Aktion ausgegangen war, im Funkhaus des RIAS in West-Berlin und überbrachte eine Resolution[40] mit der Bitte, ihren Wortlaut auszustrahlen. Folgende Forderungen waren darin aufgestellt:
- Auszahlung der Löhne nach den alten Normen schon bei der nächsten Lohnzahlung;
- sofortige Senkung der Lebenshaltungskosten;
- freie und geheime Wahlen;
- keine Maßregelung der Streikenden und ihrer Sprecher.

Diese Resolution wurde im Nachrichtendienst des RIAS ab 19.30 Uhr mehrmals wiederholt. Nicht verbreitet werden durfte die Losung vom Generalstreik. Ein Aufruf dazu über den Sender ist ausdrücklich verboten worden.[41]

Am Abend dieses 16. Juni, eines gewittrigen Junitages, sind die Demonstrationen abgeebbt, aber allenthalben bilden sich Menschengruppierungen in Ost-Berlin und diskutieren den für den 17. Juni, einem Mittwoch, geplanten Generalstreik. Die Volkspolizei ist in Alarmbereitschaft versetzt. Im Friedrichstadtpalast tagt am Abend das Ostberliner Parteiaktiv der SED. Ulbricht und Grotewohl sprechen zu mehreren Tausend Funktionären. Über den Demonstrationszug der Bauarbeiter verlieren sie kein Wort.

Generalstreik

In Ost-Berlin wird, als sich die Arbeiter am frühen Morgen des 17. Juni auf ihren Baustellen und in ihren Betrieben eingefunden haben, die Arbeit kaum mehr aufgenommen. Erregte Diskussionen bestimmen das Bild. Vergeblich versuchen Partei- und Gewerkschaftsagitatoren, die Eskalation des Streiks zum Aufstand aufzuhalten. Trotz strömenden Regens ziehen die Arbeiter zu Tausenden in die Innenstadt, zum Strausberger Platz. Die Arbeitsniederlegungen haben auf nahezu alle Betriebe, auf alle wirtschaftlichen Bereiche übergegriffen. Aus den industriellen Außenbezirken kommen demonstrierende Arbeiter heranmarschiert. Aus Hennigsdorf, einer Industriegemeinde im Norden Berlins, ziehen an die zwölftausend Arbeiter

heran, zumeist Arbeiter aus dem dortigen Stahl- und Walzwerk, ferner Bauarbeiter der verschiedenen Bau-Unionen. Ihr Weg führt über mehrere Westberliner Stadtbezirke durch das Brandenburger Tor zum Marx-Engels-Platz.

Auf dem Alexanderplatz treffen schon gegen 9 Uhr die ersten sowjetischen Panzerspähwagen ein, gegen 12 Uhr sind schwere Panzer vom Typ T 34 aufgezogen, ebenso am Potsdamer Platz, Unter den Linden, in der Leipziger Straße. Als kurz nach 11 Uhr die auf dem Brandenburger Tor gehißte rote Fahne unter dem Beifall Tausender Demonstranten heruntergeholt und zerrissen wird, peitschen die ersten Schüsse auf. Demonstranten aus West-Berlin, Jugendliche zumeist, drängen über die Sektorengrenze in den Osten, noch sind Mauern und Stacheldrahtzäune quer durch Berlin unbekannt, und solidarisieren sich mit den Streikenden in der »Hauptstadt der DDR«.

In den späten Vormittagsstunden kommt es zu Ausschreitungen, Fahnen und Transparente werden zerfetzt, an der Sektorengrenze Grenzmarkierungen niedergerissen, in den Zentren des Aufstands werden Verwaltungsgebäude und Parteibüros gestürmt und ausgeräumt, Aufklärungslokale der Nationalen Front und Zeitungskioske gehen in Flammen auf, gelegentlich sind Plünderungen zu sehen, am Potsdamer Platz wird das Columbushaus in Brand gesteckt, nachdem Demonstranten die dortige Wache der Volkspolizei verjagt haben. Der Verkehr in Ost-Berlin kommt zum Stillstand. Nach dem Ausfall der S-Bahn ruhen bald auch U-Bahn und Straßenbahn. Während Zehntausende, Hunderttausende von Demonstranten durch die Straßen der City drängen, werden mehr und mehr Sowjettruppen nach Ost-Berlin geworfen, Panzer, Panzerspähwagen, sonstige Gefechtsfahrzeuge, die an Knotenpunkten und in Hauptstraßen postiert werden. Belagerungszustand.

Ausnahmezustand in Berlin

Um 13 Uhr – inzwischen sind Schüsse und Salven aus MPi und MG nichts Seltenes mehr, hat es Verwundete und Tote auf beiden Seiten gegeben – verkündet der sowjetische Militärkommandant, Generalmajor P. T. Dibrowa, für Ost-Berlin den Ausnahmezustand. Der Befehl wird in regelmäßigen Abständen über Rundfunk verlesen. Am Tage danach steht er in allen Zeitungen: »*Ab 13 Uhr des 17. Juni 1953 wird im sowjetischen Sektor von Berlin der Ausnahmezustand verhängt*«, heißt es. »*Alle Demonstrationen, Versammlungen, Kundgebungen und sonstige Menschenansammlungen über drei Personen werden auf Straßen und Plätzen wie auch in öffentlichen Gebäuden verboten.*«[42] Dennoch dauern die Unruhen in Ost-Berlin bis zum späten Nachmittag an. Allmählich ist die Volkspolizei weithin zurückgezogen. Sowjetsoldaten beherrschen die Szenerie. Nach 21 Uhr sind die Straßen wie leergefegt: Ausgangssperre bis 5 Uhr. Der Arbeiteraufstand in Ost-Berlin ist dank dem Eingreifen der Sowjetarmee zu dieser Stunde schon zusammengebrochen. Befragt, ob seine Regierung mit dem Einsatz sowjetischer Panzer gegen streikende Arbeiter einverstanden wäre, erwiderte Otto Nuschke, Vorsitzender der DDR-CDU und Stellvertreter des Ministerpräsidenten: »*Selbstverständlich, weil sie ein Interesse daran hat, daß Ruhe und Ordnung zurückkehrt. Wenn das nicht mit polizeilichen Mitteln möglich ist, dann muß eben selbstverständlich die Besatzungsmacht, jede Besatzungsmacht, ihre Machtmittel einsetzen. Das ist ganz selbstverständlich.*«[43] Jeder sozialistische Nimbus war verweht.

Der Aufstand breitet sich aus

In den Bezirken der DDR breitete sich die Nachricht von den Streiks und Demonstrationen in Ost-Berlin wie ein Buschfeuer aus. Reisende brachten sie mit in die Provinz, über interne Betriebsfernsprechnetze wurde die Streiklosung weitergegeben – und natürlich trugen vor allem westliche Rundfunksender, namentlich der RIAS Berlin und der NWDR Hamburg, durch ihre Nachrichten dazu bei, daß auch in den wichtigsten mitteldeutschen und sächsischen Industrierevieren die Arbeit niedergelegt und demonstriert wurde. Nicht die revolutionäre Theorie, die Nachricht wurde zur materiellen Gewalt, als sie die Massen ergriff.
Der 17. Juni 1953 nahm hier einen in der Regel

typischen Verlauf: Auf vielen Baustellen und zahlreichen Betrieben wurde die Arbeit am frühen Morgen nur zögernd oder gar nicht aufgenommen, bis in Belegschaftsversammlungen der Streik beschlossen war – motiviert im allgemeinen von der Forderung, die Arbeitsnormerhöhung rückgängig zu machen. Die Nachricht, daß Parteiführung und Regierung dies längst beschlossen hatten, hatte offenbar keinen Glauben gefunden; war ein Streik erst einmal beschlossen, bildeten sich provisorische Streikkomitees, meist auf betrieblicher, gelegentlich auf überbetrieblicher Ebene. Etwa bis zu dieser Entwicklung ist das erste Stadium des Aufstands bestimmbar.
In seinem zweiten Stadium formierten sich Demonstrationszüge, die sozialen Forderungen der Arbeiter schlugen in politische Forderungen der ganzen Bevölkerung um, in industriellen Ballungsgebieten fanden sich Streikende und Demonstranten zu Kundgebungen zusammen, es kam auch hier zu Ausschreitungen und Auseinandersetzungen mit Sicherungskräften. Parteibüros, Verwaltungen, Polizeireviere und Dienststellen der Staatssicherheit wurden gestürmt, Häftlinge aus Gefängnissen befreit. Fälle von Lynchjustiz blieben Ausnahmeerscheinungen. Schließlich brach sich die Dynamik des Aufstands am Einsatz sowjetischer Truppen, die gleichwohl von der Waffe zurückhaltenden Gebrauch machten, ebenso die ihrem Befehl unterstellten Einheiten der Kasernierten Volkspolizei.
Nach offiziellen Angaben[44] der SED kam es am 17. Juni 1953 zu Streiks, Demonstrationen und Unruhen in 272 Städten und Ortschaften der DDR. Das Ausmaß des Arbeiteraufstands läßt sich auch daran ermessen, daß die sowjetische Besatzungsmacht über 167 von damals 217 Stadt- und Landkreisen den Ausnahmezustand verhängte – ein Zustand, der übrigens in Ost-Berlin und Leipzig am längsten dauerte, bis zum 9. Juli.
Da sich die Sowjetarmee beim Einsatz ihrer Waffen verhältnismäßig maßvoll gezeigt hat und ihre Soldaten nicht blindlings auf Streikende oder Demonstranten geschossen haben, blieb die Zahl der Toten und Verletzten – so beklagenswert jedes Opfer war – bemerkenswert niedrig. Laut Mitteilung[45] des Ministers

für Staatssicherheit fanden neunzehn Demonstranten und zwei unbeteiligte Personen sowie vier Angehörige der Polizei beziehungsweise der Staatssicherheit den Tod. Verletzt wurden 126 Demonstranten, 61 unbeteiligte Personen und 191 Angehörige der Sicherungskräfte. Wahrscheinlich sind die Zahlen zu niedrig gegriffen, zumal Tote und Verletzte, die am 17. Juni aus Ost-Berlin über die Sektorengrenze nach West-Berlin gebracht wurden, nicht darin enthalten sein dürften. In Westberliner Krankenhäusern sind allein acht Teilnehmer des Juni-Aufstandes ihren Verletzungen erlegen. Dennoch erscheinen Angaben, die von 267 Toten unter den Aufständischen und 116 Toten unter den Sicherungskräften und Funktionsträgern des Regimes wissen wollen, weit überhöht[46].

Streikzentren in der Provinz

Politisch am weitesten gedieh der Aufstand in Bitterfeld, wo die Arbeiter und Kumpel aus der Farbenfabrik Wolfen, aus der Filmfabrik Wolfen, aus dem Elektrochemischen Kombinat Bitterfeld, aus Reichsbahnbetrieben, von Baustellen und aus benachbarten Braunkohlegruben zusammengeströmt waren. Unter Leitung eines überbetrieblichen Streikkomitees wurden das Volkspolizei-Kreisamt, die Stadtverwaltung, die Dienststelle der Staatssicherheit und das Gefängnis besetzt.

Charakteristisch für den Geist, der den Aufstand dort beseelte, war folgendes Telegramm der Zentralen Streikleitung an die Regierung in Ost-Berlin:

»Wir Werktätigen des Kreises Bitterfeld fordern von Ihnen:
1. *Rücktritt der sogenannten Deutschen Demokratischen Regierung, die sich durch Wahlmanöver an die Macht gebracht hat,*
2. *Bildung einer provisorischen Regierung aus den fortschrittlichen Werktätigen,*
3. *Zulassung sämtlicher großen demokratischen Parteien Westdeutschlands,*
4. *Freie, geheime, direkte Wahlen in vier Monaten,*
5. *Freilassung sämtlicher politischer Gefangenen (direkt politischer, sogenannter Wirtschaftsverbrecher und konfessionell Verfolgter),*
6. *sofortige Abschaffung der Zonengrenze und Zurückziehung der Vopo,*
7. *sofortige Normalisierung des sozialen Lebensstandards,*
8. *sofortige Auflösung der sogenannten Nationalarmee,*
9. *keine Repressalien gegen einen Streikenden.«[47]*

Die wichtigsten politischen Ideen des 17. Juni 1953 sind in diesen Forderungen niedergelegt. Ein Telegramm an den Sowjetischen Hochkommissar enthielt die Forderung nach Aufhebung des Ausnahmezustands in Ost-Berlin und aller gegen die Arbeiter gerichteten Zwangsmaßnahmen. Im Gegensatz zu anderen Brennpunkten des Aufstands in der Provinz kam es in Bitterfeld kaum zu Ausschreitungen. Als in den Nachmittagsstunden des 17. Juni sowjetische Panzer einrückten, erteilte das Streikkomitee Weisung, den Befehlen der Besatzungsmacht zu folgen und keinen Widerstand zu leisten.

Die Zentren des Aufstands waren außer Ost-Berlin und den Berliner Randgebieten mit Brandenburg, Hennigsdorf, Kirchmöser, Ludwigsfelde, Potsdam, Rathenow sowie Cottbus und Görlitz die mitteldeutschen und sächsischen Industrierreviere mit den Schwerpunkten Bitterfeld, Dresden, Halle, Merseburg, Leipzig sowie Magdeburg, Jena, Gera und Umgebung. Gestreikt wurde auch in Rostock und auf der Insel Rügen. Die Initiative ging in der Regel von größeren und großen »volkseigenen« Betrieben aus, von Großbaustellen auch der staatlichen Bau-Union. Die Zusammenballung von Arbeitern in großer Zahl begünstigte jeweils den Übergang der Erregung und Empörung zur spontanen politischen Aktion, zumal die heftigen Auseinandersetzungen über die Betriebskollektivverträge und der passive Widerstand gegen die Erhöhung der Arbeitsnormen gelehrt hatten, daß sie gemeinsam handelnd ihre Interessen auch gegenüber einer kommunistischen Obrigkeit durchaus mit Erfolg verteidigen konnten.

Für die SED besonders enttäuschend war die Erkenntnis, daß die Zentren der deutschen Arbeiterbewegung in den Räumen Halle, Leipzig und Magdeburg die stärksten Erhebungen gezeigt haben, wobei *»der Aufstand in ehemals* *kommunistischen Gebieten nicht weniger heftig gewesen ist als in früher zur Sozialdemokratie neigenden Gebieten ... Am 17. Juni jedenfalls haben die stärksten Erhebungen im Gebiet von Halle/Merseburg stattgefunden, einem Gebiet, in dem die KPD in der Weimarer Republik bis zum Aufstieg des Nationalsozialismus die stärkste Partei war. Andere Zentren des Aufstands, wie Magdeburg oder Leipzig, waren vor 1933 Hochburgen der Sozialdemokratie«*[48]. Auf seine Weise hat dies auch Ministerpräsident Otto Grotewohl bestätigt, indem er in einer Analyse des Aufstands hervorhob: *»In einigen Städten, zum Beispiel Magdeburg, Leipzig und anderen, bestanden illegale Organisationen aus ehemaligen SPD-Mitgliedern, die noch immer den arbeiterfeindlichen Auffassungen des Sozialdemokratismus anhingen.«*[49]

Mit der gewaltsamen Niederwerfung des Aufstandes war der Widerstand der Arbeiter durchaus nicht gebrochen – er verlagerte sich allerdings von der Straße zurück in die Betriebe und auf die Baustellen, von wo er ausgegangen war. Noch tage- und wochenlang nach dem 17. Juni 1953 kam es in zahlreichen Betrieben zu neuen Streiks, wobei die erste Forderung der Streikenden, offen auf Belegschaftsversammlungen gestellt, der Freilassung ihrer als Streikführer verhafteten Kollegen galt – etwa im Elektrochemischen Kombinat Bitterfeld, den Zeiss-Werken Jena, in der Farbenfabrik Wolfen und in den Buna-Werken bei Merseburg; der führenden Zeitung der Partei blieb es überlassen, die Forderung nach Freilassung der Gefangenen als *»eine Losung der faschistischen Strolche«* zu verunglimpfen, *»die ihre Kumpane frei haben möchten«*[50].

Zwischen Repression und Konzession

Mit der Niederwerfung des Aufstands, in deren Gefolge wichtige Verkehrsknotenpunkte, Straßen und Betriebe tage- und wochenlang von Sowjetsoldaten besetzt blieben, kehrten öffentliche Ruhe und Ordnung allmählich zwar zurück, aber es dauerte einige Zeit, bis sich das Regime aus seiner Niederlage erholt hatte. *»Es wird normal gearbeitet. Eine große Anzahl von Provokateuren ist verhaftet. Der verbliebene Teil wagt gegenwärtig nicht hervorzutreten. Aber die Ruhe ist noch keineswegs endgültig gesichert.«*[51] Selbst das Zentralkomitee der SED mußte dies vier Tage nach dem Arbeiteraufstand einräumen, verbunden mit der Feststellung, daß *»ein Teil der Arbeiter verbittert«* sei; *»ihnen ist noch nicht klar, daß die Niederschlagung der faschistischen Provokation auch ihnen nützt«*[52].

Agitation und Verfolgung

Unter dem Schutz sowjetischer Waffen neu ermutigt, gingen führende Männer der SED nach der Niederwerfung des Aufstands in die Betriebe, um in Belegschaftsversammlungen »feindliche Argumente zu zerschlagen« und ihre Politik zu verteidigen. Insgesamt 29 solcher Betriebsmeetings waren anhand von Berichten im »Neuen Deutschland« und in der »Täglichen Rundschau«, der damals noch erscheinenden Zeitung der Besatzungsmacht, nachweisbar. *»Ihre Verteilung zeigte die Schwerpunkte der Unruhen. Fast die Hälfte, nämlich 14 Diskussionen, wurden in Berlin veranstaltet, allein fünf in Baubetrieben, vier davon auf der Stalinallee. Sechs weitere Großdiskussionen wurden in Sachsen, vier in Sachsen-Anhalt veranstaltet.«*[53]

Gleichzeitig ging über die Arbeiterschaft eine Welle politischer Verfolgung hinweg. Tausende von »Provokateuren« und »Rädelsführern« wurden verhaftet. Einem Dementi des Neuen Kurses kam es gleich, daß zur Nachfolgerin des gestürzten Justizministers Max Fechner – in einem Zeitungsinterview hatte er Streikenden und Streikführern Straffreiheit zugesichert – Hilde Benjamin, die damalige Vizepräsidentin des Obersten Gerichts, berufen wurde. In politischen Schauprozessen hatte sie sich einen schlimmen Namen gemacht. Nun war sie dafür verantwortlich, daß die Aufständischen vom 17. Juni zur Rechenschaft gezogen wurden. Zwar sind DDR-offiziell niemals Zahlen darüber veröffentlicht worden, aber in westlichen Archiven sind bis heute rund 1400 Verurteilungen registriert.[54] Wie hoch die Dunkelziffer ist, kann niemand zutreffend einschätzen. Sowjetische Militärgerichte haben mindestens neunzehn, DDR-Gerichte mindestens drei Todesurteile im Zusammenhang mit dem 17. Juni 1953 verhängt. Die letzten der zu

Freiheitsstrafen verurteilten Teilnehmer des Aufstands sind 1964 entlassen worden – elf Jahre danach.

Zugeständnisse an die Arbeiter

Ihre dialektische Ergänzung erfuhr die Repressionsstrategie der SED durch eine Art Konzessionsstrategie gegenüber der Arbeiterschaft. Die Notwendigkeit dazu hatte die Führung der Partei schon am Vorabend des Aufstands begriffen, als sie unter dem Eindruck der Streiks und Demonstrationen der Ostberliner Bauarbeiter am 16. Juni ihre Haltung in der Normenfrage revidiert hatte. Nunmehr setzte sie das Instrumentarium sozialer Konzessionen zielbewußt ein, um der Gefahr weiterer offener Konflikte entgegenzuwirken. Ihre Doppelstrategie erwies sich durchaus als wirksam.

Zur Bekräftigung des Neuen Kurses beschloß das Zentralkomitee der SED bereits vier Tage nach dem Aufstand, bei den Lohnabrechnungen »ab sofort diejenigen Arbeitsnormen zugrunde zu legen, die am 1. April 1953 Gültigkeit hatten«[55]. Gleichzeitig wurden sämtliche Mindestrenten um monatlich 10 Mark erhöht. Gut vier Wochen später, auf dem vom 24. bis 26. Juli tagenden 15. Plenum des Zentralkomitees, bekräftigte die SED ihre Politik durch das Versprechen, »in der nächsten Zeit eine ernsthafte Verbesserung der wirtschaftlichen Lage und der politischen Verhältnisse in der Deutschen Demokratischen Republik zu erreichen und auf dieser Grundlage die Lebenshaltung der Arbeiterklasse und aller Werktätigen bedeutend zu heben«; darin, so wurde betont, bestehe das Wesen des Neuen Kurses.

»Durch die Steigerung der Erzeugung der Nahrungs- und Genußmittelindustrie und der Leichtindustrie auf Kosten der Schwerindustrie, durch die Entfaltung der Initiative des privaten Handels und der Privatindustrie sowie durch die Förderung der bäuerlichen Wirtschaften soll eine Verbesserung der materiellen Lage der Bevölkerung erzielt werden.«[56] Im übrigen unterstrich auch das ZK in diesem Zusammenhang, daß die beschlossenen Maßnahmen nicht zuletzt das „große nationale Ziel" verfolgten, „die Wiedervereinigung Deutschlands voranzubringen". Ausdrücklich erinnerte das Zentral-komitee noch einmal daran, daß die auf administrative Weise festgesetzten Normerhöhungen rückgängig gemacht worden waren. Zehn Tage zuvor, durch Beschluß vom 14. Juli, hatte das Politbüro überdies »dem Vorschlag der Gewerkschaften auf Erhöhung der Löhne in den Lohngruppen I bis IV zugestimmt«, woraufhin der Ministerrat die Anhebung der Mindestlöhne für Arbeiter der »volkseigenen« Industrie um monatlich 20 bis 38 Mark verfügt hatte.

Keine Korrektur der Generallinie

Freilich vermochte sich die SED zu einer prinzipiellen Revision ihrer Generallinie nicht zu entschließen, im Gegenteil: Gleichzeitig mit dem Neuen Kurs beschwor das Zentralkomitee auch die Richtigkeit des auf der 2. Parteikonferenz eingeschlagenen Weges. »Es war auch richtig, daß unsere Partei Deutschland auf den Weg des Sozialismus führte und in der Deutschen Demokratischen Republik mit der Errichtung der Grundlagen des Sozialismus begann. Diese Generallinie der Partei war und bleibt richtig.«[57]

Statt eines grundlegenden Wechsels ihrer Politik fand sich die SED lediglich dazu bereit, einige taktische Fehler zu korrigieren.

So blieb es auch beim Aufbau eigener militärischer Streitkräfte in der DDR. Zu den Konsequenzen, die die SED aus dem Arbeiteraufstand zog, zählten im übrigen die personelle Verstärkung der Polizei- und Staatssicherheitskader sowie der Auf- und Ausbau einer Partei-Miliz in Gestalt der Kampfgruppen der Arbeiterklasse, die nach Ausbildung und Bewaffnung fortan zur inneren Sicherheit der DDR beizutragen hatten. 1957, auf dem 30. Plenum des Zentralkomitees, hat Erich Honecker als damals für die Militär- und Sicherheitspolitik der SED zuständiger Sekretär offen davon gesprochen: »Wir tragen eine große Verantwortung dafür, daß die bewaffneten Kräfte unserer Arbeiter-und-Bauern-Macht, die Nationale Volksarmee, die Deutsche Volkspolizei und die Kampfgruppen der Arbeiterklasse zu jeder Zeit in der Lage sind, mit den ihnen zur Verfügung stehenden Kräften die Ruhe und Ordnung sicherzustellen und eventuelle Provokationen im

Keime zu ersticken, zu unterdrücken und zu zerschlagen.«[58] Die Führung der Partei hatte ihre Lektion vom 17. Juni 1953 gelernt.

Krise und Stabilisierung der SED

Eigenem Eingeständnis zufolge traf die SED der Aufstand vom 17. Juni 1953 wie ein Blitz aus heiterem Himmel. *»Schonungslos müssen wir feststellen: Die Provokationen am 17. Juni haben die Partei überrascht.«*[59] Das bezog sich sowohl auf die Funktionäre als auch auf die Genossen an der Basis, die das bis dahin für unmöglich Gehaltene mit fassungslosem Staunen hatten erleben müssen. Ihre Verunsicherung wurde selbst von der SED eingestanden: *»Viele Parteiorganisationen haben in den Tagen der faschistischen Provokationen nicht die notwendige Aktivität und Standhaftigkeit bewiesen. Sie vermochten es infolge der schwachen politischen Bildung ihrer Mitglieder nicht, rasch das Wesen der faschistischen Provokationen zu begreifen und die Werktätigen zur entschlossenen Abwehr der Provokateure zu mobilisieren. In einer Reihe von Fällen haben sich Parteimitglieder selbst im Schlepptau der Provokateure befunden und an den von den Provokateuren organisierten Kundgebungen und Demonstrationen teilgenommen. Andere Parteimitglieder wiederum sind in Panik verfallen, auf die Positionen des Kapitulantentums und des Opportunismus gegenüber den Parteifeinden und faschistischen Provokateuren abgeglitten«*[60]. Die Sprache kannte man.

Gegenoffensive der Partei

Einer von denen, die sich mit den Arbeitern solidarisiert hatten, war Adalbert Hengst, Mitglied des Sekretariats des Zentralkomitees immerhin, der sich am 17. Juni zufällig auf einer Dienstreise in Rostock befand und sich dort von den Arbeitern der Warnow-Werft dazu hatte bringen lassen, ihre Forderungen über den Betriebsfunk zu verlesen. Hengst wurde unverzüglich aller Funktionen entbunden und aus der Partei ausgeschlossen.

In dem Maße, wie die Führung der SED ihren durch den Aufstand verursachten Schock überwand und zu ihrem Selbstbewußtsein zurück-

fand, ging sie zur Gegenoffensive über. Gleichzeitig mit der Strafverfolgung der Aufständischen veranlaßte sie die Säuberung der Partei von »unzuverlässigen«, »kapitulantenhaften« und »opportunistischen« Genossen. Zahlen sind amtlicherseits darüber nicht veröffentlicht worden. *»Man schätzt, daß nach dem Juni-Aufstand mindestens 20000 Funktionäre und etwa 50000 Mitglieder als ›Provokateure‹ entlarvt und teilweise verhaftet wurden. Die Zahl der Austritte hat wahrscheinlich noch erheblich höher gelegen.«*[61] Hermann Matern, seinerzeit Chef der Zentralen Parteikontrollkommission, hat damals durchblicken lassen, daß von der Parteisäuberung hauptsächlich ehemalige Sozialdemokraten erfaßt wurden. *»Nach dem faschistischen Putsch wurde der Kampf gegen Erscheinungen des Sozialdemokratismus und gegen die Tätigkeit des Ostbüros der SPD in der Partei stärker geführt.«*[62] Aus verschiedenen Materialien der SED ist erkennbar, daß sich namentlich die Parteiorganisationen in Altenberg, Bitterfeld, Dessau, Dresden, Gera, Glauchau, Görlitz, Leipzig, Löbau, Magdeburg und Meerane als »Einflußsphären des Sozialdemokratismus« erwiesen hatten. Eben dort waren am 17. Juni auch Streiks und Demonstrationen zu verzeichnen gewesen.

Machtkampf in der SED-Spitze

Schließlich brachte der Aufstand auch einen latent schwelenden Konflikt in der Führungsspitze der Partei zum offenen Ausbruch. Im Führungskern der SED hatte sich eine Opposition gegen Walter Ulbricht und seine Generallinie formiert.[63] Von den seinerzeit insgesamt vierzehn Mitgliedern und Kandidaten des Politbüros scheinen damals lediglich Hermann Matern und (nach vorübergehendem Zögern) Erich Honecker, Vorsitzender der FDJ, eindeutig zu Ulbricht gehalten zu haben. Offen waren gegen ihn der damalige Minister für Staatssicherheit, Wilhelm Zaisser, und Rudolf Herrnstadt, damals Chefredakteur des »Neuen Deutschland«, aufgetreten. Von den anderen Mitgliedern und Kandidaten des Politbüros scheinen einige unentschlossen abgewartet, andere die Zaisser/Herrnstadt-Gruppe zunächst unterstützt, hernach eine zaudernde bis schwankende Haltung eingenommen zu haben.

Nach allem, was darüber bekanntgeworden ist, wollten Zaisser und Herrnstadt die SED unter vorläufigem Verzicht auf die weitere sozialistische Umgestaltung in der DDR auf eine breitere politische Grundlage stellen. *»Die Partei muß zur Partei des Volkes werden, sie muß die berechtigten Interessen auch der anderen Klassen und Schichten vertreten, dann wird sie die volle Unterstützung sowohl der Arbeiterklasse wie der anderen Klassen und Schichten finden.«*[64] Unter Voraussetzung dieses Zieles war die Entfernung Ulbrichts aus der Parteispitze und die Säuberung der Parteibürokratie von seinen Anhängern auf allen Ebenen unverzichtbar. Indes waren die ursprünglich günstigen Bedingungen, unter denen die Zaisser/Herrnstadt-Fraktion die Entmachtung Ulbrichts angestrebt hatte, durch den Aufstand vom 17. Juni entfallen. *»Durch den Arbeiteraufstand ist Ulbricht nicht gestürzt, sondern vor dem drohenden Sturz gerettet worden. Ulbrichts Absetzung war eine Hauptforderung der Aufständischen gewesen. Im Kreml hatte sich nach anfänglichem Zögern die Meinung durchgesetzt, ein Nachgeben gegenüber dieser Forderung bedeutet erheblichen Prestigeverlust, könne von den Aufständischen als Zugeständnis aus Schwäche ausgelegt werden und zu neuen Unruhen mit noch weitergehenden Forderungen führen.«*[65] Zum anderen aber hatten Zaisser und Herrnstadt ihre sowjetische Stütze verloren, als Berija in Moskau entmachtet worden war. Sie besaßen danach gegen Ulbricht um so weniger Chancen, als dieser sich nun auch des Arguments bedienen konnte, Zaissers Unfähigkeit als Minister für Staatssicherheit sei durch die Ereignisse des 17. Juni erwiesen – obschon umgekehrt der Aufstand tatsächlich ein Beweis gegen die Politik Ulbrichts und eine Bestätigung der Auffassungen Zaissers und Herrnstadts gewesen war.

Mit der äußeren Sicherung ihrer Macht konnte sich die SED innerhalb weniger Monate auch innerlich insoweit stabilisieren, daß sie wieder Tritt fassen konnte. Durch die Zusammenfassung der zuverlässigen Genossen zu Parteiaktivs als dem »militanten Kern« der Partei erreichte Ulbricht jene politisch-ideologische Disziplinierung, die ihre Einsatzkraft stärkte. Mit dem 16. Plenum des Zentralkomitees am 17. bis 19. September 1953 war der Konsolidierungsprozeß abgeschlossen. Beweis: Die Partei riskierte schon wieder die Ankündigung neuer Normerhöhungen.

Lehren des 17. Juni

Zusammenfassend lassen sich aus dem Arbeiteraufstand vom 17. Juni 1953 folgende Lehren ableiten:

Erstens ist es historisch unumstößliche Tatsache, daß die Erhebung von den Bauarbeitern der Ostberliner Stalinallee ausging und hernach generell von Arbeitern in Industriebetrieben und auf Baustellen getragen wurde. Erst in einem fortgeschrittenen Stadium, als sich die aufständischen Massen in Ost-Berlin und vielen Städten der DDR zu Demonstrationszügen formierten oder zu Kundgebungen sammelten, schlossen sich ihnen überall Menschen auch anderer sozialer Schichten und beruflicher Gruppen an, vor allem große Teile der jungen Generation.

Zweitens war für den Aufstand charakteristisch, daß sich die ursprünglich von den Arbeitern aufgestellten wirtschaftlichen und sozialen Forderungen spontan zu politischen Forderungen der gesamten Bevölkerung erweiterten. Nicht für die Lockerung der Normenschraube allein gingen die Menschen auf die Straße – ihre Forderungen lauteten »Nieder mit der Regierung«, »Fort mit Ulbricht und Grotewohl«, »Freie Wahlen« und »Freiheit für alle politischen Häftlinge«. Der Arbeiteraufstand richtete sich folglich in seinem ersten Stadium gegen ökonomische und soziale Mißstände der Herrschaft der SED – und im zweiten Stadium gegen diese Herrschaft selbst. Durch die Forderung nach freien Wahlen wurde sie prinzipiell in Frage gestellt. Es entsprach den historischen Traditionen des mitteldeutsch-sächsischen Raumes, wenn dabei sozialdemokratische Tendenzen manifest wurden.

Drittens haben Zustandekommen, Umfang und Verlauf des Arbeiteraufstands in Ost-Berlin und der DDR seine Spontaneität bewiesen. Die von der SED zur politischen Selbstrechtfertigung geschaffene und bis heute kolportierte Legende vom »konterrevolutionären Putschversuch«, den »westliche Agentenzentralen« damals von langer Hand vorbereitet und inszeniert hätten, ist längst in sich zusammengefallen. Ständiges Wiederholen macht sie nicht glaubwürdig. Nicht zuletzt dadurch, daß dem Aufstand jede Planung und Lenkung, jede Koordination und Organisation fehlte, ist es den Sowjettruppen möglich gewesen, ihn binnen weniger Stunden niederzuschlagen.

Viertens ist festzuhalten, daß sich die Erhebung am 17. Juni 1953 in keinem bekannten Fall gegen die sowjetische Besatzungsmacht richtete, obschon umgekehrt nur der Einsatz der Sowjettruppen die Herrschaft der SED zu sichern imstande war. Hinter der formalen Macht, die die SED ausgeübt hatte, war so die reale Macht sichtbar geworden. Dagegen waren antisowjetische Losungen nicht Sache der Aufständischen. Vereinzelte Ausschreitungen gegen Sowjetpanzer und Soldaten, besonders in Ost-Berlin, stehen dazu nicht im Widerspruch. Unter den gegebenen Bedingungen wäre ein Aufstand gegen die Sowjetarmee zwar ohnehin politisch sinnlos gewesen, aber es beweist den ursprünglichen Sinn der Aufständischen eben dafür, wenn sie ihre Forderungen und Aktionen allein gegen die Herrschaft der SED richteten. War es denn gänzlich irreal, den Mächtigen in Moskau durch eine eklatante Demonstration gegen das Ulbricht-Regime die Notwendigkeit eines Kurswechsels ihrer Deutschlandpolitik klarzumachen?

Fünftens machten der Aufstand vom 17. Juni 1953 und sein tragisches Ende der Arbeiterschaft wie der gesamten Bevölkerung im Staat der SED bewußt, daß sie auf sich allein gestellt blieben, als sich die »levée en masse« entfesselt hatte. Die Erfahrung, daß die internationalen Kräfteverhältnisse und Machtkonstellationen einer Veränderung des politischen Status quo in Deutschland entgegenstanden und jede Hilfe von außen unmöglich machten, hat in der Folgezeit den Prozeß der Anpassung in der DDR, des Sich-Arrangierens mit dem Regime, nachhaltig begünstigt, besonders nach dem 13. August 1961. Nicht nur für den Osten, auch für den Westen wurde so der Stichtag für den Bau der Berliner Mauer zur historischen Konsequenz aus der Niederwerfung des Arbeiteraufstandes am 17. Juni 1953.

Dennoch blieb der Aufstand – das ist die sechste Lehre – historisch nicht ohne Sinn. Die Arbeiter in der DDR hatten ein Beispiel dafür gegeben, daß sie auch unter den Bedingungen einer kommunistischen Diktatur eine Kraft sind und einen Willen haben, daß sie erfolgreich ihre Interessen verteidigen können, wenn sie zusammenstehen. So gesehen war der Arbeiteraufstand vom 17. Juni 1953 – mit den Worten von Heinz Brandt – *„ein erstes Fanal, etwas noch nie Dagewesenes, Keimform des Neuen"*[66], das Menetekel eines historischen Prozesses, der sich 1956 in der ungarischen Revolution und 1968 im »Prager Frühling« fortsetzte – und der in den siebziger und frühen achtziger Jahren das kommunistische Regime in Polen bis in die Grundfesten erschütterte. Der Prozeß der Selbstemanzipation – wie eng auch immer ihre Grenzen sind – ist nicht aufzuhalten.

Die bisherigen Erfahrungen mit politischen Massenbewegungen und revolutionären Aktionen im Ostblock haben aber auch gezeigt, daß sie nur Erfolg haben, wenn ein Minimum an Koordination und Organisation gewährleistet ist, wenn sie Richtung und Ziel durch eine Führung erhalten. Eine solche Führung kann unter den Bedingungen der sowjetischen Hegemonie in der DDR wahrscheinlich nur aus der SED selbst hervorgehen, und ihre Ziele müssen im Rahmen der sowjetischen Macht- und Sicherheitsinteressen bleiben.

Anmerkungen

1 Geschichte der Deutschen Demokratischen Republik (Autorenkollektiv), Herausgegeben vom Wissenschaftlichen Beirat für Geschichtswissenschaft beim Ministerium für Hoch- und Fachschulwesen, (Ost-)Berlin 1981, S. 158.
2 Zit. bei Rudolf Herrnstadt: »Kollege Bremse und der 17. Juni«, in: Neues Deutschland 26. Juni 1953.
3 Bertolt Brecht: Arbeitsjournal, Zweiter Band 1942 bis 1955, Frankfurt/Main 1973, S. 1009.
4 Walter Ulbricht: Die Entwicklung des deutschen volksdemokratischen Staates 1945–1958, (Ost-)Berlin 1958, S. 325.
5 Zahlen laut Jahrbuch der Deutschen Demokratischen Republik, (Ost-)Berlin 1956, S. 226.
6 Zahlen laut Beschluß des Zentralkomitees vom 21. Juni 1953, in: Dokumente der Sozialistischen Einheitspartei Deutschlands, Bd. IV, (Ost-)Berlin 1954, S. 443.
7 Hermann Weber: Kleine Geschichte der DDR, Edition Deutschland Archiv, Köln 1980, S. 63.
8 Beschluß der 2. Parteikonferenz, in: Dokumente der Sozialistischen Einheitspartei Deutschlands, Bd. IV, a.a.O. (Anm. 6), S. 73.
9 Geschichte der Deutschen Demokratischen Republik, a.a.O. (Anm. 1), S. 157.
10 2. Parteikonferenz, a.a.O. (Anm. 8), S. 73.
11 Gesetz über die weitere Demokratisierung des Aufbaues und der Arbeitsweise der staatlichen Organe in den Ländern der Deutschen Demokratischen Republik vom 23. Juli 1952 (GBl. S. 613).
12 Vgl. Verordnung über die Neugliederung der Gerichte vom 28. August 1952 (GBl. S. 791) und Gesetz über die Verfassung der Gerichte der Deutschen Demokratischen Republik (Gerichtsverfassungsgesetz) vom 2. Oktober 1952 (GBl. S. 983).
13 Beschluß des Zentralkomitees vom 20. Dezember 1952, in: Dokumente der Sozialistischen Einheitspartei Deutschlands, Bd. IV, a.a.O. (Anm. 6), S. 199ff.; vgl. dazu auch Karl Wilhelm Fricke, Warten auf Gerechtigkeit, Kommunistische Säuberungen und Rehabilitierungen, Köln 1971, S. 78ff.
14 Gerhard Stoedtner: Der Arbeiter, Bonn (1955), S. 50.
15 Trauersitzung des Zentralkomitees, in: Dokumente der Sozialistischen Einheitspartei Deutschlands, Bd. IV, a.a.O. (Anm. 6), S. 296ff.
16 Beschluß des Zentralkomitees vom 17. März 1953, ebenda, S. 317ff.
17 Urteil des Bezirksgerichts Leipzig vom 17. April 1953, zit. in: Unrecht als System, Herausgegeben vom Bundesministerium für gesamtdeutsche Fragen, Bonn 1955, S. 134.
18 Vgl. dazu Wolfgang Leonhard: Kreml ohne Stalin, Köln-Berlin 1959, S. 37ff.
19 Arnulf Baring: Der 17. Juni 1953, Köln-Berlin 1965, S. 37; vgl. dazu auch in dieser Edition Gerhard Wettig: Sowjetische Deutschlandpolitik 1952/53 am Vorabend des 17. Juni, S. 56ff.
20 Vgl. Die Flucht aus der Sowjetzone und die Sperrmaßnahmen des kommunistischen Regimes vom 13. August 1961 in Berlin. Herausgegeben vom Bundesministerium für gesamtdeutsche Fragen, Bonn/Berlin 1961, S. 15ff.
21 Vgl. Werner Maser: Genossen beten nicht, Köln 1963, S. 145ff.
22 Zit. bei Lotti Koffmane: »Über Erscheinungen des Opportunismus in der Parteileitung des Hydrierwerkes Zeitz«, in: Freiheit 29. Mai 1953.
23 Beschluß des Zentralkomitees vom 14. Mai 1953, in: Dokumente der Sozialistischen Einheitspartei Deutschlands, Bd. IV, a.a.O. (Anm. 6), S. 410ff.
24 Bekanntmachung des Beschlusses über die Erhöhung der Arbeitsnormen vom 28. Mai 1953 (GBl. S. 781).
25 Sämtliche Angaben nach Karl Wilhelm Fricke, Selbstbehauptung und Widerstand in der Sowjetischen Besatzungszone Deutschlands, Zweite Auflage 1965, S. 107ff.
26 Kommuniqué des Politbüros vom 9. Juni 1953, in: Dokumente der Sozialistischen Einheitspartei Deutschlands, Bd. IV, a.a.O. (Anm. 6), S. 428ff.
27 Ebenda.
28 Vgl. Arnulf Baring: Der 17. Juni 1953, a.a.O. (Anm. 19), S. 45; und Gerhard Wettig: Sowjetische Deutschlandpolitik . . ., a.a.O. (Anm. 19), S. 56ff.
29 Kommuniqué über die Sitzung des Ministerrates der DDR vom 11. Juni 1953, in: Neues Deutschland 12. Juni 1953.
30 Ebenda.
31 »Besprechung von Vertretern des Ministerrates mit Vertretern der Evangelischen Kirche«, in: Dokumentation der Zeit Nr. 48/1953, Spalte 2530ff.
32 „Wichtige Beschlüsse" (ohne Verfasserangabe), in: Tägliche Rundschau 13. Juni 1953.
33 Otto Lehmann: »Zu einigen schädlichen Erscheinungen bei der Erhöhung der Arbeitsnormen«, in: Tribüne 16. Juni 1953.
34 Otto Nuschke am 17. Juni in einem RIAS-Interview. zit. in: Der Volksaufstand vom 17. Juni 1953, Denkschrift, Herausgegeben vom Bundesministerium für gesamtdeutsche Fragen, Bonn 1953, S. 45.
35 Vgl. Arnulf Baring, Der 17. Juni 1953, a.a.O. (Anm. 19), S. 53.
36 K. B.: „Der historische Ablauf vom 16. bis 20. Juni 1953", in: Pro und contra, Nr. 7/1953, S. 87.
37 Soweit nicht ausdrücklich anders ausgewiesen, beruht die Darstellung vom Verlauf des Aufstands auf folgenden Quellen: Joachim G. Leithäuser: Der Aufstand im Juni, Berlin 1953 (Sonderdruck aus: Der Monat); Stefan Brant (=Klaus Harpprecht) unter Mitarbeit von Klaus Bölling: Der Aufstand, Stuttgart 1954; und Arnulf Baring: Der 17. Juni 1953, a.a.O. (Anm. 19), vgl. ferner dazu in dieser Edition Klaus Ewers/Thorsten Quest: Die Arbeiterrevolte in der DDR 1953, S. 23ff.
38 Zit. bei: Fritz Selbmann: »Anhang den Tag vorher betreffend«, in: Auskunft, Neue Prosa aus der DDR, Herausgegeben von Stefan Heym, München/Gütersloh/Wien 1974.
39 Beschluß des Politbüros vom 16. Juni 1953, in: Dokumente der Sozialistischen Einheitspartei Deutschlands, Bd. IV, a.a.O. (Anm. 6), S. 432f.
40 Vgl. Der Aufstand der Arbeiterschaft im Ostsektor von Berlin und in der sowjetischen Besatzungszone Deutschlands, Tätigkeitsbericht der Hauptabteilung Politik des Rundfunks im amerikanischen Sektor in der Zeit vom 16. Juni bis zum 23. Juni 1953, Berlin 1953, S. 4f.
41 Vgl. Arnulf Baring: Der 17. Juni 1953, a.a.O. (Anm. 19), S. 97.
42 Zit. in: Der Volksaufstand vom 17. Juni 1953, a.a.O. (Anm. 34), S. 46f.
43 Otto Nuschke am 17. Juni in einem RIAS-Interview, a.a.O. (Anm. 34), S. 45.
44 Otto Grotewohl: »Die Gegenwärtige Lage und der Neue Kurs der Partei«, in: Der Neue Kurs und die Aufgaben der Partei, (Ost-)Berlin 1953, S. 32; vgl. ferner: Es geschah im Juni 1953 – Fakten und Daten, Herausgegeben

vom Bundesministerium für gesamtdeutsche Fragen, Bonn/Berlin 1965, 2., verbesserte Auflage, S. 38.

45 Kommuniqué der Sitzung des Ministerrats der DDR, in: Neues Deutschland 26. Juni 1953.

46 So auch Gunter Holzweißig: „Der Volksaufstand am 17. Juni 1953 in der DDR", in: Aufstände unter dem roten Stern. Herausgegeben von Peter Gosztony, Bonn 1979, S. 67 f.

47 Zit. bei Joachim G. Leithäuser, Der Aufstand im Juni, a. a. O. (Anm. 37), S. 42.

48 Arnulf Baring, Der 17. Juni 1953, a. a. O. (Anm. 19), S. 79 f.

49 Otto Grotewohl: Die gegenwärtige Lage und der Neue Kurs . . ., a. a. O. (Anm. 44), S. 32.

50 »Kuba bei den Bauarbeitern«, in: Neues Deutschland 28. Juni 1953.

51 Beschluß des Zentralkomitees vom 21. Juni 1953, in: Dokumente der Sozialistischen Einheitspartei Deutschlands, Bd. IV, a. a. O. (Anm. 6), S. 439.

52 Ebenda, S. 440.

53 Arnulf Baring: Der 17. Juni 1953, a. a. O. (Anm. 19), S. 116.

54 Vgl. dazu in dieser Edition auch Karl Wilhelm Fricke: »Juni-Aufstand und Justiz«, S. 70 ff.

55 Beschluß des Zentralkomitees vom 21. Juni 1953, a. a. O. (Anm. 51), S. 443.

56 Entschließung des Zentralkomitees vom 26. Juli 1953, in: Dokumente der Sozialistischen Einheitspartei Deutschlands, Bd. IV, a. a. O. (Anm. 6), S. 449.

57 Ebenda, S. 467.

58 »Aus dem Bericht des Politbüros auf der 30. Tagung des ZK der SED« (Berichterstatter: Erich Honecker), in: Neues Deutschland 2. Februar 1957.

59 Walter Ulbricht: »Die gegenwärtige Lage und der Neue Kurs der Partei«, in: Der Neue Kurs und die Aufgaben der Partei, a. a. O. (Anm. 44), S. 70.

60 Entschließung des Zentralkomitees vom 26. Juli 1953, a. a. O. (Anm. 56), S. 469.

61 Joachim Schultz: Der Funktionär in der Einheitspartei, Kaderpolitik und Bürokratisierung in der SED, Stuttgart/Düsseldorf 1956, S. 251.

62 Hermann Matern vor dem IV. Parteitag der SED, zit. in: Protokoll der Verhandlungen des IV. Parteitages der Sozialistischen Einheitspartei Deutschlands, Bd. I, (Ost) Berlin 1954, S. 215.

63 Vgl. dazu Karl Wilhelm Fricke: Die DDR-Staatssicherheit, Entwicklung, Strukturen, Aktionsfelder, Köln 1982, S. 72 ff. und S. 207 ff.

64 Zit. bei Hermann Matern vor dem IV. Parteitag der SED, a. a. O. (Anm. 62), S. 218.

65 Carola Stern: Ulbricht, Eine politische Biographie, Köln-Berlin 1963, S. 182.

66 Heinz Brandt: „Zum Stellenwert des 17. Juni im Geschichtskalender", in: Die Neue Gesellschaft. Heft 7/1971.

Analysen

Die Kämpfe der Arbeiterschaft in den volkseigenen Betrieben während und nach dem 17. Juni

Klaus Ewers/Thorsten Quest

Im Mittelpunkt des folgenden Beitrags werden die Artikulation und die Aktionen der Arbeiterschaft in den Auseinandersetzungen während und nach dem 17. Juni 1953 stehen. Keine der zahlreichen Reportagen und Analysen über die damaligen Vorgänge in der DDR hat schließlich versäumt, die entscheidende Rolle der Arbeiterschaft für die Auslösung des Massenprotestes der DDR-Bevölkerung hervorzuheben. Doch zu sehr ist das hiesige Bild des 17. Juni beherrscht von all den spektakulären Ereignissen, die durchweg außerhalb der Betriebe stattgefunden, also jener zweiten Phase der Aufstandsbewegung angehört hatten, von der an anderer Stelle die Rede war[1]. Der spezifische, von der Arbeiterschaft geprägte Charakter des 17. Juni geht dabei leicht unter[2]. Auch wenn die beiden brauchbarsten Werke aus der Palette der unmittelbar nach dem Aufstand publizierten Bücher und Broschüren – die von Brant[3] und Leithäuser[4] – eine Fülle von Informationen und Berichten über die Vorgänge in den Betrieben vermitteln, findet sich bislang nur ansatzweise eine konzentrierte und stringente Analyse jenes dominierenden Trägers des 17. Juni: etwa in frühen Einschätzungen sozialdemokratischer Provenienz[5], später bei Baring[6], Sarel[7], Jänicke[8] oder Bust-Bartels[9]. Hier nun sollen Verlauf, Strukturen und Folgewirkungen der Aufstandsbewegung ganz bewußt aus der Perspektive ›von unten‹, also der Hauptakteure auf betrieblicher Ebene, rekonstruiert werden. Auch wenn der 17. Juni nicht in seiner ganzen Komplexität erfaßt werden kann, so läßt sich doch mit dieser Konzentrierung, die nicht jedem ›Spektakel‹ auf den Straßen nachjagt, der wesentliche Gehalt eines historischen Ereignisses freilegen, für den ›Arbeiterrevolte‹ oder ›Streikbewegung und nachfolgende Arbeiterkämpfe‹ die angemessene begriffliche Zusammenfassung lautet. Das sich so ergebende Bild der ostdeutschen Arbeiterschaft im Juni 1953 dominiert im Gesamtbild des 17. Juni, auch wenn es nicht völlig deckungsgleich mit diesem ist; und es reicht zugleich in zweifacher Hinsicht über dessen Rahmen hinaus: Der Arbeiterwiderstand erweist sich als umfassender, als die bislang definierte Größenordnung der Aufstandsbewegung vermuten läßt; und die Arbeiterkämpfe erstreckten sich in beträchtlichem Ausmaß über den Zeitpunkt hinaus, der gemeinhin als Ende des ›Volksaufstandes‹ gilt. Deshalb ist der Beitrag, der gleich ›in medias res‹ geht, angemessen der Zeit nach dem 17. Juni gewidmet, in der die Arbeiterschaft selbst in aller Offenheit und Deutlichkeit mit den herrschenden Verhältnissen ihres Landes abrechnete und klarlegte, was eigentlich Anliegen ihrer Juni-Kämpfe gewesen war. Hierbei wird nicht zuletzt auch offensichtlich, daß es die inneren Widerstände und Konflikte in der DDR waren, die die Grundlage für

Anmerkungen s. S. 51.

die Eskalation, für den Massenprotest im Juni 1953 bildeten. Das bedeutet zugleich eine Absage an die DDR-offizielle Sichtweise, die den 17. Juni heute primär als Resultat äußerer Beeinflussung, als ›konterrevolutionären Putschversuch‹ disqualifiziert.

1. Die Konstituierung der Streikbewegung in den Betrieben[10]

Zu Recht wird in vielen Darstellungen betont, wie schnell sich eigentlich am 17. Juni so bedeutende Teile der Arbeiterschaft in der DDR-Provinz der Streikbewegung der Berliner Bauarbeiter vom Vortag angeschlossen hatten. In der Tat ist das Zustandekommen der Streiks nicht zu vergleichen mit solchen breit angelegten, systematisch vorbereiteten Arbeitsniederlegungen, wie sie aus der Geschichte der Arbeiterbewegung und auch aus der Gegenwart bekannt sind. Im Juni 1953 gab es keine vorherigen Verhandlungsprozesse zwischen den kontrahierenden ›Parteien‹, keine vorherigen Ultimaten oder Streikankündigungen, keine Urabstimmung der Arbeiter. Hier existierte erst recht keine legitimierte Arbeiterorganisation, die den Streik ausrief und ihn organisierte. Allenfalls die Streiks der Bauarbeiter Berlins hatten einen annähernd ›traditionellen‹ Vorlauf – nämlich in Form der Entsendung von Delegationen und der Versuche, erst einmal auf dem Verhandlungsweg zu einer Lösung der Lohn- und Normenkonflikte zu gelangen. In fast allen Betrieben außerhalb der Hauptstadt hatten die Arbeitsniederlegungen dagegen einen andersartigen Verlauf ihrer Entstehung genommen. Abgeschnitten von unmittelbaren Verbindungen zu Berlin war es hier erst einmal von entscheidender Bedeutung, daß die Streiks der Bauarbeiter überhaupt bekannt wurden.

Wie die Streiks zustande kamen

Es waren zumeist die westlichen Rundfunksender, die die Arbeiterschaft in der Republik in Kenntnis setzten von der beginnenden Streikbewegung. Insbesondere der RIAS hatte vom Nachmittag des 16. Juni an kontinuierlich über die Berliner Ereignisse berichtet[11]. So waren viele Arbeiter seit Schichtende am Abend dieses Tages, spätestens aber seit dem Morgen des 17. informiert, als sie sich zur Arbeit aufmachten. *»Schon am frühen Morgen diskutierten kleinere Gruppen von Arbeitern auf dem Weg zu den Betrieben die Berliner Ereignisse.«*[12] Man hatte also die Rundfunknachrichten mit an die Arbeitsplätze genommen und sich dort als Multiplikatoren derselben betätigt. Häufig schilderten Streikteilnehmer, daß der diesbezügliche Informations- und Meinungsaustausch, der sofort mit Schichtbeginn am 17. Juni überall einsetzte, der eigentliche Auslöser für den Diskussions- und Verständigungsprozeß war, an dessen Ende oft der Streikbeschluß ganzer Belegschaften stand. Dafür ein Beispiel: Im Eisenhüttenwerk Thale, mit 7500 Beschäftigten einer der größten Betriebe dieser Art, waren es zuerst Arbeiter der Gießerei, die im Radio die Meldungen aus Berlin gehört und an ihre Kollegen weitergegeben hatten. Zunächst diskutierte man in dieser Abteilung über den Streik, dann wurden die anderen Betriebsteile informiert. Innerhalb weniger Stunden beschlossen die Hüttenwerker aller Abteilungen, aus Solidarität mit den Berliner Bauarbeiterkollegen ebenfalls die Arbeit niederzulegen[13].

Dieser Verlauf ist typisch für die Entwicklung der Streiks in einem Großteil der beteiligten Betriebe. Auch wenn die Arbeitsniederlegungen ohne jene Nachrichtenübermittlung nicht so zustande gekommen wären, so hätten umgekehrt die RIAS-Meldungen allein niemals solche Bedeutung erlangt, wenn sie nicht auf eine Arbeiterschaft gestoßen wären, deren Unzufriedenheits- und Protestpotential ein längst streikreifes Ausmaß angenommen hatte. Die RIAS-Meldungen wie auch andere Formen der Nachrichtenübermittlung – Kuriere, Telefonanrufe usw.[14] – waren nicht die Ursache der Streiks; aber durch ihre Verbreitung verwandelte sich die latente Streikbereitschaft in den Entschluß zum Streik. Dafür war das Wissen, daß in Berlin bereits gestreikt wurde, ein entscheidender Anstoß. Der dortige Bauarbeiterstreik erhielt draußen im Land eine gewisse Vorbildfunktion – und wurde offenbar auch als ›Beweis‹ für das verminderte Risiko einer offen oppositionellen Haltung empfunden[15]. Diese Wirkung trat erst recht ein, wenn Belegschaften von außen eine direkte Aufforderung erhielten, sich dem Streik anzuschließen. Das konnte von anderen Betriebsabteilungen ausgehen, von Delegationen bereits streikender Nachbarbetriebe oder von Arbeitern aus einem am Betrieb vorbeiziehenden Demonstrationszug. Ein Polizeibericht aus dem Schlepperwerk in Brandenburg beschreibt diesen Vorgang recht anschaulich:

»Um 7.45 Uhr wurde durch den Posten I gemeldet, daß von Richtung Stadthaus ein Demonstrationszug kommt. Dieser hielt vor dem Schlepperwerk, Hauptportal. Der Demonstrationszug vor dem Portal I, der eine Stärke von ca. 1000 Mann hatte, drückte gewaltsam die Tore ein. Irgendwelche Provokationen fanden während dieser Zeit nicht statt. Die Abteilungen legten zum Teil die Arbeit nieder, da die Demonstranten bis in die einzelnen Abteilungen der Produktion vordrangen, um die Arbeiter zu beeinflussen, die Arbeit niederzulegen. Die Situation verschärfte sich in dem Moment, als ein zweiter Demonstrationszug am Portal II erschien und gewaltsam das Tor eindrückte und in den Werkhof eindrang. Der größte Teil des Zuges bestand aus Arbeitern der Bau-Union und der Thälmann-Werft ... Dabei wurde die Arbeit niedergelegt, und ein Teil verließ das Werk und kehrte erst nach zwei, drei Stunden zurück ... Um 14 Uhr sollte mit der Arbeit wieder begonnen werden. Es erschienen ca. 35–40 Kollegen, so daß die Arbeit nicht aufgenommen werden konnte. Aufnahme derselben soll am 18. 6. um 7 Uhr erfolgen.«[16] Hier waren es also Vorreiter der Brandenburger Streikbewegung, die in der Schlepperwerk-Belegschaft eine so rasche und nahezu einstimmige Entscheidung über den eigenen Streikanschluß auslösten – was auf schon vorausgegangene Diskussionen dort schließen läßt.

In vielen anderen Betrieben zeigte sich aber auch, daß solche Streikaufforderungen von außen den in den betreffenden Belegschaften angelaufenen Diskussionsprozeß über eine Streikbeteiligung verkürzten und einem gewissen Entscheidungsdruck aussetzten. Häufig standen die Arbeiter längst zusammen und berieten über den Berliner Streik[17], als Kollegen oder Abgesandte bereits streikender Nachbarbetriebe auftauchten. Nur verliefen diese Diskussionen recht unterschiedlich, hatten jedenfalls noch nicht zu einem eigenen Streikbeschluß geführt und tendierten dahin je nach Betrieb mal mehr, mal weniger. In anderen Fällen stießen äußere Streikaufforderungen auf Belegschaften, in denen überhaupt noch kein Diskussionsprozeß in Gang gekommen war und denen selbst erst die Nachrichten über die im Entstehen begriffene landesweite Streikbewegung vermittelt werden mußten. Hier wurde nicht selten einiges Durcheinander in den Belegschaften provoziert, wenn betriebsfremde Streikaktivisten jene zur sofortigen Demonstration abholen wollten. So blieb oft für einen ausführlichen, kollektiven Beratungs- und Entscheidungsprozeß gar keine Zeit, weshalb der Streikschluß vieler Belegschaften sich mehr aus der Summe von Einzelentscheidungen der Arbeiter bzw. kleinerer Arbeitergruppen ergab. Unter diesen Bedingungen kam häufig kein einheitliches Vorgehen der Arbeiter eines Betriebes zustande. Wie im VEB Optima Erfurt blieben die einen im Werk, während die anderen sich einem Demonstrationszug anschlossen[18].

Wie dem auch sei: Die sich oft schon binnen einer halben Stunde ergebende Streikbereitschaft ganzer Belegschaften oder beträchtlicher Teile qualifiziert die latente Stimmungslage in der Arbeiterschaft, das schon länger vorhandene Unzufriedenheits- und Protestpotential. Wie im Elektroapparatewerk Berlin-Treptow war es in vielen Betrieben nur ein *»Funken«*, dessen es bei *»so viel Groll über nicht erfüllte Forderungen, über jahrelang mißlungene Versuche, Unzulänglichkeiten ... zu ändern«*, nur bedurfte, *»um den Zündstoff zur Explosion zu bringen«*[19]. Die dabei häufig bekundete Solidarisierung mit dem Vorreiter der Streikbewegung, der Berliner Bauarbeiterschaft[20], war kein Motiv, das von eigenen, betriebsspezifischen ›Zündstoffen‹ abstrahierte und die Aufmerksamkeit ausschließlich auf einen fremden Vorgang richtete, dessen Erfolgsaussichten es durch unterstützendes Verhalten zu fördern und dessen Risiken es zu verringern galt. Vielmehr beruhte diese sofortige Solidarisierungsbereitschaft auf der Gewißheit der Arbeiter, daß die Berliner Kollegen die Arbeit wegen Mißständen niedergelegt hatten, die auch in jedem anderen Betrieb herrschten, und für die Durchsetzung von Forderungen, die auch die ihren waren. So bekundeten große Teile der Arbeiterschaft von vornherein die Zusammengehörigkeit der entstehenden Streikbewegung, die in jeder einzelnen Fabrik auch ihre speziellen Anliegen zu verfechten hatte.

Organisationsformen und Aktivisten der Streiks

Die Art und Weise des Zustandekommens der Arbeitsniederlegungen hatte Bedeutung für die Etablierung einer Infrastruktur der innerbetrieblichen Streikbewegung. Insbesondere in den Werken, deren Belegschaften einen eigenständigen, mehr oder minder ausführlichen Diskussionsprozeß über die Streikfrage in Gang gesetzt und ein deutliches Votum für den Streik getroffen hatten, bildeten sich rasch Streikstrukturen heraus, die in der Geschichte der Arbeiterbewegung alles andere als ungewöhnlich sind.

Mit beträchtlicher Selbstverständlichkeit entstanden – zumindest in den größeren streikbeteiligten Industriebetrieben – Streikleitungen oder Komitees. Die Entsendung einzelner Arbeiter in solche Gremien erfolgte offenbar nirgends in formalen Wahl- oder Abstimmungsprozessen. Meist wurden Kollegen durch Zuruf für die Streikleitung vorgeschlagen; und ihre Wahl dürfte sich mehr durch ausgebliebenen Widerspruch, durch grobes Abschätzen der hochgehaltenen Hände oder einfach durch den donnernden Beifall der Versammlung ergeben haben als durch eine exakte Auszählung der Ja- und Neinstimmen. Stets vollzog sich die Konstituierung der Streikleitungen vor den weitgehend vollständig versammelten Streikenden in den größten Sälen oder Maschinenhallen bzw. auf den Fabrikhöfen[21]. Es waren zumeist dieselben Versammlungen, in denen zuvor über den Eintritt in den Streik diskutiert und entschieden worden war. In besonders großen Betrieben verlagerten sich Diskussion und Wahl auf die einzelnen Abteilungen. In Leuna entsandten die Arbeiter je drei aus jeder Abteilung und Werkstatt zu einer Art Delegiertenkonferenz, zu der am Spätvormittag des 17. Juni dann etwa 800 Betriebsangehörige im

›Bau 24‹ zusammenkamen, um das zentrale Streikkomitee zu wählen[22]. Ganz ähnlich verlief es im Agfa-Werk Wolfen: Hier traten 30 Abteilungsvertreter zusammen und bestimmten aus ihren Reihen die Streikleitung, der 12 Personen angehörten[23].

Überall fungierten die Streikleitungen als demokratisch legitimierte Organe der in den Streik getretenen Belegschaften. Deren Mitglieder standen an der Spitze, wenn die Arbeiter sich zu einem Demonstrationszug aufmachten, wie etwa im VEB Bergmann-Borsig[24]; sie waren bevollmächtigt, im Namen der Belegschaft organisatorische Maßnahmen einzuleiten, Kontakte zu anderen Betrieben herzustellen, Forderungskataloge zu formulieren, Verhandlungen mit höheren Stellen aufzunehmen usw. Ganz gezielt wurden solche Komitees an den bestehenden offiziellen Arbeiterorganisationen vorbei ins Leben gerufen. Sie waren mithin die ersten eigenständigen, Räte-ähnlichen Organe der Arbeiter, die eine Art ›Gegenmacht‹ im Betrieb errichteten.

Allgemeingültige, repräsentative Aussagen darüber, wer nun die Leute waren, die in die Streikleitungen gewählt wurden, sind kaum möglich. Sicherlich gab es in jedem Betrieb Arbeiter, die in ihrem Kollegenkreis deswegen bekannt und geschätzt waren, weil sie sich artikulieren konnten und immer schon offener als andere die Meinung vieler – auch gegen die Funktionäre der Leitungsorgane – vertreten hatten[25]. Sie mochten prädestiniert dafür gewesen sein, jetzt auch in den Streikversammlungen aufzutreten und dort für das Streikkomitee vorgeschlagen zu werden. Dasselbe galt auch für so manche ehrenamtliche Gewerkschaftsfunktionäre – bis hin zu AGL-Vorsitzenden –, die als aufrechte Interessenvertreter das Vertrauen von Arbeitern besaßen und sich nun in den Streikleitungen wiederfanden[26]. Daß vielerorts die Streikenden überlegt und bewußt die Sprecher nominiert und gewählt hatten, zeigt auch die oftmals sorgfältige Berücksichtigung aller Betriebsabteilungen, womit das repräsentative Gewicht der Streikleitungen demonstriert werden sollte[27]. Auch waren es fast ausschließlich Arbeiter aus der Produktion, die gewählt wurden, nur zu einem geringen Teil ›kleine‹ Angestellte und fast überhaupt nicht Angehörige der technischen Intelligenz[28].

Gleichwohl verliefen nicht wenige Streikversammlungen unübersichtlich und hektisch, so daß es zu mancherlei Zufälligkeiten bei der Bestimmung der Delegierten kam.

Berichten aus einigen Betrieben zufolge waren zum Beispiel *»vor allem die Arbeiter gewählt worden, die . . . in der Nähe der Lautsprecher gestanden hatten. Sie waren allenthalben gehört worden, sie konnten anscheinend Forderungen formulieren«*[29].

Wie spätere Befragungen geflüchteter Streikteilnehmer ergaben, waren jene Komiteemitglieder überwiegend erfahrene, z.T. ältere Arbeiter; zwei Drittel waren über 30 Jahre, darunter ein großer Teil Facharbeiter. Jeder vierte besaß das Mitgliedsbuch der SED; einige waren in anderen Parteien aktiv, vornehmlich in der LDPD. Deren Mitgliedschaft in der Gewerkschaft entsprach etwa dem Durchschnitt der gesamten Arbeiterschaft[30].

Aus der später inszenierten Repressionskampagne gegen die Streikteilnehmer des 17. Juni wird ersichtlich, daß sich unter den Streikführern nicht wenige Veteranen der Arbeiterbewegung befanden, also Personen, die seit 30, 35 Jahren in sozialdemokratischen, gewerkschaftlichen und kommunistischen bzw. linkssozialistischen Zusammenhängen gekämpft hatten[31]. Der dabei immer wieder hochgespielte ›Nachweis‹ der »faschistischen Vergangenheit« von Streikaktivisten[32] taugt in keiner Hinsicht für eine verallgemeinerungsfähige Bewertung. Zum einen wurden da mit den furchterregendsten Vokabeln ›einfache‹ Nazi- oder Wehrmachtskarrieren ausgemalt, die in ihrem Grundtatbestand eigentlich auf einen großen Teil der Deutschen in Ost und West zutrafen. Darüber hinaus blieben solche ›Entlarvungen‹ in der Regel den Nachweis schuldig, daß es sich bei den betreffenden, als »faschistische Provokateure« bezeichneten Personen tatsächlich um die legitimierten Sprecher streikender Belegschaften gehandelt hatte. Alte Faschisten waren schließlich überall anzutreffen; und sie mochten auch am 17. Juni aufgetreten sein. Aber eine auch nur annähernd gewichtige Rolle in den Streikleitungen spielten sie nicht[33].

2. Aktionsformen streikender Belegschaften

Keine Diskussion über die Streikfrage verlief, ohne daß nicht gleichzeitig Kritik an den bestehenden Mißständen und Forderungen artikuliert wurde. So legten häufig die Arbeiter in denselben Versammlungen, wo sie ihre Streikleitung wählten, zugleich ihren an höhere Stellen adressierten Forderungskatalog fest[34]. In anderen Fällen war es die erste Aufgabe der Streikkomitees, aus den Diskussionsbeiträgen der Arbeiter ein Forderungsprogramm zu entwickeln; und oft wurde es dann ausformuliert der Belegschaft zur Bestätigung vorgelegt[35]. Die während der Arbeitsniederlegungen laut gewordenen Forderungen waren jedenfalls Ausdruck des kollektiven Willens der Belegschaften, der sich in mehr oder minder ausführlichen Diskussionsprozessen herauskristallisiert hatte – und auf all dem basierte, was immer schon an Kritik vorhanden war. Zugleich bildeten die Forderungsprogramme den Ausgangspunkt vielfältiger Aktivitäten streikender Belegschaften.

Zum inhaltlichen Spektrum der Forderungskataloge

Drei Bereichen lassen sich die Forderungen des 17. Juni zuordnen: Sie betrafen die Konfliktlage um Normen, Löhne und Lebensstandard, griffen die Probleme der Arbeiterinteressenvertretung auf und galten schließlich der Politik und den politischen Strukturen im SED-Staat.

1. Ganz selbstverständlich rangierte an erster Stelle das Thema Arbeitsnormen und Löhne. Bei den Berliner Bauarbeitern war es schon so gewesen; und es ist überhaupt anzunehmen, daß deren Forderungskatalog (vgl. S. 13) eine gewisse Vorbildfunktion für viele andere Belegschaften besaß[36]. Überall stand die Normenfrage, über die es ja schon jahrelang immer wieder heftige Auseinandersetzungen gegeben hatte[37], an der Spitze der innerbetrieblichen Konflikte. Überall hatte die administrative Normerhöhung Ende Mai zu einer massiven Lohnsenkung geführt – und den Unmut der Arbeiterschaft ›zum Kochen‹ gebracht. Die

Forderungen nach Revision der Normerhöhung und nach Auszahlung der Juni-Löhne gemäß vorheriger Berechnungsgrundlage[38] ergaben sich von selbst. Doch läßt sich vereinzelt
eine darüber hinausgehende Forderungshaltung feststellen, wenn etwa die Rücknahme aller Normerhöhungen seit Anfang 1952[39], die
Auflösung der betrieblichen TAN-Büros[40] oder
die generelle Abschaffung der Arbeitsnormen
verlangt wurde[41]. Dies war Ausdruck eines
grundsätzlicheren Widerstandes von Werktätigen gegen das TAN-System und die Normen-
politik der Regierung schlechthin.
Überhaupt war in den Normen – als Vorentscheid über die Höhe des Lohns – auch deshalb so viel Konfliktstoff gespeichert, weil das
Geldeinkommen infolge von Warenknappheit
und Preiserhöhungen immer deutlicher an
Kaufkraft verlor. Das Absinken des Lebensstandards der Arbeiterklasse schuf mithin einen beträchtlichen ›Bedarf‹ an unmittelbaren
materiellen Verbesserungen. Da blieb es nicht
bei dem Verlangen nach Wiederherstellung des
vorherigen Einkommensniveaus mittels Normenrevision und Annullierung all der Herab-
stufungen in schlechter bezahlte Lohngruppen[42], was in den letzten Monaten so häufig
vorgekommen war. Hinzu traten einerseits
Forderungen nach gesetzlicher Erhöhung der
Lohnsätze überhaupt[43]; andererseits wurde der
Programmpunkt der Berliner Bauarbeiter –
»sofortige Senkung der Lebenshaltungskosten!« – fast überall in der Form übernommen,
daß man eine drastische Senkung der HO-
Preise forderte, zumeist um gleich 40 Prozent[44].
Einen weiteren, damit zusammenhängenden
Mißstand hatten die Arbeiter der Jenaer
Zeiss-Werke angeschnitten, als sie in ihren
Forderungskatalog schrieben: »Erhebliche
Herabsetzung der Preise, vor allem an Lebensmitteln und Bedarfsgütern und deren gleichmä-
ßige Verteilung«[45]! Das weist darauf hin, daß
in den Augen vieler Arbeiter manche privilegierte Bevölkerungsgruppen es durchaus nicht
nötig hatten, solche Forderungen zu stellen wie
»bessere Versorgung mit Lebensmitteln«[46],
»ausreichende Versorgung mit Fettwaren«[47]
oder »Abschaffung der Lebensmittelkarten«[48],
wie »bessere Belieferung der Bergarbeiter mit
Bekleidung«[49] oder »Erhöhung der Altersren-

ten«[50] usw. Das waren spezifische Forderungen der Arbeiter, die lange genug hatten erfahren müssen, daß sie die eigentlich Leidtragen-
den des ›alten Kurses‹ von Partei und Regierung waren. Die Erwartungshaltung der Arbeiterschaft ging mithin weit über die ›Bereini-
gung‹ der aktuellen Normenkonflikte hinaus.
2. All die den Arbeiterforderungen zugrunde
liegenden Mißstände wurden nun genauso
selbstverständlich als Ergebnis einer bestimmten Politik gesehen, die offenkundig den eigentlichen Interessen der Arbeiterschaft zuwi-
derlief. Damit stellte sich die Frage der Verantwortlichkeit gerade gegenüber den Organisationen, die Organe der Arbeiterinteressenvertretung zu sein vorgaben. Es waren wiederum
die Zeiss-Arbeiter, in deren Forderungskatalog
es treffend und typisch hieß: »Da die begangenen Fehler der Regierung vom Bundesvorstand
des FDGB akzeptiert wurden, besitzt der Bundesvorstand wahrscheinlich nicht mehr das Vertrauen der Gewerkschafter! Die Werktätigen fordern: Neuwahl des Bundesvorstands und der
Gewerkschaftsorgane in den Betrieben!«[51] In
der Tat wurden die zentralen und die Betriebsgewerkschaftsleitungen immer mehr als Erfül-
lungsorgane der Regierung und SED-Führung
bzw. der Betriebsleitungen erfahren. Wo also
viele Arbeiter weder in der herrschenden Partei noch im FDGB ihre Interessenvertretung
sahen, verwundert es nicht, wenn vielerorts die
BGL- und SED-Funktionäre zum Rücktritt
oder zum Verschwinden aufgefordert wurden[52]. Auch wenn Partei und Gewerkschaft in
einem Atemzug genannt wurden, läßt sich
doch häufiger eine gewisse differenzierte Behandlung feststellen. Während hinsichtlich der
Partei eher solche Forderungen auftauchten
wie im Schwermaschinenbau Wildau: »Entfernung der SED-Parteiorganisation aus dem Betrieb«[53], wurden die Betriebsgewerkschaftsleitungen eher zum Rücktritt aufgefordert[45], was
zugleich die Forderung nach Neuwahl bedeutete[55]. Grundsätzlich wurde natürlich die Notwendigkeit gewerkschaftlicher Interessenvertretung nicht in Frage gestellt – im Gegensatz
zur Präsenz der SED im Betrieb. Schließlich erhoben die Arbeiter gegenüber den Gewerkschaften andere Ansprüche als gegenüber der
SED-Organisation, nämlich in durchaus ›tra-

ditioneller‹ Weise auf betrieblicher wie auf höchster politischer Ebene Arbeiterinteressen weitestmöglich durchzusetzen. Die schmerzliche Erfahrung des genau gegenteiligen Verhaltens des FDGB in den zurückliegenden Jahren vermochte die Arbeiterschaft aus ihrer traditionellen Verbundenheit mit der Einheitsgewerkschaft bei weitem nicht so massenhaft zu lösen, wie es in ihrem Verhältnis zur SED zu beobachten ist. Insofern waren die Forderungen nach Rücktritt und Neuwahl der Gewerkschaftsleitungen Ausdruck des Willens, die Arbeiterorganisation wieder zu demokratisieren und sie zu ihrer eigentlichen Aufgabe, der Interessenvertretung, zurückzubringen.

3. Das bisher beschriebene Spektrum der Arbeiterforderungen stand zweifellos im Mittelpunkt der Diskussion streikender Belegschaften. Immerhin waren es Forderungen, die die unmittelbarsten betrieblichen Belange berührten und um deren Durchsetzung z. T. schon vor Ort gekämpft werden konnte. Erst an dritter oder späterer Stelle tauchten solche allgemeinpolitischen Forderungen auf wie die nach »Rücktritt der Regierung«. Schon die Berliner Bauarbeiter hatten ihre ökonomischen vor die politischen Parolen gestellt[56]; und so findet es sich in den meisten anderen Streikprogrammen[57]. Das war eine nicht unlogische Steigerung, wenn man mit konkreten Punkten anfing und sie zum Schluß verallgemeinernd ›auf den Nenner‹ brachte, indem die letztendlich Verantwortlichen benannt und aufgefordert wurden, aus dem unübersehbaren Mißtrauensvotum der Streikbewegung die Konsequenzen zu ziehen. Dazu hatte man häufig auch schon die Werkleiter – als Vollzugsorgane der zentralen Politik im Betrieb – aufgefordert[58]. Die nach ›ganz oben‹ gerichteten Rücktrittsforderungen waren zweifellos Ausdruck eines politischen Veränderungswillens, der klar über materielle, lohnpolitische u. ä. Ansprüche hinausreichte. Er schloß in manchen Streikprogrammen die Forderung nach Freilassung politischer Gefangener[59] und Stellungnahmen gegen den Aufbau der Armee[60] ein. Demgegenüber traten die Rufe nach »freien Wahlen« und »Wiedervereinigung« in den betrieblichen Kämpfen deutlich in den Hintergrund. Nur sehr wenige Forderungskataloge hatten diese Punkte mit

aufgenommen, z. B. das Zementwerk Rüdersdorf und die Bau-Union Dresden. Erst mit der Ausweitung der Streiks in überbetriebliche Demonstrationen und Kundgebungen rückte dieses Thema ins Zentrum.

Streikaktivitäten im Betrieb

Bald nach ihrer Konstituierung übernahmen die von den Belegschaften gewählten Streikleitungen mit Hilfe weiterer Streikaktivisten die Initiative im Betrieb. Vor allem in den traditionellen Hochburgen der Arbeiterbewegung[61] kam den (inner)betrieblichen Aktionsformen eine hohe Bedeutung zu. War erst einmal der Streik beschlossen, so war es vorrangige Aufgabe der Komitees, Forderungsprogramme präsentationsfähig auszuarbeiten und die Vorgehensweise für die nächsten Stunden festzulegen. Daß man jetzt antrat und Verhandlungen mit den Werkleitungen forderte, spricht für den bewußten, disziplinierten und auch traditionellen Charakter der betrieblichen Streikbewegung. Schließlich bezog sich ein großer Teil der Forderungen auf konkrete betriebliche Mißstände. Oft konnten sich die Leitungsorgane den Verhandlungsaufforderungen nicht entziehen; das energische Auftreten der Streikenden bzw. ihrer Delegierten zwang sie dazu[62]. In der Filmfabrik Agfa Wolfen zum Beispiel zogen sich die Verhandlungen über mehrere Stunden hin[63]. Während dieser Zeit verhielt sich die Belegschaft ruhig und diszipliniert, diskutierte in den Abteilungen oder auf den Fabrikhöfen. Es wurde darauf geachtet, daß Sabotageakte unterblieben[64] und daß nötigenfalls ein Notdienst unterhalten wurde[65]. Allenfalls nahm man es hin, daß Transparente mit SED-Parolen oder Bilder der Parteiführer entfernt wurden[66]. In Wolfen hinderten Streikaktivisten einige Hitzköpfe daran, das Büro der Betriebsparteiorganisation zu stürmen[67]. In solchen Verhandlungen erzielten die Streikenden nicht selten einige Zugeständnisse von oben. Die Rücknahme der Normerhöhungen konnten die Leitungsorgane mit Verweis auf die jüngste Politbüro-Erklärung zusichern[68]. Öfters setzte man die Bezahlung der Streiktage durch[69]. In Leuna akzeptierte der sowjetische Generaldirektor die Forderung nach Abberufung des deutschen Werkleiters[70]. In einigen Fällen kam es sogar zu Verhandlungen mit Regierungsmitgliedern oder ZK-Beauftragten. Auf der Warnow-Werft nahe Rostock konferierte der aus Berlin herbeigeeilte Minister Weinberger mit einer Delegation der streikenden Arbeiter – und machte, wie es später empört hieß, einige *»Zugeständnisse, obwohl es klar war, daß die Delegation eine Reihe von Forderungen stellte, bei denen Provokationen und echte Beschwerden schlau gemischt waren«*[71]. Welche Zugeständnisse das genau waren, blieb ungesagt; hier wie andernorts mochten sie eher betriebsspezifischen Angelegenheiten gegolten haben.

Zur Durchsetzung ihrer Streikforderungen führten viele Belegschaften nicht allein Verhandlungen vor Ort. Forderungskataloge wurden an die Regierung telegrafiert[72] oder Delegationen nach Berlin entsandt, um die Forderungen verantwortlichen Regierungs- oder ZK-Stellen direkt zu übergeben[73].

Erst nach diesen Organisationsstufen des Streiks – Bildung des Streikkomitees, Formulierung der Forderungen und Aufnahme von Verhandlungen: die drei vorrangigen Schritte – gingen die Aktionsformen vieler Belegschaften über den betrieblichen Rahmen hinaus. Gerade in den mitteldeutschen Hochburgen der Arbeiterbewegung erwiesen sich manche Großbetriebe als Vorreiter, die bemüht waren, die Streikbewegung im Ort und in der Umgebung auf eine breitere Basis zu stellen. Abgesandte ihrer Streikkomitees gingen von Betrieb zu Betrieb, stellten Kontakte her, koordinierten Streikaktivitäten oder warben für die Bewegung, wo sich Belegschaften (noch) nicht den Streiks angeschlossen hatten. In allen größeren Industriestädten gab es solche Vorreiter-Betriebe: z. B. das Sachsenwerk Niedersedlitz für Dresden[74], die LOWA-Fabrik für Görlitz[75], die SAG Bleichert (Kirow-Werk) für Leipzig[76] oder Zeiss für die Jenaer Betriebe[77]. Streikaktivisten der Leuna- und Buna-Werke fuhren durch das gesamte Halle-Merseburger Industrierevier, um die dortige Streikfront auszuweiten[78]. Solche Betriebe waren es denn auch, von denen die Initiative zu Arbeiterdemonstrationen ausging[79].

Aber längst nicht in allen Betrieben ist diese stringente Vorgehensweise zu beobachten. Das hing mit den schon erwähnten Unterschieden und Ungleichzeitigkeiten bei der Streikentstehung und den damit einhergehenden innerbetrieblichen Diskussionsprozessen zusammen. Oftmals verging zwischen dem Bekanntwerden der Berliner Ereignisse und dem Verlassen des eigenen Werkes nur eine kurze Zeitspanne. Vor allem wo Belegschaften von aktiven Streikvorreitern zu Demonstrationen regelrecht abgeholt wurden, ohne daß man hier vorher einen Streikbeschluß gefaßt hatte, konnten sich gezielte Organisations- und Aktionsformen der Streikenden im Betrieb zunächst kaum entfalten, geschweige denn Verhandlungen mit den Werkleitungen stattfinden[80]. Andernorts zogen Belegschaften sofort nach Streikbeschluß von sich aus auf die Straßen, um dort ihren Unmut und Protest öffentlich zu machen[81]. Hier bildeten Demonstrationen den Ausgangspunkt aller Aktivitäten. Das bedeutete überhaupt keinen Vorentscheid etwa über einen Verzicht auf innerbetriebliche Aktionsformen der Streiks.

Demonstrationen und Fortsetzung der Streiks

In beträchtlichem Umfang bildete die Teilnahme streikender Belegschaften an Demonstrationen nur eine Etappe ihrer Kämpfe. Sowohl in Betrieben, in denen am Vormittag des 17. 6. sich Streikstrukturen herausgebildet hatten, Verhandlungen begonnen wurden usw., als auch dort, wo man unmittelbar nach Streikbeschluß auf die Straße gegangen war, wurde im Anschluß an die Demonstrationen der betriebliche Kampf fortgesetzt. Zahlreiche Belegschaften zogen schließlich nach Kundgebungsende in den Städten geschlossen in ihren Betrieb zurück und blieben im Streik[82]. So war es auch bei Agfa Wolfen, von wo sich mittags ca. 8000 Arbeiter auf den Weg nach Bitterfeld machten und ein paar Stunden später nahezu vollzählig zurückkehrten. Hier wurde noch am ganzen folgenden Tag gestreikt[83]. Die ebenfalls von ihrer Demonstration zurückkommenden Leuna-Arbeiter ließen sich selbst von der zwischenzeitlichen Besetzung ihres Werkes durch einige hundert Sowjetsoldaten nicht beirren. Das Streikkomitee, das immer noch als die von den Werktätigen legitimierte Vertretung fungierte, kontaktierte sofort die sowjetische Leitung und erreichte, daß am nächsten Tag ausführlich über die Streikforderungen verhandelt werden sollte[84]. Während dieser Zeit bröckelte die Streikfront kaum ab; und die Arbeiter mochten sich vielerorts »als Herren des Betriebs« gefühlt haben[85]. Weitere Schritte wurden beraten, strategische Überlegungen über einen koordinierten längerfristigen Streik tauchten auf[86]. Häufig hatte man den Werkfunk und die Telefonzentrale in der Hand[87] – beides wichtige Kommunikationsmittel für die Aufrechterhaltung und Fortentwicklung der Streikbewegung.

In anderen Betrieben entwickelte sich erst nach geschlossener Rückkehr von den Demonstrationen und Kundgebungen, was in den hektischen Vormittagsstunden nicht zustande gekommen war: Es wurden Streikleitungen gewählt, Forderungskataloge aufgestellt, Verhandlungen eingeleitet[88]. Selbst wo die Arbeiter einzelner Betriebe im Anschluß an solche Demonstrationen nicht wieder ins Werk zurückgingen – weil der Streik zu wenig organisiert war, als daß er auch nach Feierabend oder nach Polizeieinsätzen in den Städten die Belegschaft zusammenhalten konnte –, selbst da wurde am Morgen des darauffolgenden Tags häufig weitergestreikt[89]. Ja, in manchen Städten gewann die Streikbewegung erst am 18. Juni ihren größten Umfang[90]. So war es etwa in Leipzig am 17. zwar zu schweren Unruhen während der Demonstration gekommen; aber tags darauf hatten die Streiks an Intensität zugenommen und noch weitere Betriebe erfaßt[91]. Noch während der militärischen Besetzung der Stadt versuchten streikende Belegschaften untereinander den Kontakt aufrechtzuerhalten und ein gemeinsames Vorgehen abzusprechen[92]. Zudem setzte in einigen Gebieten der DDR – insbesondere an der Ostseeküste und im Harz – die Streikbewegung überhaupt erst am 18. Juni ein. Die Verhängung des Ausnahmezustands und das Eingreifen von Militär und Polizei, die alle wichtige Gebäude und Plätze in den Städten besetzten, beendeten zwar die Demonstrationen, Kundgebungen und Unruhen. Die streikenden Arbeiter in den Betrieben aber blieben hingegen durchaus noch handlungsfähig.

Selbst die militärische Präsenz in ihrem Werk schien die Leuna-Belegschaft, wie weiter oben gezeigt, zunächst wenig zu beeindrucken; sie setzten ihre Streikaktivitäten fort. Auch im Sachsenwerk Niedersedlitz und bei Rheinmetall Sömmerda vermochten die sowjetischen Soldaten die Streikbewegung im Betrieb nicht mit einem Schlag zu ersticken[93].

Gleichwohl behinderte der Aufzug von Militär zur »Wiederherstellung von Ruhe und Ordnung« die weitere Entwicklung und Organisierung der Streikbewegung ganz erheblich – und erstickte sie häufig im Verlauf eines Tages. Aber auch die rasche Verhaftung von Mitgliedern des Streikkomitees[94] konnte nur in den seltensten Fällen eine sofortige Wiederaufnahme der Arbeit bewirken. Solche Maßnahmen verschärften eher die Konfliktlage in den Betrieben; es kam erneut zu Streiks aus Solidarität mit den verhafteten Streikführern[95].

Ansätze überbetrieblicher Organisation der Streikbewegung

Es ist schon kurz erwähnt worden, daß die Arbeiter so mancher bestreikten Großbetriebe sich als Vorreiter der gesamten Streikbewegung erwiesen, indem sie die Belegschaften meist kleinerer Betriebe aus der Umgebung mit einbezogen. Dies war in allen größeren Industriestädten der Fall, wobei im Gebiet Halle-Bitterfeld sicherlich das engste Netz solcher Kontakte bestand[96]. Ihr Zweck war, sich gegenseitig über den Stand der Ereignisse in den einzelnen Werken zu informieren, Aktionen zu koordinieren, Demonstrationen vorzubereiten oder Forderungskataloge aufeinander abzustimmen. Man entsandte Delegationen oder Kuriere, um dann gemeinsame Absprachen zu treffen[97]. Aus solchen zwischenbetrieblichen Kontakten erwuchsen häufig organisatorische Strukturen. Hatten Belegschaften eines Ortes erst ihren Betrieb verlassen und sich in einem Demonstrationszug vereinigt, kam es rasch zur Bildung überbetrieblicher Streikkomitees. Hier übten jene Vorreiterbetriebe offenbar maßgeblichen Einfluß aus. In Dresden und Hennigsdorf waren es überhaupt nur die größten Betriebe, die eine gemeinsame Streikleitung bildeten: das Sachsenwerk Niedersedlitz zusammen mit dem Dresdener ABUS-Werk[98] bzw. das bekannte Stahl- und Walzwerk Hennigsdorf mit dem benachbarten VEB ›Hans Beimler‹[99]. Auf der Insel Rügen bestand ein gemeinsames Streikkomitee aller dortigen Baustellen[100]. Sonst war es ein größerer Kreis von Delegierten der verschiedenen betrieblichen Streikleitungen, die in einem überbetrieblichen Komitee zusammensaßen – wie in Bitterfeld[101], Cottbus[102] oder Gera[103]. In Jena dominierten die Arbeiter der Zeiss-Werke, dem größten Betrieb der Stadt[104]. Gelegentlich wurden auch Vertreter anderer Bevölkerungsgruppen in die überbetrieblichen Gremien einbezogen, wofür das »Initiativkomitee« aus Halle ein Beispiel ist[105]. In Görlitz war sogar ein Architekt Sprecher des örtlichen Streikkomitees[106].

Neben gewissen Ordnungsfunktionen sollten die überbetrieblichen bzw. örtlichen Organisationen der Streikbewegung – anknüpfend an den schon erreichten Stand der Aktivitäten im Ort – die nächsten Schritte und Aktionen festlegen. So wurde in Halle eine Großkundgebung für den Abend einberufen, zu der dann über 50 000 Menschen auf den Hallmarkt strömten[107]. Das Bitterfelder Komitee beschloß, Verhandlungen mit der Regierung über die aufgestellten Forderungen aufzunehmen[108]. In Merseburg, wo die Leuna- und Buna-Arbeiter ihre zentrale Kundgebung abhielten, wurde die Kreis- und Stadtverwaltung besetzt[109]. Doch hatten jene überbetrieblichen Gremien zumeist nicht die große Bedeutung wie die betrieblichen Streikleitungen, da ihre Arbeit vorrangig auf die Durchführung der Demonstrationen und Kundgebungen gerichtet war. Darüber hinausgehende Ansätze konnten nicht mehr realisiert werden. Nachdem der Staat mit Ausnahmezustand und Militäreinsatz die Macht über die Straßen und Plätze zurückerobert hatte, konnten die örtlichen Streikleitungen nicht länger in Aktion treten, sie konnten kaum über den 17. Juni hinaus ihre Arbeit fortsetzen. Da sie selbst überall die Losung ausgegeben hatten, keinen Widerstand gegen die sowjetischen Besatzungstruppen zu leisten[110], war ihre Auflösung schnell vollzogen. Selbst in Hochburgen der Streikbewegung wie Bitterfeld, Merseburg oder Halle stellten

die überbetrieblichen Organisationen noch am 17. Juni ihre Arbeit ein[111] – ganz im Gegensatz zu den betrieblichen Streikleitungen, die oft noch länger handlungsfähig blieben. Die Mitglieder, die nicht sofort verhaftet wurden, gingen zurück in ihre Betriebe und beteiligten sich dort an der Weiterführung der Arbeitskämpfe. Offenbar nur in Halberstadt, wo noch am 18. Juni überall gestreikt wurde, gelang es dem Kreisstreikkomitee an diesem Tag, Verhandlungen mit dem Vorsitzenden des offiziellen Kreisrates aufzunehmen[112].

Der 17. Juni in der Traditionslinie der Arbeiterbewegung

Zweifellos bildeten die überbetrieblichen Komitees die am weitesten entwickelte Organisationsform der Streikbewegung am 17. Juni. Ihre Existenz beruhte auf den bereits erzielten Ergebnissen der innerbetrieblichen Streiks und den dort installierten Strukturen und Organisationsformen. Nach einer gewissen Phase der betrieblichen Auseinandersetzungen fiel ihnen die Aufgabe zu, die Streikbewegung weiterzuentwickeln, sie sozusagen auf eine höhere Stufe zu stellen. Das herausragende Beispiel dafür war das Bitterfelder Streikkomitee, das einen Generalstreik der gesamten Arbeiterklasse der DDR zum 22. Juni ins Auge gefaßt hatte[113].

Bezeichnenderweise waren es gerade die alten industriellen Ballungsgebiete, in denen die Streikbewegung den größten Umfang und die ausgeprägteste Struktur gefunden hatte. Diese Gebiete waren zugleich auch alte Zentren der Arbeiterbewegung, wo bereits in der Weimarer Republik die Arbeiterklasse die dominierende politische Kraft dargestellt hatte. Im Halle-Merseburger Raum beispielsweise hatte die KPD bei den Reichstagswahlen 1928 mit einem Viertel aller Stimmen selbst die SPD knapp überflügelt. Magdeburg wiederum war eine der bedeutendsten Hochburgen der Sozialdemokratie gewesen[114]. Hier scheinen die in langjährigen Kämpfen im kapitalistischen Deutschland entwickelten Aktionsformen am 17. Juni 1953 durchaus präsent gewesen zu sein. Die Streiks, Demonstrationen und Betriebsbesetzungen lassen in ihrem disziplinierten und zielgerichteten Ablauf die Traditionen kollektiven Handelns der Arbeiter- und Gewerkschaftsbewegung erkennen. Auch die Erfahrungen all der beteiligten alten ›Kader‹ der Arbeiterbewegung, die in den Streikleitungen tätig waren, trugen dazu bei, den spontan ausgebrochenen Streiks eine gewisse organisatorische Festigkeit zu verleihen. In erstaunlichem Ausmaß hatte sich in der Arbeiterschaft eine Kampfstärke entwickelt, die sich mit Ausnahmezustand und Militäreinsatz zunächst nicht brechen ließ – ganz im Gegensatz zu den Demonstrationen in den Städten. Schließlich setzten sich Streiks und andere Formen des Arbeiterwiderstands über den 17. Juni hinaus noch fort[115].

3. Formen und Strategien der Verhinderung von Streiks

Es ist in der Literatur durchgängig davon die Rede, daß es nur 300 000 oder 370 000 Arbeiter gewesen seien, die in den Juni-Tagen an Streiks und Demonstrationen teilgenommen hätten – was einem Anteil von 4,5 bis 5,5 Prozent der Arbeiterschaft entspräche[116]. Von DDR-Seite wird diese nicht gerade imposante Größenordnung zum ›beweis‹kräftigen Anlaß genommen, das am 17. Juni demonstrierte Unzufriedenheits- und Protestpotential zu minimalisieren, um im Gegenzug mit Hinweis auf so manche nichtstreikbeteiligte Großbetriebe beispielhaft zu ›belegen‹, daß »*die meisten Parteiorganisationen in den Städten, Industriebetrieben und Dörfern den konterrevolutionären Provokateuren eine entschiedene Abwehr bereiteten*«: »*Im Berliner Secura-Werk, bei den Hochöfnern und Stahlgießern der Maxhütte Unterwellenborn, in Eisenhüttenstadt, Brandenburg und Döhlen, bei den Kumpeln der Kohle-, Kali- und Erzgruben, bei den Arbeitern der Großkokerei Lauchhammer, im Kunstfaserwerk ›Wilhelm Pieck‹ Schwarza, im Kombinat ›Otto Grotewohl‹ Böhlen und in vielen anderen Betrieben stießen die Konterrevolutionäre auf entschiedene Gegenwehr.*«[117]
Die Einwände, die gegen solche ›Rechnereien‹ zu erheben wären, gründen sich zuerst auf die Tatsache, daß jener empirisch sicherlich unbestreitbare Umfang tatsächlich streikbeteiligter Belegschaften keineswegs ein beliebiges oder

zufälliges Segment der ostdeutschen Arbeiterschaft betraf, sondern weitgehend das Zentrum einer Klasse erfaßt hatte, die die SED als ihre eigentliche Basis ausgegeben und wohl auch empfunden hatte. Darüber hinaus erweist es sich als Trugschluß, aus der offenkundigen Nicht-Teilnahme der Mehrheit der Arbeiterschaft abzuleiten, daß diese nichts mit dem 17. Juni zu tun hatte und als partei- und staatstreues Bollwerk von allen stürmischen Aufstandswogen unberührt blieb. Denn selbst viele der von der SED so gerühmten Betriebe standen in jenen Tagen am Rande eines Streiks.
Dafür ist die Maxhütte ein treffendes Beispiel: Hier legten am Morgen des 17. Juni etwa 1000 Bauarbeiter der Bau-Union Jena, die bei der Erweiterung der Betriebsanlagen beschäftigt waren, aus Solidarität mit den Berliner Kollegen die Arbeit nieder. Nach einer Versammlung auf der Baustelle zogen sie in die einzelnen Betriebsabteilungen, um die Hüttenwerker zum Streikanschluß aufzufordern. Im Unterschied zu vielen anderen Werken entfalteten hier die Funktionäre der Partei und der Betriebsgewerkschaftsleitung eine rege Aktivität und erreichten, daß die Bauarbeiter den Betrieb wieder verließen. Zu diesem Zweck schalteten sie auch den Betriebsfunk ein, der »*mit größter Lautstärke Marschmusik übertrug*«, wodurch jegliche Diskussionsmöglichkeit unterbunden wurde. Nur zu verständlich war es, daß daraufhin die Bauarbeiter – vergeblich – versuchten, den Werkfunk in eigene Hände zu bekommen. Daß in Teilen der Maxhütten-Belegschaft selbst offenbar Streikbereitschaft bestand, erweist sich aufgrund späterer Hinweise auf dortige »*Agenten des Klassenfeinds, die gegen Partei und Gewerkschaft hetzten*« und die lediglich aus Angst vor der »*Entlarvung*« am 17. Juni nicht hervorgetreten seien[118]. Ähnlich verliefen die Ereignisse im industriellen Prestige-Objekt der DDR, dem Eisenhüttenkombinat Ost. Auch im EKO waren es streikende Bauarbeiter auf dem Betriebsgelände – 5000–6000 an der Zahl –, die die Streikbewegung auszuweiten versuchten. Doch steckte das Werk gerade wegen seiner Bedeutung voll von Kadern der Partei, Gewerkschaft und FDJ, die allesamt eine Gegenfront bildeten –

und die in Auseinandersetzungen mit Arbeitern dann folgerichtig als »Streikbrecher« be-
schimpft wurden. Ob allerdings eine Verhinderung der Streiks im EKO ohne Hilfe von außen
letztendlich gelungen wäre, muß fraglich bleiben. Sowjetische Soldaten besetzten schon um
10 Uhr morgens die Werkstore und kontrollier-
ten die Ein- und Ausgehenden. Aufgrund der
einschüchternden Wirkung sah man nur wenige Hüttenarbeiter auf der Bauarbeiterde-
monstration am Nachmittag des 17. Juni. Später wurde auch hier offenkundig, wie groß die
Unzufriedenheit in der Belegschaft war und
daß es mit ihrer vermeintlichen Staatstreue
nicht zum besten stand[119].
In beiden Fällen ist es wesentlich auf das Kri-
senmanagement der Funktionäre von Partei
und Gewerkschaft – im EKO auch auf das Eingreifen des Militärs – zurückzuführen, daß
sich die Belegschaften nicht (mehrheitlich) der
Streikbewegung angeschlossen hatten. Solche
oder ähnliche Vorkommnisse spielten sich am
17. Juni in einer ganzen Reihe von Betrieben
ab. Dabei waren die Grenzen zwischen förmli-
chen Streiks und etwa ganztägigen Versammlungen oder Diskussionen häufig nur fließend.
So wurden von betrieblichen Leitungsorganen
z. T. prophylaktisch Betriebsversammlungen
durchgeführt, um die Arbeiter von einem
Streik und Verlassen des Werkes abzuhalten,
wie es z. B. im Wildauer Schwermaschinenbau
geschah[120]. Andernorts, etwa im Elektromotorenwerk Eisenach, versuchten die Funktionäre
genau umgekehrt, die von einzelnen Arbeitern
autonom einberufenen Belegschaftsversammlungen durch massive Agitation an den Arbeitsplätzen und durch den Werkfunk zu verhindern[121]. Beide Male konnten Arbeitsniederlegungen nicht verhindert werden, auch wenn
andererseits ein geschlossener Streik ausblieb.
Wo es den ganzen Tag über zu Diskussionen
zwischen Arbeitern und Funktionären kam,
waren normale Arbeit und Produktion unterbrochen[122]. Selbst wo es Betriebsparteiorganisation (BPO) und Betriebsgewerkschaftsleitung (BGL) gelang, die Arbeiter von einem
Streikbeschluß abzuhalten und zur Wiederaufnahme der Arbeit zu bewegen, war die Unruhe
nicht gebannt; jederzeit bestand die Möglichkeit einer neuen Eskalation, wie in der Sodafa-

brik Bernburg, in der eine zweite Betriebsversammlung am Abend des 17. Juni mit einem
Streikbeschluß und der Aufstellung eines ausführlichen Forderungskataloges endete[123].
Die internen Diskussionen in diesen Betrieben, die nirgendwo als bestreikt registriert wurden, bewegten sich oftmals in demselben Rahmen, wie er bei offen streikbeteiligten Belegg-
schaften zu beobachten war: Rücknahme der
Normerhöhungen oder Entfernung der SED-
Betriebsgruppen[124], gegen die viel Kritik und
Unzufriedenheit laut wurde[125], waren Forderungen, die man auch hier an vorrangiger
Stelle erhoben hatte. Nur an organisatorischen
Schritten, die eine Fortentwicklung der Streikbereitschaft zu tatsächlichen Streiks bewirkt
hätten, wie etwa die Wahl von Streikkomitees
oder die Teilnahme an Demonstrationen, ha-
perte es hier. Ein Beleg für ein geringeres Un-
zufriedenheits- und Protestpotential der dortigen Arbeiterschaft – im Vergleich zu den Streikenden – ist dies zunächst nicht.
Als weiteres Mittel des Krisenmanagements
von Partei und Gewerkschaft erwies sich die
Entsendung zuverlässiger Funktionäre aus
nicht-streikbeteiligten Betrieben, die in anderen Werken ihren bedrängten Funktionärskol-
legen zu Hilfe eilten, um Streiks zu verhindern
bzw. um die Streikenden zur Rückkehr an die
Arbeitsplätze zu veranlassen[126]. Aus dem Hydrierwerk Zeitz beispielsweise waren *»eine
Reihe Genossen und Kollegen ... an diesem
Tag in anderen Betrieben tätig und halfen mit,
feindliche Losungen und Argumente zu zerschlagen«*[127]. Bei schwankenden, unentschiedenen
Belegschaften verfehlten diese zusätzlichen
Agitationseinsätze sicherlich nicht ihre Wirkung und mochten dort, wo der Streikbeschluß
›auf der Kippe stand‹, häufig erfolgreich geen-
det haben. Aber wo schon gestreikt wurde,
hatten betriebsfremde Agitatoren weniger
Glück[128].
Zur Verhinderung von Streiks und Demonstrationen durch Partei- und Gewerkschaftsagita-
tion kam eine Variante, die auf den ersten
Blick recht einfach erscheint, die aber um so
wirkungsvoller gewesen war: Zusammen mit
dem Werkschutz schirmten Funktionäre den
Betrieb gegen alle äußeren Ereignisse ab, indem sie ›den Laden dicht‹ machten. Sie verhin-

derten damit die für die Streikauslösung häufig so notwendige Kontaktaufnahme zwischen einzelnen Belegschaften. In Halle, wo die Streikbewegung sonst sehr viele Betriebe erfaßt hatte, gelang es in den Gas- und Elektroenergiebetrieben durch Schließen der Werktore, die *»Provokateure nicht in die Werke* (zu) *lassen«* und *»die Produktion ohne Unterbrechung aufrecht*(zu)*erhalten«*[129]. Dadurch hatten die vorbeiziehenden Belegschaften keine Chance, die Kollegen von dort zum Streikanschluß aufzufordern. Ähnliche Verbarrikadierungen sind in manch anderen Betrieben am 17. Juni zu verzeichnen[130]; teilweise hatten einzelne Werkschutzleute, wie später lobend berichtet wurde, *»vollkommen auf sich allein gestellt... das Werk gegen alle Eindringlinge erfolgreich verteidigt«*[131].

Was letztendlich die Entstehung, Fortführung oder Ausweitung der Streiks häufig ganz entscheidend erschwert hatte, war die Verhängung des Ausnahmezustands und das Eingreifen sowjetischen Militärs. Obwohl am 18. Juni eine ganze Reihe von Belegschaften erstmals die Arbeit niederlegte[132], blieb die einschüchternde Wirkung nicht aus. Manchmal wurde durch die militärische Besetzung von Betrieben eine Streikaufnahme unmöglich[133]. Allein die Nachrichten von der Niederschlagung der Demonstrationen waren so demoralisierend, daß Belegschaften ihre geplanten Aktionen nicht mehr in Angriff nahmen – mangels Aussicht auf Erfolg. Das war sicherlich nicht das ›Verdienst‹ des Krisenmanagements des Partei- und Gewerkschaftsapparates. Auf jeden Fall trug die rasche zentrale Reaktion – vor allem die der Sowjets – auf die Ereignisse am 17. Juni dazu bei, daß nicht noch bedeutend mehr Arbeiter in den Betrieben in den Streik traten.

4. Die führende Rolle der Arbeiterschaft in den Kämpfen des 17. Juni

Streiks und Demonstrationen, ja sämtliche Aktionen in den Juni-Tagen 1953 gingen in Berlin wie in der DDR von der Arbeiterschaft aus. Sie war der eigentliche Träger des Widerstands. Obwohl der bedeutendere Teil der Arbeiteraktivitäten in den Betrieben ablief, spielten sich die spektakulären Ereignisse in den Städten ab – bei Demonstrationen, Gefangenenbefreiungen und ähnlichen Aktionen. Wie stark waren denn nun Ausmaß und Formen der Vermischung von Arbeiteraktivitäten und den ›allgemeinen‹ Demonstrationen der Bevölkerung?

Läßt man die Entwicklung in Berlin, die in jeder Hinsicht atypisch für den Verlauf der Ereignisse in der gesamten DDR gewesen war, einmal außer acht, so kann man feststellen, daß überall die Arbeiterschaft die dominierende Rolle hatte. Ausnahmen waren vereinzelte Demonstrationen in ländlich-agrarischen Gebieten[134]. Doch sind einige markante Differenzierungen zu registrieren, die jene Vermischung betreffen. Zunächst lassen sich in den Ereignissen des 17. Juni zwei Phasen entdecken:

Es begann mit Arbeitsniederlegungen in den Industriebetrieben, wo Streikleitungen bestimmt, Forderungen diskutiert und Arbeiterdemonstrationen in den Städten durchgeführt wurden. In dieser ersten Phase lag jegliche Initiative und Aktionsform in den Händen der Arbeiterschaft; große Diszipliniertheit und Ordnung waren ihre Kennzeichen. Im zweiten Stadium der Ereignisse stießen Angehörige anderer Bevölkerungsgruppen zu den Arbeitern. Das geschah frühestens am Nachmittag des 17. Juni. Vor allem Jugendliche und Frauen traten dabei in Erscheinung. Teilweise entglitt von diesem Moment an der Arbeiterschaft die Führung der Ereignisse. Es konnten sich *»oft auch Außenseiter, ja offensichtliche Demagogen«* zu Sprechern der Demonstranten aufschwingen[135]. Görlitz ist dafür ein bezeichnendes Beispiel: Auch hier gingen alle Aktivitäten von den Industriearbeitern aus; sie waren die ersten, die öffentlich demonstrierten. Doch der disziplinierte Zug der Arbeiter löste sich bald in allgemeinen Demonstrationen auf. Es kam zu Plünderungen und Gewalttätigkeiten gegen Personen; in der Stadt schien am Nachmittag des 17. Juni ein unkontrollierbares Chaos geherrscht zu haben. Der Versuch, auf einer Kundgebung Ruhe und Ordnung in die Aktionen zu bringen, scheiterte ebenso wie der Vorschlag, eine zentrale Streikleitung – bestehend aus je zwei Delegierten der Betriebe – zu installieren[136]. Anders dagegen verliefen die Ereignisse in Bitterfeld. Zwar kam es auch hier zur Besetzung des Rathauses, des Kreispolizeiamtes und zur Befreiung politischer Gefangener durch die Demonstranten, doch in keiner Phase zu gewalttätigen Auseinandersetzungen. Im Gegenteil, die zentrale Streikleitung wies darauf hin, daß den sowjetischen Befehlen unbedingt Folge zu leisten sei. In Bitterfeld waren alle Aktivitäten eindeutig von der Arbeiterschaft bestimmt; während der gesamten Dauer stellten Arbeiter die Mehrheit der Demonstrationsteilnehmer[137].

Diese zwei Beispiele lassen sich durchaus verallgemeinern: Überall, wo es der Arbeiterschaft gelang, die Führung und Dominanz in den Demonstrationen zu behalten, verliefen die Ereignisse diszipliniert und besonnen, auch wenn es etwa zu Besetzungen, Gefangenenbefreiungen oder Entfernungen von Transparenten, Parteilosungen und Ulbricht-Porträts gekommen war. Wo dies der Arbeiterschaft nicht gelang, ereigneten sich Ausschreitungen, Gewalttätigkeiten usw., denen sogar einige Funktionäre der Partei und des Staatssicherheitsdienstes zum Opfer fielen[138]. Wie wenig solche Vorkommnisse auf das ›Konto‹ der Arbeiterschaft gingen, war der in der DDR erscheinenden Zeitschrift ›Weltbühne‹ völlig bewußt, als sie kurz nach dem 17. Juni schrieb: *»Daß in der Deutschen Demokratischen Republik über mancherlei Dinge Mißstimmung herrschte, ist eine Tatsache. Es ist ebenso Tatsache, daß diese Mißstimmung ihren Ausdruck in Streiks und Demonstrationen in Berlin und in einigen Städten der DDR fand. Aber es ist auch bewiesen, daß die Brandstiftungen und Plünderungen, die Mordhetze, die Mißhandlungen und die Morde an einigen Mitgliedern demokratischer Organisationen nicht der Wille und das Werk derer waren, die für berechtigte Forderungen auf die Straße gingen.«*[139]

5. Nach dem 17. Juni:
Die große Aussprache in den Betrieben

Es ist jetzt bekannt, daß die Streikbewegung in den Betrieben in beträchtlichem Umfang über den Zeitpunkt der Verhängung des Ausnahmezustands und der polizeilich-militärischen Niederwerfung der Demonstrationen hinausging. Was in den Tagen nach dem 17. Juni herrschte, war allenfalls äußerliche Ruhe auf den Straßen und Plätzen der Republik. Hinter den Werkstoren brodelte es weiter: Viele Arbeitsniederlegungen begannen erst am 18. Juni; andere zogen sich noch zwei, drei Tage hin; in einer ganzen Reihe von Betrieben konnte die Arbeit noch nicht aufgenommen werden, da ein Teil der Belegschaft nicht erschien oder weil die Arbeiter lange diskutierend herumstanden, ohne die Maschinen anzustellen. In diesen Tagen beherrschten die Stimmen und Meinungen der Werktätigen das Feld – und nicht die der Agitatoren von Partei und Gewerkschaft. Die betrieblichen und örtlichen Parteiorganisationen und Gewerkschaftsleitungen befanden sich sehr häufig in einem Zustand verwirrter Passivität und ängstlicher Zurückhaltung, sahen ›ihre Felle wegschwimmen‹ und selbst Teile ihrer Funktionärsbasis auf die Seite der Streikenden überlaufen. Jedenfalls kam eine offensive Agitation im Sinne der ersten Stellungnahmen der politischen Führung kaum zustande. Bezeichnenderweise sprach eine SED-Zeitung bereits von einem – nach dem oftmaligen »Versagen« der Parteigruppen am 17. Juni selbst – *»weiteren Versagen beträchtlicher Teile unserer Partei«*, woraus sie den *»unerträglichen Zustand«* erklärte, *»daß Teile der Arbeiterschaft auch gegenwärtig die Politik unserer Partei nicht verstehen«*[140]. Die kritisierten ›kleinen‹ Funktionäre vor Ort hatten dabei zu ihrer Verteidigung auf die Stimmung und das Verhalten der Arbeiter in den Tagen seit dem 17. Juni verwiesen; sie hatten für sich und die verlangte Agitationsarbeit wenig Chancen gesehen: *»Es sei nicht zweckmäßig, jetzt schon grundsätzliche Diskussionen mit den Arbeitern zu führen«*, so referierte jene Zeitung die Meinung kapitulierender Kader; *»die Arbeiter seien noch zu erregt . . . und noch zu tief davon überzeugt, daß sie für ihre berechtigten Wünsche in der Normenfrage demonstriert hätten. Sie müßten sich erst beruhigen . . .«*[141].

Nur allzu gut ahnten solche Funktionäre, daß man der streikbeteiligten Arbeiterschaft nicht mit der ›Theorie‹ vom »Tag X« und von der »faschistischen Provokation« kommen konnte.

*Beobachtungen zum Klima
der Belegschaftsversammlungen*

In dieser Situation brachte das am 21. Juni zusammengetrommelte Zentralkomitee seine Erwartung zum Ausdruck, *»daß die Funktionäre des zentralen Apparates, in den Bezirken und den Kreisen mit dem morgigen Tag in die Betriebe gehen«.* Hier seien *»Partei- und Belegschaftsversammlungen abzuhalten, auf denen unsere Funktionäre die Fragen der Arbeiter und der anderen Werktätigen offen und kühn beantworten und den konsequenten Kampf aufnehmen* für *die Interessen der Arbeiterschaft,* für *das Wohl aller Werktätigen,* für *die Erklärung und Durchsetzung des neuen Kurs und* für *die Überwindung unrichtiger Auffassungen ehrlicher Arbeiter, aber gegen die Provokateure«*[142].
Mit dieser Maßgabe machten sich also die höchsten Funktionsträger von Regierung, Partei und Gewerkschaft auf den Weg in vornehmlich streikbeteiligte Großbetriebe, um an die Seite all der ›kleinen‹ Funktionäre zu treten, die den gestellten Aufgaben kaum gewachsen waren. Von denen kamen denn auch so manche Bedenken, als ZK-Beauftragte an die Türen großer Betriebe klopften. SED- und FDGB-Bezirksfunktionäre warnten beispielsweise vor einer offenen Diskussion mit der Belegschaft der wild bestreikten LOWA-Werke in Niesky: *».. . die Arbeiter (seien) noch nicht bereit, Partei und Regierung anzuhören oder gar mit ihnen zu diskutieren«*[143]. Nun, die meisten hohen Leute von oben wagten den ›Sprung ins kalte Wasser‹. Für sie blieb es schließlich bei kurzzeitigen Ausflügen in die Niederungen der Basis. Aber immerhin!
Die Behauptung von der Diskussionsunwilligkeit der Arbeiter war eine glatte Lüge. Wogegen allerdings eine ganz massive Unwilligkeit bestand, war, so zu ›diskutieren‹, wie es bislang in Betriebsversammlungen üblich war. Das brachte ein Arbeiter der Potsdamer Karl-Marx-Werke treffend zum Ausdruck, als er in einem Leserbrief an die ›Märkische Volkszeitung‹ den Ablauf einer Versammlung in seinem Betrieb schilderte: *»Die langjährige Praxis der Schlafpillenverteilung wurde hier weiterhin mit einer Beharrlichkeit gepflegt, daß es einem die Gummischuhe auszog.«* Die offiziellen Redner – unter ihnen Erich Honecker – sprachen so, *»daß einige Arbeiter einschliefen und andere mit dem Ruf ›Alles alter Käse!‹ die Versammlung verließen, weil sie der Ansicht waren, daß sie die Gebetsmühlerei... längst auswendig kannten«*[144].
Ganz anders verlief der erste Auftritt Ulbrichts vor einer ›wildgewordenen‹ Basis am 23. Juni. Die Arbeiter der Berliner Niles-Werke begrüßten ihn, der mit Polizeischutz und Bodyguards angerückt kam, schon mit den Worten: *»Ei, ei, wer kommt denn da mit so vielen Kindermädchen!«* und brachen in ein spöttisches *»Hoch lebe der Arbeiterführer!«* aus[145]. Der Bericht über diese Versammlung (vgl. S. 144 f.) vermittelt den Eindruck einer erregten Debatte, in der die Werktätigen mit Kritik nicht sparten, auch vor persönlichem ›Anmachen‹ nicht haltmachten und eine reichhaltige Palette von Forderungen erhoben. Daß dieser Eindruck auch für die meisten anderen großen Belegschaftsversammlungen gilt, wird aus den zahllosen Berichten deutlich, die DDR-Zeitungen relativ freimütig in den ersten Wochen nach dem 17. Juni veröffentlichten. Das Spektrum des hier öffentlich Diskutierten ging beträchtlich über das bisher Mögliche und Erlaubte hinaus. Und es war die Arbeiterschaft, die die diesbezüglichen Grenzen radikal gesprengt hatte. Was mit den Streiks in den Juni-Tagen schon demonstriert worden war, nämlich das massenhafte Abstreifen der Befangenheit und Knebelung ihrer Meinungs- und Interessenartikulation, führte die Arbeiterschaft jetzt weiter – und zwar auf einer Basis, die weit über den Kreis streikbeteiligter Belegschaften hinausging. Denn gerade jenes Selbstbewußtwerden des 17. Juni besaß unverkennbar eine Signalwirkung auch für die Teile der Arbeiterschaft, die sich der Streikbewegung gar nicht angeschlossen hatten. In der Folgezeit entfielen insofern weitgehend die Grenzen zwischen streikbeteiligten und nicht-streikbeteiligten Klassen›fraktionen‹; und es wurde offensichtlich, wie sehr viel größer das Potential an Unzufriedenheit, Protest und Widerstand in den Betrieben war, als es die Zahl der tatsächlich Streikenden vermuten ließ. Aber nicht nur das: Die Arbeiter brachten jetzt eine weitaus umfassendere und konzentriertere Artikulation ihrer Kritik, Inter-

essen und Forderungen zustande, als es ihnen in der Spontaneität und Dramatik während der Streiktage selbst möglich gewesen war. Sie bestimmten in den Belegschaftsversammlungen nach dem 17. Juni Stil und Themen der Diskussion. Nach einer solchen Diskussion sagte ein hoher Funktionär: »*Heute ist zum erstenmal bei Siemens-Plania offen und ehrlich gesprochen worden!*« – so offen, daß ihm selber »*stellenweise der Atem wegblieb*« [146].

In dieser Situation waren die Funktionäre – ob vom ZK oder aus der BGL – gefordert, sich als nicht zimperlich zu erweisen. Sie mußten ihre Dialogbereitschaft auch angesichts von absolut ›staatsgefährdenden‹ Reden aufrechterhalten, die sie vor kurzem noch lieber zu Fällen für die politische Polizei oder für den Staatsanwalt erklärt hätten. Sie mußten es aus taktischen Gründen, um nicht ihre eigene Niederlage auf den Versammlungen schon vorzuprogrammieren. Diese Zwangslage meinte FDGB-Spitzenfunktionär Kurt Meier, als er nach Besuch mehrerer Belegschaftsdebatten in den Buna-Werken seinen Bundesvorstandskollegen vorjammerte: »*Kollegen, wenn ich euch die Diskussionsbeiträge zu lesen geben würde, würdet ihr mich fragen, warum wir die ganze Bande nicht sofort verhaftet haben!*« [147] Wohlwissend hatte Meier das natürlich unterlassen! Denn das Erfordernis, die Konfliktlage im Betrieb nicht noch anzuheizen, besaß größere Dringlichkeit, als über die Staatstreue einzelner Arbeitermeinungen zu wachen oder vermeintliche ›Provokateure‹ vor versammelter Belegschaft zu ›entlarven‹. Unter dem Druck der Basis sahen sich in der Tat viele Funktionäre in die Defensive gedrängt, weshalb man später davon sprach, sie hätten sich »*in den Betrieben feindlichen Argumentationen oft nicht gewachsen*« gezeigt [148]. Ganz gezielt kritisierte die sich Ende Juli wieder fest im Sattel fühlende SED-Spitze das ›kapitulantenhafte‹ Verhalten in ihren Reihen: Einige wären nicht offensiv »*provokatorischen Hetzreden*« und systemgefährdenden Forderungen entgegengetreten [149]; andere hätten mehr über die Fehler der Partei und über aktuelle wirtschaftliche und soziale Probleme geredet, anstatt die ›Tag X-These‹ in die Massen zu tragen [150], oder hätten zu große Kompromißbereitschaft gezeigt,

indem sie unautorisierte Versprechungen und Zusagen abgaben [151]. Die Parteikritik an solchen Verhaltensweisen, die nicht wenige Funktionäre bald den Kragen kosteten [152], ist hier deshalb von Interesse, weil sie indirekt zeigt, wie offen und ungehemmt, häufig unnachgiebig und voll Widerspruch das Auftreten von Belegschaften nach dem 17. Juni war. Nur kurze Zeit schwärmte die Leipziger Volkszeitung: »*In diesen Tagen weht ein neuer, ein frischer Wind durch unsere Betriebe*« [153] – nur: er blies denen da oben mächtig ins Gesicht!

Die Abrechnung der Arbeiter mit dem ›alten Kurs‹

Die Arbeiter wollten nicht so sehr die meist halbherzigen Selbstbezichtigungen der Leute von oben hören und noch weniger deren dramatisierenden Redensarten über die ›faschistische Provokation‹ oder den ›von Westagenten inszenierten Putschversuch‹. *Sie* wollten jetzt abrechnen mit den Verhältnissen, die sie seit langem bedrückten. »*Ich bin seit 1921 in der Arbeiterbewegung – und mußte feststellen, daß die meisten Menschen in den letzten Monaten unzufrieden waren. Es war zuviel, was von uns verlangt wurde. Der Kurs war verfehlt, er war zu scharf, und wir haben uns immer gefragt: Wo soll das hinführen?*« Das war der Maschinenschlosser Thalmann, der mit diesen lauten Worten in einem Leipziger SAG-Betrieb die Generalkritik am ›alten Kurs‹ einleitete [154]. So wie er brachte man vielerorts zum Ausdruck, daß sich die Verhältnisse seit dem Sommer 1952 in den Augen der Arbeiterschaft eigentlich auf einen Kern reduzierten: »*Alle Opfer wurden nur auf den kleinen Arbeiter abgewälzt!*« [155] Der einseitig forcierte Aufbau der Schwerindustrie hatte die Werktätigen mit einer Vielzahl verschärfter Strategien konfrontiert, die den Arbeitern höhere Arbeitsleistung bei gleichzeitig verschlechterten Arbeitsbedingungen und – erst recht! – bei gleichzeitig erzwungener Einschränkung des Lebensstandards abverlangten.

Immer wieder hatten sie zu hören bekommen, daß Arbeitsleistungen und Produktivität ›zu schwach entwickelt‹ seien, worin doch offenkundig eine Portion Schuldzuweisung an die

Adresse der Werktätigen steckte. *»Es ist schon nicht mehr auszuhalten, daß wir immer nur Vorwürfe bekommen, wir erfüllen unseren Plan nicht!«* schimpfte ein Arbeiter in den Niles-Werken; *»wie sollen wir denn den Plan erfüllen, wenn uns kein Rohmaterial zur Verfügung gestellt wird?«* [156] Für all die Produktionsschwierigkeiten und Planrückstände sahen die Arbeiter in der Tat durchgängig *»die Ursache nicht darin, weil der Arbeiter schlecht arbeitet(e), sondern weil die Arbeitsorganisation im Betrieb schlecht«* war [157], weil *»ständig das Produktionsprogramm geändert«* wurde [158], weil *»wir ein halbes Jahr im Werk die Däumchen drehen und uns im anderen halben Jahr überschlagen«* mußten [159], weil Rohstoffe, Halbfabrikate, Werkzeuge usw. fehlten, so daß z. B. *»nicht mal vernünftige Maurerkellen zu beschaffen«* waren [160]. Angesichts solcher Zustände erschienen den Arbeitern die ganzen Wettbewerbskampagnen als Methoden zur Intensivierung der Arbeit in Stoßzeiten; sie sprachen von *»Wettbewerbsdiktatur«* [161] und davon, daß sie *»ganz auf Kosten der Arbeiter durchgeführt«* wurden [162].

Erst recht zu deren Lasten gingen natürlich die Maßnahmen, die sich direkt oder indirekt auf den Lohn der Arbeiter ausgewirkt hatten. Es war klar, daß in den Belegschaftsversammlungen nach dem 17. Juni das Thema Arbeitsnormen einen wichtigen Platz einnahm. Überall brodelte noch die Empörung darüber, daß die Normen erhöht wurden ohne technisch-organisatorische Verbesserungen der Arbeitsprozesse und ohne Beteiligung der Arbeiter selbst. Sie wurden halt *»vom grünen Tisch aus erhöht«* [163], einfach *»in Bausch und Bogen festgesetzt«* [164], und dies *»mit allerlei Tricks«* [165]. Das bestärkte viele Arbeiter in ihrer latenten Aversion gegen die TAN-Funktionäre, die sie nicht anders erlebten als die »REFA-Fritzen« vergangener Zeiten. Zu Recht meinte ein SED-Genosse im Elektroapparate-Werk Treptow, *»daß die TAN-Sachbearbeiter im Prinzip noch zu sehr nach der alten kapitalistischen Methode der Normenabstopper arbeiten«* [166]. Ganz eindeutig lag für alle der ›Sinn‹ der Normerhöhung einzig und allein in der Reduzierung ihrer Effektivverdienste, was besonders dort als *»unerträglich«* empfunden wurde, wo man *»infolge der Mängel an Werkzeug und Material schon*

bei der alten Norm nur mit Mühe auf sein Geld (kam)«[167]. Die materiellen Einbußen hatten sich, wie viele Arbeiter jetzt schilderten, noch verstärkt durch die Kürzung bzw. den Wegfall verschiedener Lohnzuschläge [168] sowie durch Rückstufungen in schlechter bezahlte Lohngruppen [169]. So erklärt sich die häufige Kritik an den generell zu niedrigen Einkommensverhältnissen der Arbeiterschaft [170]. Viele wiesen auf ihre Schwierigkeiten hin, *»die Familie satt* (zu) *bekommen«* [171]. Der Unmut kam dabei insbesondere von Arbeitern der unteren Lohngruppen sowie aus Wirtschaftszweigen mit unterdurchschnittlichen Lohnsätzen [172].

Bargen all die materiellen und sozialen Einschränkungen, von denen hier die wichtigsten genannt wurden [173], schon an sich genügend Konfliktstoff, so verschärften sich die Belastungen noch durch Warenknappheit und Kaufkraftschwund des Geldes. In allen Belegschaftsversammlungen gab es Klagen und Beschwerden über die unzureichende Lebensmittelversorgung, über die durchweg zu hohen Preise in den HO-Geschäften, über die Wohnungsnot usw. [174]. Es wurde veranschaulicht, daß die Masse der ›einfachen‹ Arbeiter – im untersten Viertel der Einkommenspyramide – die eigentlich Hauptleidtragenden jener Mißstände des ›alten Kurses‹ waren. Sie wurden empfindlicher getroffen als besser verdienende Schichten. *»Euer Bauch ist dick genug!«* hatten Berliner Bauarbeiter ihren Funktionären zugerufen [175]. Zu materiellen Privilegien der Intelligenz meinte man in Leuna: *»Nachdem sie so gut bezahlt worden sind, haben wir am 17. Juni gesehen, auf welcher Seite sie stehen.«* [176] Bei allem mußte man dann noch eine »Verschwendung öffentlicher Mittel« registrieren: z. B. bei den organisierten Ehrerbietungsritualen für die Herrschenden wie der 1. Mai-Kundgebung mit ihrer überreichlichen Dekoration aus rotem Manchester. *»Genügt da nicht gewöhnliches Fahnentuch?«* fragte verständnislos ein Maurer und erteilte denen da oben die Lektion: *»Man darf nicht zu dicke tun, wenn die Arbeiter keine Manchesterhose auf dem Hintern haben. So etwas sehen wir Arbeiter!«* [177] Und sie sahen es, je mehr *»Opfer von den Arbeitern verlangt«* [178], je schlimmer mit ihnen *»Schindluder getrieben«* wurde [179].

Interessenvertretung und Gewerkschaft

Für die Arbeiterschaft waren solche Miß-stände in Betrieb und Gesellschaft und die Kritik daran nicht erst ein paar Tage alt. Neu war ›nur‹ die öffentliche, weitgehend ungehemmte Artikulation von Enttäuschung, Wut und Kritik. Es verwundert nicht, wenn überall jetzt gerade die Unterdrückung ihrer Kritik und die Verhinderung ihrer Mitsprache im Vordergrund der Auseinandersetzungen standen. *»Wie alle Diskussionsredner«*, so referierte »Neues Deutschland« den Redebeitrag des Kollegen Fischer aus Ammendorf, *»betonte er, daß vorher in der Waggonfabrik Kritik unterdrückt wurde.«*[180] Ein Werkzeugschlosser im VEB Bodenbearbeitungsgeräte Leipzig sagte: *»Bei uns wurde auch kritisiert. Aber es kam darauf an, wer kritisierte. War es der kleine Meier, blieb alles beim alten.«*[181] *»Alle unsere Vorschläge, die wir der BGL oder der Werkleitung vortrugen, wurden mißachtet. Nirgends fanden wir Gehör«*, lautete die Klage im Berliner Scheringwerk[182]. Fast schon bilanzierend meinte einer vom Funkwerk Köpenick:
»Wir sind in den letzten Jahren so oft vor den Kopf gestoßen worden, daß wir uns dachten: Halt doch das Maul, es hat doch keinen Zweck!«[183]
Daß den Arbeitern auch regelrecht ›das Maul verboten‹ wurde, brachte der Kollege Riedel im Kirow-Werk ans Tageslicht: *»Wenn Kritik geübt wurde, hieß es, der Kollege liege ›schief‹. Es hat sich jeder gefürchtet, den Mund aufzutun!«*[184]
In Leuna war es ebenfalls *»nicht möglich gewesen, Kritik zu üben, ohne Schaden dabei zu nehmen«*[185]. Entsprechend laut verurteilte man die *»Methoden des Herumkommandierens«*[186], des *»Administrierens und Diktierens«* der Leitungsorgane[187]. Die erschienen in den Augen der Werktätigen als ein anonymer, undurchdringlicher Apparat, dessen Funktionäre sich *»nicht mehr im Betrieb sehen ließen«*[188], *»nur hinter ihren Schreibtischen thron(t)en und keine Verbindung mit der Belegschaft (hatten)«*[189]. Deutlicher kann man kaum die Einflußlosigkeit der Arbeiter und die Fremdbestimmtheit der Arbeit beschreiben. In einem Anflug von ideolo-

gisch unmaskierter Sichtweise stellte selbst ein hoher FDGB-Funktionär fest, daß doch meist *»die Arbeiter von der Gestaltung der Produktion ausgeschaltet wurden«* und *»die Arbeit in unseren Betrieben... immer noch nach dem alten kapitalistischen Muster organisiert«* war[190].
Was hier an Ausdrucksformen betrieblicher Machtverhältnisse deutlich wurde, betraf auch Politik und Stellung der Gewerkschaften. In ihrer Kritik nannten die Arbeiter fast durchgängig die Funktionäre von Werkleitung, Parteiorganisation und Betriebsgewerkschaftsleitung in einem Atemzug und bezeichneten sie zusammenfassend als *»die da oben«*[191], die, miteinander verfilzt[192], Macht ausübten. Den BGL wurde das besonders zum Vorwurf gemacht; schließlich bestanden ihnen gegenüber ganz andere Erwartungen als die, *»Anhängsel der Betriebsleitung«* zu sein[193], *»im Schlepptau der Werkleitung (zu) segeln«*[194] oder mit jener die gleiche *»Holzhammerpolitik«* gegen die Belegschaften zu betreiben[195]. *»1945/46 haben unsere Kollegen bei trockenem Brot gearbeitet«*, erinnerte sich ein enttäuschter Arbeiter in den Leipziger Eisen- und Stahlwerken; aber *»damals hatten sie Vertrauen zu ihren Gewerkschafts- und Parteifunktionären... Wie sah es dagegen in der letzten Zeit aus?«*[196] Vielerorts schilderte man es so: Die BGL *»nahmen sich der Sorgen der Kollegen nicht mehr an«*[197], ließen ständig *»nichtssagende Resolutionen... formal beschließen«*[198], *»beschimpften«* Kritiker *»als Opportunisten oder Reaktionäre«*[199] – und kungelten *»hinter verschlossener Tür«* mit den anderen des Leitungsfilzes[200]. Es herrschten Verhältnisse, daß dem Kollegen Schmidt nur zu sagen blieb: *»Ich empfinde das als eine Erniedrigung eines alten Arbeiters und Gewerkschafters!«*[201] Ständige Erfahrungen mit nichtgeleisteter Interessenvertretung durch die Gewerkschaften brachten viele zu solchen Äußerungen wie: *»Da kommt doch nichts bei raus!«*[202] oder *»Was haben wir schon am FDGB?«*[203] Der von der FDGB-Spitze schon vor dem 17. Juni registrierte Vertrauensverlust[204] zeigte sich nun in der ganzen Arbeiterschaft. Nicht wenige sprachen der Gewerkschaft jetzt öffentlich die Berechtigung ab, noch länger als *die* Organisation der Arbeiterinteressenvertretung aufzutreten.

Der Regierung wird die Gefolgschaft verweigert

Wenn schon der FDGB für viele Mißstände verantwortlich gemacht wurde, so traf die ›Schuld‹zuweisung der Werktätigen erst recht Parteiführung, Regierung und Bürokratie. Überhaupt gab es in diesem Land keine sozialen Konfliktstoffe, die nicht zugleich politische waren[205]. Alle bisher zitierten Klagen über Arbeitsbedingungen, Normen, Löhne, HO-Preise usw. hatten stets eine kritische Stoßrichtung gegen die Herrschenden. Das kam schon bei ›kleinen Dingen‹ zutage, wenn z. B. ein Arbeiter sich über die Unsitte in den HO-Geschäften beschwerte, den Kunden die eingekauften Lebensmittel unverpackt über den Tresen zu schieben: »*Man soll den Papierkrieg in den Verwaltungen etwas einschränken, dann haben wir auch Papier, um in unseren Geschäften die Lebensmittel einpacken zu können!*«[206]
Noch sehr viel mehr, als es in ihrem unmittelbaren Lebenszusammenhang der Fall war, bekundeten die Werktätigen nun ihre Erfahrung völliger Einflußlosigkeit und Ohnmacht auf höherer, politischer Ebene. Ihre kritischen Stimmen und Meinungen über den ›alten Kurs‹ waren nie nach oben durchgedrungen – geschweige denn als konstruktives Element in einem demokratischen Willensbildungsprozeß behandelt worden. »*Konnte es jemals zu den Ereignissen des 17. Juni kommen*«, fragte ganz typisch ein Arbeiter aus Wildau, »*wenn man soviel aufgespeicherte Unzufriedenheit breiter Volksschichten, die man einfach nicht sehen wollte, gesehen und gehört hätte?*«[207] Überall wurde jetzt der Empörung über die völlige Entfremdung von Parteiführung und Regierung von der Basis lautstark Luft gemacht. Immer wieder kamen Vorwürfe, daß die ›da oben‹ »*ein falsches Bild über die wirkliche Lage in den Betrieben*« hatten[208] und überhaupt »*die Stimmung der Bevölkerung nicht kannten*«[209], daß sie blind und ignorant waren, weil ihnen doch andernfalls »*hätte auffallen müssen, daß etwas nicht stimmt(e)*«[210]. Der eben zitierte Arbeiter aus Wildau nannte als die dafür Verantwortlichen ganz allgemein die Stellen, »*die die Verbindung zwischen Volk und Regierung herzustellen haben*«[211]. Da die Bevölkerung der DDR nicht mehr über unmittelbare plebiszitäre Einwirkungsmöglichkeiten auf die Politik verfügte – in Form demokratischer Wahlen usw. –, ging es in der Tat um diese ›Verbindungsstellen‹, also vorrangig um die Gewerkschafts- und Parteiorganisation. Gegen die entlud sich in diesem Zusammenhang die geballte Kritik der Werktätigen: sie seien einseitig zu Vollzugsorganen oder »Anhängseln« der Regierung wie – auf unterer Ebene – der Betriebsleitungen geworden; »*eine innergewerkschaftliche Demokratie gab es nicht*«[212]. Sie hatten Kritik der Basis unterdrückt und mit chronischer Selbstgefälligkeit und »Schönfärberei« systematisch »*die übergeordneten Leitungen bis zum ZK falsch informiert*«[213]. Da sie sich in den Augen der Werktätigen als völlig unfähig oder auch unwillig erwiesen hatten, die Verbindung zwischen Basis und Führung herzustellen, war die Arbeiterschaft jedweder eigenen, politisch wirksamen ›Medien‹ für eine autonome, unverfälschte Meinungs- und Interessenartikulation beraubt. Das war die Grundlage für das ›dichotomische‹ Bewußtsein des ›Ihr da oben – wir da unten‹, für das Bewußtsein, beherrschtes Objekt einer – wenn nicht durch einen Aufstand! – schier unbeeinflußbaren Herrschaft zu sein. Es zieht sich wie ein roter Faden durch zahllose Diskussionsbeiträge von Arbeitern in den Versammlungen nach dem 17. Juni. Wie sehr diese Verhältnisse das von den Traditionen der Arbeiterbewegung geprägte Selbstbewußtsein der Arbeiterschaft in der DDR erschütterten, kam während einer Berliner Baustellenversammlung am 25. 6. zum Ausdruck. Auf die naive Gegenfrage des SED-Hofpoeten Kuba »*Warum seid* ihr *denn nicht gekommen, das Politbüro hätte bestimmt auf eure Stimmen gehört?!*« mochten die Arbeiter nur bitter gelacht haben. »*Willst du wissen, warum das Politbüro nicht die volle Wahrheit erfuhr?*« funkte ein Maurer erregt zurück: »*Weil man befürchtete, ein Wort zuviel zu sagen. Auf die Alten, die Erfahrung haben, wurde ja nicht mehr gehört. Die wurden an die Wand gequetscht. Jeder, der Kritik übte, befürchtete, als Feind angesehen zu werden. Aber so geht's nicht! Wenn ich eine Arbeiterregierung habe, will ich spüren, daß ich meine Rechte als Arbeiter habe!*«[214]
Jener Maurer deutete die besondere Brisanz

der politischen Konfliktlage an. Denn mit ihrer Kritik bezogen sich die Arbeiter auf ein Regime, das von seinem eigenen Anspruch her eine Politik im Interesse der Arbeiterklasse zu betreiben vorgab – und das damit spezifische Anspruchs- und Erwartungshaltungen hervorrief. *»Wie oft mußten wir in letzter Zeit hören«*, stöhnte bezeichnenderweise ein FDGB-Spitzenfunktionär in einem Rückblick auf die Diskussionen in den Betrieben, *»daß wir doch eine Arbeiterregierung haben und daß es deshalb (!) sehr schlecht sei, wenn viele Konsumgüter noch so teuer sind«*[215].

Die Summe der leidvollen Erfahrungen mit dem ›alten Kurs‹ mußte in der Arbeiterschaft zu einer besonderen politischen Frustration führen. Insofern zerstörte sie nun nicht nur die konkreten Ergebnisse der zurückliegenden Politik. Ihre Kritik war Ausdruck der massenhaften Aberkennung jener spezifisch proletarischen Legitimität des Regimes. Die Aufkündigung der Unterstützung durch große Teile der Arbeiterschaft setzte sich über den 17. Juni hinaus fort.

6. Die verweigerte Distanzierung vom 17. Juni

»Noch immer«, so klagte Leipzigs SED-Chef Paul Fröhlich einen Monat nach dem Aufstand, *»gibt es im Bezirk Leipzig eine Reihe von Mitgliedern der Partei sowie Arbeiter, die die Meinung vertreten, die faschistische Provokation sei nur die eine Sache, die Streiks und Demonstrationen der Arbeiter eine andere. Sie seien sogar die berechtigten Maßnahmen der Arbeiter gewesen.«*[216] Fröhlich hatte unrecht, als er von den Streikbefürwortern in einem Ton sprach, als handelte es sich bei diesen nur um eine verschwindende Minderheit. Eher das Gegenteil war der Fall. Was für jenen Parteifunktionär als Ausdruck *»klassenfeindlicher Positionen«* galt, ließ sich die Arbeiterschaft selbst nicht so leicht ausreden und wegdiskutieren: nämlich die Meinung und das Bewußtsein, zu Recht protestiert und zu Recht das Kampfmittel Streik angewendet zu haben. Noch Monate später verteidigten sehr viele Arbeiter die Berechtigung ihrer Aktionen am 17. Juni. Sie brachten die Propagandisten der Parteilinie oft

genug zu der entnervenden Einsicht, daß man an der Basis die angeblich wahren *»politischen Zusammenhänge des 17. Juni noch nicht begreifen«*[217] und den angeblichen ›Putsch‹-Charakter der Streiks *»heute noch nicht erkennen«* wollte[218].

Auf den Belegschaftsversammlungen in den Wochen nach dem 17. Juni hatten die Werktätigen immer wieder dargelegt, wie sehr ihre Unzufriedenheit ein längst streikreifes Ausmaß angenommen hatte. Typisch dafür war die denkwürdige Äußerung eines Arbeiters im Schering-Werk Berlin-Adlershof: *»Oft habe ich mir ausgerechnet, wieviel von meinem Lohn auf den einzelnen meiner aus 5 Personen bestehenden Familie fällt: es sind täglich zwei Mark! Und da sich niemand um mich gekümmert hat, mich auch niemand einmal fragte, wie ich meine Familie satt bekomme, deshalb bin ich am 17. Juni mit auf die Straße gegangen.«*[219] Daß die zurückliegende Politik *»alle Opfer nur auf den kleinen Arbeiter abgewälzt«* hatte, wurde im VEB Optima Erfurt als Streikgrund genannt[220]. *»Es war zuviel, was von uns verlangt wurde«*, hieß es in einem Leipziger SAG-Betrieb[221]. Und: *»Wir haben uns als Arbeiter oft gefragt: Wird jetzt der Bogen nicht zu weit gespannt?«*[222] Er wurde es! An dieser durchgängigen Arbeitermeinung lassen die vielen Berichte über die Diskussionen in den Betrieben nach dem 17. Juni keinen Zweifel. Vielerorts war es so, wie beispielsweise in den Elektroapparatewerken Berlin-Treptow, wo sich in der Belegschaft *»so viel Groll«* angesammelt hatte, *»daß es nur eines Funken bedurfte, um den Zündstoff zur Explosion zu bringen«*[223].

Die ›Explosion‹ hieß: Streik. *»Wenn Arbeiter unzufrieden sind, dann machen sie den Laden zu und gehen auf die Straße!«*[224] Kein Einzelfall war diese Meinung, die Streikteilnehmer einer im August durch die Betriebe reisenden sowjetischen Arbeiterdelegation mit auf den Weg gaben. Darin steckte ein Erfahrungswert aus der Arbeiterbewegung, steckte eine gehörige Portion Selbstverständlichkeit von Arbeitern, die sich ihres traditionellen Kampfmittels Streik gegen inakzeptable Verhältnisse völlig bewußt waren. Wie weiter oben schon gezeigt, war ja der betriebliche Streikverlauf am 17./18. Juni in der Regel von einem durchaus klassenbewußten Verhalten im Sinne der traditionellen Arbeiterbewegung geprägt. Genau in diesem Sinne brachte der Kollege Bremse von ›Siemens-Plania‹ seinen *»Stolz auf den 17. Juni«* zum Ausdruck: die streikenden Arbeiter hätten gezeigt, *»daß sie eine Kraft sind und einen Willen haben«*[225]. Dabei wurde die Anwendung des Kampfmittels Streik eigentlich nicht im Sinne revolutionärer Umwälzungen legitimiert, sondern mehr als Akt der Notwehr, als politisches Korrektiv. Überall konnte man in den Versammlungen von Arbeitern hören, sie hätten *»lediglich ihre Unzufriedenheit zum Ausdruck bringen«*[226], ihre *»Mißstimmung kundtun«* wollen[227]; es seien *»Streiks für die Vertretung berechtigter Forderungen«* gewesen[228], wobei sie davon ausgingen, daß *»der Streik uns verfassungsmäßig garantiert«* war[229]. Ganz typisch berichtet die Betriebschronik der Jenaer Zeiss-Werke von der in der Belegschaft noch lange Zeit vorherrschenden Meinung, *»daß die Demonstrationen und Arbeitsniederlegungen berechtigte Methoden gewesen seien, um Arbeiterfragen einer schnelleren Lösung zuzuführen«*[230]. Hier wie in vielen anderen Betrieben sahen große Teile der Arbeiterschaft in ihren Aktionen am 17. Juni *»unvermeidbare und notwendige Maßnahmen, um einen Druck auf die Regierung auszuüben«*[231].

Dieser Druck hatte sich in der Tat z. T. als erfolgreich erwiesen. Gewisse Zugeständnisse ›von oben‹ – Normenrevision, Lohnerhöhungen usw. – waren unstrittig auf die Streiks vom 17. Juni zurückzuführen, was die Arbeiterschaft in der Verteidigung ihrer Protestberechtigung durchaus bestärkt haben mochte. Im Elektrochemischen Kombinat Bitterfeld hieß es deshalb, *»daß es doch notwendig war, am 17. Juni zu streiken, um all das zu erzwingen, was jetzt möglich ist«*[232]. Ganz ähnlich wurde in Leuna die Lohnerhöhung mit der Bemerkung quittiert: *»Weil wir Krakeel gemacht haben, gibt man jetzt klein bei!«*[233] Es verwundert nicht, wenn sich die Parteipresse bald über die Meinung von Leuten aufregte, *»daß auch in Zukunft, wenn wir irgend etwas erreichen wollen, wir auf die Straße gehen und verlangen müssen: Nieder mit der Regierung!«*[234] So setzte sich überhaupt die Erkenntnis fest, daß der Neue Kurs eigentlich *»Ergebnis des 17. Juni«* war[235].

Formal gesehen war dies nicht richtig, faktisch aber völlig gerechtfertigt, weil die für die Arbeiterschaft wirklich relevanten Verbesserungen tatsächlich erst aufgrund der Streikbewegung verfügt worden waren.

»Wir sind Arbeiter und keine Agenten!«[236]

Das noch lange Zeit nach dem 17. Juni demonstrierte Bewußtsein gerechtfertigter Unzufriedenheit und legitimer Anwendung des Kampfmittels Streik zeigte sich insbesondere am entschiedenen Widerspruch der Arbeiter gegen alle parteioffiziellen Versuche, sie in die Nähe von Provokateuren, Brandstiftern, Faschisten oder Kriegstreibern zu rücken bzw. sie als deren Mitläufer oder von denen Verführte zu denunzieren. Die meisten Streikteilnehmer blieben bei der von der SED nahezu verbotenen *»Meinung, daß sie, als sie an der Demonstration vom 17. Juni teilnahmen, als sie die Arbeit niederlegten, mit den Agenten und Provokateuren nichts zu tun hatten«*[237]. In einem Bericht über die Versammlung im Magdeburger Karl-Marx-Werk am 14. Juli hieß es: *»Die Arbeiter wiesen mit Entrüstung die Behauptung der SED zurück, daß die Unruhen im Juni durch Provokateure aus dem Westen angezettelt seien. ›Wir selbst sind es gewesen, weil uns die Not unserer Familien dazu getrieben hat!‹«*[238] Sie ließen es sich nicht gefallen, mit Faschisten gleichgesetzt zu werden, und lärmten mit empörten Zwischenrufen, als ein Redner die verrückte These aufstellte, am 17. Juni seien die gleichen am Werk gewesen wie schon dreiunddreißig[239]. Nein, die streikbeteiligten Arbeiter wollten *»mit den Provokateuren nichts zu tun haben«*[240], wollten *»nicht mit den Faschisten zusammengehen«*[241] – und konnten sich ehrlich von den Ausschreitungen und Brandstiftungen, die es am 17. Juni ja auch gegeben hatte, distanzieren[242]. Solche Vorkommnisse sahen sie nicht als *ihre* Sache an. *»Klar, daß der Klassengegner die Stimmung ausgenutzt hat«*, meinte der Kollege Bremse. *»Welch ein Wahnsinn, Steine gegen Panzer zu schmeißen. Wir können von Glück reden, daß die Kommandeure der Sowjetarmee die Nerven behalten haben, sonst wäre es wahrscheinlich zu einem Blutbad gekommen.«*[243] Aber für die Arbeitersache der Revolte ließ er, dessen »*Stolz auf den 17. Juni*« eben zu hören war, deshalb nichts Schlechtes oder Nachteiliges zu. So wie er wandten sich die Arbeiter durchgängig gegen die immer demagogischere Kampagne der SED, mit Hinweis auf Agenten oder geplünderte HO-Geschäfte den ›ganzen 17. Juni‹ als verbrecherisch zu brandmarken[244]. Dieses Trommelfeuer von oben wurde zu Recht als Strategie empfunden, die von den Streiks ausgelöste Artikulation radikaler Kritik und weitreichender Forderungen wieder einzuschränken bzw. zu unterbinden. So bestanden die Arbeiter darauf, »*daß nicht allzuviel über die Provokationen gesprochen wird, weil*« – wie Herrnstadt genau wußte – »*sie fürchten, daß dann ihre Forderungen in den Hintergrund treten*« könnten[245] und ebenso ihre Kritik an den »*Fehlern der Partei*«[246].

Die Arbeiterschaft der DDR – zumindest die streikbeteiligte – verteidigte mithin einen ganz anderen Charakter des 17. Juni als den, der parteioffiziell propagiert wurde. Sie hatte wenig Sinn für die politische Dramatisierung und Kriminalisierung der Ereignisse, die bald mit den absurdesten Phrasen betrieben wurde. »*Bist du dir darüber im klaren, daß der 17. Juni einen neuen Weltkrieg auslösen sollte?*« – mit dieser dreisten Frage zogen im Spätsommer sowjetische Agitatoren von Betrieb zu Betrieb. In den Niles-Werken Berlin fanden sie einen Arbeiter, der die erwartungsgemäße, doch blasse Antwort »*Ja, gewiß!*« zu Protokoll gab. »*Aber wie viele Arbeiter*«, stöhnte der damals linientreue Zeitgenosse Stefan Heym, »*haben sich noch nicht zu dieser Antwort durchgerungen?*«[247]

Der Arbeiterwiderstand
gegen die Repressionswelle

Angesichts der beschriebenen Haltung der Arbeiterschaft zu *ihrem* 17. Juni war es selbstverständlich, wenn den Repressionsstrategien des Partei- und Staatsapparates gegen Streikteilnehmer heftigster Widerstand entgegengebracht wurde. Die Forderung »*Keine Maßregelung von Streikenden!*« war ja schon während jener Streiktage vielfach erhoben worden. In den unruhigen Wochen danach dürfte keine Belegschaftsversammlung vergangen sein, wo nicht von Arbeitern nach dem Verbleib verschwundener Kollegen gefragt und gegen Verhaftungen und Verurteilungen ihrer ehemaligen Mitstreiter protestiert wurde. Dabei konnten sich die Werktätigen auf die anfänglichen Zusicherungen höchster Parteileute berufen, denen zufolge »*nicht die Absicht*« bestünde, »*Massenrepressalien durchzuführen*«[248] oder »*so eine Art Rachepolitik einzuleiten*«[249].

Ganz typisch war, was Ulbricht am 23. Juni in den Niles-Werken von dem Gewerkschaftskollegen Wienke zu hören bekam: »*Ich spreche im Namen der Gewerkschaftsgruppe 9. Nach den Ereignissen vom 17. Juni sind aus dem Schwertransport drei Kollegen spurlos verschwunden. Wir bitten die BGL, uns zu erklären, was die Kollegen ausgefressen haben!*«[250] Dasselbe wiederholte sich für Ulbricht einen Tag später im Leuna-Werk. Selbst aus dem ausgesuchten, mehr parteiloyalen Publikum kamen Stimmen, die eine – wie die Zeitung vorsichtig schrieb – »*Überprüfung der Verhaftungen*« forderten[251]. Hier wie in vielen anderen Betrieben hatte die Verhaftungswelle zahllose Arbeiter und ganze Belegschaften aktiviert und einen unüberhörbaren Chor von Forderungen nach Freilassung der Inhaftierten ausgelöst. Geldsammlungen für die Betroffenen[252], Unterschriftenlisten[253] und Resolutionen mit entsprechenden Forderungen[254] waren die häufigsten Mittel in dem Anti-Repressionskampf. Nicht selten verbanden die Belegschaften ihre Forderungen mit Ultimaten und Streikdrohungen[255]. Tatsächlich kam es insbesondere im Juli zu verschiedenen Streikaktionen[256], unter denen die im Industriegebiet Leuna-Wolfen-Bitterfeld[257] sowie in den Jenaer Zeiss-Werken[258] herausragten.

Auch wenn die Erfolge dieser Arbeiterkämpfe nur selten konkret zu ermitteln sind[259], so muß es doch generell auf die noch leicht erregbare protestierende und resistente Haltung in der Arbeiterschaft zurückgeführt werden, daß sich die Staatsorgane eine längere Inhaftierung und eine Verurteilung aller der am 17. Juni Festgenommenen offenbar nicht erlauben konnten[260]. Besonders betroffen von der Repressionswelle blieben allerdings die Werktätigen, die sich in Streikleitungen oder Streikkomitees engagiert hatten[261]. Deren Schicksal erregte innerhalb der Belegschaften natürlich größere

Aufmerksamkeit, waren sie doch bekannt und zu ihrer exponierten Stellung in der Streikbewegung von den Kollegen zumeist irgendwie legitimiert worden. So schuf deren Inhaftierung oder Verurteilung eine ungleich stärkere Betroffenheit und Empörung, als wenn es um Freiheitsstrafen für irgendwelche Rabauken ging, die HO-Läden angezündet hatten. In typischem Parteijargon, aber mit einem wahren Kern, schrieb der Betriebschronist der Zeiss-Werke, daß *»die inhaftierten Provokateure mit einem Märtyrerglorienschein umgeben, ihre verbrecherischen Handlungen verherrlicht und an das Solidaritätsbewußtsein der Belegschaft appelliert«* wurde[262]. Nur: die Zeiss-Arbeiter hatten die verhafteten Streikaktivisten weder als Provokateure noch als Verbrecher angesehen, die sie in den Augen von Partei und Justiz waren, sondern als exponierte Verfechter ihrer Interessen. Auch in einem Erfurter Betrieb bekundeten die Arbeiter ihren Unmut über die 15jährige Zuchthausstrafe für einen ihrer Streikführer: *»Die meisten Forderungen, die dieser Grothaus vertreten habe, seien doch die Forderungen auch der Arbeiter gewesen.«*[263] Die Sächsische Zeitung erwähnte den Leserbrief eines Arbeiters des VEB ABUS Dresden, der es für Unsinn hielt, die verhafteten Mitglieder des Streikkomitees als *»bezahlte Agenten«* zu denunzieren; sie seien es, so argumentierte er ganz pragmatisch, *»schon aus dem Grund nicht, weil ein Agent nie die Dummheit begehen würde, sich einer solchen Funktion auszusetzen«*[264]. Wo aber die Gerichte häufig von solch erlogenen Konstruktionen ausgingen, verwundert es nicht, wenn z.B. im Phänomen-Werk Zittau von den Arbeitern *»die Rechtmäßigkeit der gegen 4 Provokateure vom 17. Juni gefällten Urteile abgestritten«* wurde[265]. Und in der Hallenser SED-Zeitung hieß es: *»Anscheinend nehmen die Kollegen doch an, daß die Verhafteten schuldlos sitzen*[266].*«*
Es liegt auf der Hand, daß große Teile der Arbeiterschaft noch lange Zeit bemüht waren, ein weiteres Rauspicken von Streikaktivisten aus ihren Reihen zu verhindern. Das betraf ebenso streikunbeteiligte Betriebe, denn auch dort begann eine Prozedur, die offiziell *»Entlarvung der Provokateure«* hieß. Seit der 15. ZK-Tagung der SED (24.–26. Juli) schien in den DDR-Zeitungen das Thema 17. Juni fast nur noch unter dem Gesichtspunkt solcher ›Entlarvungen‹ von Interesse zu sein, was auf entsprechende Ambitionen der SED-Führung schließen läßt. Auf seiten der Arbeiterschaft kann von einem ähnlichen Interesse keine Rede sein. Im Gegenteil: Besonders in den ersten zwei Monaten nach der Juni-Revolte war es in zahllosen Betrieben kaum möglich, eine breite ›Entlarvungs-Kampagne‹ zu beginnen. *»Wir haben Wochen dazu gebraucht«,* stöhnte der Parteisekretär der Niles-Werke, *»um im Betrieb eine Diskussion darüber zu entfachen.«*[267] Aus den Leuna-Werken hieß es diesbezüglich: *»Erst Monate später begann man hier aufzuräumen.«*[268] Schon dieser Verzögerungseffekt[269] war ein Indiz für den Widerstand in der Arbeiterschaft, dieses immer geschmacklosere ›Spiel‹ mitzumachen. Ihre Resistenz erwies sich eine Zeitlang häufig als erfolgreicher Schutz bedrohter Kollegen vor der Entlassung aus dem Betrieb, vor dem Rausschmiß aus der Gewerkschaft – und nicht zuletzt vor einer Strafverfolgung. Die Volkspolizei hatte dies zu spüren bekommen. Deren oberster Chef klagte, daß nach anfänglichen Verhaftungs›erfolgen‹ während der Streiktage selbst *»die Entlarvung der noch nicht entdeckten Provokateure in den darauffolgenden Wochen nicht mit der erforderlichen Konsequenz durchgeführt wurde. In den Betrieben haben es die Mitarbeiter der Kriminalpolizei nicht verstanden, mit Hilfe des Betriebsschutzes und der SED-Betriebsorganisation die imperialistischen Agenten und alle anderen Feinde unseres friedlichen Aufbaus aufzufinden und unschädlich zu machen.«*[270]
Auch wenn die Arbeiterschaft im Herbst 1953 immer mehr in die Defensive geriet und die Entlarvungsrituale scheinbar immer glatter über die betriebliche Bühne gingen, war immer noch passiver Widerstand zu registrieren. Das zeigte die häufig geringe Teilnahme von Werktätigen an diesbezüglichen Versammlungen[271]; das bewiesen auch nicht wenige Betriebspartei- und -gewerkschaftsgruppen, indem sie mit Rücksicht auf die Stimmung erst gar nicht die ganze Belegschaft in dieses Programm mit einbezogen[272] – ganz abgesehen davon, daß es in jenen Organisationen selbst die gleichen Widerstände gab[273]. So mußte sich der Parteise-

kretär des Großbetriebes LOWA Görlitz sagen lassen, er habe *»ungenügend erkannt, daß der Kampf gegen die Provokateure auf einer genügend breiten Basis geführt, d. h., daß die gesamte Belegschaft . . . mobilisiert werden muß«*[274]. Als er dann aber tat wie befohlen, konnte er danach hinsichtlich der erwünschten Wirkung – nämlich der Distanzierung der Belegschaft von ihren Streikführern des 17. Juni – *»nicht sagen, daß das bis heute in allen Abteilungen gelungen«* war[275].

Gleichwohl ist aber nicht zu verkennen, daß die Repressions- und Entlarvungswelle zu einem allmählichen Abbröckeln der ›Front‹ der Arbeiterschaft führte. Es herrschte wieder ein Klima, das Kritik und Widerspruch schlichtweg riskant machte und einen mächtigen Wohlverhaltens- und Anpassungsdruck ausübte. Die Parteipropaganda gegen den 17. Juni bediente sich eines so hochgezüchteten Feindbildes, daß jedweder Zweifel an der Berechtigung von Entlarvungen und Verurteilungen von Streikaktivisten als ›objektive Unterstützung‹ von Krieg und Faschismus ausgegeben wurde[276]. Die Entlarvungskampagne wurde offenkundig zu einem unerbittlichen stalinistischen Kampf gegen den 17. Juni, gegen das darüber vorherrschende Bewußtsein und die davon ausgelöste Forderungshaltung der Arbeiterschaft. Das konnte nicht ohne Wirkung bleiben: Es verunsicherte deren Haltung zum 17. Juni beträchtlich; es spaltete die Belegschaften und gestattete nicht länger jenes relativ selbstbewußte Auftreten von Arbeitern, das unmittelbar nach der Juni-Revolte so beeindruckend zu beobachten war. Auch erzwang es opportunistisches Verhalten, was selbst die offizielle FDGB-Zeitschrift nicht verleugnen konnte: So manche *»stimmten für die Entfernung dieser Subjekte aus dem Betrieb und aus der Gewerkschaft, waren sich aber noch nicht völlig darüber klar, daß diese Maßnahmen voll und ganz gerecht sind, daß Agenten und Provokateure auch nicht die geringste Milde verdienen«*[277].

Alles in allem war der Widerstand gegen die Repressionswelle – als Ausdruck des Bewußtseins von der Legitimität des 17. Juni – nicht ›kleinzukriegen‹. Hatte er es anfangs geschafft, daß die Repressalien in den Betrieben

– bei allem Ausmaß – doch geringer ausfielen als von oben beabsichtigt, so wurde er nun zäh, versteckt und unspektakulär. Widerstand steckte schon in dem, was aus einem Berliner Großbetrieb berichtet wurde: Da *»sitzt plötzlich eine Genossin isoliert unter ihren Mitarbeiterinnen wie in einer eisigen Atmosphäre, weil das Gerücht aufgetaucht ist, sie habe die Kolleginnen, die am 17. Juni mit den Betrieb verlassen haben, der Parteileitung gemeldet«*[278].

7. Der Kampf um die Durchsetzung von Arbeiterforderungen in den Betrieben

»Die Kollegen haben sich in einer Entschließung in aller Form von den Provokateuren distanziert. Gleichzeitig haben sie ihre berechtigten Wünsche, die sich auf betriebliche Mißstände und eine vielfach falsch betriebene Lohnpolitik beziehen, der BGL zur Kenntnis gebracht. Sie verlangen insbesondere vom Ministerium, daß es in ihrem Betrieb Ordnung schafft.«[279] Diese lakonische Zeitungsmeldung über die Situation in der Waggonfabrik Ammendorf am 19. Juni – dem Tag der Wiederaufnahme der Arbeit nach einem zweitägigen großen Streik – brachte zum Ausdruck, worum es jetzt in sehr vielen Betrieben ging: Der Streik war zu Ende – der Kampf um die Durchsetzung der Arbeiterforderungen aber noch längst nicht. Vielerorts begann dieser Kampf eigentlich erst nach den turbulenten Ereignissen der Streiktage; erst dann wurden Forderungen aufgestellt und Maßnahmen zu ihrer Durchsetzung beraten. Die schon beschriebene Bestimmtheit, Schärfe und Schonungslosigkeit ihres Auftretens und ihrer Artikulation von Kritik und Interessen schufen eine entsprechend energische Forderungshaltung und verhalfen der Arbeiterschaft nach dem 17. Juni zu einer Durchsetzungsfähigkeit, die nicht absolut, aber doch beeindruckend war.

Die Arbeiter treten mit ihren Forderungen an

In vielen Fällen hatten ja Beratung und Aufstellung von Forderungskatalogen – und manchmal sogar Verhandlungen darüber mit höheren Stellen – schon zu den Streikaktivitäten selbst gehört. Solche Programme waren jedoch meist sehr global und allgemein geblieben und hatten auch nicht annähernd all die einzelnen Forderungen aufnehmen können, die besonders hinsichtlich der konkreten betrieblichen Mißstände existierten. Andernorts war es während der Arbeitsniederlegungen gar nicht dazu gekommen, Forderungskataloge kollektiv zu beschließen und öffentlich zu machen. So erwiesen sich die Diskussionen und Versammlungen, die unmittelbar nach Streikende in den Betrieben einsetzten, als der wesentliche Rahmen, innerhalb dessen die Belegschaften die ganze Palette ihrer Forderungen auf den Tisch brachten und den Kampf für die Realisierung ihrer Interessen aufnahmen. Das war keine Angelegenheit, die sich in nur einer Versammlung erschöpfend bewerkstelligen ließ; es zog sich vielmehr über Wochen hinweg, so daß immer wieder neue Forderungen der Arbeiter auftauchten und zur Diskussion standen.

Dabei stellte sich häufig heraus, daß die informellen Zusammenhänge innerhalb von Belegschaften, die schon für die Organisierung des Streiks von Bedeutung gewesen waren, auch jetzt weiterwirkten. Vereinzelt konnten schließlich Streikleitungen des 17. Juni noch einige Tage lang offen weiter tätig sein[280] – und wohl öfter mehr im verborgenen. So wurden Mitglieder von Streikkomitees oder andere Streikaktivisten auch zu Aktivisten der nun wieder ganz in die Betriebe zurückverlagerten Arbeiterkämpfe. Sie wurden weiterhin von ihren Kollegen beauftragt, in ihrem Namen zu sprechen und zu handeln, Forderungen den Leitungsorganen zu übergeben usw. *»Ich spreche im Namen von 500 Kollegen!«* Diesen Satz schickte z. B. in der Leuna-Versammlung ein Arbeiter vom ›Bau 26‹ seiner Aufzählung der Forderungen voraus[281]. Nicht selten waren jene Aktivisten ›kleine‹ Gewerkschaftsfunktionäre, wie der Vertrauensmann Wienke in den Berliner Niles-Werken, der so begann: *»Ich spreche im Auftrag der Gewerkschaftsgruppe 9.«*[282] Mit solchen Legitimationshinweisen sollte natürlich den Forderungen Nachdruck verliehen werden. Es muß auch auf die nach dem 17. Juni fortbestehende, autonome Handlungsfähigkeit von Belegschaften zurückgeführt werden, daß häufig – erneut oder erstmals – ausführliche

Forderungskataloge präsentiert wurden. Sie reihten die einzelnen Anliegen der Arbeiter aneinander, wie etwa der 129 Punkte enthaltende Katalog in den Zeiss-Werken[283], oder faßten die wichtigsten Einzelforderungen zusammen[284]. Im ABUS-Betrieb Nordhausen war es ein 16-Punkte-Programm, das einer der Streikführer, ein alter sozialdemokratischer Gewerkschafter, am 8. Juli überreichte[285].

Solche Forderungssammlungen unterschieden sich inhaltlich dadurch von den Streikresolutionen des 17. Juni, daß sie sehr viel mehr Bezug auf konkrete betriebliche Belange nahmen. Ihnen ging es um Maßnahmen zur unverzüglichen Verbesserung der unmittelbaren Arbeits- und Lebensbedingungen, sie betrafen Fragen der Entlohnung und Arbeitsorganisation, der Sozialleistungen und Wohnungsversorgung usw. Hinzu traten zwei für die Nach-Streik-Zeit charakteristische Forderungen: die nach Bezahlung der Streiktage[286] sowie nach Freilassung inhaftierter Streikaktivisten[287]. Nur noch selten enthielten diese Forderungsprogramme solch allgemeinpolitische Parolen wie *»Rücktritt der Regierung«* oder *»freie Wahlen«*[288]. Mit Gespür für erfolgversprechende Vorgehensweisen vermied man in der Regel, die konkreten Forderungen allzu sehr mit grundsätzlichen Stellungnahmen gegen Partei und Regierung zu verknüpfen.

Der Kampf der Arbeiter um die Durchsetzung ihrer Forderungen ging nun deutlich über den Kreis der streikbeteiligten Belegschaften hinaus. Streikunbeteiligte Belegschaften konnten von den veränderten Verhältnissen profitieren, die nicht sie selbst am 17. Juni miterkämpft hatten. Jetzt bewiesen sie aber, daß ihr Unzufriedenheits- und Protestpotential sich allenfalls graduell von dem unterschied, welches andere Teile der Arbeiterklasse zu Streiks und Demonstrationen veranlaßt hatte. Erneut zeigt sich hier, wie unsinnig Versuche sind, die Arbeiteropposition in der DDR auf die empirische Zahl der Streikteilnehmer zu begrenzen. *»Wir haben zwar am Aufstand nicht teilgenommen, aber man soll uns nicht für lammfromm halten!«* So äußerten sich Arbeiter der Werdauer Kraftfahrzeugfabrik[289]; und die dortige Betriebszeitung echote: *»Das soll man heute nicht als eine Gutmütigkeit auslegen«* – was das entsetzte ›Neue Deutschland‹ nur als *»eine offene Drohung an unsere Regierung«* zu bewerten vermochte[290]. Sogar in Betrieben wie dem Kunstfaserwerk Schwarza, das wegen seiner angeblichen Republiktreue am 17. Juni ein Dankeschön von Staatspräsident Pieck erhalten hatte, spürten die Funktionäre plötzlich *»jenes randvolle Maß an Verärgerung«* unter den Arbeitern – und sahen sich mit einer Welle von Forderungen konfrontiert[291]. *»Daß die meisten Betriebe* (in Leipzig – d.Vf.) *nicht gestreikt haben«,* so mußte selbst ZK-Mitglied Ackermann erkennen, *»heißt nicht etwa, daß es dort keine Mißstimmung gibt.«*[292]

In der Tat: Streikunbeteiligte Belegschaften wurden nun zu gleichwertigen Trägern der meist wenig spektakulären innerbetrieblichen Kämpfe um die Durchsetzung von Arbeiterforderungen. Die Trennungslinien, die noch am 17. Juni zu beobachten waren, hoben sich in der Folgezeit weitgehend auf. Jetzt kam es auch vor, daß streikunbeteiligte Belegschaften eine unerwartet energische Forderungshaltung einnahmen und mit Ultimaten oder Streikdrohungen gegenüber den Leitungsorganen auftraten, wie zum Beispiel die Arbeiter der Röhrenwerke Neuhaus (Bez. Suhl)[293]. Und auch so eine Drohung flatterte einer untätigen Verwaltungsstelle auf den Tisch: *»Wenn ihr es verantworten wollt, daß unsere Reinemachefrauen von ihrem verfassungsmäßigen Recht auf Arbeitsniederlegung Gebrauch machen sollen, dann arbeitet in diesem Tempo weiter!«*[294] Das waren keine Einzelfälle[295]; und im betrieblichen Alltag – insbesondere in den Hochburgen der Juni-Streiks – dürfte dieser Ton häufig mitgeklungen haben, wenn Arbeiter bei ihrem Meister, die Belegschaft einer Werkstatt bei ihrem Abteilungsleiter usw. irgend etwas durchsetzen wollten. An die ›große Glocke‹ kam das selten, weshalb öffentlich gewordene Streikdrohungen oder tatsächlich durchgeführte Arbeitsniederlegungen oder ›slow-work‹-Aktionen, wie in den Buna-Werken, bei Agfa Wolfen oder Zeiss[296], nur die Spitze eines Eisberges bildeten. Allemal wird aber deutlich, wieviel Gewicht die Arbeiter der Erfüllung ihrer Forderungen beimaßen und wie sehr dies als Weiterführung der am 17. Juni eingeleiteten Kämpfe empfunden wurde.

Erste Erfolge auf betrieblicher Ebene

Wie schon während der Streiks manche Belegschaften Zugeständnisse von denen ›da oben‹ hatten ernten können, so war dies erst recht in den Tagen und Wochen danach der Fall. Die Erfolgsursachen blieben die gleichen: Druck von der Basis – und das Bestreben der Leitungsorgane, die Konfliktlage zu entschärfen, den Unruheherd einzudämmen. Dafür erwiesen sich Zugeständnisse an die Arbeiter in betriebsintern machbaren Fragen sowie die Unterstützung von an höhere Stellen gerichteten Forderungen als geeignete Mittel. Von der Partei- und FDGB-Spitze wurde dies zunächst ganz pauschal befürwortet. Die ZK-Erklärung vom 21. Juni enthielt ja die Aufforderung an alle Funktionäre, *»den konsequenten Kampf aufzunehmen* für *die Interessen der Arbeiterschaft,* für *das Wohl der Werktätigen«*[297]. Und vom FDGB-Bundesvorstand kam die Empfehlung, *»unverzüglich durch Sofortmaßnahmen die dringendsten Forderungen der Belegschaft schnell zu erfüllen«*[298]. Dieser Fingerzeig von oben besaß indes für viele Betriebe keine Initialwirkung mehr. Dort war man von sich aus längst dabei, Forderungen und Vorschläge der Arbeiter für ein Sofortprogramm einzusammeln. Schon kurz nach Wiederaufnahme der Arbeit hatte z. B. die BGL der Filmfabrik Wolfen eine Sofortkommission gebildet, die die Forderungen aus der Belegschaft aufnahm, deren Realisierbarkeit prüfte bzw. entsprechende Schritte schon einleitete[299]. Im Elektrokombinat Bitterfeld wurden binnen weniger Tage seit dem 19. Juni 103 konkrete Forderungen notiert, die den Grundstock für ein Sofortprogramm bildeten[300]. Gleichwohl hatte jene offizielle Befürwortung von oben mitgeholfen, daß das Thema Sofortmaßnahmen auf die Tagesordnung fast aller DDR-Betriebe gelangte. Auch hatten hohe Funktionäre bei ihrem Auftritt in Belegschaftsversammlungen die Werktätigen in deren Forderungshaltung oft noch unterstützt und selber den Betriebskadern ›Dampf gemacht‹. *»Heraus aus dem Büro und hinein in die Arbeit!«* rief etwa Ackermann in einem Leipziger Großbetrieb der Funktionärsbank zu – und meinte dann, an die Arbeiter gewandt: *»Und ihr, Kollegen, müßt so lange kriti-*

sieren, bis ihr sie auf die Beine gebracht habt, bis Direktor, BGL und Parteileitung verstanden haben!«[301]
Betriebliche Sofortprogramme bildeten nun die gängigste Form, in der die ersten Ergebnisse im Kampf um die Durchsetzung von Arbeiterforderungen verankert wurden. Hier kam eine unmittelbare Einflußnahme der Arbeiter zustande, wie sie beim Abschluß der früheren Betriebskollektivverträge nicht zu erleben war. Jetzt konnte Druck auf die Funktionäre ausgeübt werden[302]; denn es gab noch genug von solchen BGL-Bürokraten, *»die sich nur langsam vom bisherigen Trott lösen (konnten) und sich noch nicht aufgeschlossen genug den Sorgen der Arbeiter gegenüber (verhielten)«*[303] oder die mit Hinweis auf die Nicht-Streikbeteiligung ›ihrer‹ Belegschaften die ganze Sache für unnötig erachteten[304]. Im Endeffekt brachten solche Sofortprogramme der Arbeiterschaft nicht unbedeutende Verbesserungen: etwa auf den Gebieten Lebensmittelversorgung, sanitäre Betriebsanlagen, medizinische Versorgung, Werksverpflegung, Sozialeinrichtungen, Arbeitsschutz, Transportwesen oder Arbeitsorganisation; strittige Eingruppierungs- oder Prämienfragen wurden geregelt; Investmittel wurden freigemacht, z. B. für Entlüftungsanlagen oder den Arbeiterwohnungsbau[305]. Das alles waren Zugeständnisse, noch ehe die ›großen‹ Zugeständnisse der Regierung beschlossen bzw. auf betrieblicher Ebene durchgeführt waren.
Allerdings war die Begrenztheit des auf einzelbetrieblicher Ebene Machbaren nicht zu übersehen. So gab man bereits den hohen Funktionsträgern, die in Belegschaftsversammlungen Rede und Antwort standen, haufenweise Forderungen und Wünsche auf den Weg mit ›nach oben‹[306]. Anfragen und Forderungsschreiben von Betriebsfunktionären und ›einfachen‹ Arbeitern gelangten stapelweise in die Chefetagen von Verwaltungen, ZK und FDGB-Bundesvorstand[307]. Auf Versammlungen wurden Forderungskataloge an irgendwelche Ministerien verabschiedet[308]. Überall tauchten dabei Forderungen auf, die über betriebsspezifische Belange hinausgingen, wie die nach gesetzlicher Erhöhung der Löhne und Zuschläge[309], nach besserer Urlaubsrege-

lung[310], nach Senkung der HO-Preise[311] usw. Die kritische Artikulation der Arbeiter enthielt auch eine Reihe von Ansprüchen und Erwartungen, aus denen kaum griffige Forderungen hervorgingen. Sie gingen in Richtung eines gewissen lohnpolitischen Egalitarismus[312] und eines Abbaus der materiellen Privilegierung der Intelligenz[313]; sie stellten häufig grundsätzlich das System der Leistungsentlohnung und Arbeitsnormen in Frage[314]; und sie waren auf ein Mehr an Mitsprache, auf eine Entbürokratisierung und Demokratisierung der betrieblichen Verhältnisse gerichtet[315] – wobei das gesellschaftliche Eigentum an den Produktionsmitteln weitgehend unangetastet blieb[316].

Die Arbeiterschaft und der Neue Kurs

Die Intensität der dem 17. Juni folgenden Arbeiterkämpfe wird nicht zuletzt daran deutlich, daß es ihnen gelang, erheblichen Einfluß auf die Politik der Gewerkschaften vor Ort zu nehmen. *»Es waren nicht wenige Gewerkschaftsleitungen«*, so schrieb die FDGB-Funktionärszeitschrift selbstkritisch, *»denen es ... wie Schuppen von den Augen fiel, als sie von den Arbeitern auf jene Mißstände in der Sorge um den Menschen und in der Arbeitsorganisation aufmerksam gemacht wurden, die zeigen, daß durchaus nicht alles so in Ordnung ist, wie es den Anschein hat«*[317]. Im Konflikt zwischen den Systemanforderungen und den artikulierten Interessen ihrer Basis hatten nun beträchtliche Teile des FDGB-Apparates – bis hin zu Zentralvorständen einzelner Industriegewerkschaften[318] – die ›klassische‹ Oppositionsfunktion der Gewerkschaften wieder übernommen[319] und die Forderungen der Arbeiter mitgetragen. Galt dies anfangs noch als politisch erwünschte Reaktivierung der Interessenvertretung im Betrieb, so wurde es bald zu einem Konfliktstoff ersten Ranges. So verurteilte es FDGB-Chef Warnke im August, *»daß der weitaus größte Teil unserer Funktionäre ... sich nur mit ökonomischen Forderungen beschäftigt, oft sogar unmögliche Forderungen übernimmt«*, sich aber *»nicht mit den Grundfragen unserer Politik ..., nicht mit den Hintergründen des 17. Juni und der von Westen her gelenkten Wirk-*

samkeit feindlicher Agenten auseinandersetzt«[320]. Selbst an der Parteibasis, klagte Leipzigs SED-Chef, erkenne man häufig nicht, *»wie sich der Klassenfeind bemüht, auch bei uns durch Forderungen, die mit der Wirklichkeit nichts mehr zu tun haben, die Massen in eine Stellung gegen die Regierung der DDR zu lancieren«*; ja, Parteikader würden oftmals *»mithelfen, unberechtigte Forderungen zu sanktionieren, um so unangenehmen Auseinandersetzungen aus dem Wege zu gehen«*[321].

Diese Kritik erfolgte, nachdem die politische Führung den Rahmen abgesteckt hatte, innerhalb dessen sie zu Zugeständnissen und Reformen bereit war. Damit wurde auch deutlich, daß der politische Veränderungswillen der Arbeiterschaft nur sehr partiell Früchte trug. Ein Wechsel in der politischen Führung fand nicht statt; im Gegenteil: Ausgerechnet der Minister, der den Arbeitern das Streikrecht zugesichert hatte[322], und der Mann, der im ›Neuen Deutschland‹ für eine Erneuerung von Partei und Gewerkschaft plädiert hatte[323], wurden als ›Parteifeinde‹ entmachtet. Die SED verleugnete seit Mitte Juli ihre eigene Selbstkritik aus der Zeit unmittelbar nach dem 17. Juni, sprach dem Arbeiterprotest jener Tage jedwede Berechtigung ab und leitete eine massive Repressionswelle gegen die Streikaktivisten ein. Diese Veränderung einer Partei, die sich wieder fest im Sattel fühlte, bedeutete zugleich eine Kampfansage an die Forderungshaltung der Arbeiterschaft und eines Teils der Gewerkschaften. Alle über das offiziell Verfügte hinausgehenden Forderungen wurden jetzt als illegitim und feindlich eingestuft[324] und in einer breiten Kampagne bekämpft. *»Mit Provokateuren, die unsinnige RIAS-Forderungen stellen«*, so hieß es in der ›Tribüne‹, *»diskutieren wir nicht! Sie werden isoliert, entlarvt und unschädlich gemacht. Wir müssen den Arbeitern auseinandersetzen, warum Schluß gemacht werden muß mit ›Forderungsprogrammen‹, deren Inhalt* nur *Provokationen, vom Standpunkt der Arbeiterklasse aus nicht zu vertretende Einzelforderungen sind.«*[325]

Mit der verbindlichen und verpflichtenden Festlegung des ›Neuen Kurses‹ im Sinne der 15. ZK-Tagung hatte die SED-Führung ihren unbedingten Autoritätsanspruch wiederhergestellt. Sie monopolisierte ihre Bewertung und politische Verarbeitung des 17. Juni, um alle alternativen Vorstellungen und weitergehenden Erwartungen aus der Arena des politisch Erlaubten zu verbannen. Man glaubte, *»alle nötigen Konsequenzen«* gezogen zu haben, und begann, *»alle Werktätigen für die Verwirklichung des neuen Kurses der Partei zu mobilisieren«*[326]. Doch in der Arbeiterschaft hielt sich – bei allen Verbesserungen der Lage – die Erkenntnis, welche Kluft zwischen den Zielen der Streiks und Demonstrationen im Juni und den politischen und materiellen Ergebnissen klaffte. Es bestand weiterhin Skepsis und Unzufriedenheit über die Zusagen von ZK und Regierung[327] – und damit Grund für eine Fortführung der betrieblichen Kämpfe um die Durchsetzung von Arbeiterforderungen[328]. Unter diesen Bedingungen demonstrierte die Arbeiterschaft eine gewisse Aversion gegen die politische Propaganda des ›Neuen Kurses‹[329]. Im November 1953 mußte FDGB-Bundesvorstandsmitglied Rudi Kirchner zugeben, *»daß die Arbeiter mit dem Wesen und Inhalt des neuen Kurses nicht vertraut sind ... und keine genügende Vorstellung darüber besitzen, wie sie den neuen Kurs konkret an ihrem Arbeitsplatz unterstützen können«*[330]. In der Tat: Die neuerlichen Kampagnen zur Steigerung der Arbeitsproduktivität oder zur Durchführung von Wettbewerben stießen wie kaum je zuvor auf eine desinteressierte, abwehrende Arbeiterschaft[331], die sich vom Neuen Kurs etwas anderes versprochen hatte als eine Reaktivierung alter Verhältnisse, die seit Herbst immer offensiver betrieben wurde.

Anmerkungen

1 Vgl. den Beitrag von Fricke S. 5 ff.
2 Vgl. Heinz Brandt: »Zum Stellenwert des 17. Juni im Geschichtskalender«, in: Die Neue Gesellschaft Heft 7/1971.
3 St. Brant, Der Aufstand, Stuttgart 1954.
4 J. G. Leithäuser: »Aufstand im Juni«, in: Der Monat 60 u. 61/1953 (später als Sonderdruck, Berlin-Grunewald 1954).
5 Vgl. W. Brandt: »Der 17. Juni«, in: Der Gewerkschafter 3–4/1953, S. 1 ff.; ders., Arbeiter und Nation, Berlin 1954; »Der Aufbruch der ostdeutschen Arbeiterschaft«, in: pro und contra 7/1953, S. 85 ff.
6 A. Baring, Der 17. Juni 1953, Bonn 1957, Köln 1965 (erw. Aufl.).
7 B. Sarel, Arbeiter gegen den ›Kommunismus‹, 1958, München 1975.
8 M. Jänicke, Der dritte Weg, Köln 1964.
9 A. Bust-Bartels: »Der Arbeiteraufstand am 17. Juni 1953«, in: Das Parlament, Beilage 25/1980, S. 24 ff.
10 Die wesentlichen Daten und Fakten der Juni-Ereignisse werden hier als bekannt vorausgesetzt.
Die nachfolgenden Kapitel beruhen z. T. auf Flüchtlingsberichten aus dem Archiv des Gesamtdeutschen Instituts (West)Berlin. Es sind Berichte ohne Signatur bzw. Numerierung, die je nach Ort, über den berichtet wird, in den dortigen Aktenbeständen zum 17. Juni zu finden sind. In den Fußnoten werden sie als »Fl.« mit Angabe des betreffenden Betriebes aufgeführt.
11 Vgl. Der Aufstand der Arbeiter im Ostsektor von Berlin und in der SBZ. Tätigkeitsbericht der Hauptabteilung Politik des RIAS in der Zeit vom 16.–23. 6. 1953, verv. Ms.
12 W. Zimmermann: »Die Träger des Widerstands«, in: SBZ-Archiv 20/1953, S. 306.
13 Fl. v. Eisenhüttenwerk Thale.
14 Vgl. A. Baring, a. a. O. (Fn. 6), S. 51.
15 Vgl. M. Jänicke, a. a. O. (Fn. 8), S. 43.
16 Meldung d. stellvertr. Reviermeisters d. VP-Reviers B, Schlepperwerk, an den OB-Stab VPKA Brandenburg/Havel v. 17. 6. 1953 (Archiv Gesamtdeutsches Institut Bonn).
17 Fl. v. Filmfabrik Wolfen.
18 Das Volk (Weimar) 28. 6. 1953.
19 Neuer Weg 12–13/1953, S. 12 (SED-Zeitschrift f. Parteiarbeiter).
20 Fl. v. Karl-Liebknecht-Werk Magdeburg, ABUS-Werk Leipzig u. Baustelle d. Großkokerei Lauchhammer.
21 Fl. v. Carl Zeiss Jena, Askania Teltow u. Stahl- und Walzwerk Hennigsdorf.
22 Bericht d. Werkzeugschlossers Redam d. Leuna-Werke, in: 41. Pressekonferenz d. Arbeitsgemeinschaft 13. August am 14. 6. 1978: Der Juniaufstand damals und heute.
23 St. Brant, a. a. O. (Fn. 3), S. 185.
24 H. Brandt: Zum Stellenwert des 17 Juni im Geschichtskalender, in: Die neue Gesellschaft 7/1971, S. 498.
25 Vgl. den Roman von Stefan Heym, 5 Tage im Juni, Frankfurt/M. 1979, Kap. 4, 6 u. 9.
26 Z. B. Märkische Volksstimme (Potsdam) 16. 8. 1953 (Stahl- und Walzwerk Hennigsdorf); Tribüne 26. 8. 1953 (VEB Bodenbearbeitungsgeräte Leipzig); Neuer Weg 20/1953, S. 5 (Thälmann-Werk Magdeburg).
27 S. Fn. 22 u. 23.
28 Vgl. A. Baring, a. a. O. (Fn. 6), S. 52.
29 Ebd.

30 Vgl. 1. Soziologische Auswertung von Unterlagen zum 17. Juni, Archiv Friesdorf, undatiert, verv. Ms.; 2. Die Menschen des 17. Juni. Soziologische Untersuchung einer aktivistischen Minderheit, in: KgU-Archiv, Sondernummer v. 15. 11. 1953, S. 6 ff.
31 Z. B. Neues Deutschland 16. 8. 1953 (Kirow-Werke Leipzig); Die Arbeit 10/1953, S. 688 (Porzellanfabrik Kahla).
32 Z. B. Neues Deutschland 4. 10. 1953 (RAW Einheit Leipzig); Neuer Weg 22/1953, S. 31 (Agfa Wolfen).
33 S. Fn. 30.
34 Fl. v. RAW Potsdam u. Bau-Union Süd Industriegelände Dresden.
35 Bericht v. P. Redam, a. a. O. (Fn. 22).
36 Teilweise wurden von Belegschaften aus DDR-Betrieben die Forderungen der Berliner Bauarbeiter wörtlich übernommen, vgl. A. Baring, a. a. O. (Fn. 6), S. 54.
37 Vgl. A. Bust-Bartels, Widerstand und Herrschaft in DDR-Betrieben, Frankfurt/M. 1980, S. 44 ff.
38 Z. B. Fl. v. Optische Werke Rathenow, Eisenwerke West Calbe, Maschinenfabrik Meuselwitz.
39 Z. B. Fl. v. Dimitroff-Werk Magdeburg u. Zement- und Kalkwerke Rüdersdorf.
40 Z. B. Fl. v. Leuna-Werke. TAN: Techn. begr. Arbeitsnormen.
41 Z. B. Fl. v. Baustelle Großkokerei Lauchhammer.
42 Z. B. Fl. v. Eisenhüttenwerk Thale, Dimitroff-Werk Magdeburg u. Bau-Union Eisenhüttenstadt.
43 Z. B. Fl. v. Buna-Werke, Bergmann-Borsig Berlin u. Baustelle Großkokerei Lauchhammer.
44 Z. B. Fl. v. RAW Potsdam, Beton- und Kieswerk Laussig u. Kalischacht Teutschenthal.
45 Forderungen der Werktätigen des VEB Carl Zeiss Jena v. 18. 6. 1953, Abschrift im Gesamtdeutschen Institut Berlin.
46 Z. B. Fl. v. Askania Teltow.
47 Z. B. Fl. v. Industriewerk Ludwigsfelde.
48 Z. B. Fl. v. Kunstseidenwerk Premnitz.
49 Z. B. Fl. v. Schacht ›Fortschritt‹ d. Mansfeld-Kombinat.
50 Z. B. Fl. v. Dampfkesselbau Zwebendorf.
51 S. Fn. 45.
52 Z. B. Fl. v. Stahlbau Brandenburg.
53 Z. B. Fl. v. Schwermaschinenbau Wildau.
54 Z. B. Fl. v. Kalischacht Teutschenthal.
55 Z. B. Tribüne 28. 8. 1953 (VEB Bodenbearbeitungsgeräte Leipzig); Neue Zeitung 23. 8. 1953 (Bergmann-Borsig).
56 Vgl. Tätigkeitsbericht d. RIAS, a. a. O. (Fn. 11), S. 5.
57 Z. B. Fl. v. Askania Teltow u. Maschinenfabrik Meuselwitz.
58 Z. B. Fl. v. Brauerei Rathenow u. Kalischacht Teutschenthal.
59 Z. B. Fl. v. Bau-Union Güldendorf u. Industriewerk Ludwigsfelde.
60 Z. B. Fl. v. Zementwerk Rüdersdorf u. Bau-Union Dresden.
61 Vor allem um Halle, Magdeburg u. Bitterfeld.
62 Vgl. St. Brant, a. a. O. (Fn. 3), S. 185 ff.
63 Ebd.; Fl. v. Agfa Wolfen.
64 Vgl. B. Sarel, a. a. O. (Fn. 7), S. 145.
65 Z. B. Fl. v. Industriewerk Ludwigsfelde.
66 Das Gewerkschaftsaktiv 18/1953, S. 7 (FDGB-Zeitschrift).

67 Vgl. Geschichte des VEB Filmfabrik Wolfen, Berlin 1969, S. 190.
68 Vgl. Neues Deutschland 17. 6. 1953: Erklärung des Politbüros d. ZK d. SED zur Normenfrage.
69 Vgl. Der neue Kurs und die Aufgaben der Partei (15. ZK-Tagung), S. 85–86; Bericht eines ehem. Streikführers, in: Saarbrücker Zeitung 17. 6. 1978.
70 Bericht v. P. Redam, a. a. O. (Fn. 22).
71 St. Heym: Im Kopf – sauber. Schriften zum Tage, Leipzig 1954, S. 211.
72 Z. B. Fl. v. Bau-Union Güldendorf u. Bitterfeld.
73 Z. B. Fl. v. Askania Teltow u. Maschinenfabrik Meuselwitz.
74 Sächsische Zeitung (Dresden) 21. 6. u. 4. 7. 1953.
75 Mitteilung des ›Tribüne‹-Redakteurs Roßberg im FDGB-Bundesvorstand am 18. 7., in: Material zum 17. Juni, S. 31 (im Gesamtdeutschen Institut Berlin).
76 St. Brant, a. a. O. (Fn. 3), S. 173 u. 194 f.; Fl. v. Bleichert Leipzig.
77 Fl. v. Jena.
78 J. G. Leithäuser, a. a. O. (Fn. 4), S. 53.
79 Fl. v. Waggonfabrik Halle-Ammendorf.
80 Vgl. H. H. Müller: Unser Werk. Kleine Chronik des VEB Optima Erfurt, Erfurt 1956, S. 46.
81 Z. B. Fl. v. Eisenhüttenwerk Thale u. Optische Werke Rathenow.
82 Z. B. Fl. v. RAW Cottbus, WMW Gera u. Thälmann-Werft Brandenburg.
83 Fl. v. Agfa Wolfen.
84 Vgl. Bericht v. F. Schorn, in: 41. Pressekonferenz, a. a. O. (Fn. 22).
85 B. Sarel, a. a. O. (Fn. 7), S. 145.
86 Z. B. Fl. v. Agfa Wolfen u. Leuna.
87 Z. B. Fl. v. Agfa Wolfen.
88 Z. B. Fl. v. Eisenhüttenwerk Thale.
89 Z. B. Fl. v. LOWA Bautzen u. Roto-Record Gera.
90 Vgl. Leipziger Volkszeitung 22. 6. 1953 u. Volksblatt 24. 6. 1953.
91 Ebd.
92 Leipziger Volkszeitung 22. 6. 1953.
93 Fl. v. Sachsenwerk Niedersedlitz u. Rheinmetall Sömmerda.
94 Z. B. Fl. v. Buna-Werke u. Leuna.
95 Z. B. Fl. v. Buna-Werke u. LOWA Weimar.
96 Z. B. Fl. v. Waggonfabrik Halle-Ammendorf.
97 Vgl. weiter oben S. 14.
98 St. Brant, a. a. O. (Fn. 3), S. 217.
99 Fl. v. Hennigsdorf.
100 Vgl. St. Brant, a. a. O. (Fn. 3), S. 241.
101 Vgl. die Forderungen des Bitterfelder Streikkomitees im Beitrag von Fricke S. 15.
102 Z. B. Fl. v. Cottbus.
103 Fl. v. Gera.
104 Fl. v. Jena.
105 Vgl. J. G. Leithäuser, a. a. O. (Fn. 4), S. 53 f.; A. Baring, a. a. O. (Fn. 6), S. 61; Th. Ebert: »Gewaltfreier Widerstand gegen stalinistische Regime«, in: Gewaltfreier Widerstand, Göttingen 1971, S. 119 f.
106 Originalbericht: Die Volkserhebung an der Oder-Neiße-Grenze in Görlitz am 17. Juni, verv. Ms., S. 4 (im Gesamtdeutschen Institut Berlin).
107 S. Fn. 105.
108 J. G. Leithäuser, a. a. O. (Fn. 4), S. 53.
109 Bericht von F. Schorn, in: 41. Pressekonferenz, a. a. O. (Fn. 22).
110 Vgl. Th. Ebert, a. a. O. (Fn. 105), S. 120.

111 Vgl. J. G. Leithäuser, a. a. O. (Fn. 4), S. 51 ff.
112 Fl. v. Halberstadt.
113 J. G. Leithäuser, a. a. O. (Fn. 4), S. 53.
114 Vgl. A. Baring, a. a. O. (Fn. 6), S. 41 u. 49 f.; M. Jänicke, a. a. O. (Fn. 8), S. 51 f.
115 Z. B. in Leuna und Buna bis zum 19. 6., in Wolfen bis zum 20. 6. und im Mansfeld-Kombinat z. T. bis zum 23. 6.
116 Vgl. Der Neue Kurs und die Aufgaben der Partei, Berlin 1953, S. 32; A. Baring, a. a. O. (Fn. 6), S. 38.
117 Geschichte der SED, Berlin 1978, S. 294.
118 Vgl. Neuer Weg 14–15/1953, S. 14 ff.; Das Gewerkschaftsaktiv 18/1953, S. 13.
119 Vgl. Neuer Weg 22/1953, S. 17; H. Hauptmann, Das komplexe Abenteuer Schwedt, Halle 1964, S. 124.
120 Noack/Rosenthal, Auftrag 006 erfüllt! Zur Geschichte des VEB Schwermaschinenbau ›Heinrich Rau‹ Wildau, Berlin 1956, S. 36.
121 Vgl. Neuer Weg 12–13/1953, S. 17.
122 Vgl. M. Gräve, Der Kampf der SED um die Durchführung des ersten Fünfjahrplans im VEB Elektroschaltgeräte Grimma, Diss. Leipzig 1966, S. 109.
123 Z. B. Fl. v. Sodafabrik Bernburg.
124 Z. B. Fl. v. Schwermaschinenbau Wildau u. Sodafabrik Bernburg.
125 Vgl. Neuer Weg 14–15/1953, S. 12 (Kombinat Espenhain). Leipziger Volkszeitung 25. 6. 1953 (VEB Sachsenguß).
126 Z. B. Leipziger Volkszeitung 25. 6. 1953; Sächsische Zeitung (Dresden) 27. 6. 1953; 20 Jahre SED. Zur Entwicklung im Kreis Altenburg, Altenburg 1966, S. 116 f.
127 Unser Werk. Hydrierwerk Zeitz, Zeitz 1963, S. 125.
128 Z. B. Neuer Weg 16/1953, S. 12 (Agitatoren des Bergbaubetriebes Zipsendorf in der Maschinenfabrik Meuselwitz).
129 Geschichte der Gas- und Elektroenergiebetriebe des Bezirks Halle, Leipzig 1971, S. 87.
130 Z. B. Neues Deutschland 30. 6. 1953 (Steinkohlenwerk Plötz); Neuer Weg 23/1953, S. 24 (Kraftwerk Buna).
131 Z. B. Die Volkspolizei 13/1953, S. 16 (Elektrizitätswerk Leipzig).
132 Z. B. Fl. v. Keula-Hütte Krauschwitz u. Neptun-Werft Rostock.
133 Z. B. Eisenhüttenkombinat Ost.
134 Vgl. St. Brant, a. a. O. (Fn. 3), S. 246 ff.
135 A. Baring, a. a. O. (Fn. 6), S. 55.
136 Originalbericht aus Görlitz, a. a. O. (Fn. 106), S. 9 f.
137 S. Fn. 105 u. 108.
138 Z. B. Neues Deutschland 23. 6. 1953: »So zeigte der Faschismus seine Fratze«.
139 Weltbühne 26/1953, S. 803.
140 Vorwärts (Ost-Berlin) 22. 6. 1953.
141 Ebd.
142 Neues Deutschland 23. 6. 1953 (Hervorh. im Orig.).
143 Sächsische Zeitung (Dresden) 26. 6. 1953.
144 Märkische Volksstimme (Potsdam) 25. 6. 1953.
145 A. Kantorowicz: Deutsches Tagebuch, 2. Teil, (West)Berlin 1979, S. 383 ff. u. Neues Deutschland 24. 6. 1953.
146 Neues Deutschland 26. 6. 1953.
147 Bericht eines später geflüchteten Mitarbeiters des FDGB-Bundesvorstandes v. 18. 7. 1953, in: Material zum 17. Juni, S. 33 (Archiv d. Gesamtdt. Inst. Berlin).
148 Neuer Weg 16/1953, S. 24.
149 Vgl. Neuer Weg 14–15/1953, S. 18; H. Warnke: Die Gewerkschaften und der neue Kurs, Berlin 1953, S. 28 u. 65 f.

150 Vgl. Volksstimme (Karl-Marx-Stadt) 15. 7. 1953; Leipziger Volkszeitung 21. 7. 1953; Der neue Kurs und die Aufgaben der Partei, Berlin 1953, S. 81.
151 Vgl. Der neue Kurs und die Aufgaben der Partei, S. 40.
152 Neues Deutschland 19. 8. 1953; Tribüne 30. 9. 1953; Neuer Weg 14–15/1953, S. 18; Die Arbeit 10/1953, S. 698; M. Jänicke, a. a. O. (Fn. 8), S. 47 f.
153 Leipziger Volkszeitung 1. 7. 1953.
154 Leipziger Volkszeitung 3. 7. 1953 (SAG Schumann).
155 Das Volk (Weimar) 28. 6. 1953 (VEB Optima Erfurt).
156 A. Kantorowicz, a. a. O. (Fn. 145), S. 385.
157 Leipziger Volkszeitung 4. 7. 1953 (Kirow-Werke).
158 Neues Deutschland 25. 6. 1953 (HF-Gerätewerke Berlin).
159 Neues Deutschland 1. 7. 1953 (Funkwerk Köpenick).
160 Leipziger Volkszeitung 30. 6. 1953 (Baustelle Windmühlenstraße).
161 Freiheit (Halle) 26. 6. 1953 (IFA-Werk).
162 Leipziger Volkszeitung 30. 6. 1953 (VEB Bodenbearbeitungsgeräte).
163 Ebd.
164 Leipziger Volkszeitung 28. 6. 1953.
165 Neues Deutschland 18. 6. 1953.
166 Neuer Weg 12–13/1953, S. 12 (EAW Treptow).
167 Ebd., S. 13.
168 Z. B. Leipziger Volkszeitung 29. 6. 1953 (RAW Einheit); Schweriner Volkszeitung 2. 7. 1953 (Sauerstoffwerk Bützow); Volksstimme (Magdeburg) 8. 7. 1953 (Bau-Union).
169 Z. B. Freiheit (Halle) 22. 6. 1953 (Buna); Neues Deutschland 24. 6. 1953 (VEB 7. Oktober).
170 Z. B. Freiheit (Halle) 21. 7. 1953 (Waggonfabrik Ammendorf); Neues Deutschland 28. 6. 1953 (Baustelle Staatsoper); Volksstimme (Magdeburg) 8. 7. 1953 (Dimitroff-Werk).
171 Leipziger Volkszeitung 3. 7. 1953 (SAG Schumann); Das Gewerkschaftsaktiv 14/1953, S. 5 (Schering-Werk Adlershof).
172 Z. B. Leipziger Volkszeitung 10. 7. 1953 (Baustelle Windmühlenstraße); Volksstimme (Magdeburg) 21. 7. 1973 (Bau-Union).
173 Hinzu kamen u. a. Einschränkungen bei der Gewährung eines bezahlten Haushaltstages für Frauen, Wegfall langjähriger Prämien, Abbau betrieblicher Sozialeinrichtungen, Leistungskürzungen bei der Sozialversicherung.
174 Z. B. Neues Deutschland 24. 6. 1953 (Siemens-Plania); Leipziger Volkszeitung 27. 6. 1953 (Verkehrsbetriebe); Schweriner Volkszeitung 2. 7. 1953 (Industriewarenwerk u. Elbewerft Boizenburg).
175 J. G. Leithäuser, a. a. O. (Fn. 4), S. 11–12.
176 Freiheit (Halle) 24. 7. 1953.
177 Neues Deutschland 28. 6. 1953 (Baustelle Staatsoper).
178 Leipziger Volkszeitung 28. 6. 1953.
179 Leipziger Volkszeitung 30. 6. 1953 (VEB Bodenbearbeitungsgeräte).
180 Neues Deutschland 25. 6. 1953.
181 Leipziger Volkszeitung 30. 6. 1953.
182 Das Gewerkschaftsaktiv 14/1953, S. 5.
183 Neues Deutschland 1. 7. 1953; vgl. auch Sächsische Zeitung (Dresden) 27. 6. 1953 (LOWA Görlitz).
184 Leipziger Volkszeitung 4. 7. 1953.
185 Neues Deutschland 26. 6. 1953.
186 Schweriner Volkszeitung 2. 7. 1953 (Sauerstoffwerk Bützow).
187 Leipziger Volkszeitung 29. 6. 1953 (RAW Einheit).
188 Leipziger Volkszeitung 1. 7. 1953 (Eisen- und Stahlwerke).
189 Das Gewerkschaftsaktiv 14/1953, S. 6.
190 Die Arbeit 9/1953, S. 646–647 (Rudi Kirchner); ähnlich: Die Arbeit 12/1953, S. 847.
191 Z. B. Schweriner Volkszeitung 30. 6. 1953 (Klement-Gottwald-Werk).
192 Was schon vor dem 17. Juni kritisiert wurde, vgl. Die Arbeit 2/1953, S. 117 u. 3/1953, S. 180.
193 Leipziger Volkszeitung 4. 7. 1953 (Kirow-Werke).
194 Leipziger Volkszeitung 29. 6. 1953 (RAW Einheit).
195 Volksstimme (Magdeburg) 21. 7. 1953 (Holzbau Börde).
196 Leipziger Volkszeitung 1. 7. 1953.
197 Ebd.
198 Leipziger Volkszeitung 27. 6. 1953 (ABUS-Werk).
199 Neues Deutschland 3. 7. 1953.
200 Leipziger Volkszeitung 27. 6. 1953 (Verkehrsbetriebe).
201 S. Fn. 196.
202 Neues Deutschland 24. 6. 1953 (Siemens-Plania).
203 Neues Deutschland 3. 7. 1953.
204 Vgl. z. B. Tribüne 12. 11. 1952.
205 Vgl. M. Jänicke: »Krise und Entwicklung in der DDR«, in: Innere Systemkrisen der Gegenwart, Reinbek 1975, S. 149 f.
206 Schweriner Volkszeitung 2. 7. 1953.
207 St. Heym, a. a. O. (Fn. 71), S. 26.
208 Junge Welt 29. 6. 1953 (Stahl- und Walzwerk Riesa).
209 Schweriner Volkszeitung 2. 7. 1953 (Elbewerft Boizenburg).
210 Neues Deutschland 26. 6. 1953 (Leuna).
211 S. Fn. 68.
212 Neues Deutschland 1. 7. 1953 (Baustelle Stalinallee).
213 Leipziger Volkszeitung 29. 6. 1953 (RAW Einheit).
214 Neues Deutschland 28. 6. 1953 (Baustelle Staatsoper).
215 Die Arbeit 8/1953, S. 547.
216 Leipziger Volkszeitung 21. 7. 1953.
217 St. Heym: Forschungsreise in das Herz der deutschen Arbeiterklasse, Berlin 1953, S. 56 (Der Verf. begleitete im August 1953 eine sowjetische Arbeiterdelegation auf ihrer Reise durch Großbetriebe der DDR; von den Gesprächen und Erfahrungen berichtet dieses Büchlein.)
218 Die Arbeit 10/1953, S. 688; vgl. z. B. auch Tribüne 25. 8. 1953; Junge Generation 16/1953, S. 4 ff.; Neuer Weg 20/1953, S. 5; Neues Deutschland 29. 9. 1953.
219 Das Gewerkschaftsaktiv 14/1953, S. 5.
220 Das Volk (Weimar) 28. 6. 1953.
221 Leipziger Volkszeitung 3. 7. 1953 (SAG Schumann).
222 Leipziger Volkszeitung 27. 6. 1953 (Eisengießerei Becker).
223 Neuer Weg 12–13/1953, S. 12.
224 St. Heym, a. a. O. (Fn. 217), S. 61.
225 Neues Deutschland 26. 6. 1953.
226 Leipziger Volkszeitung 26. 6. 1953 (Bau-Union Leipzig).
227 Leipziger Volkszeitung 3. 7. 1953 (SAG Schumann).
228 H. Warnke: Die Gewerkschaften und der neue Kurs, Berlin 1953, S. 78.
229 Der neue Kurs und die Aufgaben der Partei, Berlin 1953, S. 37.
230 Carl Zeiss Jena einst und jetzt, Berlin 1962, S. 759 f.
231 Leipziger Volkszeitung 21. 7. 1953; Neuer Weg 16/1953, S. 28.

232 Freiheit (Halle) 1. 7. 1953.
233 Freiheit (Halle) 24. 7. 1953; ähnlich Schweriner Volkszeitung 6. 7. 1953 (Bahnbetriebswerk Güstrow); Berliner Zeitung 27. 9. 1953 (allg.).
234 Neuer Weg 22/1953, S. 18.
235 Vgl. z. B. Neuer Weg 16/1953, S. 28; 20/1953, S. 17; 22/1953, S. 18; Junge Generation 13/1953, S. 26; St. Heym, a. a. O. (Fn. 217), S. 58 ff.
236 Neues Deutschland 26. 8. 1953 (Buna).
237 Leipziger Volkszeitung 9. 7. 1953.
238 Eigenbericht d. Gesamtdt. Inst. (EB 16581 v. 20. 8. 1953).
239 Volksstimme (Magdeburg) 16. 7. u. 21. 7. 1953.
240 Leipziger Volkszeitung 26. 6. 1953 (Bau-Union Leipzig).
241 Leipziger Volkszeitung 3. 7. 1953 (SAG Schumann).
242 Freiheit (Halle) 21. 6. 1953 (Waggonfabrik Ammendorf); Neues Deutschland 24. 6. 1953 (Siemens-Plania); Leipziger Volkszeitung 29. 6. 1953 (RAW Einheit); Freiheit (Halle) 1. 7. 1953 (EKB Bitterfeld).
243 Neues Deutschland 24. 6. 1953.
244 Vgl. z. B. Der neue Kurs und die Aufgaben der Partei, a. a. O. (Fn. 150), S. 23 ff.; Neues Deutschland 7. 8. 1953.
245 Neues Deutschland 26. 6. 1953; ähnlich Neues Deutschland 13. 9. 1953 (Buna-Werke).
246 Neues Deutschland 9. 7. 1953; vgl. auch den Artikel von Erich Loest im Börsenblatt für den deutschen Buchhandel 4. 7. 1953, abgedruckt in: E. Loest: Durch die Erde ein Riß, Hamburg 1981, S. 215–221, und in dieser Edition S. 205 ff.
247 St. Heym, a. a. O. (Fn. 217), S. 56.
248 Ulbricht im VEB »7. Oktober« (Niles-Werke), Neues Deutschland 24. 6. 1953.
249 Grotewohl im Trafowerk Oberschöneweide, Abschrift d. im Radio übertragenen Rede am 23. 6. 1953, S. 4 (im Gesamtdt. Inst. Berlin).
250 Neues Deutschland 24. 6. 1953.
251 Freiheit (Halle) 26. 6. 1953.
252 Z. B. Sächsische Zeitung (Dresden) 23. 9. 1953 (Phänomen-Werk Zittau).
253 Z. B. Carl Zeiss Jena, a. a. O. (Fn. 230), S. 760.
254 Z. B. Freiheit (Halle) 1. 7. 1953 (EKB Bitterfeld); Neue Zeitung 23. 8. 1953 (VEB Bergmann-Borsig).
255 Vgl. IWE 7/2 v. 6. 7. 1953 (Klement-Gottwald-Werke Schwerin); IWE 8/70 v. 13. 8. 1953 (Elektromotorenwerk Wernigerode): RIAS-Tätigkeitsbericht, a. a. O. (Fn. 11), S. 34 (Karl-Liebknecht-Werk Magdeburg); Flüchtlingsbericht aus dem Stahl- und Walzwerk Hennigsdorf (im Gesamtdt. Inst. Berlin); Neues Deutschland 7. 8. 1953.
256 Vgl. St. Brant, a. a. O. (Fn. 3), S. 167 (Eisenhüttenwerk Thale am 4. 7.); IWE Meldung v. 27. 6. 1953 (Motorenwerk Eisenach am 25. 6.).
257 Vgl. St. Brant, a. a. O. (Fn. 3), S. 276 f.; Neue Zeitung 17. 7. 1953; Kölner Stadtanzeiger 25. 7. 1953; Telegraf 4. 8. 1953.
258 Vgl. St. Brant, a. a. O. (Fn. 3), S. 277; IWE 7/13 v. 3. 7. 1953; Neue Zeitung 17. 7. 1953; von DDR-Seite: H. Warnke, a. a. O. (Fn. 228), S. 28; Carl Zeiss Jena, a. a. O. (Fn. 230), S. 760; E. Tennigkeit: Entwicklungsprobleme und Ergebnisse des ersten Fünfjahrplans im VEB Carl Zeiss Jena, (Diss.) Jena 1965, S. 139.
259 Erfolgsmeldungen z. B. in IWE 7/51 v. 10. 7. 1953 (Motorenwerk Eisenach) u. IWE 8/70 v. 13. 8. 1953 (Wernigerode).
260 Vgl. Neue Justiz 12–13/1953. S. 384.

261 Vgl. Die Volkspolizei 13/1953, S. 19; K. W. Fricke, Politik und Justiz in der DDR, Köln 1979, S. 289; M. Jänicke, a. a. O. (Fn. 8), S. 157.
262 Carl Zeiss Jena, a. a. O. (Fn. 230), S. 760.
263 St. Heym, a. a. O. (Fn. 217), S. 53.
264 Sächsische Zeitung (Dresden) 4. 7. 1953.
265 Sächsische Zeitung (Dresden) 23. 9. 1953.
266 Freiheit (Halle) 1. 7. 1953.
267 Neuer Weg 19/1953, S. 13.
268 Neues Deutschland 30. 4. 1954.
269 Vgl. auch Neuer Weg 21/1953, S. 11 (Berliner Glühlampenwerk).
270 K. Maron: »Die nächsten Aufgaben der Volkspolizei«, Beilage zu: Die Volkspolizei 21/1953, S. 19.
271 Z. B. Tribüne 25. 8. 1953 (Betriebe im Bez. Suhl); Neuer Weg 16/1953, S. 30 (Trafowerk Oberschöneweide) u. 20/1953, S. 21 f. (LOWA Görlitz).
272 Z. B. Das Gewerkschaftsaktiv 18/1953, S. 5 ff. (EKB Bitterfeld); Neues Deutschland 24. 10. 1953 (Kombinat Böhlen) u. 10. 11. 1953 (Leuna).
273 Vgl. H. Warnke, a. a. O. (Fn. 228), S. 28; Neues Deutschland 31. 7. 1953; Die Arbeit 9/1953, S. 615.
274 Neuer Weg 20/1953, S. 21.
275 Ebd., S. 21–22.
276 Z. B. Neues Deutschland 24. 10. 1953.
277 Die Arbeit 10/1953, S. 685; ähnlich schon Neues Deutschland 11. 9. 1953.
278 Neuer Weg 12–13/1953, S. 13.
279 Freiheit (Halle) 20. 6. 1953.
280 Neues Deutschland 21. 6. 1953 u. Vorwärts (Ostberlin) 22. 6. 1953; W. Brandt, a. a. O. (Fn. 5), S. 59.
281 Freiheit (Halle) 26. 6. 1953.
282 Neues Deutschland 24. 6. 1953.
283 Tribüne 30. 9. 1953.
284 Z. B. die beiden Forderungskataloge in den Buna-Werken v. 7. 7. u. 14. 7. 1953, Abschrift im Gesamtdeutschen Institut Berlin.
285 Neues Deutschland 25. 7. 1953; Berliner Zeitung 28. 7. 1953.
286 Z. B. Freiheit (Halle) 1. 7. 1953 (EKB Bitterfeld); Neue Zeitung 23. 8. 1953 (Bergmann-Borsig); vgl. auch St. Brant, a. a. O. (Fn. 3), S. 276 ff.
287 Vgl. weiter oben S. 44 f.
288 Z. B. die beiden Forderungskataloge aus Buna (Fn. 284).
289 Zitiert in B. Sarel, a. a. O. (Fn. 7), S. 155.
290 Neues Deutschland 14. 8. 1953.
291 Neues Deutschland 11. 9. 1953.
292 Leipziger Volkszeitung 25. 6. 1953.
293 Tribüne 25. 8. 1953.
294 Die Arbeit 8/1953, S. 551.
295 Vgl. das Gewerkschaftsaktiv 15/1953, S. 1; Die Arbeit 10/1953, S. 688; H. Warnke, a. a. O. (Fn. 228), S. 28.
296 Vgl. Neue Zeitung 17. 7. 1953; St. Brant, a. a. O. (Fn. 3), S. 276 f.; Carl Zeiss Jena, a. a. O. (Fn. 230), S. 762.
297 Neues Deutschland 23. 6. 1953.
298 Tribüne 27. 6. 1953; Das Gewerkschaftsaktiv 15/1953, S. 11.
299 Freiheit (Halle) 23. 6. 1953.
300 Freiheit (Halle) 21. 6. u. 1. 7. 1953.
301 Leipziger Volkszeitung 30. 6. 1953 (VEB Bodenbearbeitungsgeräte).
302 Z. B. Das Gewerkschaftsaktiv 15/1953, S. 11.
303 Ebd.
304 Das Gewerkschaftsaktiv 14/1953, S. 5 ff. u. 15/1953, S. 11 ff.

305 Berichte über Sofortprogramme: Neues Deutschland 1. 7. 1953 (Kraftwerk Rummelsburg) u. 4. 7. 1953 (Siemens-Plania); Freiheit (Halle) 23. 6. 1953 (Agfa Wolfen) u. 4. 7. 1953 (Leuna); Das Volk (Weimar) 24. 7. 1953 (LOWA-Werke); Volksstimme (Magdeburg) 7. 7. u. 9. 7. 1953 (Thälmann-Werke); Das Gewerkschaftsaktiv 14/1953 S. 7 ff. (Schering-Werk u. Kraftwerk Lichtenberg) u. 15/1953, S. 2 (Buna) u. S. 20 ff. (Karl-Liebknecht-Werk Oelsnitz); Neuer Weg 16/1953, S. 21 (Dimitroff-Werk Magdeburg).
306 Z. B. Leipziger Volkszeitung 26. 6. 1953 (Kombinat Böhlen); Schweriner Volkszeitung 30. 6. 1953 (Gottwald-Werke).
307 Z. B. Tribüne 14. 9. 1953.
308 Z. B. Das Gewerkschaftsaktiv 14/1953, S. 9.
309 Freiheit (Halle) 27. 6. 1953 (Maschinenfabrik); Leipziger Volkszeitung 3. 7. 1953 (SAG Schumann); Volksstimme (Magdeburg) 3. 7. u. 13. 7. 1953 (Dimitroff-Werk).
310 Z. B. das Gewerkschaftsaktiv 15/1953, S. 21.
311 Z. B. Die Arbeit 8/1953, S. 547 u. 9/1953, S. 628 f.; Leipziger Volkszeitung 28. 6. 1953.
312 Z. B. Leipziger Volkszeitung 28. 6. 1953 (VEB Bodenbearbeitungsgeräte); Neues Deutschland 3. 7. 1953 (HF-Gerätewerk Berlin) u. 13. 9. 1953 (Buna).
313 Z. B. Neues Deutschland 24. 6. u. 26. 6. 1953 (Siemens-Plania); Neues Deutschland 14. 8. 1953 (SAG Bleichert Leipzig); Neuer Weg 12–13/1953, S. 12 f. (EAW Treptow); W. Poenicke, Der Kampf der SED um die Entwicklung des Bündnisses der Arbeiterklasse mit der technischen Intelligenz, Diss. Leipzig 1970, S. 69 ff.
314 Z. B. Schweriner Volkszeitung 6. 7. 1953 (Bahnbetriebswerk Güstrow); Neues Deutschland 1. 8. 1953; Die Arbeit 8/1953, S. 547 u. 549; B. Sarel, a. a. O. (Fn. 7), S. 155.
315 Z. B. Neues Deutschland 28. 6. 1953 (Karl-Marx-Werk Magdeburg); Leipziger Volkszeitung 30. 6. 1953 (VEB Bodenbearbeitungsgeräte).
316 Vgl. V. Graf Blücher, Industriearbeiterschaft in der Sowjetzone, Stuttgart 1959, S. 61; A. Bust-Bartels, a. a. O. (Fn. 9), S. 51.
317 Das Gewerkschaftsaktiv 15/1953, S. 14.
318 Insbesondere in der IG Metall u. IG Bau/Holz, vgl. H. Warnke, a. a. O. (Fn. 228), S. 28 ff. u. 66 f.
319 Vgl. M. Jänicke, a. a. O. (Fn. 8), S. 10 f. u. 46 ff.
320 H. Warnke, a. a. O. (Fn. 228), S. 31; vgl. auch Der Neue Kurs und die Aufgaben der Partei, S. 94 ff.
321 Leipziger Volkszeitung 21. 7. 1953.
322 Max Fechner; vgl. M. Jänicke, a. a. O. (Fn. 8), S. 33 ff.
323 Rudolf Herrnstadt; vgl. ebd.
324 Z. B. Neues Deutschland 18. 7. 1953; Sächsische Zeitung 28. 7. 1953; Neuer Weg 12–13/1953, S. 11; Die Arbeit 10/1953, S. 688 f.
325 Tribüne 25. 8. 1953.
326 Neues Deutschland 29. 7. 1953.
327 Z. B. Märkische Volksstimme (Potsdam) 25. 6. 1953 (LEW Hennigsdorf); Leipziger Volkszeitung 1. 7. 1953 (Kirow-Werke); Neues Deutschland 14. 8. 1953 (allg.).
328 Z. B. Neuer Weg 16/1953, S. 19 f.; Helbig: Ökonomische Probleme der Gewerkschaftsarbeit, Berlin 1954, S. 46 f.
329 Vgl. Neuer Weg 22/1953, S. 19; Die Arbeit 9/1953, S. 645; M. Gräve, a. a. O. (Fn. 122), S. 212.
330 R. Kirchner, Die Tätigkeit der Gewerkschaften im Neuen Kurs, Berlin 1953, S. 7.
331 Z. B. Neuer Weg 20/1953, S. 16 f.; St. Heym, a. a. O. (Fn. 217), S. 34; Probleme der politischen Ökonomie, Bd. 2, Berlin 1959, S. 217 ff.

Die sowjetische Deutschland-Politik am Vorabend des 17. Juni

Gerhard Wettig

Unterschiedliche Auffassungen

Vor allem Richard Löwenthal hat immer wieder darauf hingewiesen, daß während des Frühjahrs 1953 in der sowjetischen Deutschland-Politik das Wiedervereinigungsthema eine Rolle gespielt hat. Er neigt darüber hinaus der Ansicht zu, daß damals wahrscheinlich eine ernstere Aussicht auf einen gesamtdeutschen Zusammenschluß zu westlich-demokratischen Bedingungen bestanden habe als früher oder später. Das lasse sich zwar nicht beweisen, doch sprächen »viele Anzeichen« für die »Hypothese«, »daß Anfang Juni 1953 nicht nur Berija, sondern eine Mehrheit des sowjetischen Parteipräsidiums unter Führung von Malenkow« einem von dem britischen Premierminister Churchill unterbreiteten Vorschlag für eine Vier-Mächte-Konferenz über ein wiederzuvereinigendes Deutschland unter gemeinschaftlicher Kontrolle positiv gegenübergestanden habe. Die Opposition in der SED um Zaisser und Herrnstadt wird damit in Verbindung gebracht. »Erst unter dem Eindruck des 17. Juni« scheine sich dann in Moskau »die Mehrheit des sowjetischen Parteipräsidiums, besonders Malenkow«, gegen eine solche Politik gewandt zu haben[1].

Für Löwenthal liegt die innen- und außenpolitische Plausibilität seiner These in der Einsicht der Nachfolger Stalins begründet, »daß der notwendige ›Neue Kurs‹ [in Osteuropa] in der Wirtschaftspolitik zu seiner äußeren Absicherung der seit Jahren überfälligen Entspannung im Ost-West-Verhältnis bedurfte«. Als wichtiges Indiz gilt, die neuen Männer im Kreml hätten »nicht wie Stalin durch Ausspielen der Gegner gegeneinander, sondern auf breiter Front mit der Formel, es gebe keine Ost-West-Konflikte, die bei gutem Willen nicht gelöst werden könnten«, nach Westen hin zu agieren gesucht[2].

Bei Boris Meissner wird die Vermutung zur Gewißheit. Es ist von einer »gesamtdeutschen Orientierung« und einer »neuen Deutschland-politik« bei den Maßnahmen die Rede, welche die SED-Führung auf Instruktion aus Moskau hin Anfang Juni 1953 durchführte. Aus Vorwürfen, die anschließend Berija und Herrnstadt gemacht worden sind, wird geschlossen, Berija und Malenkow hätten »offenbar die Absicht« verfolgt, »die osteuropäischen Volksdemokratien stärker mit der Sowjetunion zu verbinden, dafür aber die vorgeschobene deutsche Position abzuschreiben«. Das hätte der sowjetischen Seite »eine größere außenpolitische Bewegungsfreiheit in Europa« verschafft und ihr »die deutsche Karte wieder ins Spiel zu bringen« erlaubt[3]. Die These ist nicht unbestritten geblieben. Heinz Lippmann, der damals noch stellvertretender Vorsitzender der FDJ in der DDR war, sieht aufgrund seiner Erfahrungen den Kurswechsel von Anfang Juni 1953 als überfälligen Versuch zur Anpassung des Herrschaftsverhaltens an eine veränderte Realität. Zaisser und Herrnstadt, so heißt es, »verkörperten den gleichen Machttypus wie Ulbricht« und hatten »außer machtpolitischen und psychologischen Gründen kein echtes politisches Anliegen für ihre oppositionelle Haltung«. Beide seien – über den Staatssicherheitsdienst bzw. über das Korrespondentennetz des SED-Zentralorgans – über »die Krise der SED und die Stimmung der Bevölkerung« genau im Bilde gewesen und hätten »den geeigneten Zeitpunkt« abgewartet, »um die Situation für ihre machtpolitischen Interessen zu nützen«. Sie hätten es – ähnlich wie der mit Zaisser verbundene Berija in der UdSSR – auf »eine Modernisierung der Diktatur und den Versuch abgesehen gehabt«, »das System wieder lebensfähig zu machen«. Gemäß ihrer »harten und realistischen« Analyse, nach der die SED »bürokratisiert, aktionsunfähig, von den Massen isoliert« war, hätten sie »einen völligen Neuaufbau der Partei« gefordert[4].

Anmerkungen s. S. 68.

Die sowjetische Politik hatte seit dem offenen Bruch mit den Westmächten im Jahre 1947 in Deutschland mit nationalen Parolen operiert und die Hoffnungen des deutschen Volkes auf eine staatliche Vereinigung für ihre Zwecke zu nutzen gesucht. Je nach den momentanen Chancen oder Risiken, mit denen dabei zu rechnen war, waren die Stellungnahmen für die deutsche Einheit zeitweilig stärker oder schwächer betont worden. Seit die westlichen Regierungen ab Spätsommer 1950 die Bundesrepublik Deutschland in das westliche Verteidigungssystem einzubeziehen suchten, wurde die Agitation gegen eine »Erneuerung des deutschen Militarismus« und für eine »Wiederherstellung der nationalen Einheit« zum Hauptinstrument des sowjetischen Kampfes dagegen[5]. Im Winter 1951/1952 soll Stalin einen Augenblick lang die Möglichkeit ins Auge gefaßt haben, das SED-Regime zu opfern, wenn er auf diese Weise die Westintegration der Bundesrepublik verhindern könnte[5a].

Der Höhepunkt der Wiedervereinigungskampagne nach außen war die sowjetische Deutschland-Note vom 10. März 1952[6]. Die forcierte Sowjetisierung der DDR, welche die SED-Führung anschließend auf der 2. Parteikonferenz der SED im Juni 1952 beschloß, nahm den östlichen Bekundungen eines Willens zur Wiedervereinigung die Glaubwürdigkeit. Daher galt die UdSSR mit ihren Verbündeten Anfang 1953 im Bewußtsein der deutschen Öffentlichkeit kaum noch als Verfechter der nationalen Einheit.

Wirtschafts- und Stimmungslage in der DDR nach dem Tode Stalins

Die Sowjetisierungsmaßnahmen vom Sommer und Herbst 1952 verschärften die ohnehin prekäre wirtschaftliche Lage der DDR. Die Situation erschien vor Jahresende so bedrohlich, daß sich der Generalsekretär der SED, Ulbricht, mit einem Brief an Stalin wandte und ihn um sowjetische Materialhilfe bat. Die ostdeutschen Spitzenfunktionäre, die Mitte März an den Beisetzungsfeierlichkeiten für den inzwischen gestorbenen Diktator in Moskau weilten, kehrten mit dem Bescheid zurück, daß nicht mit Lieferungen aus der UdSSR zu rechnen sei[7].

Daraufhin kam die SED-Führung in der sowjetischen Hauptstadt nochmals um Unterstützung »mit Rat und Tat« ein[8]. Mitte April erteilte der Leiter der sowjetischen Kommission für Wirtschaftsplanung, Nikitin, in Ost-Berlin den Spitzenfunktionären der SED einen endgültigen Ablehnungsbescheid. Er fügte hinzu, in der UdSSR werde ein neuer, auf die Hebung des Lebensstandards im Lande abzielender Kurs vorbereitet, und forderte die ostdeutschen Genossen dazu auf, sich in gleichem Sinne umzuorientieren und mit den vorhandenen Hilfsmitteln eine bessere Versorgung der Massen herbeizuführen[9].

Dementsprechend beauftragte Ulbricht die mit den Wirtschaftsfragen befaßten Behörden, einen den sowjetischen Vorstellungen entsprechenden Neuen Kurs auszuarbeiten. Das war freilich leichter gesagt als getan. Der Leiter der ostdeutschen Kommission für Wirtschaftsplanung, Leuschner, entzog sich durch Nichtstun dem Auftrag, weil er den Mißerfolg für vorprogrammiert hielt und anschließend nicht als der Sündenbock dastehen wollte. Das gab Finanzminister Rumpf, der bisher bei den ökonomischen Entscheidungen nicht zum Zuge gekommen war, freie Bahn für seine Vorschläge zur Erfüllung der Finanz- und Budgetpläne.

Das Ergebnis dieses ungebremsten Alleingangs war der Regierungsbeschluß vom 28. Mai 1953, die Arbeitsnormen in den Industriebetrieben um durchschnittlich 10% zu erhöhen. Die betroffene Arbeiterschaft konnte, da ihr Produktivitätspotential mit den bisherigen Normen schon ausgeschöpft war, die vermehrten Anforderungen nicht erfüllen. Sie blieb daher mit ihrer Leistung unter dem amtlichen Soll und mußte entsprechende Lohnabschläge hinnehmen. Es entstand eine große Verbitterung, die durch den Jubel in der offiziellen Presse über den erreichten weiteren »sozialistischen Fortschritt« zusätzliche Nahrung erhielt[10].

In der DDR hatte sich bereits vorher eine äußerst negative Einstellung gegenüber der Führung und ihrer Politik herausgebildet. Im Herbst 1952 waren auf Veranlassung der Sowjetischen Kontrollkommission Untersuchungen über die Stimmung der Bevölkerung und die Arbeit der Organisationen begonnen wor-

den, die nicht den Parteiinstanzen mit ihrem
Hang zu Erfolgsmeldungen, sondern speziell
dafür zusammengestellten Teams anvertraut
wurden. Auch sowjetische Funktionäre wurden an den Erhebungen beteiligt. Die Ergebnisse zeigten eindeutig eine katastrophale
Stimmung der Massen und eine lähmende Bürokratisierung im Partei- und Staatsapparat.
Das Fazit lautete, daß die Bevölkerung an der
Tätigkeit der SED desinteressiert sei, daß die
Arbeiterschaft den von oben verfügten Maßnahmen feindlich gegenüberstehe und daß die
Funktionäre der Betriebsorganisationen und
Kreisleitungen ihre Arbeit ohne inneren Einsatz verrichteten.

Die Führung um Ulbricht wies die Berichte als
tendenziös-parteifeindliche Elaborate zurück.
Die Sowjetische Kontrollkommission dagegen
zog aus ihnen den Schluß, daß die Stimmung
in der Bevölkerung unaufhaltsam schlechter
werde, daß die Unzufriedenheit laufend an-
wachse und daß daher ein Wandel der amtlichen Politik vonnöten sei. Der Leiter der Kontrollkommission, Semjonow, reiste im April
1953 nach Moskau, um bei seinen Vorgesetzten
in diesem Sinne vorstellig zu werden[11].

Daher bestand für das Paket an wirtschaftlichen und politischen Erleichterungen für
breite Bevölkerungskreise, das Semjonow am
5. Juni 1953 aus Moskau mitbrachte und das
auf seine Veranlassung hin vier Tage später
vom Politbüro der SED in deutscher Fassung
als Beschluß angenommen wurde, eine über-
wältigend starke innenpolitische Veranlassung. Angesichts der in Ostdeutschland allgemein verbreiteten Stimmung gegen das Regime und seine Maßnahmen mochte das be-
schwichtigende Eingeständnis, Partei und Regierung hätten *»eine Reihe von Fehlern begangen«* und dabei vor allem *»die Interessen solcher Bevölkerungsteile, wie der Einzelbauern,
der Handwerker, der Intelligenz vernachlässigt«*, zweckmäßig erscheinen. Die Zurücknahme vieler wirtschaftlicher, sozialer und politischer Repressionen, die diesen Gruppen das
Leben schwermachten, konnten derartigen Beteuerungen Glaubwürdigkeit verschaffen und
ein Vertrauen in amtlich versprochene Abhilfe
wecken. Die Aufhebung der Amnestie für bestimmte wirtschaftliche oder politische Verge-

hen sowie der Abbruch des Kirchenkampfes
mit seinen administrativen und juristischen Begleiterscheinungen lassen die Tendenz erkennen, die in weiten Kreisen der Bevölkerung
entstandene Unzufriedenheit durch ein Entgegenkommen der Herrschenden abzubauen[12].

Die dem zwei Tage später folgenden Regie-
rungsdekret vorangestellte Erklärung, die neue
Politik entspreche *»zugleich dem Grundinter-
esse der Annäherung und Verständigung aller
deutschen Patrioten im Kampf für die Einheit
Deutschlands und den Frieden«*[13], könnte statt
wirklicher Motivation auch bloß propagandi-
stischer Begleitton gewesen sein. Das gleiche
gilt für die nachgeschobene Erläuterung der
sowjetischen Besatzungsmacht, die Beschlüsse
besäßen *»große internationale Bedeutung«* und
seien *»auf das große Ziel der Wiederverein-
gung des deutschen Volkes in einem geeinten nationalen deutschen Staat ausgerichtet«*[14].
Warum sollte die östliche Seite, wenn sie schon
Abstriche von der im Vorjahre beschlossenen
Sowjetisierungspolitik machen mußte, dies
nicht für ihre deutschlandpolitische Werbung
ausnutzen? Allerdings ist darum die Möglichkeit nicht ausgeschlossen, daß die Hinwen-
dung zu einer Politik des Ausgleichs in der
Wiedervereinigungsfrage ernst gemeint gewesen sein könnte.

Die publizistische Präsentation
des Neuen Kurses durch die SED

Ministerpräsident Grotewohl bezeichnete es
drei Tage nach dem Politbüro-Beschluß als
dessen Zweck, daß in der DDR alle Hinder-
nisse für eine Verständigung unter den Deutschen ausgeräumt würden und so der Beweis
für die *»bittere und entschlossene«* Ernsthaftig-
keit der gesamtdeutschen Initiative erbracht
werde. *»Bei der Entwicklung der Verständigung
der Deutschen untereinander darf in diesem Augenblick nichts geschehen, was den Gegnern der
Verständigung Wasser auf ihre Mühlen
wäre«*[15]. Vor SED-Funktionären erläuterte der
Politiker, die bisherige Politik habe zu einer
*»Verbreiterung der Kluft zwischen den Men-
schen im Westen und Osten Deutschlands«* geführt. Darum müsse die Partei, die allzu rasch
vorwärtsgeschritten sei und sich damit *»von

den Massen gelöst« habe, »eine Wendung vollziehen«, um sich mit dem zurückgebliebenen Gros des deutschen Volkes wieder zu vereinigen[16].

Eine von der SED aufgezogene Organisation zur deutschlandpolitischen Propaganda im Westen, die Ständige Delegation der Internationalen Konferenz zur friedlichen Lösung der deutschen Frage, verfaßte nach zweitägigen Beratungen eine Erklärung und einen »Brief an das deutsche Volk«. Die Deklaration, die augenscheinlich für den westeuropäischen Gebrauch bestimmt war, stellte »mit Freude die errungenen Erfolge« heraus: Der Vertrag über die Europäische Verteidigungsgemeinschaft sei »von keinem der sechs interessierten Länder . . . mit Ausnahme der Bundesrepublik« ratifiziert worden; dafür setze sich der »Wunsch nach Verhandlungen« »unwiderstehlich durch, so daß die Konferenz der vier Mächte sofort Wirklichkeit werden« könne. Dementsprechend rief die Ständige Delegation zu einer Vier-Mächte-Konferenz über einen Friedensvertrag mit Deutschland auf, um die Einbeziehung der Bundesrepublik in das westliche Bündnis unmöglich zu machen.

Wie im Frühjahr 1952 sollte das Potsdamer Abkommen die Verhandlungsgrundlage bilden. Als Leitlinien der Verständigung wurden eine »Beteiligung von Vertretern beider Teile Deutschlands« an den Friedensvertragsberatungen, »freie Wahlen« und die »Unterzeichnung des Friedensvertrages mit der Regierung des wiedervereinigten Deutschlands, dessen Status die Sicherheit für seine Nachbarn garantieren muß«, vorgesehen. Dieses Programm nahm die Vorschläge wieder auf, welche die UdSSR und die DDR im Zusammenhang mit der Deutschland-Note vom 10. März 1952 vorgebracht hatten. Dabei war freilich als zusätzliches Element eine außerordentlich starke Betonung der Sicherheitsinteressen zu verzeichnen, welche die Nachbarstaaten gegenüber Deutschland geltend machten.

Etwa die Hälfte des Textes war mit scharfer Polemik gegen die westlichen Pläne für eine militärische und politische Integration der Bundesrepublik in die westliche Allianz ausgefüllt. Der Ton war gemäßigter als im Vorjahr, da die damaligen hetzerischen Unterstellungen

und Anklagen nicht wiederholt wurden. An die Deutschen richtete sich die frohe Botschaft, daß ein Aufatmen durch die Welt gehe und daß »endlich der Weg für eine friedliche Regelung der die Nationen trennenden Fragen freigelegt« sei. Nach der Korea-Frage, wo sich nunmehr ein Waffenstillstand abzeichne, beunruhige vor allem das deutsche Problem die Menschheit. »Die unnatürliche Zweiteilung Deutschlands, das acht Jahre nach Kriegsschluß noch immer keinen Friedensvertrag kennt, ballt dunkle Wolken über Europa und die Welt. Aber die Schatten des Krieges können verscheucht werden.« In Deutschland und in Westeuropa breite sich nunmehr die Überzeugung aus, daß die Westverträge die anstehenden Fragen nicht lösen könnten und sogar die »furchtbare Drohung des Krieges« in sich trügen.

Wenn diese Verträge, die noch nirgends Gesetzeskraft erlangt hätten, »von allen gutwilligen Menschen in Deutschland und in der ganzen Welt« verworfen würden, könne ein zerstörerischer Krieg verhütet werden. »Großen Schichten des deutschen Volkes« wurde attestiert, daß sie Bedeutendes »im Widerstand gegen die verhängnisvollen Verträge geleistet« hätten. Wenn nun die deutsche Öffentlichkeit diesen Kampf weiterführe, werde ihr »weittragende Unterstützung aus aller Welt gewiß sein«. Der Appell lautete, die Deutschen sollten gemeinsam die entsprechenden »Anstrengungen vervielfachen, damit die Verträge von Bonn und Paris von allen Völkern verworfen« würden und die Verhandlungen über einen Friedensvertrag mit Deutschland begonnen und abgeschlossen werden könnten[17]. In Argumentation und Zielrichtung entsprach auch diese Verlautbarung dem Muster vom vorangegangenen Jahr.

Interessant ist, was Ministerpräsident Grotewohl am 12. Juni 1953 zum »Tag des Lehrers« sagte. Er wetterte gegen die »faschistischen Kräfte im Westen unseres Vaterlandes«, die »wieder am Werke« seien, »um durch ein schmachwürdiges Kriegsvertragswerk die deutsche Jugend ein drittes Mal im Todesgang gen Osten zu opfern«. Daher müsse die Jugend »im Geiste unserer großen nationalen Traditionen und für den friedlichen Weg zur Herstellung der Einheit unseres Vaterlandes« erzogen werden – und zwar nach der (in der DDR aufgestellten)

»Parole ›Bereit zur Arbeit und zur Verteidigung des Friedens‹«.

Der Redner lobte dabei die *»demokratische Schule in der Deutschen Demokratischen Republik«.* Sie habe *»ihren großen nationalen Auftrag erkannt, mit der Jugend und für die Jugend um einen Friedensvertrag mit Deutschland, Herstellung der nationalen Einheit Deutschlands, den wirtschaftlichen und kulturellen Aufstieg Gesamtdeutschlands und damit um eine glückliche Zukunft der jungen Generation zu kämpfen«.* In diesem Zusammenhang hob er als Aufgabe der *»deutschen demokratischen Schule«* hervor, *»Patrioten zu erziehen, die ihrer Heimat, ihrem Volke und der Regierung treu ergeben sind, Menschen, die bereit sind zur Freundschaft mit der Sowjetunion, den Volksdemokratien und mit allen für Frieden und Fortschritt kämpfenden Menschen«*[18].

Diese Äußerungen klingen nicht anders als das, was der Ministerpräsident einen Monat vorher erklärt hatte. Er hatte die *»Lösung der nationalen Frage«* in Deutschland davon abhängig gemacht, *»wie schnell es die deutsche Arbeiterklasse versteht, im engen Bündnis mit den werktätigen Bauern alle Schichten des deutschen Volkes zu einer umfassenden patriotischen Aktion zu vereinen, um die vom amerikanischen Imperialismus herbeigeführte künstliche Spaltung Deutschlands zu überwinden«.* Dabei hatte er der *»Bourgeoisie«* im Westen des Landes einen Verrat der *»nationalen Interessen«* *»für Dollars«* vorgeworfen und der SED die Führung des *»gerechten Kampfes um die Einheit der Nation«* *»im Bündnis mit allen patriotischen Kräften unseres Volkes«* zugewiesen.

Demnach war es entscheidend, daß die Kommunisten *»stets und ständig die Verräterrolle der deutschen Großbourgeoisie und ihrer Steigbügelhalter, der rechten Führer der Sozialdemokratie«*, entlarvten und sich auf die UdSSR als *»das mächtigste Bollwerk des Friedens in der Welt«* stützten. Den *»alten, im Kapitalismus entstandenen bürgerlichen Nationen«* hatte Grotewohl jede Zukunft abgesprochen und den Untergang vorausgesagt. Das Fazit der Ausführungen hatte gelautet, man dürfe sich nicht dem von der *»herrschenden Klasse innerhalb dieser Nationen«* im Namen der Nationseinheit propagierten *»›Klassenfrieden‹ fügen*,

sondern müsse die auf den Trümmern dieser alten bürgerlichen Nationen« entstehenden *»neuen, sozialistischen Nationen«* *»auf der sicheren Grundlage der sozialistischen Staats- und Gesellschaftsordnung«* in den Blick nehmen[19].

Das politische Weltbild, das der SED-Politiker im Mai 1953 dargelegt hatte, schließt jedes Paktieren mit dem *»bürgerlichen Klassenfeind«* in Westdeutschland von vornherein aus. Es muß als fraglich gelten, ob eine derartige prinzipielle Festlegung Anfang Juni mit einem Mal beseitigt und durch das Gegenteil ersetzt werden konnte, ohne daß die SED-Führung und die hinter ihr stehende Großmacht Sowjetunion ihr politisches Gesicht verloren. Was Grotewohl dann nach der Einleitung des Neuen Kurses erklärte, stellt denn auch keinen Widerruf dar, sondern läßt sich als gleichgerichtet auffassen. Keine Aussage, die nach dem 9. Juni 1953 in der DDR gemacht wurde, ist mit den Äußerungen des Ministerpräsidenten vom Mai 1953 unvereinbar. Das Mißtrauen, das im Westen auch unter verhandlungs- und neutralitätsbereiten Kräften gegenüber den sowjetkommunistischen Absichten der UdSSR und der DDR bestand, ließ sich mit solchen Reden nicht abbauen.

Die publizistische Präsentation des Neuen Kurses durch die KPdSU

Was die sowjetischen Urheber des Neuen Kurses im Sinne gehabt haben könnten, läßt sich auch an Stellungnahmen Moskaus ablesen. Als die Führungsgremien der KPdSU die Instruktionen an die SED vorbereiteten, widmete die Zentralzeitschrift der sowjetischen Kommunisten den außenpolitischen Fragen einen ausführlichen Artikel. Die sowjetische Außenpolitik, so hieß es da, unterscheide sich grundlegend von der Außenpolitik der *»kapitalistischen Länder«.* *»Dies erklärt sich durch den radikalen Gegensatz zwischen dem kapitalistischen System und dem sozialistischen System, das sich nach völlig anderen Gesetzen entwickelt.«*

Dabei wurden dem Kapitalismus unter anderem Kriegsbereitschaft und Militarisierung zum Vorwurf gemacht. Aus dieser These leitete sich die Schlußfolgerung ab, daß der Kapitalismus zugleich ein Imperialismus sei, der sich »*durch Krisen und Kriegskatastrophen*« entwickle. »*Solange der Imperialismus weiter besteht und wirksam bleibt, bleibt auch die Unausweichlichkeit von Kriegen wirksam. Die Kriege sind der unerläßliche Begleiter des Imperialismus.*« Im Gegensatz dazu bringe der Sozialismus den Völkern Frieden. Angesichts dieser Lage erschien es notwendig, daß sich das sowjetische Volk zum »*proletarischen Internationalismus*« bekannte und den »*Werktätigen der kapitalistischen und kolonialen Länder*« moralische und politische Unterstützung in ihrem »*antiimperialistischen Kampf*« gewährte[20].

Nachdem das Verhältnis zu den »kapitalistischen Staaten« des Westens solcherart in seinem prinzipiellen Charakter festgelegt war, konnte und sollte es in seiner praktischen Handhabung unnötiger Schärfen entkleidet werden. Daher war anschließend von der »*Möglichkeit einer Koexistenz der beiden Systeme*« die Rede. Im einzelnen war an einen »*friedlichen Wettbewerb mit dem Kapitalismus*« im gesellschaftlichen und staatlichen Bereich und an eine »*internationale Zusammenarbeit . . . im Interesse des Friedens und der Sicherheit*«, vor allem in wirtschaftlicher Hinsicht, gedacht. Zwischen der UdSSR und dem Westen, so wurde ausdrücklich versichert, gebe es »*keine strittige oder ungelöste Frage, die nicht auf friedlichem Weg auf der Grundlage wechselseitiger Übereinkunft der interessierten Länder gelöst werden könnte*«.

Allerdings warnte der Autor davor, sich auf die Herstellung einer Zusammenarbeit und eines Einvernehmens mit dem Westen zu verlassen. Man bedürfe einer von dem Ausgleich zwischen Ost und West unabhängigen Handlungsfähigkeit, weil nicht damit zu rechnen sei, »*daß sich die Kreise der Abenteurer in den kapitalistischen Ländern eines schönen Tages freiwillig von ihren feindseligen Absichten gegenüber dem sozialistischen Sowjetstaat lossagen werden*«. Daher brauche man »*die Macht der Sowjetstreitkräfte, die immer zur zerschmetternden Abwehr gegen jeden Aggressor bereit sind, der weiteren Festigung des Lagers des Friedens, der Demokratie und des Sozialismus sowie der wachsenden Sympathie und Unterstützung der Werktätigen aller Länder für die Sowjetunion*«[21].

Der grundsätzliche Argwohn hinsichtlich der westlichen Absichten schien den Führern der UdSSR im Frühjahr 1953 vor allem durch die amerikanische Politik konkret begründet zu sein. Dulles' Linie »*der sogenannten ›Politik der Befreiung‹*«, so hieß es, ziele ab »*auf eine direkte Einmischung in die inneren Angelegenheiten der Länder Osteuropas und auf eine Restauration reaktionärer Regime, die den Völkern dieser Länder verhaßt*« seien. Dazu könne die Sowjetunion natürlich keine helfende Hand bieten. »*Es wäre absurd, von der Sowjetunion eine Einmischung zugunsten der Wiederherstellung der von diesen Völkern hinweggefegten reaktionären Regime zu erwarten.*« Vielmehr unterstütze die UdSSR diese Länder, wenn sie sich legitimerweise dagegen zur Wehr setzten.

KPdSU und Sowjetstaat sähen die »*Aufrechterhaltung und weitere Festigung der größten Errungenschaft der Werktätigen – des Lagers des Friedens, der Demokratie und des Sozialismus – und die weitere Festigung der Freundschaft und Solidarität der Länder dieses Lagers*« als ihre »*heilige Verpflichtung*« an. Abschließend war von einer »*gerechten Nachkriegsfriedensregelung der deutschen Frage*« und von einer »*Wiederherstellung der nationalen Einheit Deutschlands auf demokratischen und friedliebenden Grundlagen*« die Rede. Das Potsdamer Abkommen von 1945 sollte die alle verpflichtende Basis bilden. Im einzelnen hieß es, der Friedensvertrag solle »*dem deutschen Volk die Möglichkeit*« zur staatlichen Wiedervereinigung geben. Danach müsse ein Abzug der Besatzungstruppen erfolgen[22].

Diese Ausführungen lassen die Grundtendenz erkennen, daß man zwar eine Entschärfung des Verhältnisses zu den westlichen Staaten und eine dringenden Bedürfnissen des Sowjetstaates entsprechende Teilkooperation mit ihnen anstreben müsse, aber keinesfalls der Hoffnung auf einen dauerhaften Interessenausgleich nachjagen und Schwächungen der eigenen Position für hinnehmbar erachten dürfe. Besonderen Wert legte die Führung der KPdSU darauf, den mit ihr verbundenen kommunistischen Parteien in Osteuropa zu versichern, daß sie niemals fallengelassen und an den Westen preisgegeben werden würden. Die

Regelung der deutschen Frage, die am Schluß eher beiläufig angesprochen wurde, sollte gemäß den im Frühjahr 1952 abgesteckten Leitlinien erfolgen: Das Potsdamer Abkommen, das in östlicher Interpretation als eine Magna Charta für eine volksdemokratische Entwicklung Gesamtdeutschlands anzusehen war[23], müsse als allseits verbindliche Grundlage gelten; die innenpolitischen Modalitäten der Wiedervereinigung waren nicht durch die friedensvertragliche Vereinbarung zwischen den vier Mächten festzulegen, sondern als eine Angelegenheit allein der Deutschen zu behandeln; eine *»demokratische und friedliebende«* Ausrichtung (d. h. eine den sowjetischen Vorstellungen entsprechende innerstaatliche Struktur) wurde für das künftige Gesamtdeutschland ausdrücklich vorgesehen.

Am schwersten wiegt, daß die für die künftige Ordnung des gesamtdeutschen Staates grundlegenden Entscheidungen nach wie vor einer *»gesamtdeutschen Beratung«* aus Vertretern beider deutscher Staaten zugewiesen wurden. Das hätte, wenn danach verfahren worden wäre, von vornherein eine Regelung ausgeschlossen, bei der westliche Zugeständnisse hinsichtlich einer Einschränkung der Bündnisfähigkeit sowjetischen Konzessionen hinsichtlich freiheitlicher innerstaatlicher Verhältnisse gegenübergestanden hätten. Die Vermutung, daß die sowjetische Seite nicht an die Möglichkeit einer Ausdehnung des vom »Klassenfeind« geprägten westdeutschen Systems auf die DDR gedacht hat, verstärkt sich durch zwei weitere Bemerkungen des »Kommunist«-Artikels. Westdeutschland, so heißt es da, werde vom Westen als *»Werkzeug seiner ›dynamischen‹ Außenpolitik in Europa«* mißbraucht und zu einem *»militaristischen Staat, in dem die Macht in den Händen der Revanchisten verbleibt«,* gemacht[24].

Es erscheint kaum denkbar, daß die sowjetischen Führer bereit gewesen wären, einem so charakterisierten Staat, ohne daß dieser sich total wandeln würde, unter bestimmten Voraussetzungen die »sozialistische« DDR zum Opfer zu bringen.

Diese Annahme scheint sich durch eine im Juni 1953 formulierte sowjetische Äußerung zu bestätigen. Danach sollte der Neue Kurs außer der Förderung des Lebensstandards in der DDR auch eine Verbesserung der Aussichten auf eine Wiedervereinigung Deutschlands bewirken. Indem er *»die Annäherung des östlichen und des westlichen Teils von Deutschland«* fördere, erleichtere er die Lösung dieser *»Hauptaufgabe des deutschen Volkes«.* Zwei Faktoren wurden dabei als entscheidend wichtig angesehen: die *»Konsolidierung der Deutschen Demokratischen Republik«* und die *»sich in Westdeutschland entwickelnde Bewegung für Frieden und Demokratie, für eine gerechte Regelung der internationalen Probleme und für ein einheitliches, friedliebendes und demokratisches Deutschland«*[25].

In ähnlicher Weise sprach Ministerpräsident Grotewohl im Juli davon, die *»Möglichkeiten einer Verständigung der Deutschen untereinander und einer schließlichen Einigung der Deutschen«* müßten durch Maßnahmen erleichtert werden, welche *»die Werktätigen Westdeutschlands von der Richtigkeit der Arbeit der Regierung der Deutschen Demokratischen Republik schneller«* überzeugten[26].

Die These vom Bruch in der östlichen Deutschland-Politik nach Mitte Juni 1953

Die beiden letztgenannten Aussagen sind als nicht beweiskräftig anzusehen, wenn man der Ansicht folgt, daß die sowjetische Bereitschaft zur Verständigung über Deutschland entweder durch den Sturz Berijas am 27. Juni[27] oder durch die Erschütterung der Position in der DDR zehn Tage vorher[28] ein Ende gefunden habe. In der westlichen Literatur hat vor allem der mögliche Zusammenhang mit dem Machtkampf im Kreml die Aufmerksamkeit auf sich gezogen. Die These, daß Berija vor seinem Sturz den westlichen Wiedervereinigungsvorstellungen habe entgegenkommen wollen, stützt sich auf spätere Angaben seiner Gegner. Chruschtschow sprach am 8. März 1963 davon, Berija habe Schritte eingeleitet, *»die auf eine Unterminierung der freundschaftlichen Beziehungen der Sowjetunion zu den Bruderländern des sozialistischen Lagers ausgerichtet waren«.* So habe er zusammen mit Malenkow den *»provokatorischen Vorschlag«* unterbreitet, *»die Deutsche Demokratische Republik als sozialisti-*

schen Staat zu liquidieren und der Sozialistischen Einheitspartei den Verzicht auf die Parole des Kampfes für den Aufbau des Sozialismus zu empfehlen«[29].

Führende SED-Politiker hatten sich schon vorher in gleichem Sinne vernehmen lassen. Am 30. März 1954 hatte Matern vor dem IV. Parteitag der SED erklärt, Ulbrichts innerparteilicher Gegner Zaisser habe in vertraulichen Unterredungen die Ansicht vertreten, *»daß die Möglichkeit besteht, daß die Deutsche Demokratische Republik ›aufgegeben‹ wird und ein bürgerliches, das heißt imperialistisches Deutschland entsteht«*. Das wurde in eine enge Beziehung zu den Auseinandersetzungen an der Spitze der KPdSU gebracht: *»Bekanntlich entsprach das den Absichten Berijas*[30].*«* Auch Ulbricht selbst äußerte sich in diesem Sinne. Berija sei *»gegen den Aufbau des Sozialismus in der DDR aufgetreten«* und habe *»eine Politik des Zurückweichens und der Kapitulation vor den imperialistischen Kräften der Bundesrepublik«* betrieben. Der Vorwurf lautete insgesamt: *»Kapitulationspolitik gegenüber dem Imperialismus*[31].*«*

Genauere Angaben finden sich in Ulbrichts Schlußwort auf dem 15. Plenum des Zentralkomitees der SED vom 24. bis 26. Juli 1953, das Zaisser und Herrnstadt der parteifeindlichen Tätigkeit beschuldigte und ihnen ihre Funktionen aberkannte. Zur Rechtfertigung dieses Beschlusses warf der Generalsekretär der SED den beiden Funktionären während einer nicht-öffentlichen Sitzung vor, sie hätten sich der *»Aufstellung kapitulantenhafter Forderungen«* schuldig gemacht und *»die Neubesetzung der Parteiführung«* betrieben. Er nahm dabei auf ein fünfzehnseitiges Dokument Zaissers Bezug. Herrnstadt habe die *»ideologische Führung«* in der Partei für sich beansprucht, während Zaisser *»als Innenminister den Staatsapparat in die Hände«* zu bekommen gesucht habe.

Ulbricht deutete *»einen Zusammenhang der Fraktionsarbeit Herrnstadt-Zaisser mit dem Fall Berija«* an und verwies auf eine Äußerung Zaissers (die dieser freilich bestritten hatte), *»die neue Linie bestehe in der Nachgiebigkeit gegenüber dem Westen und könne zur Wiedererlangung der Herrschaft der Bourgeoisie führen«* – ein Standpunkt, welcher *»der politischen Position Berijas«* entspreche und *»mit der Konzeption Churchills in Zusammenhang«* stehe. Überdies habe Zaisser ein Geheimgespräch mit zwei sowjetischen Offizieren geführt, die als *»Sonderbeauftragte von Berija«* zu ihm gekommen seien[32]. Die Darstellung der Berija-Linie, die Ulbricht hier gab, geht auf ein Rundschreiben zurück, mit dem die siegreichen Männer an der Spitze der KPdSU die Beseitigung Berijas vor der SED-Führung – sowie vor den Führungen anderer regierender KP's – gerechtfertigt hatten[33].

Das Material ist nicht hinreichend schlüssig. Im Blick auf die Rivalen Ulbrichts hat bereits Carola Stern festgestellt, daß die belastenden Zeugnisse nicht genügt haben, um Zaisser und Herrnstadt der ihnen vorgeworfenen parteifeindlichen Fraktionstätigkeit zu überführen. Insbesondere hätten die Beweise nach Moskauer Ansicht nicht ausgereicht, um einen Parteiausschluß zu begründen. Auch Berija sei augenscheinlich unmittelbar nach seiner Verhaftung nicht dessen angeklagt worden, daß er eine Preisgabe der DDR beabsichtigt habe. Vielmehr sei ihm eine *»kompromißlerische Deutschlandpolitik«* vorgeworfen worden, die zu einer Aufgabe des ostdeutschen Staates hätte führen können[34]. Die Zweifel reichen noch weiter. In der ausführlichen Darstellung, die ein geflüchteter polnischer Funktionär von dem an seine Partei gerichteten Rundschreiben der KPdSU gibt, findet sich unter den zahlreichen politischen Einzelanklagen gegen Berija keinerlei Hinweis darauf, daß sein Handeln irgendwie für die Existenz der DDR bedrohlich hätte werden können[35]. Demnach steht zu vermuten, daß der Vorwurf nur in der für die SED bestimmten Version enthalten war. Das würde auf einen ausschließlich taktischen Gebrauch hindeuten: Gegenüber der SED-Führung sollte ein möglichst überzeugender Rechtfertigungsgrund für die Beseitigung Berijas gefunden werden, der überdies bei den Spitzenfunktionären die Ängste, die durch Kompromiß- und Lockerungserwartungen bis in höhere Parteiränge hinein[36] geweckt worden waren, anzusprechen vermochte. Damit verband sich zugleich die für die »Harten« in der SED beruhigende Zusicherung, daß sich die

KPdSU nunmehr uneingeschränkt gegen alle Tendenzen deutschlandpolitischer Nachgiebigkeit wenden werde.

Für die These, daß es zwischen den feindlichen Gruppen im Politbüro der KPdSU keine grundlegenden deutschlandpolitischen Differenzen gegeben haben dürfte, sprechen auch die Erinnerungen Chruschtschows. Darin ist ausschließlich von nackter Existenzangst und moralischer Ablehnung gegenüber dem brutalen Machtmenschen Berija die Rede. Malenkow erscheint als eine schwächliche Kreatur, bei der es Chruschtschow gelingt, der Angst vor der Überwältigung durch Berija den Sieg über die Angst vor dem Verlust der Anlehnung an diesen zu verschaffen[37]. Wenn Berija und seine Gegner im Kreml wesentlich durch Rivalität schlechthin – und nicht etwa durch grundlegende politische Gegensätze – voneinander getrennt gewesen wären, dann würde sich auch die von vielen Beobachtern als überraschend angesehene Tatsache erklären, daß Hochkommissar Semjonow den Sturz Berijas unbeschadet überstanden hat: Er wäre dann nicht als Exponent einer besonderen Berija-Linie zu betrachten, sondern hätte einen mit den Vorstellungen des gesamten Politbüros übereinstimmenden Auftrag zu übermitteln gehabt.

Gegen die hier entwickelte Ansicht lassen sich freilich auch Einwände formulieren. Warum hat Chruschtschow fast zehn Jahre nach der Berija-Affäre den Vorwurf vor einer sowjetischen Öffentlichkeit aufgegriffen, um seinen längst toten Widersacher einer kapitulantenhaften Deutschland-Politik zu beschuldigen, wenn an der Sache überhaupt nichts dran war? Es läßt sich auch argumentieren, daß Berija zur Verbreiterung seiner Machtbasis, die in der Verfügung über einen riesigen und starken Sicherheitsapparat bestand, einer Popularität bei den breiten Massen bedurfte und daher zu popularitätsfördernden Lockerungen geneigt war, wie sie in der UdSSR damals von ihm tatsächlich eingeleitet worden sind[38]. Allerdings muß es als zweifelhaft gelten, ob dazu – in Analogie zu Lockerungen bei der sowjetischen Nationalitätenpolitik – eine »Liberalisierung« in der DDR mit nachfolgender Eingliederung des ostdeutschen Staates in ein neutralisiertes, dafür aber westlich-demokratisches Gesamt-

deutschland ein geeignetes Mittel sein konnte. Wenn Berija eine Politik in diesem Sinne angestrebt hätte, dann wäre ein Abbau des auf dem nur schlecht konsolidierten sowjetischen Herrschaftsbereich lastenden westlichen Drucks eine weitaus plausiblere Motivation gewesen. Davon jedoch ist in den Quellen nirgends die Rede.

Die These vom Abbruch einer ausgleichsbereiten sowjetischen Deutschland-Politik Mitte 1953 läßt sich, wenn man die Berija-Hypothese nicht akzeptieren will, auch auf die Ereignisse des 17. Juni zurückführen. Die Tatsache, daß sich fast überall in der DDR innerhalb weniger Stunden eine spontane Massenbewegung bilden und Partei wie Staat augenblicklich entmachten konnte, ließ die Schwäche der sowjetischen Positionen in Deutschland grell zutage treten. Wenn die sowjetische Führung bis dahin die Absicht gehabt haben sollte, um eines für sie sicherheitspolitisch vorteilhaften Arrangements in Mitteleuropa willen auf den »sozialistischen« Charakter und die unmittelbare Kontrolle der DDR zu verzichten, dann mochte sie nunmehr zu der Ansicht gelangt sein, daß sie weder mit einem begrenzten fortdauernden Einfluß im Innern des künftigen Gesamtdeutschlands[39] noch mit größeren sicherheitspolitischen Zugeständnissen beim diplomatischen Handel mit den Westmächten rechnen konnte.

Allerdings hatte sich Moskau auch vorher schon – beispielsweise aufgrund der Erhebungen über die Stimmung in der Bevölkerung und über den Zustand des Parteiapparats vom Spätherbst 1952 bis zum Frühjahr 1953 – darüber im klaren sein müssen, daß das SED-Regime in der DDR nicht auf festen Füßen stand. Trotzdem mögen Umfang und Stärke der regimefeindlichen Tendenz in der sowjetischen Hauptstadt genauso überrascht haben, wie dies anderswo der Fall war.

Die These von der entscheidenden Wendung infolge des 17. Juni gewinnt an Wahrscheinlichkeit, wenn man annimmt, daß die von sowjetischer Seite erwogene Ablösung Ulbrichts[40] wesentlich von der Sorge um die Glaubwürdigkeit der deutschlandpolitischen Ausgleichsbereitschaft des Ostens in den westlichen Hauptstädten bestimmt gewesen sei.

Eine solche Vermutung mag plausibel erscheinen, weil Ulbricht für den Westen, vor allem für die Bundesrepublik Deutschland, zu einem Symbol stalinistischer Rücksichtslosigkeit und Kompromißfeindlichkeit geworden war. Die Entfernung dieses Mannes war daher zweckmäßig, wenn die sowjetischen Führer mit den westlichen Regierungen über eine Wiedervereinigung Deutschlands ein Gespräch und eine Übereinkunft herbeiführen wollten. Dies ist aber nur eine von mehreren möglichen Erklärungen für die sich abzeichnende Abwendung Moskaus von Ulbricht.

Ebenso plausibel ist die Vermutung, daß man sich nach maßgeblicher sowjetischer Ansicht Ulbrichts entledigen mußte, wenn man die ostdeutsche Bevölkerung für das sowjetkommunistische Regime zurückgewinnen wollte, denn der SED-Generalsekretär war ohne Frage der meistgehaßte Mann im Lande. Es kam nicht von ungefähr, daß am 17. Juni allerorten spontan das Verlangen nach Ulbrichts Abtreten hochkam. Gerade das jedoch gereichte dem Führer der SED anschließend zum Vorteil: Die sowjetische Besatzungsmacht wollte die Herrschaftsordnung rekonsolidieren und suchte daher alles zu vermeiden, was als Nachgiebigkeit gegenüber den »Konterrevolutionären« des 17. Juni aussehen konnte. Wenn man nun annähme, daß die in Aussicht genommene personelle Alternative zu Ulbricht zugleich ein anderes deutschlandpolitisches Programm bedeuten sollte, dann wäre mit der Niederlage von Zaisser und Herrnstadt auch die Voraussetzung für einen Verhaltenswandel in der deutschen Frage entfallen. Ob freilich diese Annahme richtig ist, muß offen bleiben.

Die Frage der sowjetischen Verhandlungsbereitschaft gegenüber den Westmächten

An einem Punkt zeigt das Verhalten der sowjetischen Führung gegenüber den Regierungen des Westens einen deutlichen Wandel: Die Politik der Gesprächsverweigerung und der Brüskierung, die für die späte Stalin-Zeit typisch war, machte konzilianteren Umgangsformen Platz. Das zeigte sich schon bei den Begräbnisfeierlichkeiten für den toten Diktator.

Malenkow sprach von den »*Möglichkeiten einer dauernden Koexistenz und eines friedlichen Wettbewerbs der beiden verschiedenen Systeme*«. Berija plädierte für eine »*Politik der Befestigung des Friedens, des Kampfes gegen die Vorbereitung und Entfesselung eines neuen Krieges, eine Politik der internationalen Zusammenarbeit und der Entwicklung von praktischen Verbindungen mit allen Ländern auf der Grundlage der Gegenseitigkeit*«[41].

Die Pressepolemik gegen die USA und andere westliche Staaten wurde eingestellt. Die diplomatischen Vertretungen der Westmächte in Moskau sahen sich von einigen besonders drückenden Restriktionen befreit. Sehr bald zeichnete sich eine sowjetische Bereitschaft ab, auf Fortschritte bei den seit zwei Jahren stagnierenden Waffenstillstandsverhandlungen in Korea hinzuwirken. Augenscheinlich hielten es die neuen Männer im Kreml für angebracht, die bisherigen übermäßigen Spannungen im Ost-West-Verhältnis zu lockern.

Die Administration des neuen amerikanischen Präsidenten Eisenhower hielt den Zeitpunkt für gekommen, sich um »*gerechte politische Regelungen*« verschiedener Streitfragen zwischen Ost und West zu bemühen. Im einzelnen war von einem »*freien und vereinigten Deutschland*« auf der Basis freier Wahlen im Rahmen eines integrierten Westeuropa und von einer »*Beendigung der gegenwärtigen unnatürlichen Teilung Europas*« durch eine Wiederherstellung der nationalen Unabhängigkeit in Osteuropa die Rede[42]. Derartige Lösungen entsprachen einseitig den westlichen Wünschen und liefen dem sowjetischen Interesse direkt zuwider.

Trotzdem bemühte sich die sowjetische Führung um eine ausführliche und sachliche Antwort in der »Pravda«. Darin wurde dem Deutschland-Problem besondere Aufmerksamkeit gewidmet. Gegen Eisenhower richtete sich der Einwand, die von ihm anvisierte Vorwärtspolitik in Europa lasse die Reaktionen anderer europäischer Völker, vor allem des französischen Volkes, außer acht. Die Nachbarn Deutschlands, die Opfer von Hitler-Deutschland gewesen seien, hätten ein Recht auf Berücksichtigung ihrer Lebensinteressen. »*In der Rede des Präsidenten der USA gibt es*

keine Grundlage für die Lösung dieser Frage.«
Das komme darin zum Ausdruck, daß die
grundlegende Bedeutung des Potsdamer Ab-
kommens für die Regelung des Deutschland-
Problems ignoriert werde. Solange der *»anglo-
amerikanische Block«* das nicht berücksichtige
und auf dem bisherigen Wege weiter voran-
schreite, werde ein *»schicksalhafter Fehler«* begangen. Es müsse eine andere Richtung eingeschlagen werden, damit *»so bald wie möglich«*
ein Friedensvertrag mit Deutschland beschlossen werden könne, der dem deutschen Volk die
Möglichkeit zur Wiedervereinigung gebe[43].

Einige Zeit später erschien in der »Pravda« ein
Aufsatz von Ilja Ehrenburg mit der Botschaft,
daß *»die Zeit der Monologe vergangen«* und
»die Zeit des Dialogs gekommen« sei. Dabei
gehe es nicht einfach um Verhandlungen, sondern zugleich um das Erzielen von Überein-
künften[44].

Die sowjetischen Stellungnahmen ließen in
London die Hoffnung entstehen, daß mit der
neuen Führung in Moskau ein Interessenausgleich möglich sein müsse. Am 11. Mai 1953
trat Premierminister Churchill vor das Unter-
haus und gab seinem Wunsch nach einer Verbesserung der Beziehungen zur UdSSR Ausdruck. Er setzte sich dafür ein, daß Teilüber-
einkünfte getroffen würden, auch wenn eine
Gesamtregelung nicht erreichbar sei. Dabei
meinte er, daß *»das ungeheure Problem, die Sicherheit Rußlands mit der Freiheit und Sicherheit Westeuropas zu vereinbaren«*, nicht unlös-
bar sei. Die UdSSR habe ein Recht darauf, daß
sich eine Invasion wie die Hitlers nicht wieder-
hole und daß sich Polen ihr gegenüber freund-
lich verhalte. Das bedeute freilich nicht, daß
Polen ein Satellitenstaat sein solle. Churchill
machte dabei klar, daß er nicht an eine Aufkündigung der Verbindlichkeiten denke, die
Großbritannien gegenüber der Bundesrepublik eingegangen sei. Abschließend forderte er
den unverzüglichen Zusammentritt einer Vier-
Mächte-Konferenz. Dabei gab er sich mäßig
optimistisch. *»Es könnte gut sein, daß keine
konkreten Vereinbarungen erreicht würden, aber
es könnte unter den Versammelten ein allgemeines Empfinden geben, daß sie etwas Besseres
tun könnten, als die Menschheit einschließlich
ihrer selbst in Stücke zu zerreißen[45].«*

Zwei Wochen später griff die »Pravda« Churchills Äußerungen auf. Dabei rückte die
Deutschland-Frage in den Mittelpunkt. Dem
britischen Premierminister wurde vorgehalten,
daß er *»nicht mit einem einzigen Wort die Wiederherstellung der Einheit Deutschlands erwähnt«* habe, die *»entscheidende Bedeutung
nicht nur für Deutschland selbst, sondern auch
für die Sache der Gewährleistung der Sicherheit
in Europa und in der ganzen Welt«* habe. Wenn
man die Sicherheitsinteressen der UdSSR mit
denen Westeuropas in Übereinstimmung bringen wolle, müsse man die deutsche Wiedervereinigung fördern.

Dabei komme es entscheidend darauf an, daß
man zu dem in den Beschlüssen von Jalta und
Potsdam niedergelegten Konsens zurückkehre
und daß die Westmächte sich nicht länger den
dort übernommenen Verpflichtungen entzö-
gen. Die derzeitige Spaltung Deutschlands bedeute eine *»Wiederherstellung eines Herdes der
Kriegsgefahr in der Mitte Europas«*. Daher
müsse die deutsche Teilung überwunden werden. Das Hauptbestreben hierbei müsse sich
auf die *»Verhütung der Wiedergeburt des deutschen Militarismus«* richten. Churchills Hinweis darauf, daß Großbritannien seine Verpflichtungen gegenüber Westdeutschland zu
erfüllen gedenke, lasse freilich Zweifel an seiner Verständigungsbereitschaft aufkommen[46].

Aufmerksamen westlichen Beobachtern fiel
auf, daß Moskau an Churchills Vorschlägen,
die auf eine Berücksichtigung der sowjetischen
Sicherheitsbedürfnisse – beispielsweise durch
Abschluß eines Garantiepaktes – abzielten,
kein Interesse zeigte und statt dessen entschei-
dendes Gewicht auf die deutsche Frage legte[47].
In führenden SED-Kreisen entstand der Eindruck, daß Berija und Malenkow auf eine
Vier-Mächte-Konferenz über Deutschland
hinwirkten[48].

Ein in der ersten Maihälfte veröffentlichter au-
toritativer Abriß der sowjetischen Gesamtpolitik erwähnte freilich die Deutschland-Frage
nicht unter den zur Lösung zu bringenden internationalen Problemen[49]. Ob es diplomatische Fühlungnahmen hinsichtlich einer Vier-
Mächte-Konferenz zwischen Moskau und den
westlichen Hauptstädten gegeben hat, ist nicht
bekannt.

Fazit

Eine sowjetische Bereitschaft zu Verhandlungen über eine baldige Wiedervereinigung Deutschlands auf der Basis eines west-östlichen Interessenausgleichs läßt sich zwar nicht mit Sicherheit ausschließen, erscheint jedoch angesichts des gesamtpolitischen Kontexts und der wiederholt geltend gemachten Deutschland-Vorstellungen wenig wahrscheinlich. Die starke Betonung antiwestlicher Ziele und das deutliche Streben nach einer propagandistischen Mobilisierung von Oppositionskräften im Westen lassen ebensosehr an der Seriosität des bekundeten Verhandlungswillens zweifeln wie die verfügbaren Informationen über die Hintergründe des Neuen Kurses.

Die kontraproduktiven Folgen, welche die Maßnahmen des 9. Juni 1953 wegen der damit einhergehenden Selbstblockade des in sich gespaltenen SED-Apparats nach sich zogen[50], sollten nicht übersehen lassen, daß es sich der Absicht und der Anlage nach keineswegs um einen die Herrschaftsgewalt von Partei und Staat beeinträchtigenden Akt handelte. Keines der bestehenden Kontrollsysteme sollte geschwächt werden. Es ging vielmehr darum, durch einen Abbau der Unzufriedenheit in der Bevölkerung und der Apathie bei den Partei- und Staatsfunktionären verlorengegangene Herrschaftswirksamkeit wiederzugewinnen.

Auf der internationalen Ebene spricht die starke Betonung, die dem als politische Waffe gegen die westliche Deutschland-Politik ausgespielten Potsdamer Abkommen zuteil wird, gegen eine sowjetische Kompromißbereitschaft. Noch gravierender ist das sowjetische Festhalten an dem Verlangen, daß die mit einer deutschen Wiedervereinigung verbundenen Fragen im Gefolge des Friedensvertragsabschlusses von einer »gesamtdeutschen Beratung« beider deutscher Staaten entschieden werden müßten. Demnach wären deutschlandpolitische Konzessionen der UdSSR bzw. der DDR von vornherein nicht gegen sicherheitspolitische Konzessionen der westlichen Seite aushandelbar gewesen. Die Möglichkeit eines solchen Gebens und Nehmens wäre aber die erste Voraussetzung für einen sinnvollen Dialog von Regierung zu Regierung gewesen.

Das vorhandene Quellenmaterial, unter dem freilich die Zeugnisse über die diplomatische Kommunikation Moskaus mit den westlichen Hauptstädten, namentlich mit London, fehlen, läßt überwiegend auf eine Nebenrolle des deutschlandpolitischen Motivs schließen. Augenscheinlich wurde die sowjetische Initiative eines Neuen Kurses für die DDR primär durch die katastrophale Wirtschafts- und Stimmungslage im Lande ausgelöst. Es galt, von dem SED-Regime eine drohende Krise abzuwenden – wie sie dann freilich durch die Uneinigkeit und Handlungsunfähigkeit des Partei- und Staatsapparats beschleunigt eingetreten ist. Die westwärts gerichteten Lockungen mit der Möglichkeit einer deutschen Wiedervereinigung dürften in diesem Zusammenhang eine sekundäre Propagandafunktion gehabt haben.

Die Europäische Verteidigungsgemeinschaft unter Einschluß der Bundesrepublik Deutschland schien im Frühjahr 1953 nach einer längeren Periode der Schwierigkeiten wieder voranzukommen – und dagegen sollten alle Oppositionskräfte in den westlichen Ländern mobilisiert werden.

Auch mit dieser beschränkten Rolle, die hier für die Deutschland-Frage in der sowjetischen Gesamtpolitik angenommen wird, hatte sich deren Bedeutung im Vergleich zu der Zeit vom Frühjahr 1952 bis zu Stalins Tod wieder erhöht. Die neuen sowjetischen Führer waren nicht mehr der Ansicht, daß die Wiedervereinigungsperspektive in der DDR mehr innenpolitischen Schaden anrichte, als sie in der westlichen Öffentlichkeit Gewinn einbringe. Daher begnügten sich die Nachfolger Stalins im Gegensatz zu diesem nicht mehr mit dem Alibi, daß die westlichen Staaten durch den Abschluß der Westintegrationsverträge mit der Bundesrepublik Deutschland die historische Schuld der endgültigen Spaltung Deutschlands auf sich genommen hätten und daß nunmehr der DDR keine andere Möglichkeit als der Aufbau eines »sozialistischen« Separatstaates geblieben sei. Die neue Linie des Kreml, die freilich mit dem 17. Juni 1953 ihr Ende fand, lief auf ein neuerliches offensiv-propagandistisches Ausspielen der Deutschland-Frage gegenüber dem Westen hinaus.

Anhand der bisher vorliegenden Quellen verbleibt allerdings ein Rest an Ungewißheit. Es läßt sich nicht ausschließen, daß die bisher nicht ausgewerteten Akten der Außenministe-

rien und Staatskanzleien neue Einsichten vermitteln, die das bisherige Bild ergänzen oder sogar verändern.

Anmerkungen

1 Vorwort von Richard Löwenthal, in: Arnulf Baring, Der 17. Juni 1953, Köln–Berlin (West) 1965, S. 14 f.
2 Richard Löwenthal, Vom kalten Krieg zur Ostpolitik, Stuttgart-Degerloch 1974, S. 17 f.
3 Boris Meisner, Die Sowjetunion und die deutsche Frage 1949–1955, in: Osteuropa-Handbuch, Band Sowjetunion, Teil: Außenpolitik I, Köln–Wien 1972, S. 484 f.
4 Heinz Lippmann, Die Opposition in der Sowjetzone am 17. Juni 1953, in: Aus Politik und Zeitgeschichte. Beilage zur Wochenzeitung »Das Parlament«, 12. 6. 1957, S. 363.
5 Näheres darüber hat der Verfasser in: Entmilitarisierung und Wiederbewaffnung in Deutschland 1943–1955. Internationale Auseinandersetzungen über die Rolle der Deutschen in Europa, München 1967, S. 218, 254–262, 493–522, sowie in: Die politischen Überlegungen bei der ostdeutschen Wiederbewaffnung 1947–1952, in: Aspekte der deutschen Wiederbewaffnung bis 1955, hrsg. vom Militärgeschichtlichen Forschungsamt, Boppard/Rhein 1975, S. 1–22, ausgeführt.
5 a Angabe des mit den osteuropäischen Kommunisten, teilweise sympathisierenden PSI-Vorsitzenden Pietro Nenni gegenüber dem italienischen Botschafter in Moskau, di Stefano, im August 1952 aufgrund von Unterredungen mit Pieck und Grotewohl in Ost-Berlin während des vorangegangenen Winters (Harrison E. Salisbury, Moscow Journal, Chicago 1962, S. 272 f.).
6 Als neueste Analyse mit Diskussion der früheren Darstellungen siehe Gerhard Wettig. Die sowjetische Deutschland-Note vom 10. März 1952. Wiedervereinigungsangebot oder Propagandaaktion?, in: Deutschland Archiv, 2/1982. S. 130–148.
7 Fritz Schenk, Im Vorzimmer der Diktatur. 12 Jahre Pankow, Köln–Berlin (West) 1962, S. 166, 182 f. Zur katastrophalen Wirtschaftslage und zur Hilflosigkeit der Behörden vgl. ebenda, S. 165–187.
8 Ausführungen von Ministerpräsident Grotewohl auf dem 15. Plenum des ZK der SED (24.–26. 6. 1953), wiedergegeben in: Otto Grotewohl, Im Kampf um die einige Deutsche Demokratische Republik, Bd. III, 2. Aufl., Berlin (Ost) 1959, S. 362.
9 Fritz Schenk, a. a. O. (Anm. 7), S. 185; Carola Stern. Ulbricht. Eine politische Biographie, Köln–Berlin (West) 1963, S. 169.
10 Fritz Schenk, a. a. O. (Anm. 7), S. 189 f.
11 Heinz Lippmann, Der 17. Juni im Zentralkomitee der SED, in: Aus Politik und Zeitgeschichte. Beilage zur Wochenzeitung »Das Parlament«, 13. 6. 1956, S. 374. Heinz Lippmann war an der Durchführung der Untersuchungen beteiligt.
12 Kommuniqué der Sitzung des Politbüros des Zentralkomitees der SED vom 9. Juni 1953 und Kommuniqué über eine Besprechung von Vertretern des Ministerrats und Vertretern der Evangelischen Kirche, in: Neues Deutschland/Tägliche Rundschau, 11. 6. 1953.
13 Kommuniqué über die Sitzung des Ministerrats vom 11. Juni 1953, in: Neues Deutschland/Tägliche Rundschau, 12. 6. 1953.

14 Wichtige Beschlüsse, in: Tägliche Rundschau, 14. 6. 1953.
15 Rede Grotewohls vom 12. 6. 1953, wiedergegeben in: Otto Grotewohl, Im Kampf um die einige Deutsche Demokratische Republik, Bd. III, 1. Aufl., Berlin (Ost) 1954, S. 373.
16 Rede Grotewohls vom 16. 6. 1953, ebenda, S. 383, 386.
17 Text: Neues Deutschland, 14. 6. 1953.
18 Otto Grotewohl, Im Kampf um die einige Deutsche Demokratische Republik, Bd. III, 2. Aufl., Berlin (Ost) 1959, S. 335 f.
19 Ebenda, S. 287, 297, 296.
20 A. Nikonov, Vnešnjaja politika SSSR – politika mira i meždunarodnogo sotrudničestva, in: Kommunist, 7/1953, S. 24 f., 26 f.
21 Ebenda, S. 27–29.
22 Ebenda, S. 30 f., 34 f.
23 Zur Vorgeschichte vgl. Gerhard Wettig, Entmilitarisierung und Wiederbewaffnung, a. a. O. (Anm. 5), S. 97–102, 147 f.
24 A. Nikonov, a. a. O. (Anm. 20), S. 35.
25 Za mir i meždunarodnoe sotrudničestvo, protiv provokacij i avantjur, in: Kommunist, 10/1953, S. 85.
26 Otto Grotewohl, Im Kampf um die einige Deutsche Demokratische Republik, Bd. III, 2. Aufl., Berlin (Ost) 1959, S. 366 f.
27 Darin sieht Boris Meissner einen wesentlichen Grund, vgl. Boris Meissner, a. a. O. (Anm. 3), S. 485.
28 So vor allem Richard Löwenthal in seinem Vorwort zu Arnulf Baring, a. a. O. (Anm. 1), S. 15.
29 Rede Chruschtschows vor sowjetischen Kunstschaffenden, wiedergegeben in: Izvestija, 10. 3. 1963.
30 Text: Neues Deutschland, 1. 4. 1954. Im gleichen Sinne Äußerung von Karl Mewis vor dem SED-Parteiaktiv des Bezirks Rostock am 20. 1. 1954: Dem IV. Parteitag entgegen, in: Ostsee-Zeitung, 23. 1. 1954 (s. Karl W. Fricke, Opposition in der SED-Führung, in: Deutschland Archiv, 6/1971, S. 600) und Darstellung in: Geschichte der Deutschen Arbeiterbewegung, Bd. 7, Berlin (Ost) 1966, S. 236 f. (Wiedergabe ebd.).
31 Rede Ulbrichts vom 27. 11. 1958, wiedergegeben in: Neues Deutschland, 28. 11. 1958.
32 Die Schlußrede Ulbrichts ist wenig später in die Bundesrepublik gelangt und dort inhaltlich in der Presse wiedergegeben worden (in: Neue Zeitung, 24. 8. 1953). Der – hier verwendete – wörtliche Text findet sich in: Aus Politik und Zeitgeschichte. Beilage zur Wochenzeitung »Das Parlament«, 12. 6. 1957, S. 364–366.
33 Vgl. Heinz Lippmann, a.a.O. (Anm. 11), S. 376; Ilse Spittmann, Wollte Moskau die DDR wirklich aufgeben?, in: Süddeutsche Zeitung, 16./17. 3. 1963 (nach Angaben von Heinz Brandt). Die gleiche Version der Ereignisse wurde während einer Konferenz mit Vertretern nichtregierender kommunistischer Parteien in Moskau vom 12. bis 14. Juli 1953 vorgetragen (s. Bericht des IKP-Delegierten Pietro Secchia, wiedergegeben in: Giulio Seniga, Togliatti e Sta-

lin. Contributo alla biografia del segretario del CPI, Milano 1961, S. 41).

34 Carola Stern, a. a. O. (Anm. 9), S. 180 f. Formulierung des Vorwurfs nach dem bei Heinz Lippmann, a. a. O. (Anm. 33), erwähnten Rundschreiben der KPdSU.

35 Seweryn Bialer, Ich wählte die Wahrheit, in: Hinter dem Eisernen Vorhang, 1/1956, S. 17–29.

36 Vgl. Heinz Brandt, Ein Traum, der nicht entführbar ist, München 1967, S. 210, 215, 220.

37 Chruschtschow erinnert sich, hrsg. von Strobe Talbott, eingeleitet und kommentiert von Edward Crankshaw, Reinbek bei Hamburg 1971, S. 324–346.

38 Robert Conquest, Power and Policy in the USSR, London 1961, S. 195–227.

39 Für den Eventualfall, daß es einmal eine gesamtdeutsche Entwicklung mit vorher nicht absolut gewährleistetem Ausgang geben sollte, war auf Weisung Ulbrichts bis April 1953 – also noch vor den Moskauer und Ost-Berliner Bemühungen um den Neuen Kurs – ein Bündel von organisatorischen, militärischen, wirtschaftlichen und sozialen Maßnahmen ausgearbeitet worden, die der SED-Führung einen größtmöglichen Einfluß auf die Vorgänge in der Bundesrepublik Deutschland und zugleich eine größtmögliche Abschirmung der DDR gegen westdeut-

sche Einwirkungen sichern sollten (Ein Generalplan der SED, in: SBZ-Archiv, 10/1955, S. 147–149).

40 Vgl. Heinz Brandt, a. a. O. (Anm. 36), S. 214; Fritz Schenk, a. a. O. (Anm. 7), S. 192; Carola Stern, a. a. O. (Anm. 9), S. 171 f.; Martin Jänicke, Der dritte Weg. Die antistalinistische Opposition gegen Ulbricht seit 1953, Köln 1964, S. 29 f.

41 Text: Pravda, 10. 3. 1953.

42 The Chance for Peace. Rede des Präsidenten Eisenhower vom 16. 4. 1953, in: Department of State Bulletin, 27. 4. 1953, S. 601.

43 K vystupleniju prezidenta Ėjzenchauėra, in: Pravda/Izvestija, 25. 4. 1953.

44 Il'ja Ėrenburg, Nadežda, in: Pravda, 7. 5. 1953.

45 The Weekly Hansard, Nr. 225, 8.–14. 5. 1953, Sp. 899 f., 894, 901.

46 K sovremennomu meždunarodnomu položeniju, in: Pravda/Izvestija, 24. 5. 1953.

47 Vgl. Harrison E. Salisbury, a. a. O. (Anm. 5 a), S. 381.

48 Carola Stern, a. a. O. (Anm. 9), S. 172 f.; Heinz Brandt, a. a. O. (Anm. 36), S. 208.

49 Za procvitanie našej Rodiny, za mir vo vsëm mire, in: Kommunist, 7/1953, S. 3–11.

50 Vgl. insbesondere Heinz Brandt, a. a. O. (Anm. 36), S. 215 f., 222, 223 f.

Juni-Aufstand und Justiz

Karl Wilhelm Fricke

Für die Geschichte des Arbeiteraufstands vom 17. Juni 1953 in Ostberlin und der DDR – wie unzulänglich auch immer sie bis heute erforscht sein mag – steht dies jedenfalls außer Zweifel: Die Erbitterung und Empörung in der Bevölkerung über willkürliche Festnahmen durch die Sicherheitsorgane und die nicht minder willkürliche, ungerechte, ungemein harte Verfolgung politischer Straftäter durch die Gerichte im Staat der SED haben wesentlich dazu beigetragen, daß sich aller aufgestaute Unmut schließlich in Streiks, Demonstrationen und Unruhen entlud. Den Beweis dafür erbrachten die Ereignisse am 17. Juni 1953 selbst: Überall in den Zentren des Aufstands ist die Losung »Freiheit für die politischen Gefangenen!« zu einer Hauptlosung geworden – und zumindest in Bitterfeld, Görlitz, Gommern, Halle/Saale, Jena, Magdeburg, Merseburg und Niesky wurden politische Gefangene befreit. Umgekehrt sollte die Niederwerfung des Juni-Aufstands umfangreiche Verhaftungen zur Folge haben. Die Zahl der Aufständischen und Demonstranten, die am 17. Juni 1953 und in den Tagen danach in die Gefängnisse des Staatssicherheitsdienstes eingeliefert wurden – im Sprachgebrauch der SED »Rädelsführer« und »faschistische Provokateure«, »Verräter«, »Plünderer« und »Mörder« sie alle –, diese Zahl dürfte weit in die Tausende gegangen sein. Neue Erbitterung und neue Solidarisierung mit politischen Gefangenen blieben danach nicht aus. Vielleicht trugen sie dazu bei, daß ein erheblicher Teil der in Haft genommenen Aufständischen hernach nicht verurteilt, sondern nach mehr oder minder langer Untersuchungszeit freigelassen, gelegentlich auch freigesprochen wurde. Helene Kleine, damals Richterin am Obersten Gericht der DDR, hat acht Wochen nach dem Aufstand mitgeteilt, daß 52% der Gesamtzahl der Verfahren bis zum 8. August 1953 eingestellt waren. *»In weiteren 3% ist bisher ein Freispruch erfolgt, und in 36% der insgesamt von den Ermittlungsorganen der Staatsanwaltschaft übergebenen Fälle ist bereits eine Verurteilung ausgesprochen[1].«* Auf hundert aufgerundet, würden diese Zahlen bedeuten, daß in 40% aller Strafverfahren im Zusammenhang mit dem 17. Juni 1953 eine Verurteilung erfolgte.

»Neuer Kurs« der Justiz?

Das Unrecht, das Staatssicherheitsdienst und Justiz in den frühen fünfziger Jahren über viele Menschen in der DDR brachten, ist zuletzt wohl auch den Machthabern bewußt geworden. Jedenfalls schienen sie in ihrer Politik des »neuen Kurses« wenige Tage vor dem Aufstand ihre Konsequenzen daraus gezogen zu haben. *»Das Politbüro des Zentralkomitees der SED hat in seiner Sitzung vom 9. Juni 1953 beschlossen, der Regierung der Deutschen Demokratischen Republik die Durchführung einer Reihe von Maßnahmen zu empfehlen, die der entschiedenen Verbesserung der Lebenshaltung aller Teile der Bevölkerung und der Stärkung der Rechtssicherheit in der Deutschen Demokratischen Republik dienen[2].«* In seinem zwei Tage später gefaßten Beschluß trug der Ministerrat der DDR dieser »Empfehlung« mit folgender lapidaren Weisung Rechnung: *»Das Justizministerium und der Generalstaatsanwalt haben alle Verhaftungen, Strafverfahren und Urteile zur Beseitigung etwa vorliegender Härten sofort zu überprüfen[3].«*

Unausgesprochen kam die Weisung einem selbstkritischen Eingeständnis von Rechtsverletzungen gleich – namentlich bei der Ahndung politischer Delikte, aber auch bei der Bestrafung wegen sogenannter Wirtschaftsdelikte. Auf dem 15. Plenum des Zentralkomitees der SED (24. bis 26. Juli 1953) konnte Otto Grotewohl als damaliger Ministerpräsident der DDR mitteilen, daß man im Zuge des »neuen Kurses« bis zu diesem Zeitpunkt *»etwa 18 000 Strafverfahren und Urteile auf etwaige Härten überprüft«[4]* hätte, wobei nicht weniger als 8871 Gefangene entlassen worden wären – darunter auch politische Häftlinge.

Anmerkungen s. S. 85.

Eine Bestätigung dafür lieferte der damalige DDR-Generalstaatsanwalt Ernst Melsheimer: *»Wie zahlreich und wie schwer unsere Fehler waren, das haben wir Staatsanwälte gesehen, als wir in Durchführung des neuen Kurses aufgrund des Ministerratsbeschlusses vom 11. Juni 1953 die Entlassung von Tausenden von Untersuchungsgefangenen und Strafgefangenen aus der Haft veranlaßten. Wir haben uns formal an die Gesetze gehalten und unterschiedslos, insbesondere ohne genügende Würdigung der Persönlichkeit des Beschuldigten, angeklagt, wenn äußerlich der Tatbestand des Gesetzes erfüllt war, ohne nach dem Sinn und Zweck des Gesetzes zu fragen[5].«* – Welch ein Eingeständnis! Selbst Hilde Benjamin sollte ähnliches einräumen, als sie in einer Rede vor Justizfunktionären am 29. August 1953 selbstkritisch *»Mängel und Schwächen in der Justiz«* eingestand: *»Fehlerhaft war auch, daß undifferenziert hohe Strafen für Verbrechen nach Artikel 6 der Verfassung verhängt wurden[6].«* Die wenige Wochen zuvor zum Justizminister avancierte frühere Vizepräsidentin des Obersten Gerichts, die selbst allzu häufig überhöhte Strafen nach Artikel 6 ausgesprochen hatte, ließ in derselben Rede allerdings keinen Zweifel daran, daß auch der »neue Kurs« in der Justiz nicht etwa Straffreiheit oder Milde bei der Strafverfolgung von Juni-Aufständischen bedeuten könne.

Unverkennbar hatten die Führung der SED und die Regierung der DDR freilich zeitweilig eine schwankende Haltung in dieser Frage gezeigt. Erstaunlicherweise stellte sich den Befürwortern eines harten Vorgehens gegen Streikende und Demonstranten nach dem 17. Juni 1953 der damalige Justizminister Max Fechner entgegen, als er sich in einem Interview für die Straffreiheit von Streikenden und Streikführern aussprach. Das lief in der Tat der Linie der Regierung zuwider. Sie hatte noch am 17. Juni 1953 in einer Verlautbarung erklärt: *»Die Schuldigen an den Unruhen werden zur Verantwortung gezogen und streng bestraft. Die Arbeiter und alle ehrlichen Bürger werden aufgefordert, die Provokateure zu ergreifen und den Staatsorganen zu übergeben[7].«* Max Fechner hingegen hatte sich nun zu einer wesentlich differenzierteren Auffassung bekannt und sie zwei Tage nach Erscheinen seines Interviews in »Neues Deutschland«[8] in Form einer fingierten Berichtigung sogar noch präzisiert. Seine »berichtigte« Auffassung lautete: *»Es dürfen nur solche Personen bestraft werden, die sich eines schweren Verbrechens schuldig machten. Andere Personen werden nicht bestraft. Dies trifft auch für die Angehörigen der Streikleitung zu. Das Streikrecht ist verfassungsmäßig garantiert. Die Angehörigen der Streikleitung werden für ihre Tätigkeit als Mitglieder der Streikleitung nicht bestraft. Dabei weise ich noch auf folgendes hin: Selbst Rädelsführer dürfen nicht auf bloßen Verdacht oder schweren Verdacht hin bestraft werden. Kann ihnen ein Verbrechen nicht nachgewiesen werden, sind keine Beweise vorhanden, erfolgt keine Bestrafung. Es werden also, ich darf das noch einmal wiederholen, nur diejenigen der Bestrafung zugeführt, die Brände anlegten, die raubten, mordeten oder andere gefährliche Verbrechen begangen haben. Es wird also nicht etwa gegenüber denen, die gestreikt oder demonstriert haben, eine Rachepolitik betrieben[9].«* Diese Auffassung kostete den Justizminister nicht nur sein Amt: Am 15. Juli 1953 wurde Max Fechner festgenommen – elf Tage später faßte das Zentralkomitee, ohne daß er sich im Plenum hätte rechtfertigen können, den Beschluß, ihn *»als Feind der Partei und des Staates aus dem ZK und aus den Reihen der SED auszuschließen«*[10].

Welche Auswirkungen die Machthaber von dem für sie fatalen Interview auf die Justiz der DDR befürchteten, hat Hilde Benjamin, Fechners Nachfolgerin im Ministeramt, mit provozierender Offenheit ausgesprochen, als sie in der schon erwähnten Rede den Vorwurf des *»Sozialdemokratismus in der Justiz«* erhob, *»dessen Wurzel der Mangel an Parteilichkeit, das fehlende Vertrauen in die Kraft unserer Staatsmacht und der Arbeiterklasse ist . . . Aus dem Sumpf dieses Sozialdemokratismus wuchs Fechners berüchtigtes Interview, das den Provokateuren einen Freibrief geben sollte. Solche staatsfeindlichen Elemente wie Fechner konnten ihre Tätigkeit in der Justiz entfalten, weil hier noch solche opportunistischen, versöhnlerischen Tendenzen bestanden. Man trat diesen Erscheinungen nicht kämpferisch entgegen und tut das . . . auch heute noch nicht. Es hat sich anläßlich der faschistischen Provokationen deutlich* *gezeigt, wie gefährlich der Sozialdemokratismus in der Justiz werden kann in solchen Momenten, wo es darauf ankommt, die ganze Kraft unseres Staates und aller seiner Organe einzusetzen, um den Feind zurückzuschlagen*[11].« Die von Hilde Benjamin befürwortete Strafpolitik ließ gleichwohl Schlimmeres befürchten, als die Justiz hernach realisiert hat.

Die sowjetische Militärjustiz

Zuvor ist daran zu erinnern, daß am 17. Juni 1953 über 167 von 217 Stadt- und Landkreisen der DDR der Ausnahmezustand verhängt wurde. »Für die Herbeiführung einer festen öffentlichen Ordnung« verfügten die zuständigen Militärkommandanten durch Befehl ein Verbot aller Demonstrationen, Versammlungen, Kundgebungen und sonstigen Menschenansammlungen über drei Personen auf Straßen und Plätzen sowie in öffentlichen Gebäuden und eine totale Ausgangssperre zwischen 21.00 Uhr und 5.00 Uhr. Zuwiderhandlungen sollten »nach den Kriegsgesetzen bestraft« werden. Gleichzeitig traten sowjetische Sicherheits- und Justizorgane in Aktion. Standrechtliche Erschießungen von Juni-Aufständischen sind in einigen Fällen zu Abschreckungszwecken öffentlich bekanntgegeben worden:

»Bekanntmachung des Militärkommandanten der Stadt Magdeburg
Ich mache hiermit bekannt, daß die Einwohner der Stadt Magdeburg, Dartsch, Alfred, und Strauch, Herbert, wegen der aktiven provokatorischen Handlungen am 17. Juni 1953, die gegen die festgelegte Ordnung gerichtet waren, als auch wegen der Teilnahme an den banditenhaften Handlungen vom Gericht des Militärtribunals zum Tode durch Erschießen verurteilt worden sind.
Das Urteil ist am 18. Juni 1953 vollstreckt worden.
Der Militärkommandant der Stadt Magdeburg[12]*.«*
Eine Bekanntmachung aus Jena, deren Formulierungen ebenfalls auf eine Übersetzung aus dem Russischen schließen ließen, hatte folgenden Wortlaut:

»Mitteilung des Kommandanten der Stadt Jena
Hiermit wird mitgeteilt, daß der Einwohner der Stadt Jena, Diener, Alfred, einer der aktivsten Organisatoren von Provokationen und Unruhen in der Stadt Jena am 17. Juni 1953, wie auch Teilnehmer der gegen die Staatsorgane und Bevölkerung gerichteten verbrecherischen Handlungen ist.
Diener ist zum Erschießen verurteilt. Das Urteil ist vollstreckt worden.
Der Kommandant[13]*.«*
In Ost-Berlin ließ der damalige Chef der Garnison, Generalmajor P. T. Dibrowa, folgende Mitteilung veröffentlichen:

»Bekanntmachung des Militärkommandanten des sowjetischen Sektors von Berlin vom 18. Juni 1953
Hiermit wird bekanntgegeben, daß Willy Göttling, Bewohner von West-Berlin, der im Auftrage eines ausländischen Aufklärungsdienstes handelte und einer der aktivsten Organisatoren der Provokationen und der Unruhen im sowjetischen Sektor von Berlin war und an den gegen die Machtorgane und die Bevölkerung gerichteten banditenhaften Ausschreitungen teilgenommen hat, zum Tode durch Erschießen verurteilt wurde. Das Urteil wurde vollstreckt.
Militärkommandant des sowjetischen Sektors von Berlin
gez.: Generalmajor Dibrowa
Berlin, den 18. Juni 1953[14]*.«*
Die Bekanntmachungen der Militärkommandanten sind hier im Wortlaut wiedergegeben, ohne daß ihr Inhalt kritisch überprüft werden konnte. An der Vollstreckung der Todesurteile besteht indes kein Zweifel. Aus zeitgenössischen Veröffentlichungen[15] ist zu ersehen, daß es sich bei Willy Göttling, der in Ost-Berlin erschossen wurde, keineswegs um den »Beauftragten eines ausländischen Aufklärungsdienstes« gehandelt hat, sondern um einen arbeitslosen Angestellten von 36 Jahren, der in West-Berlin Frau und zwei Kinder hinterließ. Wie er in die Unruhen in Ost-Berlin verwickelt und schließlich ein Opfer der sowjetischen Militärjustiz wurde, ist bis heute ungeklärt.
Insgesamt sind in westlichen Archiven[16] 19 Todesurteile sowjetischer Militärgerichte gegen Juni-Aufständische registriert worden, von denen zwischen dem 17. und 22. Juni 1953 achtzehn durch Erschießen vollstreckt wurden, und zwar außer in Ost-Berlin, Jena und Mag-

deburg in Apolda, Bitterfeld, Delitzsch, Eisleben, Geithain (Sachsen), Gotha, Leipzig und Stralsund. Von 15 sind die Namen der Erschossenen bekannt. Im Fall des Ingenieurs Herbert Tschirner, der in Görlitz an Unruhen beteiligt gewesen war, ist die Todesstrafe in eine Freiheitsstrafe von 20 Jahren umgewandelt worden, die später auf zwölf Jahre herabgesetzt wurde.

Die Strafjustiz der DDR

In einem Beschluß vom 21. Juni 1953 hatte das Zentralkomitee der SED die grundsätzliche Orientierung ausgegeben, »*mit größter Sorgsamkeit zu unterscheiden zwischen den ehrlichen, um ihre Interessen besorgten Werktätigen, die zeitweise den Provokateuren Gehör schenkten – und den Provokateuren selber. Ehrliche Arbeiter, die zeitweilig irregingen, haben deswegen nicht aufgehört, ehrliche Arbeiter zu sein, und sind als solche zu achten*«[17].

In gerichtlichen Entscheidungen ist auf diesen Passus häufig zurückgegriffen worden – wie etwa in einem Beschluß des Stadtgerichts (Ost-)Berlin vom 24. Juni 1953: »*Der Angeklagte nahm am 17. Juni 1953 an einer in der Betriebsversammlung beschlossenen Demonstration gegen die Erhöhung der Arbeitsnormen teil. Die Demonstration begann um 13.00 Uhr in Wilhelmsruh über Pankow, Schönhauser Allee zum Nordbahnhof. Hier wurde der Demonstrationszug aufgelöst mit der Begründung, daß in Stadtmitte Unruhen ausgebrochen seien und dort geschossen würde. Der Angeklagte wollte sich nun zum Potsdamer Platz begeben, da er gehört hatte, daß von dort die S-Bahn wieder fahren sollte. Unterwegs trank er mit einigen Kollegen noch einige Biere. An der Ecke Behrenstraße, wo sich einige Menschen angesammelt hatten, rief er mit seinen Kollegen diffamierende Äußerungen gegen hohe Funktionäre unserer Regierung aus. Hierauf wurde er festgenommen.*« Die Anklage lautete auf Landfriedensbruch. Indes wurde das Verfahren gegen den Schlosser, der immer einer ordnungsgemäßen Arbeit nachgegangen war, mit folgender Begründung eingestellt: »*Der Angeklagte hat inzwischen seinen Irrtum eingesehen und weiß, daß er sich strafbar gemacht hat. Er gehört nicht*

zu den von den Kriegshetzern gekauften Provokateuren, die die Unruhen in Berlin bewußt organisiert haben, sondern ist einer der ehrlichen Arbeiter, von denen die Erklärung des Zentralkomitees der Sozialistischen Einheitspartei Deutschlands vom 21. Juni 1953 sagt, daß sie, wenn sie auch zeitweilig irregingen, nicht aufgehört haben, ehrliche Arbeiter zu sein und als solche zu achten sind. Der Angeklagte ist zwar auch schuldig, denn ohne die Teilnahme aller dieser Arbeiter hätte es gar nicht zu den Ereignissen in Berlin kommen können, aber das Gericht hat von dem Angeklagten den Eindruck, daß er aus seinen Fehlern lernen wird und in Zukunft in seiner Arbeit zeigen wird, daß er seine Fehler gutmachen wird. Aus diesem Grunde hat der Senat entgegen dem Antrage der Staatsanwaltschaft, die die Mindeststrafe von 3 Monaten beantragte, das Verfahren gegen den Angeklagten eingestellt[18].«

Die Verpflichtung der Justiz, ungeachtet solcher im Grunde vernünftigen Entscheidungen gegen »Provokateure« mit aller Härte vorzugehen, war in der vom ZK beschlossenen Differenzierung präjudiziert.

Zahlen über Verurteilungen wegen Beteiligung am Juni-Aufstand sind seitens der DDR niemals veröffentlicht worden. In westlichen Archiven[19] sind bis heute insgesamt 1383 zu Freiheitsstrafen verurteilte Juni-Aufständische namentlich erfaßt – dazu drei, die zum Tode verurteilt wurden: Erna Dorn, ehemals KZ-Aufseherin in Ravensbrück, die in Halle/Saale eine Zuchthausstrafe verbüßte und am 17. Juni 1953 hatte entweichen können, wenig später jedoch wiederergriffen worden war; ein Arbeiter namens Prahst aus dem Bezirk Potsdam, über dessen Schicksal nichts Näheres bekannt ist; und der Gärtner Ernst Jennrich aus Magdeburg. Alle drei sind offenbar hingerichtet worden. Demgegenüber hat das Oberste Gericht die gegen die Jugendlichen Werner Reinelt und Sieberling wegen Beteiligung am Juni-Aufstand in Rathenow ergangenen Todesurteile in Zuchthausstrafen von jeweils 15 Jahren umgewandelt[20].

Von ebenso spektakulär aufgemachten wie wenig informativen Zeitungsberichten abgesehen, sind in der DDR kaum Urteile gegen Juni-Aufständische veröffentlicht worden –

vor allem nicht in der juristischen Fachliteratur. Die »Neue Justiz«, Pflichtlektüre aller DDR-Juristen, hat seinerzeit insgesamt nur neun Gerichtsentscheidungen wegen Beteiligung am Juni-Aufstand veröffentlicht: zwei Urteile des Stadtgerichts (Ost-)Berlin[21], ein Urteil des Bezirksgerichts Magdeburg, ein Urteil des Kreisgerichts N. N.[23] sowie drei zweitinstanzliche Urteile des Obersten Gerichts[24]; ferner den schon zitierten Beschluß des Stadtgerichts (Ost-)Berlin[25] und einen Beschluß des Obersten Gerichts[26]. Allerdings hat diese Geheimniskrämerei, die durchaus im Gegensatz zu den publizistischen Gepflogenheiten jener Jahre stand, einen naheliegenden Grund: Eine Analyse dieser Urteile würde eine fundierte Rekonstruktion der Geschichte des Juni-Aufstandes ermöglichen, seinen spontanen Ausbruch, seinen führungslosen Verlauf in Ost-Berlin und wichtigen Industriezentren der DDR, die politischen Forderungen der Aufständischen, ihre Hilflosigkeit und Ohnmacht. Und gerade daran kann der Justiz der DDR nicht gelegen sein, denn das würde die bis heute kolportierte Legende zerstören, es habe sich beim Aufstand vom 17. Juni 1953 um einen »faschistischen Putschversuch« gehandelt, den westliche Geheimdienste geplant, organisiert und ausgelöst hätten. Der folgenden Darstellung liegen zehn Urteile zugrunde, deren Ausfertigung teils 1955 veröffentlicht[27] wurden, teils im Archiv des Gesamtdeutschen Instituts zugänglich sind. Im einzelnen handelt es sich um folgende Urteile:

- Urteil des Bezirksgerichts Karl-Marx-Stadt vom 24. Juni 1953 gegen den Mechaniker Herbert Matthes (Aktenzeichen: 1 Ks 219/53);
- Urteil des Bezirksgerichts Cottbus vom 29. Juni 1953 gegen den Musiker Adolf Jedro (Aktenzeichen: I 298/53);
- Urteil des Bezirksgerichts Halle/Saale vom 6. Juli 1953 gegen den kaufmännischen Angestellten Hermann Enkhardt (Aktenzeichen: 1 Ks 384/53);
- Urteil des Bezirksgerichts Magdeburg vom 10. Juli 1953 gegen den Angestellten Hans Pitschmann und andere (Aktenzeichen: I Ks 435/53);
- Urteil des Bezirksgerichts Dresden vom 18.

Juli 1953 gegen Lothar Markwirth und andere (Aktenzeichen: 1a Ks 332/53);
- Urteil des Obersten Gerichts vom 11. Juli 1953 gegen den Elektriker Max Schlittchen (Aktenzeichen: 1b Ust 378/53);
- Urteil des Bezirksgerichts Dresden vom 12. August 1953 gegen den Rechtsanwalt Carl-Albert Brüll (Aktenzeichen: 1a Ks 387/53);
- Urteil des Stadtgerichts (Ost-)Berlin vom 26. Mai 1954 gegen den Bauarbeiter Max Fettling und andere (Aktenzeichen: [101d] Ib 269/53 [1954];
- Urteil des Bezirksgerichts Leipzig vom 4. Juni 1954 gegen den Hilfsarbeiter Wolfgang Gallus und andere (Aktenzeichen: 1 Ks 525/54);
- Urteil des Obersten Gerichts vom 14. Juni 1954 gegen Dr. Werner Silgradt und andere (Aktenzeichen: 1 Zst (I) 7/54)[28].

Insgesamt wurden durch diese zehn Urteile 40 Angeklagte wegen Beteiligung am Juni-Aufstand in dieser oder jener Form zu Freiheitsstrafen verurteilt, von denen sich die niedrigste auf sechs Monate Gefängnis, die höchste befristete Strafe auf 15 Jahre Zuchthaus belief; in einem Fall, gegen Lothar Markwirth, wurde auf lebenslanges Zuchthaus erkannt. Im rechnerischen Durchschnitt machten die zeitlich befristeten Freiheitsstrafen gut fünf Jahre Zuchthaus aus. Die letzten dieser 40 Verurteilten erlangten ihre Freiheit im Jahre 1964 zurück – durch Freikauf.

Juristisch basierten drei dieser zehn Urteile in der Hauptsache auf Artikel 6 der ersten DDR-Verfassung, der mit Hilfe einer in Absatz 2 enthaltenen Generalklausel als sogenannte Boykotthetze, Mordhetze oder Kriegshetze alle irgendwie regimefeindlichen Handlungen als »Verbrechen im Sinne des Strafgesetzbuches« zu ahnden ermöglichte. Allerdings konnte Artikel 6 wegen des besonderen Status von Berlin nur von den Gerichten der DDR einschließlich des Obersten Gerichts, das seinen Sitz in Ost-Berlin hat, angewandt werden. Das Ostberliner Stadtgericht stützte seine Urteile gegen Juni-Aufständische »im schweren Fall« auf Befehl Nr. 160 der SMAD vom 3. Dezember 1945 betreffend die Verantwortung für Sabotage und Störungsversuche. Vier Urteile stützten sich teils ausschließlich, teils ergänzend auf Kontrollratsdirektive Nr. 38 vom 12. Oktober 1946, die ursprünglich zwar nur zur Verhaftung und Bestrafung von Kriegsverbrechern, Nationalsozialisten und Militaristen sowie zur Internierung, Kontrolle und Überwachung von möglicherweise gefährlichen Deutschen gedacht war; aber nach Abschnitt II, Artikel III A III, galt als »Aktivist« auch, »wer nach dem 8. Mai 1945 durch Propaganda für den Nationalsozialismus oder Militarismus oder durch Erfindung und Verbreitung tendenziöser Gerüchte den Frieden des deutschen Volkes oder den Frieden der Welt gefährdet hat oder möglicherweise noch gefährdet«. Die DDR-Justiz hat diese Klausel jahrelang – nicht nur nach dem 17. Juni 1953 – für ihre politischen Zwecke mißbraucht. Schließlich gründeten sich fünf der zehn Urteile – davon vier ausschließlich – auf einzelne Bestimmungen des damals teilweise noch gültigen Strafgesetzbuches des Deutschen Reiches vom 15. Mai 1871, speziell auf die Bestimmungen zu Widerstand gegen die Staatsgewalt (§ 113), Gefangenenbefreiung (§ 120), Landfriedensbruch (§125) und Aufreizung zu Gewalttätigkeiten (§ 130). Obzwar die zehn Urteile keineswegs als repräsentativ gelten können, waren sie gleichwohl typisch für die strafrechtliche Bewältigung des Juni-Aufstands. Mit Recht macht Wolfgang Schuller in einer Analyse von Urteilen gegen Juni-Aufständische darauf aufmerksam, daß außerdem die Strafnormen zur Aufforderung zum Ungehorsam gegen Gesetze (§ 110), Aufruhr (§ 115) und Androhung gemeingefährlicher Verbrechen (§ 126) sowie zum Tatbestand der Nötigung (§ 240) herangezogen wurden[29].

Das Grundmuster

In ihren Urteilsbegründungen ließen sich die Gerichte der DDR ganz vom Ungeist »sozialistischer Parteilichkeit« leiten. Hier überzeugt das Zitat am ehesten. Zum Beispiel hieß es in dem Urteil gegen Lothar Markwirth und 15 andere Angeklagte:
»Sämtliche Angeklagten haben sich an den Ausschreitungen am 17. 6. 1953 in Niesky beteiligt. Zu diesen Ausschreitungen kam es, da sich RIAS-Hörige und noch anderen westlichen Sendern hörige Elemente fanden, die die am 16. 6.

1953 abends und am 17. 6. 1953 morgens von diesen Sendern durchgegebenen Nachrichten aufgriffen und nun danach handelten.
Als Ausgangspunkt für die Menschenansammlung ist die Lowa in Niesky anzusehen. Dorthin begab sich bereits am Vormittag des 17. 6. 1953 der 1. Sekretär der Kreisleitung der SED in Niesky, da die Kreisleitung offiziell von den Geschehnissen in Görlitz unterrichtet war. Mit den Arbeitern, die bereits bei Eintreffen des 1. Sekretärs in Gruppen zusammenstanden und über die Normerhöhung diskutierten, wurde nun gesprochen und auf dieselben beruhigend eingewirkt. Diese Arbeit wurde jedoch durch das provokatorische Auftreten eines Betriebsfremden gestört, der behauptete, daß er gerade von Berlin komme und daß dort weiter gestreikt würde, da die Forderung auf Herabsetzung der Normerhöhung nicht anerkannt worden sei und daß das, was von seiten der Partei gesagt woden sei, nicht stimme. Ein Teil der Arbeiter jedoch beruhigte sich wieder und ging seiner regulären Arbeit nach, jedoch einige Abteilungen nahmen diese Arbeit nicht wieder auf, und als der Schichtwechsel sich zwischen 14.00 und 15.00 Uhr vollzog, wurde ein Teil der neu hinzukommenden Arbeiter noch mit aufgeputscht und formierte sich zu einem Zug, um auf dem Zinzendorfplatz die wirtschaftlichen Forderungen zu stellen, wobei ein kleinerer Teil forderte, noch Ausschreitungen zu begehen. Dieser Zug der Lowa-Arbeiter in Niesky forderte noch die Arbeiter des Stahlbaues auf, mit zu demonstrieren, zog von dort am Rathaus vorbei, wo nur einige eindrangen, Transparente entfernten und den Bürgermeister zu sprechen wünschten. Von dort aus begab sich der Zug auf den Zinzendorfplatz. Die Spitze desselben war bereits an dem Haus der SED-Kreisleitung vorbei, als sich ein Trupp von dem Zug löste und auf die SED-Kreisleitung zuging. Sie bedrohten und beschimpften die Funktionäre, riefen ›kommt heraus‹ und warfen dann mit Steinen an die Tür. Der 1. Sekretär, der vor das Haus getreten war und zur Menge sprechen wollte, wurde niedergeschrieen und auf ihn eingeschlagen. Nur durch seine Flucht konnte er weiteren Mißhandlungen entgehen. Mit Gewalt drang man dann in das Haus, riß Transparente, Bilder, Fahnen im Haus herunter, drang in die Zimmer ein und riß von dort die am Haus ange-

brachten Transparente, Bilder und Embleme, außer dem der Sowjetunion, ab. Die heruntergerissenen Fahnen wurden dann noch verbrannt. Anschließend begab sich dieser Mob zur Dienststelle des Ministeriums für Staatssicherheit. Dieses Haus liegt in einem Garten, der nur mit einem ganz niedrigen Zaun umgeben ist. Das Haus selbst hat 5 Eingänge, einer von vorn, drei an der Seite und einer von hinten durch den Wintergarten. Im Gebäude befanden sich insgesamt 10 Mann, die diese Dienststelle gegen eine etwa 1000köpfige Menschenmenge ca. 2 Stunden verteidigt haben. Die Menge, die in das Grundstück eingedrungen war, forderte vor dem Haus die Angestellten auf, die Waffen niederzulegen und sich ihnen anzuschließen, wobei einige der Angeklagten ganz besonders durch ihre aktive Hetze auffielen und die Menschenmenge dadurch besonders aufwiegelten, so daß dann mit großen und kleinen Steinen, Fahrradnaben u. a. sämtliche Fensterscheiben eingeschlagen wurden, Türen mit Rodehacken, Brechstangen und Stangen aufgebrochen und Feuer angelegt wurde. Dieses Feuer erzeugte einen derartigen Rauch im Hause, daß die Angestellten sich Tücher vor Mund und Nase binden mußten und ihnen die Augen zu tränen begannen. Die Meute, die dann durch die aufgebrochenen Türen in den Keller und sämtliche Räume eingedrungen war, ging in diesen tätlich gegen die Angestellten vor, entwaffnete diese, schlug sie und sperrte vier von ihnen in den Hundezwinger . . .«

Zu den Handlungen des Hauptangeklagten – eines Kreisvorsitzenden der LDPD – machte das Gericht unter anderem die folgenden Ausführungen:

»Der Angeklagte Markwirth, der des öfteren westliche Hetzsender hörte, hatte am 17. 6. 1953 früh die Nachrichten des Hamburger Rundfunks gehört und so erfahren, daß in Berlin demonstriert wird und die Menschenmenge vor dem Regierungsgebäude die Forderung stellte, eine neue Regierung zu bilden. Er fuhr mit seinem Pkw gegen 9.30 Uhr von Niesky nach Rothenburg, um in seinem dortigen Geschäft Aufnahmen zu tätigen. Da es sich bereits in Rothenburg herumgesprochen hatte, daß in Görlitz Unruhen seien, machte der Angeklagte dem Zeugen Clemens, der in Rothenburg gleich neben ihm sein Geschäft hat, den Vorschlag, mit ihm nach Gör-

litz zu fahren, um sich davon zu überzeugen, ob es sich tatsächlich so verhält, wie gesagt wurde. nämlich, daß die Gefängnisse geöffnet wären. Gegen 13.00 Uhr fuhr der Angeklagte mit dem Zeugen Clemens in seinem Pkw nach Görlitz. Unterwegs hielten sie, da sie einem Lkw begegneten, auf dem sich ein dem Zeugen bekannter Häftling befand. Obwohl sie von diesem nun erfuhren, daß tatsächlich Unruhen in Görlitz sind und die Gefängnisse gestürmt waren, setzten sie ihre Fahrt fort. In Görlitz angekommen, begab sich der Angeklagte nach dem Gefängnis und ging in dieses hinein, um es sich anzusehen. Einem an der Pforte stehenden weiblichen Häftling übergab er noch 10,– DM, um daß diese nach Hause fahren konnte. Nachdem er noch einige Bekannte getroffen hatte und sich von diesen das Geschehene berichten ließ, begab er sich mit zur sogenannten Kundgebung nach dem Obermarkt, wo er mit dem dortigen Wortführer sprach und von diesem die aufzustellenden Forderungen, wie Sturz der Regierung, Liquidierung der SED, Beseitigung der Oder-Neiße-Friedensgrenze u. a., erfuhr. Er machte daraufhin die Bemerkung, daß man jetzt die Initiative ergreifen müsse. Nach einem Aufenthalt von ungefähr 20–25 Minuten in Görlitz fuhr er wieder von dort weg, um nach Rothenburg zurückzukehren. Unterwegs jedoch sprach der Angeklagte davon, daß er nach Niesky fahre, um zu sehen, was die Arbeiter der Lowa tun. In Rengersdorf, wo er einkehrte, hörten sie, daß in Niesky Ruhe wäre. Er sagte daraufhin nur, ›na, paß nur auf, wenn wir jetzt an der Lowa vorbeikommen‹. Auf dieser ganzen Fahrt nach, wie auch von Görlitz war der Angeklagte Markwirth über die Vorkommnisse begeistert und sprach seine Hoffnung aus, daß bald alles ein Ende hätte. Er schimpfte über die Regierung und sprach von Lumpen und auch davon, daß er sich nun bald ein neues Auto kaufen könne.

Als er in Niesky ankam, sah er, wie man gerade von der SED-Kreisleitung die Transparente und Bilder herunterriß. Er sah sich daraufhin veranlaßt, seinen Fotoapparat zu holen, um nach seinen Worten einige ›schöne‹ Aufnahmen zu machen. Da nach seiner Rückkehr nur noch einzelne Menschen vor dem Gebäude der SED-Kreisleitung sich befanden, begab er sich ohne zu fotografieren nach dem Gebäude des Ministe-

riums für Staatssicherheit. Dort trat er nach einiger Zeit als Organisator und Rädelsführer auf, der selbst Türen aufbrach und Brände anlegte. Markwirth warf als erster mit einem Stein in die Fenster des Gebäudes, was das Signal für die anderen war, dasselbe zu tun. Hier nahm der Angeklagte die Gelegenheit wahr, um 2 Fotografien zu machen. Nachdem die Türen offen waren und die in das Haus eingedrungene Menge sagte, daß die Angestellten mit Waffen dastehen, äußerte Markwirth, daß man sie ausräuchern müßte, und brannte das in einer Nische im Erdgeschoß liegende Stroh an. Ein ihm Unbekannter reichte ihm die Streichhölzer dazu. Nachdem dieses Stroh brannte, holte er aus dem Nebenzimmer einen Gummimantel und legte diesen darüber, um so eine starke Rauchentwicklung zu erzeugen, die auch eintrat. Von dem Hof aus beobachtete der Angeklagte die Rauchentwicklung ...

(Der Angeklagte) hat sich als Feind gegen unsere demokratische Ordnung entlarvt und hat mit seinen Handlungen aus seiner negativen Einstellung heraus, die ebenfalls aus seinem im Versteck geschriebenen Briefe zu ersehen ist, die Grundlagen unseres demokratischen Staates zerstören wollen und derartige Handlungen auch bereits in Gang gesetzt und damit ausgerechnet beim Ministerium für Staatssicherheit angefangen, dem Ministerium, das dazu berufen ist, die Sicherheit und Ordnung aufrechtzuerhalten und unsere Errungenschaften vor Agenten, Saboteuren und Diversanten zu schützen. Der Angeklagte hat sich einer friedensgefährdenden Boykotthetze und Kriegshetze schuldig gemacht und ist demzufolge nach Art. 6 der Verfassung der DDR und KRDir. 38, Abschn. II, Art. III A III zu bestrafen.«

»Faschistische Provokation«

Nach diesem Grundmuster waren die Urteile gegen Juni-Aufständische in der Regel angelegt. Politische Argumentation überwucherte alle juristische Begründung. Das Urteil des Bezirksgerichts Leipzig vom 14. Juli 1953 mit Strafen von dreieinhalb bis viereinhalb Jahren Zuchthaus gegen sechs Beteiligte am Aufstand in Delitzsch basierte auf der Kontrollratsdirektive Nr. 38 und § 125 des Strafgesetzbuches. In der Begründung hieß es:

»Der 17. Juni 1953 war der Tag der großangelegten, seit langem von den imperialistischen Kriegshetzern vorbereiteten faschistischen Provokation gegen die Deutsche Demokratische Republik und ihre demokratischen Errungenschaften. Ziel und Zweck des faschistischen Putschversuches war es, den Staat der Arbeiter und Bauern und die demokratischen und sozialistischen Grundlagen unserer gesamten Gesellschaftsordnung zu liquidieren, um die kapitalistisch-imperialistische Ausbeuterordnung mit ihren Privilegien für die Monopolisten, Großgrundbesitzer und Militaristen wieder auf unserem Gebiete zu errichten und einen dritten grauenvollen Weltkrieg zu entfachen. Dank der tapferen standhaften Haltung der Volkspolizei, der entschiedenen Absage der bewußten demokratischen Staatsbürger an die Provokateure und der brüderlichen Hilfe der Sowjetsoldaten ist dieses verbrecherische Unternehmen zusammengebrochen. Es führte im Ergebnis zur Entlarvung der von den imperialistischen Agenten- und Spionagezentralen geleiteten illegalen Untergrundbewegung und zur Entlarvung vieler politisch krimineller Elemente und zeigte auch den ideologisch zurückgebliebenen und zeitweise irregeleiteten Menschen die verbrecherischen Ziele und Absichten der Kriegshetzer klar auf. Heute ist in der Deutschen Demokratischen Republik kein Boden mehr vorhanden für einen sog. ›Tag X‹.

Die werktätigen Menschen sind im Kampf gegen Faschismus und Krieg erfahrener und aktiver geworden. Sie wirken bewußt mit an der Entlarvung faschistischer Provokateure und verlangen von den demokratischen Gerichten, daß sie diese Provokateure mit aller Entschiedenheit und entsprechend der hohen gesellschaftlichen Gefährlichkeit ihrer friedensgefährdenden Verbrechen zur Verantwortung ziehen.

Die in diesem Strafverfahren angeklagten sechs Personen haben sich alle aktiv an den faschistischen Provokationen in Delitzsch, die vor der Kreisleitung der Sozialistischen Einheitspartei Deutschlands und den VPKA stattgefunden haben, beteiligt. Sie haben den Zielen des Putschversuches zugestimmt und diese unterstützt durch ihr eigenes Mitwirken und Auftreten als Provokateure, wobei sie insbesondere ihre gewalttätigen, äußerst brutalen Angriffe gegen An-

gehörige der Volkspolizei oder Mitarbeiter des
Staatssekretariates für Staatssicherheit richteten.

Bei allen Angeklagten handelt es sich um Arbeiter, die kein Klassenbewußtsein besitzen und die
in den letzten Jahren völlig teilnahmslos und
desinteressiert dem demokratischen Neuaufbau
gegenüberstanden, jedoch unter dem Einfluß des
RIAS oder anderer staatsfeindlichen Elementen
sofort hemmungslos bereit waren, sich in die faschistische Provokation zu stürzen. Sie sind deshalb wegen Propaganda für den Faschismus und
wegen aktiver Teilnahme am Landfriedensbruch
nach der Kontrollratsdirektive Nr. 38 Abschnitt
II Artikel III A III und § 125 Abs. 1 und 2 StGB
zur Verantwortung zu ziehen.

Sie haben vorsätzlich teilgenommen an großen
öffentlichen Zusammenrottungen von Men-
schenmengen, die mit vereinten Kräften gegen
Personen oder Sachen Gewalttätigkeiten begin-
gen, und haben selber schwere Gewalttätigkeiten
gegen Angehörige der Volkspolizei begangen . . .«

Gefangenenbefreiung in Görlitz

Ein juristisch interessantes Urteil des Bezirksgerichts Dresden vom 12. August 1953, das
gleichermaßen historisch aufschlußreich ist
wegen der darin enthaltenen Informationen
über das Geschehen des 17. Juni in Görlitz, erging gegen den Rechtsanwalt Carl-Albert Brüll
wegen »Aufruhrs« und »Gefangenenbefreiung«. Die Strafe von fünf Jahren Zuchthaus
wurde unter anderem so begründet:

»Der Angeklagte suchte zunächst das Dienst-
zimmer des Anstaltsleiters auf, den er in einer erregten Auseinandersetzung mit 2 weiblichen
Häftlingen antraf, auf die der Angeklagte beruhigend eingewirkt haben will. Dann begab er
sich, einem besonders lebhaften Stimmengewirr
folgend, in das Geschäftszimmer. Dort befanden
sich mindestens 10 Personen, darunter einige
Häftlinge, welche sich der dort untergebrachten
Akten bemächtigen wollten, die bereits aus den
vorhandenen Behältnissen entnommen waren
und teilweise auf den Tischen herumlagen. Auch
hier will der Angeklagte Vorstellungen wegen
des Schädlichen einer solchen Maßnahme erhoben haben mit dem Ergebnis, daß ein Verschlep-
pen der Akten unterblieb. Als zu diesem Zeit-

punkt die Zeugin Gasde in ihrer dienstlichen Ei-
genschaft als Angehörige des Anstaltspersonals
das Zimmer betrat, wurde von einem, seiner Person nach nicht ermittelten Eindringling, der sich
zum Wortführer machte, die Forderung erhoben,
die vorhandenen Akten daraufhin zu sortieren,
welche der Strafgefangenen freigelassen bzw. in
Freiheit zu belassen seien und welche als rein kriminelle Elemente der weiteren Strafverbüßung
zugeführt werden müssen. Der Angeklagte zeigte
durch seine Haltung, daß er mit dieser Forderung einverstanden war, und empfahl sich den
Anwesenden für die angeregte Sichtung als
Sachkundiger unter Hinweis auf seine Eigen-
schaft als Rechtsanwalt. Als die Zeugin Gasde
unter dem Druck der sich wild gebärdenden Eindringlinge sich genötigt sah, dieser provokatorischen Forderung nachzugeben, nahm der Angeklagte, der damit eine führende Rolle in der den
Tatbestand des § 115 StGB erfüllenden Handlung übernahm, Einsicht in die ihm von der Zeugin vorgehaltenen Aktenstücke und entschied je
nach der Bezeichnung des abgeurteilten Tatbe-
standes auf Freilassung oder weitere Strafverbüßung. Nachdem so mindestens 6 Aktenstücke behandelt worden waren, erklärte sie angesichts
der tumultarischen Zustände in dem Raum, mit
dem Begonnenen nicht fortfahren zu können, und
wiederholte eine bereits vorher von einer hinzu-
gekommenen VP-Kommissarin gestellte Bedingung, daß zuvor alle nicht zur ›Kommission‹ Ge-
hörenden den Raum verlassen müßten. Damit
entfernten sie sich selbst und nachher auch der
Angeklagte. Ihm begegnete auf dem Gang des
Gebäudes der Anstaltsangestellte Rath, der sich
seiner Dienstkleidung entledigt hatte und den
Angeklagten bat, sich seiner schützend anzunehmen und ihm den Heimweg zu ermöglichen. Vor
dem Gefängnis angekommen, trafen beide mit
Schön zusammen, der sich ihnen anschloß und
ein Stück Weges mit ihnen ging. Unterwegs trat
Rath an den Angeklagten mit dem Ansinnen
heran, ihm Zivilkleidung zu leihen, worauf beide
die Wohnung des Angeklagten aufsuchten, wo
Rath von diesem eine Jacke erhielt. Im Besitze
des Rath befand sich zu diesem Zeitpunkt noch
ein Schlüsselbund mit mehreren Schlüsseln der
Haftanstalt. Diesen nahm der Angeklagte auf
Bitten des Rath in Verwahrung und behielt ihn,
ohne irgendeiner Dienststelle davon Mitteilung

zu machen, bis zu seiner mehr als eine Woche später folgenden Festnahme . . .
Es bedarf keiner besonderen Darlegung, daß die Aufruhrhandlung im Zusammenhang mit der ›Erstürmung‹ der Haftanstalt bei der am 17. 6. 1953 von den faschistischen Provokateuren heraufbeschworenen Lage in Görlitz eine besonders große Gefährdung für die staatliche Ordnung, weit über das Stadtbild von Görlitz hinaus bedeutete. Der Angeklagte, der aufgrund seiner Berufsstellung in besonderem Maße zur Wahrung dieser Ordnung berufen war, hat sich in völlig unverantwortlicher Weise auf die Seite der Feinde dieser Ordnung geschlagen und damit die ›Neutralität‹ verlassen, in der er bis dahin sein politisches Heil gesehen hatte. Seine erste offene Parteinahme galt der Partei derer, die es sich zum Ziel gesetzt haben, den Brand eines neuen Weltkrieges zu schüren und die dieses Ziel mit den am 17. Juni 1953 in Szene gesetzten Provokationen zu verwirklichen suchten.«

Urteile wie dieses bedürfen keiner Kommentierung. Das gilt auch für das folgende Urteil gegen vier Bauarbeiter beziehungsweise Maurer, die zwar schon wenige Tage nach dem Juni-Aufstand festgenommen worden waren, die aber erst nach elf Monaten Untersuchungshaft, am 25. Mai 1954, vom Ostberliner Stadtgericht zu Zuchthausstrafen zwischen vier und zehn Jahren verurteilt wurden – ein im Strafmaß wie in der Begründung besonders skandalöses Urteil:

»Nachdem durch die Beschlüsse des Zentralkomitees der Sozialistischen Einheitspartei Deutschlands vom 9. 6. 1953 und der Regierung der Deutschen Demokratischen Republik vom 11. 6. 1953 der Neue Kurs verkündet war, hielten die Kriegstreiber die Zeit für gekommen, um ihr Agentennetz, welches sie sich geschaffen hatten, in Tätigkeit zu setzen und den Tag X auszulösen. Der Hetzsender RIAS und die Westpresse arbeiteten auf Hochtouren, um die Maßnahmen der Partei und Regierung, zur Verbesserung der Lebenslage der Bevölkerung in der Deutschen Demokratischen Republik und die Maßnahmen zur baldigen Wiederherstellung der Einheit Deutschlands, zu verunglimpfen und diese Maßnahmen als Schwäche der Politik des Arbeiter- und Bauernstaates hinzustellen. Außer bezahlten und beauftragten Agenten sind auch eine
Reihe verantwortungsloser und der Arbeiter- und Bauernmacht feindlich gesinnter Bürger der DDR den Hetzparolen und -weisungen des RIAS und der Westpresse gefolgt und haben durch Gerüchte Unruhe in die Bevölkerung getragen. Sie nutzten dabei geschickt eine gewisse und zum Teil berechtigte Unzufriedenheit, vor allem unter den Bauarbeitern, die auf Grund der Normenfestsetzung entstanden war, aus, und es gelang ihnen zum Teil, für eine kurze Zeit eine Reihe von Arbeitern irrezuführen. Die Angeklagten sind auf Grund ihrer feindlichen Einstellung zur Deutschen Demokratischen Republik den Parolen der westlichen Kriegstreiber und ihrer Agenten gefolgt und haben wesentlich dazu beigetragen, daß es auf den entscheidenden Baustellen des Nationalen Aufbauprogramms in Berlin zu Arbeitsniederlegungen der Bauarbeiter kam.«

Nach einer persönlichen Charakterisierung jedes Angeklagten gelangt das Gericht zu folgenden, hier verkürzt wiedergegebenen Feststellungen:

»Bereits in den frühen Morgenstunden des 12. Juni 1953 wurde der Angeklagte Foth von dem zur Zeit flüchtigen Provokateur Rast angesprochen und aufgefordert, sich an einer Arbeitsniederlegung mit seiner Brigade zu beteiligen. Der Angeklagte Foth erklärte sich bereit und beeinflußte auch dementsprechend seine Brigade. Weiterhin beeinflußte er auch die Brigade Zechmann, sich der Arbeitsniederlegung anzuschließen. Er sprach im Laufe des Tages auch noch mit einigen anderen Kollegen über die beabsichtigte Arbeitsniederlegung. Der geflüchtete Provokateur Metzdorf setzte sich am gleichen Tag ebenfalls noch mit Foth in Verbindung, und Foth erklärte sich auch hier zur Arbeitsniederlegung bereit. Gegen Mittag des gleichen Tages wandte sich der Angeklagte als Mitglied der BGL an seinen Vorsitzenden, den Mitangeklagten Fettling, und machte ihm von der beabsichtigten Arbeitsniederlegung Mitteilung. Der Angeklagte Fettling begab sich daraufhin zu den einzelnen Brigaden, um sich von der Richtigkeit dieser Mitteilung zu überzeugen. Hier erfuhr er, was er bereits seit Wochen wußte, daß die Bauarbeiter zum Teil mit den festgesetzten Normen nicht einverstanden waren. Die Bauarbeiter sprachen jedoch nicht von einer Arbeitsniederlegung, sondern er-

klärten, daß sie die Absicht haben zu kündigen. Der Angeklagte Fettling sagte den Bauarbeitern, daß eine Kündigung keinen Zweck habe und der gewünschte Erfolg, nämlich eine Herabsetzung der Normen, dadurch nicht erzielt wird, da ja die Normen in allen volkseigenen Betrieben bestehen . . .«

Organisierung eines Streiks

Schließlich wurde die ursprünglich auf den 12. Juni angesetzte Arbeitsniederlegung auf den 15. Juni verlegt, da noch Vorbereitungen getroffen werden sollten – und diese auf einer für den 13. Juni geplanten Dampferfahrt aller Kollegen der Baustelle Friedrichshain besprochen werden sollten. So geschah es.

»Am Morgen des 15. 6. weigerte sich ein Teil der Bauarbeiter auf der Baustelle Friedrichshain, die Arbeit aufzunehmen. Es wurde dann eine Versammlung einberufen, an der die Brigadiere, die Gewerkschaftsgruppenorganisatoren und einige Bauarbeiter teilnahmen. Fettling benachrichtigte auch die Kreisleitung des FDGB, und es erschien auch der Zeuge Bienicke. In der Zwischenzeit hatte Fettling und der 2. BGL-Vorsitzende Prosda, der in Westberlin wohnt und nachdem nicht mehr auf der Baustelle erschien, sowie Foth eine Resolution vorbereitet, die an den Ministerpräsidenten der Deutschen Demokratischen Republik gesandt werden sollte. Diese sogenannte Resolution war rein provokatorischen Inhalts und beinhaltete im wesentlichen die Hetzparolen, die von den westlichen Drahtziehern in den demokratischen Sektor hineingetragen wurden und auch im Verlaufe des 16. und 17. 6. von den Provokateuren offen gestellt wurden. Diese sogenannte Resolution beschränkte sich nicht nur auf die Normenfrage. Der Vertreter des FDGB lehnte es ab, diese provokatorische Resolution zu unterstützen und die Zustimmung des FDGB zu dieser Resolution zu geben. Fettling und Foth sowie ein Teil der anderen Anwesenden lehnten jede Diskussion mit dem Vertreter des FDGB kategorisch ab. In der Zwischenzeit hatte der Vertreter des FDGB der Kreisleitung der Sozialistischen Einheitspartei Deutschlands im Kreis Friedrichshain telefonisch von den Vorkommnissen auf der Baustelle berichtet. Nach kurzer Zeit erschien auch der

Zeuge Uhlich als Vertreter der Kreisleitung. Uhlich lehnte es ebenfalls ab, eine derartige Provokation zu unterstützen. Nach heftigen Diskussionen unterbreitete Uhlich einen geeigneten Resolutionsentwurf. In diesem Entwurf wurde der Ministerpräsident darum gebeten, die Normerhöhung zu überprüfen und den Bauarbeitern bis zum 19. 6. 1953 über das Veranlaßte Mitteilung zu machen. Nachdem die Anwesenden diesen Entwurf billigten, verließen die beiden Zeugen die Baustelle, da sie der Überzeugung waren, daß nun die Arbeit wiederaufgenommen wird. In der Zwischenzeit war auf der Baustelle des Blocks 40 in der Stalinallee Unruhe unter den Bauarbeitern eingetreten, da sie erfahren hatten, daß ein Teil der Bauarbeiter auf der Baustelle Friedrichshain die Arbeit niedergelegt hat. Zu gleicher Zeit erhielt der erst seit drei Tagen eingesetzte BGL-Vorsitzende, der Zeuge Fischer, einen Telefonanruf von der Baustelle Staatsoper und einen Telefonanruf von der Baustelle Biesdorf. Bei beiden wurde er gefragt, ob es bei der auf der Dampferfahrt beschlossenen Arbeitsniederlegung bleibt. Als die Anrufenden merkten, daß Fischer darüber nicht informiert und mit einer derartigen Provokation nicht einverstanden war, unterbrachen sie das Gespräch. Der Angeklagte Stanicke, der auf Block 40 tätig war, erhielt von seinem Brigadier Brüggemann, nachdem er erfahren hatte, daß auf der Baustelle Friedrichshain die Arbeit niedergelegt worden war, den Auftrag, zur Baustelle Friedrichshain zu gehen, um dann auf Block 40 Bericht zu erstatten. In der Zwischenzeit war auf der Baustelle Friedrichshain eine Belegschaftsversammlung einberufen worden . . . Auf der Versammlung wurde die Resolution, wie sie von dem Zeugen Uhlich verfaßt worden war, verlesen. Zu dieser Zeit war Stanicke bereits eingetroffen. Er sowie ein weiterer Bauarbeiter, der von der Baustelle Staatsoper gekommen war, wurde von Fettling begrüßt und den übrigen vorgestellt. Während der Versammlung wurde Fettling des öfteren ans Telefon gerufen und nach jedem Telefongespräch erklärte er öffentlich, daß sich schon wieder eine Baustelle der Arbeitsniederlegung angeschlossen hat. So sprach er von den Baustellen Halbzeugwerken, Baustelle Weißensee, Staatsoper und einigen anderen. Stanicke erhielt von Fettling einen Durchschlag der Reso-

lution ausgehändigt und begab sich damit zu seiner Baustelle nach Block 40. Auf dem Block 40 war bereits ebenfalls eine Versammlung, und Stanicke übergab hier dem BGL-Vorsitzenden, dem Zeugen Fischer, die Resolution. Fischer lehnte die von Stanicke geforderte Verlesung der Resolution ab, da die Resolution keine Unterschrift trug. Stanicke ließ sich die Resolution wiedergeben und übergab sie dem Zeugen Schulz, der die Resolution zur Verlesung brachte. Während der Verlesung wurden einige provokatorische Zwischenrufe laut, jedoch erhielt die Resolution die allgemeine Zustimmung der Bauarbeiter. Nach der Versammlung nahm der Angeklagte Stanicke die Resolution wieder an sich und verließ den Versammlungsraum. In der Zwischenzeit wurde auf der Versammlung auf der Baustelle Friedrichshain die Resolution in dieser Fassung nicht angenommen. Die Resolution wurde von Fettling abgeändert, und an Stelle einer Bitte an den Ministerpräsidenten wurde die Normenherabsetzung gefordert und eine Stellungnahme bis spätestens 16. 6. mittags 12.00 Uhr gefordert. Ein Kurier der Baustelle Friedrichshain begab sich sofort zum Block 40 und gab dem Angeklagten Stanicke von der Änderung der Resolution Kenntnis. Stanicke änderte dann selbständig mit einigen anderen Bauarbeitern die Resolution, ohne daß die Resolution mit dem neuen Inhalt allen Bauarbeitern zur Kenntnis gebracht wurde. Stanicke ließ die Resolution in der neuen Fassung vervielfältigen und gab sie einigen anderen Bauarbeitern, darunter einem vom Fernheizwerk. Auf Block 40 nahmen am 15. 6. eine Anzahl Brigaden die Arbeit wieder auf. Der Angeklagte Stanicke nahm die Arbeit nicht mehr auf und begab sich frühzeitig in seine Wohnung. Am Morgen des 16. 6. erschienen alle Angeklagten auf ihren Baustellen. Einzelne Brigaden nahmen die Arbeit sofort auf, während der überwiegende Teil nicht arbeitete. Auf Block 40 haben drei Brigaden und die Lehrlinge ständig gearbeitet. In den frühen Morgenstunden tauchte auf Block 40 das Gerücht auf, daß die Baustelle Friedrichshain von der Volkspolizei eingeschlossen ist. Es formierte sich ein Demonstrationszug, welcher sich zur Baustelle Friedrichshain begab. Diesem Zug schloß sich auch der Angeklagte Stanicke an. Ein Teil der Bauarbeiter der Baustelle Friedrichshain schloß

sich ebenfalls dem Zug an, der dann über den Strausberger Platz zum Alexanderplatz, zur Leipziger Straße zum Haus der Ministerien führte. Der Angeklagte Stanicke zog ebenfalls mit. In diesem Demonstrationszug wurden bereits provokatorische und faschistische Losungen gerufen. In der Zwischenzeit wurde auf den Baustellen den dort gebliebenen Bauarbeitern bekannt, daß die Normerhöhung zurückgenommen ist. Der Angeklagte Lembke, der ebenfalls von der Demonstration erfahren hatte, begab sich zum Strausberger Platz, um dort den Zug zu erreichen. Da der Demonstrationszug dort nicht mehr anzutreffen war, ging er zum Alexanderplatz, und als er diesen auch dort nicht antraf, begab er sich zurück zur Baustelle und verließ diese um 16.00 Uhr. Der Angeklagte Foth und Fettling verblieben auf der Baustelle. Der Angeklagte Stanicke begab sich nach Abschluß des Demonstrationszuges zur Baustelle und anschließend gegen 15.00 Uhr in seine Wohnung. Der Angeklagte Stanicke, der ein eifriger RIAS-Hörer ist, erhielt auch durch den RIAS am 16. abends Kenntnis von dem Aufruf der westlichen Kriegstreiber, am 17. 6. morgens, 7.00 Uhr, in den Generalstreik zu treten, und sich alle Arbeiter am Strausberger Platz treffen sollen.«

Bei der Behauptung im letzten Satz handelt es sich um eine bewußte Geschichtsfälschung, denn bekanntlich hat es nicht nur keinen Aufruf zum Generalstreik gegeben – in den Nachrichtensendungen des RIAS ist sogar das Wort »Generalstreik« bewußt vermieden worden; als Ostberliner Bauarbeiter die Verlesung eines Aufrufs zum Generalstreik verlangten, wurden sie vom RIAS abgewiesen, gewiß aus guten Gründen[30].

Was aber kümmerte das Ostberliner Stadtgericht die Wahrheit? Sein Resümee im Urteil gegen die vier »Rädelsführer«:

»Durch ihre Handlungen waren die Angeklagten maßgeblich an der Organisierung der Arbeitsniederlegung auf den entscheidenden Baustellen des nationalen Aufbauprogrammes beteiligt. Sie haben also die Tätigkeit der volkseigenen Baubetriebe sabotiert. Bei Tätern von Sabotagehandlungen kommt es nicht auf das letzte Ziel der Täter an, sondern es genügt das Bewußtsein, daß durch ihre Handlungen eine Störung eintritt.

Die Angeklagten Fettling und Foth waren langjährige Mitarbeiter der Gewerkschaft und hatten daher einige Erfahrungen in der Gewerkschaftsarbeit. Auch die Angeklagten Lembke und Stanicke waren seit 1945 als Arbeiter tätig und hatten schon eine Reihe von Erfahrungen gesammelt. Zumindest die Angeklagten Foth, Fettling und Lembke kannten den Unterschied zwischen einem kapitalistischen Staat und einem Staat der Arbeiter und Bauern. Sie wußten, daß das Endziel einer jeden Aktion im Kapitalismus nur der Sturz der kapitalistischen Herrschaft sein kann, und sie wußten auch, daß das Endziel einer Aktion der Arbeiterklasse in einem Staate der Arbeiter und Bauern nur der Festigung des proletarischen Staates dienen kann. Als Gewerkschaftler und Funktionäre innerhalb der Gewerkschaft waren sie sich darüber im klaren, daß zwischen den Aufgaben der Gewerkschaft im kapitalistischen Staat und einem Staat der Arbeiter und Bauern erhebliche Unterschiede bestehen.

Sie wußten, daß bei Reibungen und Konflikten zwischen den Arbeitern und einzelnen Organen des Arbeiter- und Bauernstaates oder der volkseigenen Betriebe, es die Aufgabe der Gewerkschaften ist, und somit auch der Funktionäre in den Betrieben, zu denen die Angeklagten gehörten, an der schnellsten und schmerzlosesten Beseitigung mitzuwirken. Trotz der bekannten Kenntnis ihrer Aufgaben haben sie bewußt die Arbeitsniederlegung aus ihrer feindlichen Einstellung gegen die Deutsche Demokratische Republik heraus organisiert. Sie sind den faschistischen Parolen des RIAS und der westlichen Presse sowie deren Agenten gefolgt und haben durch ihre organisierte Arbeitsniederlegung die Grundlagen zur Auslösung des faschistischen Putsches geschaffen.

Sie haben daher nicht nur Sabotage betrieben, sondern sich auch der faschistischen Tätigkeit schuldig gemacht, denn das Endziel der faschistischen Provokation war die Zerschlagung der Arbeiter- und Bauernmacht in der Deutschen Demokratischen Republik und die Wiederherstellung der Macht der Junker und Monopolherren, deren Endziel die Auslösung eines neues Krieges ist. Eine Unterstützung derartiger Putschversuche ist faschistisch und friedensgefährdend.«

»Hintermänner« auf der Anklagebank?

Zeitlich erstreckten sich die Verurteilungen von Juni-Aufständischen etwa über ein Jahr. Sie endeten mit einem mehrtägigen Schauprozeß vor dem Obersten Gericht. In Rede steht ein Prozeß gegen die Angeklagten Dr. Wolfgang Silgradt, Werner Mangelsdorf, Hans Füldner und Horst Gassa vom 10. bis 14. Juni 1954, der aller Welt demonstrieren sollte, daß der Aufstand ein Jahr zuvor als »Tag X« von westlichen Geheimdiensten geplant, vorbereitet und ausgelöst worden wäre. *»Das vorliegende Verfahren hat den Beweis für den großen Umfang und die Intensität erbracht, mit der der faschistische Putsch am 17. Juni von den Kriegstreibern organisiert wurde und der geplante neue Tag X vorbereitet wird«*, hieß es in der Urteilsbegründung zwar vielversprechend, aber tatsächlich blieb das Oberste Gericht den Beweis schuldig – trotz überlanger Ausführungen über den Forschungsbeirat für Fragen der Wiedervereinigung Deutschlands beim Bundesminister für gesamtdeutsche Fragen, der gleichsam zum »Generalstab der Konterrevolution« hochstilisiert wurde – und bei dem der Hauptangeklagte tätig gewesen war. Ähnliches traf auf »Enthüllungen« über das »Komitee 17. Juni« zu, bei dem der Angeklagte Werner Mangelsdorf, einer der »Rädelsführer« des Juni-Aufstands in Gommern und nach seiner Flucht nach West-Berlin später von dort entführt, mitgewirkt hatte. Auch über das Ostbüro der Freien Demokratischen Partei, wo die Angeklagten Füldner und Gassa angestellt gewesen waren, verbreitete das Oberste Gericht Behauptungen, die im einzelnen zu widerlegen hier der Raum fehlt. Von welcher Qualität die Beweisführung war, mag die folgende Passage aus der Urteilsbegründung anschaulich machen:

»Nachdem in konzentrierter Art und in Form einer Verschwörung der Tag X vor dem 17. Juni 1953 von allen verbrecherischen Organisationen unter Leitung des Kaiser-Ministeriums durch verstärkte Zersetzungsarbeit, insbesondere durch die Ausdehnung der Spionagetätigkeit sowie durch die Schaffung eines weit verzweigten Agentennetzes in der Deutschen Demokratischen Republik vorbereitet worden war, erfolgte

die Auslösung des Putsches durch Einsatz von Provokateuren im demokratischen Sektor von Groß-Berlin und in den Bezirken der Deutschen Demokratischen Republik. So wurden bereits am 16. Juni 1953 z. B. von Bitterfeld aus zwei Kuriere mit dem Motorrad nach Westberlin geschickt, um konkrete Anweisungen für die Durchführung des Putsches in Bitterfeld einzuholen. Diese Kuriere kamen in den frühen Morgenstunden des 17. Juni von Westberlin mit dem Auftrag zurück, sofort zum ›Generalstreik‹ aufzurufen, Verbindungen zu Agentengruppen in Halle und Delitzsch aufzunehmen und an diese den Auftrag zur Ausrufung des Generalstreiks weiterzuleiten. Den Agenten in Halle wurde weiter mitgeteilt, daß sie für die Weitergabe des Auftrages an die Leuna- und Bunawerke sowie nach Leipzig verantwortlich seien. Diese Aufträge wurden so rechtzeitig durchgeführt, daß der Rädelsführer in Halle bereits um acht Uhr im Besitz dieser Anweisungen war. Die Agentengruppe in Halle hatte aus Sicherheitsgründen ebenfalls sofort einen Kurier mit einem Motorrad nach Berlin geschickt, um festzustellen, ›ob dort alles klar gehe‹. Derselbe Kurier ist nach seiner Rückkehr nochmals nach Berlin gefahren, um dort über den Stand des Putsches in Halle zu berichten und neue Instruktionen zu erhalten. Die in Magdeburg bestehende Agentengruppe – um ein weiteres Beispiel zu erwähnen – erhielt in den frühen Morgenstunden des 17. Juni durch Kurier Instruktionen für den faschistischen Putsch, die u. a. darin bestanden, eine Autokolonne zusammenzustellen und Betriebe in und um Magdeburg zur Beteiligung an dem Putsch aufzurufen, notfalls die Beteiligung mit Gewalt zu erzwingen. Der Auftrag ging auch dahin, einen Demonstrationszug in das Stadtinnere zu organisieren, die politischen Häftlinge zu befreien und die Volkspolizei, erforderlichenfalls unter Anwendung von Gewalt, zu entwaffnen. Von Magdeburg aus wurden auch die Einwohner von Schönebeck an der Elbe zum Putsch aufgerufen.«

Es ist kein Zufall, daß weder die ominösen »Agentengruppen«, deren Aktionen das Oberste Gericht beschreiben will, noch ihre vermeintlichen Auftraggeber, von denen sie »Instruktionen« gehabt haben sollen, näher charakterisiert oder mit Namen genannt wurden.

Selbstverständlich waren die vier Angeklagten weder die Auftraggeber gewesen, noch hatten sie anderen »Agenten« Instruktionen erteilt. So zog sich das Oberste Gericht auf Hilfskonstruktionen zurück, die zuweilen fast abenteuerlich anmuteten – wie auch in der folgenden Passage:

»Die Planmäßigkeit der Vorbereitung des Putsches am 17. Juni ergibt sich ferner daraus, daß der ehemalige russische Ministerpräsident und jetzige Führer der ›Vereinigung russischer Widerstandskämpfer gegen den Bolschewismus‹, Kerenski, sich nach dem Putsch im Beisein des Angeklagten Mangelsdorf rühmte, zur Vorbereitung des Putsches beigetragen zu haben. Er und seine Mitarbeiter seien am 17. Juni mit einem Flugzeug von Nürnberg nach Berlin geflogen und hätten vom Potsdamer Platz aus über Ultrakurzwellenfunk die Besatzungen der sowjetischen Panzer aufgefordert, sich mit den Provokateuren zu verbünden.« Vor der Versuchung, darauf eine Satire zu schreiben, bewahrt nur der beklemmende Gedanke, daß es hier um Menschen ging, die mit Jahren ihres Lebens hinter Eisengittern für derlei Aberwitz bezahlen mußten – im Fall Silgradt und andere mit Zuchthaus zwischen fünf und 15 Jahren.

Die operative Leitung

Veröffentlichungen in den Zeitungen der DDR zeigen an, daß die Prozesse gegen Juni-Aufständische nach einer mehrtägigen Phase der Untätigkeit schlagartig um den 22. Juni 1953 einsetzten, und zwar bei allen Bezirksgerichten der DDR und beim Ostberliner Stadtgericht, zum Teil auch bei Kreisgerichten. Das ergab sich aber nicht nur aus dem Geschehnisablauf – der Apparat des Staatssicherheitsdienstes brauchte einige Tage, um wieder einsatzfähig zu sein. Hinzu kommt die Aktivität eines ad hoc gebildeten Operativstabes im Ministerium der Justiz, der die Strafjustiz gegenüber Juni-Aufständischen steuern und kontrollieren sollte; ihm gehörten führende DDR-Justizfunktionäre an – so der Justizminister, der Generalstaatsanwalt und der Vizepräsident des Obersten Gerichts. Dieser Operativstab konnte und sollte unmittelbar in die Rechtsprechung der Bezirks- und Kreisgerichte durch Instrukteure eingreifen:

»Im Gebäude des Obersten Gerichts war ein ständiger Nachtdienst eingerichtet ... Die Instrukteure riefen nun nachts aus der Zone an und unterbreiteten dem Nachtdienst Fälle zur Entscheidung. Sah der Nachtdienst den Sachverhalt als klar und unkompliziert an, gab er seine Entscheidung über das zu fällende Strafmaß an den anrufenden Instrukteur bekannt, anderenfalls stellte er die Entscheidung bis zum nächsten Morgen nach Vortrag bei Frau Benjamin zurück. Diese traf dann die Entscheidung, und der Instrukteur in der Zone erhielt entsprechenden fernmündlichen Bescheid ... Die an den Instrukteur erteilten Weisungen wurden von diesem an die mit der Entscheidung befaßten Richter in der Zone weitergegeben. Es erging kein wichtiges Strafurteil ohne eine solche Weisung[31].«

In späteren Jahren, unter der Ägide Hilde Benjamins, ist diese »operative Leitung« der Strafjustiz sogar ausgebaut und institutionalisiert worden – erst 1963 wurde sie im Zuge der »zweiten Justizreform« aufgehoben. Kriterien dafür, ob ein Angeklagter wegen Beteiligung am Aufstand vom 17. Juni 1953 als »Provokateur« oder als »irregeleiteter Arbeiter« galt, war letztlich die Gesinnung – wobei es zu den widersprüchlichsten Entscheidungen des Gerichts kam.

»Es wurden verschiedene Urteile veröffentlicht, in denen die Angeklagten gerade trotz positiver gesellschaftlicher Eigenschaften wegen ihrer negativen Gesinnung scharf beurteilt wurden. Sie wurden charakterisiert als ›ungefestigter, ehrgeiziger junger Mensch, der sich ein gewisses Maß gesellschaftlichen Wissens mit Fleiß und Ausdauer angeeignet, aber keine innere Beziehung zu dem von ihm Gelernten entwickelt hat‹, als ›Feind der friedlichen Entwicklung in der Deutschen Demokratischen Republik‹, als jemand, der ›sich in die Partei der Arbeiterklasse eingeschlichen und seine Mitbürger jahrelang belogen und betrogen und seine wirkliche Einstellung verheimlicht‹ sowie ›seine im Grunde feindliche Einstellung äußerst geschickt verdeckt‹ habe, als ›Gegner unseres Staates‹ sowie als ›typischer Trotzkist‹[32].« Allzu häufig wurden Arbeitsleistung, gesellschaftliches Engagement und politische Vergangenheit, obwohl sie vom Standpunkt des Regimes hätten günstig beurteilt*

werden müssen, *»durch die feindliche Gesinnung überspielt, von der in jedem Fall allerdings offen blieb, wie das Gericht sie erfahren hatte[33]«.* Gesinnungsjustiz ist der gemeinhin übliche Ausdruck dafür.

Politisches Fazit

Ein politisches Fazit aus der Dialektik von Juni-Aufstand und Justiz läßt sich thesenartig wie folgt zusammenfassen:

(1) Der Aufstand vom 17. Juni 1953 hat sich spontan entwickelt, es gab – wie aus den verfügbaren Gerichtsurteilen hervorgeht – keinerlei Planung, Organisation und Leitung von westlicher Seite. Natürlich mögen westliche Geheimdienste am Tage des Geschehens versucht haben, dabei ebenfalls zum Zuge zu kommen. *»Nirgends in der Welt geschieht irgend etwas auf der politischen Szene, ohne daß die Geheimdienste, die westlichen wie die östlichen, ihre Finger darin haben. Auch im Berlin des Jahres 1953 waren sie sicher nicht fern. Aber es ist eine Naivität zu glauben, daß diese Finger die Weltgeschichte bewegen. Der Ausbruch des Juni-Aufstandes kam überraschend für alle[34].«*

Ein konkreter Gegenbeweis konnte von den Gerichten der DDR nicht erbracht werden – wie sie selbstverständlich auch jeden Beweis für die vom Zentralkomitee der SED am 21. Juni 1953 offiziell verbreitete Lüge schuldig bleiben mußten, daß *»ausländische Flugzeuge«* (!) *»über Thüringen, Sachsen-Anhalt usw. durch Fallschirme Gruppen von Banditen mit Waffen und Geheimsendern ab*(gesetzt)*«* hätten und *»Lastwagen mit Waffen für noch nicht entdeckte Gruppen an der Autobahn Leipzig–Berlin abgefangen«[35]* worden wären.

(2) Dem Aufstand fehlte nicht nur jede Leitung vom Westen aus – er besaß überhaupt keine zentrale Leitung. Auch das ist durch die DDR-Urteile gegen Juni-Aufständische aktenkundig geworden. Aus diesem Mangel erklärt sich, warum der Aufstand binnen weniger Stunden zusammengebrochen war. *»Der Aufstand vom 17. Juni brach in Wirklichkeit nicht deshalb zusammen, weil Panzer stärker sind als unbewaffnete Volksmassen. Volksmassen sind stärker als Panzer, aber nur dann, wenn sie ein klares politisches Ziel haben, das unter den gegebenen Umständen überhaupt erreichbar ist, und*

*wenn sie eine entschlossene, organisiert arbei-
tende Führung haben, der sie vertrauen*[36]*.«* Vor
allem sollte sich am 17. Juni 1953 das Fehlen
einer Führung fatal bemerkbar machen.
(3) Schließlich dementieren die Urteile gegen
Juni-Aufständische seinen Charakter als »faschistischen Putschversuch«. Es gab keine
Nazi-Losungen – es gab nicht einmal nationa-
listische Losungen. Auch antisowjetische Losungen sind von den Aufständischen nicht aufgestellt worden. Nachdem die ursprünglich
wirtschaftlichen und sozialen Forderungen
(»Herabsetzung der Normen«) in politische
Forderungen umgeschlagen waren, lauteten
die Losungen: »Nieder mit der Regierung!«,
»Fort mit Grotewohl und Ulbricht«, wie Otto
Grotewohl selber sie zitierte[37]; und »Freiheit
für die politischen Gefangenen«, »Freie Wahlen«, wie der damalige Ministerpräsident sie
wohlweislich nicht zitierte, wie sie aber durch
Urteile gegen Juni-Aufständische belegt sind[38].
In Görlitz wollten Aufständische sogar die
SPD wiedergründen[39]. Grotesk wäre es, aus

der Beteiligung ehemaliger Mitglieder der
NSDAP am Juni-Aufstand dessen »faschistischen Charakter« ableiten zu wollen.
Bleibt endlich zu erwähnen, daß es nach dem
17. Juni 1953 vielfach zur Solidarisierung mit
inhaftierten Aufständischen gekommen ist –
ein Sachverhalt, der die SED sichtlich nervös
machte. *»In einigen Belegschaftsversammlungen wurde die Forderung auf Freilassung der am
17. Juni Verhafteten gestellt. In einer Abteilung
verfaßte man dazu sogar eine Entschließung«*,
empört sich eine Provinzzeitung. *»Anscheinend
nehmen die Kollegen doch an, daß die Verhafteten schuldlos sitzen, und bringen ihr Solidaritätsgefühl zum Ausdruck ... Wir haben, offen
gesagt, nicht das mindeste Verständnis dafür,
daß sich ehrliche Arbeiter mit Banditen solidarisieren*[40]*.«* Und das »ND«: *»Die Losung ›Heraus mit den politischen Gefangenen‹ ist eine Losung der faschistischen Strolche, deren ganzes
Sinnen und Trachten nur nach Krieg, Plünde-
rung und Brandstiftung steht«*[41]*!* Politisch hatte
die SED nicht allzu viel dazugelernt[12].

Anmerkungen

1 Helene Kleine: »Erfahrungen aus den Strafverfahren zur
Aburteilung der Teilnehmer am Putschversuch vom 17.
Juni 1953«, in: Neue Justiz Nr. 16/1953, S. 511.
2 Kommuniqué des Politbüros vom 9. Juni 1953«, in: Dokumente der SED, Bd. IV, (Ost-)Berlin 1954, S. 428.
3 »Kommuniqué über die Sitzung des Ministerrats der
DDR vom 11. Juni 1953«, in: Neues Deutschland, 12. Juni
1953.
4 Otto Grotewohl: »Die gegenwärtige Lage und der neue
Kurs der Partei«, in: Der neue Kurs und die Aufgaben der
Partei, (Ost-)Berlin 1953, S. 22.
5 Ernst Melsheimer: »Der neue Kurs und die Aufgaben
der Staatsanwaltschaft«, in: Neue Justiz Nr. 18/1953, S.
576.
6 Hilde Benjamin: »Die Hauptaufgaben der Justiz bei der
Durchführung des neuen Kurses«, überarbeitetes und er-
gänztes Stenogramm einer Rede vor Funktionären der Justiz am 29. August 1953, (Ost-)Berlin 1953, S. 8 f.
7 »Bekanntmachungen der Regierung der DDR«, in:
Neues Deutschland, 18. Juni 1953.
8 »Alle Inhaftierten kommen vor ein ordentliches Gericht«, Interview mit dem Minister der Justiz, Max Fechner,
über die mit dem 17. Juni in Zusammenhang stehenden
Verhaftungen, in: Neues Deutschland, 30. Juni 1953.
9 »Berichtigung«, in: Neues Deutschland, 2. Juli 1953.
10 »Kommuniqué der 15. Tagung des Zentralkomitees
der Sozialistischen Einheitspartei Deutschlands«, in:
»Der neue Kurs und die Aufgaben der Partei«, a.a.O.
(Anm. 4), S. 103 f.; vgl. auch Karl Wilhelm Fricke, Warten
auf Gerechtigkeit, Kommunistische Säuberungen und Rehabilitierungen, Köln 1971, S. 93 f., wo das Schicksal Max

Fechners, der später voll rehabilitiert wurde und 1973 ver-
starb, ausführlich beschrieben ist.
11 Hilde Benjamin, a.a.O. (Anm. 6), S. 24 f.
12 Zitiert nach: Das Parlament, 16. Juni 1954.
13 Zitiert nach: »Der Aufstand vom 17. Juni 1953«, Denkschrift über den Juni-Aufstand in der sowjetischen Besatzungszone und in Ostberlin, herausgegeben vom Bundesministerium für gesamtdeutsche Fragen, Bonn 1953,
S. 62.
14 Ebenda.
15 Vgl. Joachim G. Leithäuser: »Der Aufstand im Juni«,
Sonderdruck aus: Der Monat Nr. 60/61, September/Okto-
ber 1953, S. 49.
16 Vgl. »Volksaufstands-Teilnehmer immer noch nicht rehabilitiert«, Situationsbericht des Untersuchungsaus-
schusses Freiheitlicher Juristen vom 14. Juni 1967.
17 »Über die Lage und die unmittelbaren Aufgaben der
Partei«, Beschluß des Zentralkomitees vom 21. Juni 1953,
in: Dokumente der SED, a.a.O. (Anm. 2), S. 441 f.
18 »Stadtgericht Berlin, Beschluß vom 24. Juni 1953«, in:
Neue Justiz Nr. 12/13/1953, S. 422.
19 Siehe Anm. 16.
20 »Zwei Todesurteile in Zuchthausstrafen umgewandelt«, in: Neues Deutschland, 30. Juni 1953.
21 Urteil vom 23. Juni 1953 und Urteil vom 25. Juni 1953
(beide wegen Landfriedensbruchs), in: Neue Justiz Nr.
12–13/1953, S. 421.
22 Vgl. Urteil vom 14. Juli 1953 (wegen »Boykotthetze«),
in: Neue Justiz Nr. 15/1953, S. 499.
23 Vgl. Urteil vom 26. Juni 1953, in: Neue Justiz Nr.
12–13/1953, S. 422 f.

24 Vgl. Urteil vom 30. Juni 1953 (wegen Nötigung), in: Neue Justiz Nr. 12–13/1953, S. 410; Urteil vom 7. Juli 1953 (wegen Rädelsführerschaft bei Landfriedensbruch), in: Neue Justiz Nr. 15/1953, S. 494 f.; und Urteil vom 17. Juli 1953 (wegen »Boykotthetze«), ebenda, S. 495 f.
25 Vgl. Anm. 18.
26 Vgl. Beschluß vom 16. Juli 1953 (Zurückweisung einer Berufung), in: Neue Justiz Nr. 15/1953, S. 495.
27 Vgl. »Unrecht als System«, Dokumente über planmäßige Rechtsverletzungen in der Sowjetzone Deutschlands, herausgegeben vom Bundesministerium für gesamtdeutsche Fragen, Bd. II, Bonn 1955, Dok. 150–156, S. 121 ff.
28 »Agentenzentralen bereiteten den ›Tag X‹ vor«, Aus dem Urteil des Obersten Gerichts in der Strafsache gegen Silgradt u. a., in: Neue Justiz Nr. 16/1954, S. 459 ff.
29 Vgl. Wolfgang Schuller, Geschichte und Struktur des politischen Strafrechts der DDR bis 1968, Ebelsbach 1980, S. 134 f.
30 Vgl. Arnulf Baring: »Der 17. Juni 1953«, Köln/Berlin 1965, S. 96 ff. und diese Edition S. 208.
31 Aussage des ehemaligen Abteilungsleiters im DDR-Justizministerium, Dr. Rudolf Reinartz, vom 9. November 1953, zitiert nach: »Unrecht als System«, a. a. O. (Anm. 27), S. 78. – Auch der frühere DDR-Generalstaatsanwalt Ernst Melsheimer spricht im Zusammenhang mit der »Abwicklung von Strafverfahren«, die »in dem faschistischen Putsch des 17. Juni ihren Ausgangspunkt hatten«, von einem »aus diesem Anlaß gebildeten Operativstab«. Siehe Anm. 5.
32 Wolfgang Schuller: Geschichte und Struktur des politischen Strafrechts der DDR bis 1968, a. a. O. (Anm. 29), S. 136.
33 Ebenda.
34 Robert Havemann: »Fragen Antworten Fragen«, Aus der Biographie eines deutschen Marxisten, München 1970, S. 143.
35 »Über die Lage und die unmittelbaren Aufgaben der Partei«, a. a. O. (Anm. 17), S. 439.
36 Robert Havemann, a. a. O. (Anm. 34), S. 141.
37 Otto Grotewohl: »Die gegenwärtige Lage und der neue Kurs der Partei«, a. a. O. (Anm. 4), S. 39.
38 So in den zitierten Urteilen gegen Hermann Enkhardt, gegen Max Schlittchen und gegen Adolf Jedro.
39 Vgl. Peter Lubbe: »Kommunismus und Sozialdemokratie«, Eine Streitschrift, Berlin/Bonn 1978. S. 192.
40 »Antworten auf einige Fragen aus Belegschaftsversammlungen im elektrochemischen Kombinat Bitterfeld – Was war am 17. Juni los?«, in: Freiheit, 1. Juli 1953.
41 »Kuba bei den Bauarbeitern«, in: Neues Deutschland, 28. Juni 1953.
42 Dieser Aufsatz erschien zuerst in Deutschland Archiv Heft 6/1978, er wurde vom Autor durchgesehen und ergänzt.

Der 17. Juni als Thema der Literatur in der DDR

Teil I: Die Literatur der fünfziger und sechziger Jahre

Heinrich Mohr

Dieser erste Teil der Untersuchung von Heinrich Mohr erschien zuerst in Deutschland Archiv Heft 6/1978, er wurde für diese Edition um den allgemeinen kulturpolitischen Teil und um einzelne Abschnitte im Literaturteil gekürzt. Der zweite Teil: Belletristische Literatur aus dem letzten Jahrzehnt (S. 98 ff.), wurde für die vorliegende Edition geschrieben.

Bertolt Brecht: Verhalten und Haltung

Am 16. Juni 1953 war Brecht auf seinem Landhaus am See in der Märkischen Schweiz am Rande von Buckow, dem »*mißgünstigen Kleinbürgernest*«[1]. Abends kommt er zu einer Arbeitsbesprechung nach Berlin zurück und erfährt von den Vorfällen des Tages. Er hört Radio, den Sender RIAS, und diskutiert mit seinen Mitarbeitern. Am nächsten Morgen ist er früh im Theater. Die Arbeit wird nicht aufgenommen. Er schreibt drei Briefe: an den Generalsekretär der SED, Walter Ulbricht, an den Ministerpräsidenten, Otto Grotewohl, und an den sowjetischen Hochkommissar Semjonow, und läßt sie durch Boten überbringen. Um 9 Uhr geht er mit seinen engeren Mitarbeitern, mit Käthe Rülicke, Elisabeth Hauptmann und Peter Palitzsch, auf die Straße – Unter den Linden ans Brandenburger Tor; am Nachmittag nochmals mit Erwin Strittmatter. Was hat Brecht gesehen? Was und vor allem wie hat er wahrgenommen?

Er notierte die große Zahl der »*Westfahrräder*«, die die »*Agenten*«, so sagt er sogleich, abgestellt hatten. Er sieht randalierende, brandstiftende und plündernde Horden: »*Allerlei deklassierte Jugendliche, die durch das Brandenburger Tor, über den Potsdamer Platz, auf der Warschauer Brücke, kolonnenweise eingeschleust waren.*« Er spricht von den »*scharfen, brutalen Gestalten der Nazizeit, die man seit Jahren nicht mehr hatte in Haufen auftreten sehen, und die doch immer dagewesen waren*«. Bezeichnend ist, wie Brecht den Brand eines Hau-

ses auffaßt. Er fürchtet, daß sich Geschichte wiederholt, daß der Faschismus aus dem Grab steigt. »*Von den Linden aus konnte man die Rauchwolke des Columbus-Hauses, an der Sektorengrenze des Potsdamer Platzes liegend, sehen, wie an einem vergangenen Unglückstag einmal die Rauchwolke des Reichstagsgebäudes*[2].«

Als die sowjetischen Panzer Unter den Linden zum Brandenburger Tor rollten, war Brecht erleichtert. Der Stadtkommandant fuhr im offenen Jeep den Panzern voraus und winkte der ›Bevölkerung‹ zu. »*Brecht war einer der wenigen, die zurückwinkten*[3].«

Zwischen den beiden Gängen durch die Stadt hatte Brecht auf der »Betriebskollektivversammlung« des Berliner Ensembles gesprochen. »*Brecht hielt eine – was bei ihm selten war – lange Ansprache. Er verlangte weiterhin die große Aussprache mit den Arbeitern und eine große Kampagne der Aufklärung über den Faschismus, vor allem über dessen gefährlichste Seite: die Anfälligkeit gegenüber Demagogie.*« Danach schickte er zwei Mitarbeiter zum Rundfunk. »*Er bot dem Rundfunk an, daß das Berliner Ensemble den ganzen Sendetag übernimmt, damit Ernst Busch und Helene Weigel mit Liedern und Gedichten die mit Recht unzufriedenen, aber verwirrten Arbeiter daran erinnern, wo Freund und Feind stehen. Der Rundfunk zog es vor, Operettenschnulzen weiter zu senden*[4].«

Über Brechts Briefe an Ulbricht, Grotewohl und Semjonow ist viel gerätselt – und phantasiert worden. »Neues Deutschland« hatte nur den letzten Satz des Briefes an Ulbricht als Ergebenheitsadresse abgedruckt. Wohlwollende Brechtinterpreten aus dem Westen sprachen von einem langen Brief Brechts »*mit einer Reihe kluger kritischer Äußerungen und Änderungsvorschlägen*«, und sie wissen von Brechts Verzweiflung zu berichten, als nicht der ganze

Anmerkungen s. S. 109.

Brief veröffentlicht wurde, »*nur der eine, für Brecht ganz unwesentliche Satz . . . der sich Ulbricht zu Füßen warf*«[5].

Inzwischen kennen wir den Brief an Ulbricht; nicht die beiden übrigen. Er lautet: »*Die Geschichte wird der revolutionären Ungeduld der Sozialistischen Einheitspartei Deutschlands ihren Respekt zollen. Die große Aussprache mit den Massen über das Tempo des sozialistischen Aufbaues wird zu einer Sichtung und Sicherung der sozialistischen Errungenschaften führen. Es ist mir ein Bedürfnis, Ihnen in diesem Augenblick meine Verbundenheit mit der Sozialistischen Einheitspartei Deutschlands auszusprechen, Ihr Brecht*[6].«

Paraphrasieren wir diesen Text. Brecht bekundet im Augenblick der Krise seine »Verbundenheit« mit der SED – deren Mitglied er nicht ist. Er nimmt ein ›Urteil der Geschichte‹ vorweg; sie wird der »revolutionären Ungeduld« der SED Respekt zollen. Wenn dies konkreten Inhalt haben soll, dann sind damit der 1952 propagierte »Aufbau des Sozialismus« und der »verschärfte Klassenkampf« gemeint, die die Ulbricht-Regierung ›von oben‹, auf rein administrativem Weg ins Werk gesetzt hatten. Im Lob gibt Brecht Kritik, listenreich: Die Geschichte wird Respekt haben – im Gegensatz zur Gegenwart, die den Respekt verweigert. Der zweite Satz ist Rat und Forderung in der grammatisch ›falschen‹ Form der einfachen, also fraglosen Voraussage. »Die große Aussprache mit den Massen«: sie fehlte bislang, sie muß kommen. Man darf das Brechts politisches Credo nennen. Wie weit er wirklich gemeint hat, daß diese »große Aussprache« in der DDR möglich sein könnte, in welcher Zukunft, ob überhaupt . . . das sind offene Fragen.

Eine Woche später konnte Brecht seinen, nur bruchstückhaft abgedruckten Brief öffentlich in »Neues Deutschland« erläutern und seine Hoffnungen bzw. Forderungen und implizit seine Befürchtungen artikulieren. »*Ich habe am Morgen des 17. Juni, als es klar wurde, daß die Demonstrationen der Arbeiter zu kriegerischen Zwecken mißbraucht wurden, meine Verbundenheit mit der Sozialistischen Einheitspartei ausgedrückt. Ich hoffe jetzt, daß die Provokateure isoliert und ihre Verbindungsnetze zerstört*

werden, die Arbeiter aber, die in berechtigter Unzufriedenheit demonstriert haben, nicht mit den Provokateuren auf eine Stufe gestellt werden, damit nicht die so nötige große Aussprache über die allseitig gemachten Fehler von vornherein gestört wird[7].«

Im Oktober gab Brecht Erwin Leiser sogar eine schriftliche Erklärung über Haltung und Verhalten am 17. Juni: »*Die Sozialistische Einheitspartei hat Fehler begangen, die für eine sozialistische Partei sehr schwerwiegend sind und Arbeiter gegen sie aufbrachten. Ich gehöre ihr nicht an. Aber ich respektiere viele ihrer historischen Errungenschaften, und ich fühlte mich ihr verbunden, als sie – nicht ihrer Fehler, sondern ihrer Vorzüge wegen – von faschistischem und kriegstreiberischem Gesindel angegriffen wurde. Im Kampf gegen Krieg und Faschismus stand und stehe ich an ihrer Seite*[8].«

Die angeführten Stellungnahmen Brechts zum Volksaufstand zeigen, daß er ihn wesentlich als faschistischen Putsch ansah, den der Westen inszeniert und der die unmittelbare Gefahr eines dritten Weltkrieges gebracht hat. »*Mehrere Stunden lang stand Berlin am Rande eines dritten Weltkrieges*[9].«

Mit solchen Auffassungen befindet sich Brecht in Einklang mit der parteioffiziellen Deutung der Ereignisse. Auch daß er die »Berechtigung« der Unzufriedenheit der »mißbrauchten« Arbeiter betont, deckt sich mit offiziellen Erklärungen, etwa denen des Ministerpräsidenten Grotewohl.

Im *Arbeitsjournal* notiert Brecht eine weitergreifende Interpretation. »*Der 17. Juni hat die ganze Existenz verfremdet. In aller ihrer Richtungslosigkeit und jämmerlichen Hilflosigkeit zeigen die Demonstrationen der Arbeiterschaft immer noch, daß hier die aufsteigende Klasse ist. Nicht die Kleinbürger handeln, sondern die Arbeiter. Ihre Losungen sind verworren und kraftlos, eingeschleust durch den Klassenfeind, und es zeigt sich keinerlei Kraft der Organisation, es entstehen keine Räte, es formt sich kein Plan. Und doch hatten wir die Klasse vor uns, in ihrem depraviertesten Zustand, aber die Klasse. Alles kam darauf an, diese erste Begegnung voll auszuwerten. Das war der Kontakt. Er kam nicht in der Form der Umarmung, sondern in der Form des Faustschlags, aber es war doch der*

Kontakt. – *Die Partei hatte zu erschrecken, aber sie brauchte nicht zu verzweifeln. Nach der ganzen geschichtlichen Entwicklung konnte sie sowieso nicht auf die spontane Zustimmung der Arbeiterklasse hoffen. Es gab Aufgaben, die sie unter Umständen, unter den gegebenen Umständen, ohne Zustimmung, ja gegen den Widerstand der Arbeiter durchführen mußte. Aber nun, als große Ungelegenheit, kam die große Gelegenheit, die Arbeiter zu gewinnen. Deshalb empfand ich den schrecklichen 17. Juni als nicht einfach negativ. In dem Augenblick, wo ich das Proletariat – nichts kann mich bewegen, da schlaue, beruhigende Abstriche zu machen – wiederum ausgeliefert dem Klassenfeind sah, dem wieder erstarkenden Kapitalismus der faschistischen Ära, da sah ich die einzige Kraft, die mit ihr fertig werden konnte*[10]*.«*

Das ist eine dialektische Auffassung der Ereignisse. Es ist gut, daß die Massen in Bewegung gekommen sind – auch wenn sie in die falsche Richtung gegangen sind. Die Tatsache der Bewegung läßt Brecht auf Selbsttätigkeit und Selbstbestimmung der Arbeiterklasse hoffen, darauf, daß diese sich als Subjekt der Geschichte zu begreifen anfangen könnte. – Unreflektiert bleibt, wie solches innerhalb des DDR-Systems geschehen sollte. Was geschieht, wenn dieses System durch die Bewegung der Masse gefährdet ist, das haben die von Brecht begrüßten sowjetischen Panzer am 17. Juni vordemonstriert. Im August 1953 schrieb Brecht das Gedicht »Die Wahrheit einigt« und gab im Brief an den SED-Kulturfunktionär Paul Wandel eine prosaische Erläuterung mit. Folgende Wahrheit müsse man der Arbeiterschaft sagen, *»daß sie in tödlicher Gefahr ist, von einem neu erstarkenden Faschismus in einen neuen Krieg geworfen zu werden; daß sie alles tun muß, die kleinbürgerlichen Schichten unter ihre Führung zu bringen. Wir haben unseren eigenen Westen bei uns*[11]*!«*

Das muß als eine Aufforderung zum Klassenkampf gelesen werden. Der ›innere Westen‹, so meinte Brecht, sollte, mußte besiegt werden; und zwar von einer durch die »Wahrheit« mobilisierten Arbeiterschaft. Brechts »Wahrheit«, die »einigen« sollte, hieß: *»Freunde, ich wünschte, ihr wüßtet die Wahrheit/ Und sagtet sie!/ Nicht wie fliehende müde Cäsaren: Morgen*

kommt Mehl!/ So wie Lenin: Morgen abend/ Sind wir verloren, wenn nicht . . ./ Freunde, ein kräftiges Eingeständnis/ Und ein kräftiges WENN NICHT.«

Das Gedicht sagt viel über Brechts Einschätzung der Lage. Was er von Ulbricht und seinem Regime hielt, kommt in der Formel von den »müden Cäsaren« mit ihren ökonomischen Versprechungen »Morgen kommt Mehl« deutlich genug zum Ausdruck. Er hielt ihnen, zornig fordernd, das Vorbild Lenins zur Nachahmung entgegen. Lenin, so meinte Brecht, habe kämpferische Einigkeit durch Wahrheit hergestellt. Eben dies müsse jetzt, nach dem 17. Juni in der DDR geschehen.

Dem »Neuen Kurs« stand Brecht wohl mit Skepsis, zumindest mit gemischten Gefühlen gegenüber. Liberalisierung, Entlastung der bürgerlichen Schichten, außenpolitische Entspannung: das widersprach zumindest teilweise seinen politischen Konzeptionen. Denn Brecht hielt rigoros fest an einem kompromißlosen Klassenkampfdenken. Insofern, aber auch nur insofern war er Stalinist. Er sah aber auch, daß Stalinismus Entmündigung der Massen bedeutete, die doch gerade kämpfen sollten. Deshalb die Notiz, nach der Lektüre von Materialien des XX. Parteitages der KPdSU: *»Die Liquidierung des Stalinismus kann nur durch eine gigantische Mobilisierung der Weisheit der Massen durch die Partei gelingen. Sie liegt auf der geraden Linie zum Kommunismus*[12]*.«*

Gedichte Brechts und ein Dramenfragment

Kurt Barthel, erster Sekretär des Deutschen Schriftstellerverbandes von 1952–54, bekannt unter dem Autorennamen Kuba, hat nach dem Arbeiteraufstand einen Aufruf mit dem Titel »Wie ich mich schäme!« geschrieben und veröffentlicht. Der Dichter tritt voll Autorität als zornig enttäuschter Pädagoge auf, der den Kindern die Leviten liest, und zwar streng. *»Wie ich mich schäme! Maurer – Maler – Zimmerleute. Sonnengebräunte Gesichter unter weißleinenen Mützen, muskulöse Arme, Nacken – gut durchwachsen, nicht schlecht habt Ihr Euch in Eurer Republik ernährt, man konnte es sehen. Vierschrötig kamt Ihr daher. . . . Es gibt*

keine Ursache dafür, daß Ihr an jenem, für Euch
– Euch am allermeisten – schändlichen Mitt-
woch nicht Häuser bautet . . .«
Der Tod habe die Aufständischen angeführt,
so heißt es in deutlicher Symbolik. *»Das war*
schon ein Zimmermann. Der Hut zünftig! Sam-
metweste und Jackett. Knöpfe – da war alles
dran. Die Hose weit ausladend, wie es sich ge-
hört. Hättet Ihr nur unter den Hut geguckt, nur
unter den Hut – an der Frisur hättet Ihr erkannt,
was das für ein Zimmermann war. Ein Sargma-
cher führte Euch – ein Totengräber . . . Schämt
Ihr Euch so, wie ich mich schäme? Da werdet Ihr
sehr viel und sehr gut mauern und künftig sehr
klug handeln müssen, ehe Euch diese Schmach
vergessen wird. Zerstörte Häuser reparieren, das
ist leicht. Zerstörtes Vertrauen wiederaufrichten
ist sehr, sehr schwer[13].«
Auf Kubas Manifest hat Bertolt Brecht in einem kurzen ›Gelegenheitsgedicht‹ geantwortet.

Die Lösung
Nach dem Aufstand des 17. Juni
Ließ der Sekretär des Schriftstellerverbands
In der Stalinallee Flugblätter verteilen
Auf denen zu lesen war, daß das Volk
Das Vertrauen der Regierung verscherzt habe
Und es nur durch verdoppelte Arbeit
Zurückerobern könne. Wäre es da
Nicht doch einfacher, die Regierung
Löste das Volk auf und
Wählte ein anderes[14]?

Dieser Text scheint keiner Interpretation be-
dürftig. Seine bittere Ironie spricht für sich
selbst. Er gehört zu den bekanntesten, auf unmittelbare Ereignisse bezogenen Gedichten
Brechts. Er ist freilich geeignet, eine Auffassung der Ereignisse vom 17. Juni und eine Opposition zum DDR-System zu artikulieren, die
auf Prinzipien der liberalen, parlamentarischen Demokratie basieren – Stichworte: Auflösung der Regierung, Neuwahlen. Man kann
den Text so verstehen; freilich mißversteht
man dann Brechts Position gründlich. Der
›Meister‹ hat sein Gedicht vor Mißverständnis
und Mißbrauch – in seinem Sinne – nicht geschützt.
Im Umkreis von »Die Lösung« wurden die Er-

eignisse vom 15. bis 17. Juni zweimal konkret –
symbolisch dargestellt.

Eisen
Im Traum heute Nacht
Sah ich einen großen Sturm.
Ins Baugerüst griff er
Den Bauschragen riß er
Den eisernen, abwärts.
Doch was da aus Holz war
Bog sich und blieb[15].

Der Volksaufstand im symbolischen Bild. Man
kann es ausdeuten. Der Sturm steht für den
Aufstand, Bau und Baugerüst für den Aufbau
des Sozialismus in der DDR, enger gefaßt für
den Großbauplatz Stalinallee. Eisen verweist
auf das dominierende Kollektivsymbol der
Stalinzeit, auf Stahl – eiserne Disziplin, be-
waffnete Macht, Aufbau der Schwerindustrie.
Was flexibel ist, bleibt, was starr ist, fällt; das
sieht der politische Träumer, und er versteht
es, wobei die konkrete Anwendung – was ist
starr, was flexibel? – dem weiterdenkenden
Verstand des Lesers aufgegeben bleibt. Ein
symbolisches Bild, dessen Gesamtaussage
deutlich ist, dessen Nutzanwendung Aufgabe
des Lesers bleibt. Ein zweiter Traum.

Die Kelle
Im Traum stand ich auf einem Bau. Ich war
Ein Maurer. In der Hand
Hielt ich eine Kelle. Aber als ich mich bückte
Nach dem Mörtel, fiel ein Schuß
Der riß mir von meiner Kelle
Das halbe Eisen[16].

Auch hier wieder der Aufstand in einem kon-
kret-symbolischen Bild. Man kann das wiederum auflösen: Der Bau steht für den Aufbau
des Sozialismus in der DDR, der Maurer für
die Arbeiterklasse, der Schuß für die Gewaltanwendung am 17. Juni. Aber wer schießt, die
Demonstranten oder die sowjetischen Truppen? Das zerstörte halbe Eisen: Bedeutet es
einfach Rückschlag im Aufbau, oder meint es
konkreter den schwerindustriellen Sektor, dessen Priorität durch den »neuen Kurs« in Frage
gestellt wurde? Dann aber wäre der Schuß, die
Gewalt als auslösendes Moment nicht mehr

stimmig. Man sieht, das symbolische Gedicht ist auch ein Rätselgedicht, das den Leser in die Tätigkeit des Nachdenkens setzt.

Die drei zitierten Gedichte gehören zu den »Buckower Elegien«, der Sammlung kurzer lyrischer Texte aus den Jahren 1953 und 1954. Sie sind von der Literaturwissenschaft sehr stiefmütterlich behandelt worden, etwa als impressionistische Naturlyrik, oder überhaupt als Indiz für nachlassende poetische Kraft Brechts. *»Banalitäten aus dem Chinesischen«*, sagt Clemens Heselhaus[17].

Einer der gescheitesten jüngeren Germanisten, Jürgen Link aus Bochum, hat den richtigen, der Sache angemessenen Versuch unternommen, die »Buckower Elegien« als symbolische Dichtung zu verstehen, die über die Ereignisse des Jahres 1953 spricht. Auf die Eigenart seiner strukturalistischen Textanalyse kann ich hier nicht eingehen, verweise aber nachdrücklich auf seine Arbeit, der ich bei meiner Interpretation dieser Gedichte verpflichtet bin[18].

Das erste Gedicht der »Buckower Elegien« trägt den Titel:

Radwechsel
Ich sitze am Straßenrand
Der Fahrer wechselt das Rad.
Ich bin nicht gern, wo ich herkomme.
Ich bin nicht gern, wo ich hinfahre.
Warum sehe ich den Radwechsel
Mit Ungeduld[19]*?*

Wer will, kann diesen Text als Stimmungsbild lesen und als Interpretation dann die entsprechende »Stimmung« paraphrasieren. Das ist nicht viel. Versteht man den Text als Rede über die politische Situation im Jahre 1953, dann ergeben sich andere, sehr konkrete Aussagen. »Radwechsel« deutet auf den »Neuen Kurs«. Das sprechende ›Ich‹ ist bloßer Zuschauer, ohnmächtig »am Straßenrand«. Den alten Kurs, den »Aufbau des Sozialismus« auf administrativem Weg, durch Zwang von oben, lehnt es ab; vom neuen verspricht es sich nichts Gutes, und trotzdem wartet es ungeduldig auf den Fortgang – Geschichte dialektisch verstehend, dergestalt, daß eine neuerliche negative Etappe unumgänglich ist für den Fortschritt der Gesellschaft hin auf das Ziel des Kommunismus.

Ein fundamentales politisches Übel, an dem auch der »Neue Kurs« nichts ändert, war für Brecht die Isolierung der Regierung vom Volk, das Geschichte erleidet, nicht macht, das Objekt, nicht Subjekt des Geschehens ist.

Große Zeit, vertan
Ich habe gewußt, daß Städte gebaut wurden
Ich bin nicht hingefahren.
Das gehört in die Statistik, dachte ich
Nicht in die Geschichte.
Was sind schon Städte, gebaut
Ohne die Weisheit des Volkes[20]*?*

Bei den auf rein administrativem Weg geplanten und errichteten neuen Städten ist wohl vor allem an Eisenhüttenstadt zu denken, das bis 1956 Stalinstadt hieß.

»Weisheit des Volkes« oder der »Massen« sind politische Schlüsselworte Brechts. Ein früheres Gedicht heißt »Das Brot des Volkes«. Es beginnt mit der Zeile *»Die Gerechtigkeit ist das Brot des Volkes«* und endet mit der doppelten Auslegung des Titels: Brot vom Volk gemacht für das Volk.

So wie das andere Brot
Muß das Brot der Gerechtigkeit
Vom Volk gebacken werden.
Reichlich, bekömmlich, täglich[21]*.*

Über das Verhältnis Volk – politische Führung hat Brecht in seiner DDR-Zeit mehrmals mahnend und fordernd gesprochen, sich an beide Seiten wendend. Fragment bleibt der Text »An einen jungen Bauarbeiter der Stalinallee«:

Deine Allee hat noch keine Bäume
Ich weiß nicht, woher du es nehmen sollst, was
*   ich von dir verlange*
Dem Mann, der mit dir feilscht um
Sag ihm: ich weiß, was du willst, für den Staat
*   der Arbeiter ist*
Jeder Pfennig so viel wie für mich. Aber feilsche
*   nicht zu lang*
Mit mir. Ich weiß es auch.
Dem, der dich anschreit, sag:
Leiser, Freund! Das höre ich besser.
Dem, der das Kommando gibt, sag:
Kommando muß sein, bei so vielen, in so großen
*   Unternehmungen*

Mit so wenig Zeit
Aber kommandiere so
Daß ich mich selbst mitkommandiere!
  erkundige dich, was da ist
Wenn du etwas forderst, Genosse[22].

Der zitierte Text ist vor dem 17. Juni geschrieben. Härter, nur im ersten Anblick frivol lustig
klingt das nach dem Aufstand geschriebene
Gedicht »Wie der Wind weht«. Es formuliert
die Aufforderung an die Herrschenden, Bescheid zu wissen über die Realität, die verändert werden soll, Herrschaft klug auszuüben –
was gerade nicht geschehen war vor dem Juni
1953. Man darf dieses Gedicht als ›Gegengedicht‹ zu »Die Lösung« verstehen; beide Texte
als These und Antithese auffassen.
Übrigens, die Masse als Weib, das geführt
wird, indem es verführt wird; das ist ein Denkbild, das auch dem Faschismus geläufig war.
Brecht aktualisiert es hier als bitteres Urteil
über das Volk in der DDR, das das »Vergnügen«, den Sozialismus, nicht mit der rechten
Lust will.

Wie der Wind weht
Die Burschen, eh sie ihre Mädchen legen
Versichern sich, und sie tun gut daran
Ob sich die Lippen öffnen und die Brüste regen
Damit sie wissen: Was und Wann?
  Prüfend, wie da alles steht
  Wie der Wind steht.
Ihr Staatenlenker, wenn ihr Pläne schmiedet
Stellt euch nicht furchtsam an:
Der darf nicht Kampf scheu'n, der befriedet!
Doch immer prüfet: Was und Wann?
  Auf die Straße geht und seht:
  Wie der Wind weht.
Wenn so der Dichter Führen und Verführen
In einem Atem nennt, als sei es eins
Denkt er an Völker, die sich nicht recht
  rühren
Und wollen ihr Vergnügen so,
als wär es keins[23].

Die große Aufforderung, aus der bitteren Erfahrung des 17. Juni produktive Lehren zu ziehen, formuliert das schon zitierte Gedicht »Die
Wahrheit einigt«[24]. Brecht hatte es dem neu ernannten Sekretär für Kultur und Erziehung im
ZK der SED, Paul Wandel, »zu innerem Gebrauch« zugeschickt[25].
Das Motto zu den »Buckower Elegien« mutet
rätselhaft an und kann doch verstanden werden als das persönlichste Wort Brechts. Es umschreibt seine fatale Situation als revolutionärer Dichter in einer nicht revolutionären Situation.

Ginge da ein Wind
Könnte ich ein Segel stellen.
Wäre da kein Segel
Machte ich eines aus Stecken und Plane[26].

Die Auflösung des ›Rätsels‹ kann so aussehen:
»Wind« steht für Massenbewegung (vergleiche
»Wie der Wind weht«), »Segel« mag als pars
pro toto für Schiff das revolutionäre Kunstwerk meinen, »Stecken und Plane« ständen
dann für die literarischen Mittel. Die Aussage
also wäre: Gäbe es eine revolutionäre Massenbewegung, dann könnte ich revolutionäre
Dichtung machen; die literarischen Techniken
erfände ich mir. Da es aber keine revolutionäre
Massenbewegung in der DDR gibt, kann es
auch keine revolutionäre Dichtung geben. Mit
dieser Auflösung des Motto-Rätsels hat man
zugleich eine Antwort auf die immer wieder gestellte Frage nach Brechts mangelnder ›poetischer Produktivität‹ in seiner DDR-Zeit. Auch
seine Auswanderungspläne werden so auf
neue Weise verständlich. 1952 trug sich Brecht
mit dem Gedanken, die DDR zu verlassen.
Aber er wollte nicht in den ›Westen‹ gehen; er
wollte nach China auswandern[27].
Brecht hat versucht, ein Drama *»im Stil der*
›Maßnahme‹ oder ›Mutter‹ zu schreiben . . . Mit
einem vollen Akt über den 17. Juni«[28]. Mit
Hanns Eisler hat Brecht den Plan durchgesprochen; auch sonstige Vorarbeiten unternommen[29]. Geworden ist aus dem Unternehmen,
das als »Büsching«-Projekt in der Brecht-Literatur bekannt ist, nichts; nur eine Skizze ist bekannt. Aus ihr ist erkennbar, daß der Aktivist,
der im Produktionskampf beispielhaft vorangegangen ist, aber eine böse Vergangenheit
hat, am Tag des Aufstandes sich zum zweiten
Mal als Revolutionär bewährt. Dabei sollte er
den Tod finden, aber seine Kollegen sollten
daraus die rechten Lehren ziehen[30].

Stephan Hermlin und Fritz Selbmann

1954 veröffentlichte Stephan Hermlin eine Erzählung mit dem Titel »Die Kommandeuse«[31]. Sie basiert auf ›Wirklichkeit‹, auf der ›Befreiung‹ Eva Dorns, einer ehemaligen Aufseherin im KZ Ravensbrück, aus einem DDR-Zuchthaus. Hermlin zeigt eine Faschistin, die meint, daß ›ihre‹ Zeit wiedergekommen ist. *»Die Weber hörte den Lärm in den Gängen und auf der Straße, ihr war, als höre sie plötzlich eine halbvergessene Musik, das Gellen der Pfeifen über dem Knattern der Trommeln, das den folgenden Marsch einleitete, und diese Musik eingebettet in tobendes Heil-Gebrüll, das sich von Straße zu Straße fortpflanzt, und in diesem Moment war sie aus dem Nebel heraus ... Sie mußte lächeln, weil ihre Hand unwillkürlich, vielleicht schon eine ganze Weile, eine ihr seit langem vertraute bestimmte Bewegung vollführte: sie schlug mit einer unsichtbaren Gerte gegen einen unsichtbaren Stiefelschaft ... Sie ... schrieb: ›Lieber Vater, es ist soweit. Der Osten mußte ja mal frei werden. Bald ziehen wir wieder unsere geliebte SS-Uniform an. Dann wird auch die Stunde kommen, da ich meinen Dienst in der politischen Abteilung oder bei unserer Gestapo versehen kann. Gute Freunde haben sich meiner angenommen, bis endgültig unsere Fahne weht. Das wird nicht mehr lange dauern. Deine Hedi[32].‹«* Hermlins Erzählung verschränkt äußeres und inneres Geschehen, Außen- und Innenwelt ineinander, wobei der stärkere Akzent auf der Innenschau liegt, auf der Präsentation dessen, was in der Figur vorgeht. Diese sehr gekonnt gehandhabte literarische Technik suggeriert eine Deutung des 17. Juni als einer von den Imperialisten inszenierten und von faschistischen Elementen getragenen Verschwörung; wüste Träume wollen auf der Straße Wirklichkeit werden. Hermlin hat eine angstvoll-gespenstische Erzählung geschrieben; er hat den bösen Traum einer Wiederkehr und eines endlichen Sieges des Faschismus vorgezeigt. *»Eine Sekunde lang dachte sie sich eine ganz unendliche Zukunft, erfüllt von Aufmärschen, Sondermeldungen, brüllenden, jubelnden Lautsprechern ... Dann sah sie wieder den Appellplatz vor sich und eine gesichtslose Masse in gestreif-*

ten Lumpen bis zum Horizont ... Zugleich erinnerte sie sich an einen Kameraden, der ihr erzählt hatte, wie sie in der Gegend von Avignon eine ganze Landstraße mit Franzosen behängt hatten, einen an jeden Baum rechts und links. Dann war sie in Gedanken wieder in Ravensbrück, wie sie die Hunde rief und Häftlinge in die Latrinen trieb: ›Faß, Thilo! Faß, Teut[33]!‹«
Die ›neue Wirklichkeit‹ tritt tröstend und jedenfalls befreiend auf den Plan dieses Textes. Als auf der Kundgebung der Demonstranten das Horst-Wessel-Lied angestimmt wird, schlagen die Arbeiter drein – *»welche vom Pumpwerk«* –, und die sowjetischen Panzer lassen ihre Motoren aufheulen: Da läuft die Demonstration auseinander, wie ein nächtlicher Spuk sich auflöst, wenn der Tag aufsteigt. Die ›Kommandeuse‹ aber wird verhaftet und wenige Tage später zum Tod verurteilt.
Hermlins Erzählung hat in der DDR sogleich nach ihrer Veröffentlichung Diskussionen ausgelöst und ist hart kritisiert worden: Das Negative dominiere; so gebe es einen extrem negativen, aber überhaupt keinen »positiven« Helden, es fehle völlig die Darstellung der »führenden Rolle der Partei« u. a. m. Hermlin hat seinen Text verteidigt, selbstbewußt und trotzig; auch gegen ›westliche‹ Kritik, die ihn eine üble Verleumdung des Volksaufstandes nannte. Hermlin hat betont, daß er nicht »den« 17. Juni, sondern einen Aspekt, eine sehr extreme Teilwahrheit mit seinen besonderen künstlerischen Mitteln dargestellt habe.
Auch heute noch steht Hermlin zu seinem Text. Er hat »Die Kommandeuse« ausgewählt für den für das bundesrepublikanische Lesepublikum zusammengestellten Sammelband *Auskunft. Neue Prosa aus der DDR* – vielleicht gerade weil diese Erzählung so erbittert umstritten war und obwohl der Text gewiß nicht zur ›neuen‹ Prosa aus der DDR gehört[34].
Für den gleichen Sammelband hat noch ein zweiter Autor einen Text über den 17. Juni ausgewählt: Fritz Selbmann, der selbst ›Akteur‹ gewesen ist, der einzige Minister, der sich in Berlin den Massen gestellt hatte[35]. Sein Text schildert die Demonstration vor dem Haus der Ministerien in Berlin am 16. Juni aus der Perspektive eines Heinz Lorenzen. Autor Selbmann erscheint im Text als Minister Selbmann,

der sich den Massen stellt, redend auf einem
Tisch vor dem Gebäude, ohne sich durchzusetzen. Der Text gibt ein Bild einer sehr gemischten Versammlung von Arbeitern, Westagenten,
Jugendlichen aus dem Westen usw. – eine Demonstration, die nicht zu einem gemeinsamen
›Wollen‹ findet und auseinanderläuft.
»›Na, dann können wir ja nach Hause gehen.
Die Vorstellung ist zu Ende.‹ Ein anderer fügte
sachlich hinzu: ›Außerdem ist jetzt im Betrieb
Feierabend und in der Freizeit wird nicht demonstriert.‹ Man lachte ringsum, aber viele Männer
sahen auf einmal nach der Uhr. Eigenartiger-
weise schien die Meinung, daß mit dem Weg-
gang der Regierungsdelegation unter Mitnahme
der Rednertribüne das Meeting sein Ende erreicht hatte, unter den Demonstranten weit verbreitet zu sein. Immer mehr Gruppen lösten sich
aus der Masse der Versammelten und rückten
ab, in Richtung auf die Innenstadt zu. An einigen Stellen mußten sich solche Gruppen durch einen Ring, der die Versammlung zusammenhalten wollte, hindurchboxen, aber die Auflösung
war nicht aufzuhalten. Die Demonstranten liefen einfach auseinander, nach Hause, zu Mut-
tern, zum verspäteten Mittagessen[36].«
Hermlins Erzählung hatte auf sehr besondere
Weise die offizielle These von der imperialistischen Verschwörung des »Tages X« illustriert.
Zwei Jahrzehnte später hat Selbmann ein
Stück Beschwichtigungsliteratur veröffentlicht
– was die Aufständischen als Unmündige belä-
chelt und die eigene Rolle verkümmert. ›Es
war alles gar nicht so schlimm‹, das sagt Selbmanns Text. Er entspricht einem Wandel im
offiziellen Umgang mit der Geschichte, einer
Tendenz, den 17. Juni ›herunterzuspielen‹,
wenn nicht, ihn überhaupt aus dem kollektiven
Gedächtnis zu tilgen. In den neueren Schulbü-
chern der DDR bleibt der Aufstand einfach
unerwähnt.

Hermann Kant »Das Impressum«

Hermann Kant hat in *Das Impressum* seinem
Helden den 17. Juni in Berlin aus der Erinnerung aufsteigen lassen: Gegenwartsbestim-
mung durch Vergangenheitserkundung über
die Arbeit des »genauen Erinnerns«; Kants
poetisches Prinzip schon in seinem ersten Ro-

man *Die Aula*[37]. Der Prozeß des Erinnerns
wird ausgelöst durch die Betrachtung des Fo-
tos eines Mannes, der Fritz Andermann genannt ist, ein durchsichtiger Deckname für den
Minister Fritz Selbmann, der in Berlin zu den
Massen gesprochen hatte und niedergeschrien
und angegriffen worden war. Auf dem Foto
war »ein Mann . . . zu sehen, bedrängt von anderen Männern, gegen einen Pfeiler gedrückt im
Regen, ein Mann, der was war: entsetzt, erschrocken, wütend, verzweifelt, erstaunt, ungläu-
big, voll Haß und am Ende? . . . Hier hatte das
Brüllen sein Sagen, hier schrie der Irrsinn, und
der Irrtum schrie mit, und der Haß sah hier eine
Gelegenheit und schrie, schrie: ›hängt sie auf,
schlagt sie tot, stopft ihm das Maul, dem Hund!‹
Da stand Fritz Andermann gegen den Pfeiler gedrückt im Juniregen und wartete, und was
dachte er da[38]?«
Kant zeigt seinen Helden fassungslos und verbittert. Held und Märtyrer am Pfeiler; dem Leser kommen Bilderinnerungen an Darstellungen des heiligen Sebastian. Wichtig sind die
Reflexionen des sich erinnernden Erzählers.
Er meint, die Erfahrung des Aufstandes der
Arbeiter gegen die Arbeiterregierung habe für
lange Verhärtung gebracht, Mißtrauen und
Vorsicht der Regierenden.
»Aber die Hoffnung sollte es lange schwer haben
gegen die Erfahrung dieses Junitages. Die Enttäuschung machte auf Jahre die Augen schmal,
machte die Sinne überscharf, machte die Fäuste
hart, schmälerte das Vertrauen; die Erinnerung
hämmerte: Achtung, Fritz Andermann, aufpas-
sen, Obacht geben, wachsam bleiben, nicht
leichtgläubig werden, Übermut tut selten gut,
Voreile wird bestraft, nur keine Vertrauensselig-
keit, nur kein fauler Liberalismus, nur keine Romantik, der Kampf ist nicht zu Ende, wir sind
noch nicht soweit, dieses können wir uns noch
nicht erlauben, jenes dürfen wir noch nicht ge-
statten, der Schein kann trügen, noch einmal
hinsehen, noch einmal überprüfen, noch etwas
abwarten, den Vorwurf der Enge nicht fürchten,
wenn das heißt: dem Feind keinen Fußbreit Boden und jenem Junitag nie wieder eine
Chance[39].«
Ein politischer Tatbestand wird hier angesprochen und zugleich umgebogen, er wird psycho-
logisiert. Der 17. Juni hat Ulbricht und seine

›harte Linie‹ gerettet und die Protagonisten einer Liberalisierung und Entspannung um ihre Chance gebracht. Kants nachdenkender Erzähler denkt aber nicht in politischen Kategorien, sondern eben in psychologischen und moralischen: Das Volk hat die Herrschenden enttäuscht; diese werden nun ein strengeres und härteres Regime führen auf lange Jahre.

Sprachliche Virtuosität und stilistische Eleganz Kants verdecken nicht, sie machen im Gegenteil das Defizit nur deutlicher: die Verweigerung politischen Denkens – was ja alternatives Denken ist. Für Kants Erzähler – und für seinen Autor? – scheint es keine Alternative zu geben zu dem Schema, in dem Massen unwürdigen und verführbaren Volkes einer Elite wissender und schwere Verantwortung tragender Funktionäre gegenübersteht. Wer die Wirklichkeit so begreifen will, der verfehlt sie – gleich, ob bona fide oder weil er lügen will.

Die Überlegungen in Kants *Impressum* entsprechen, aller formalen Modernität ungeachtet, auf verblüffende Weise dem, was Kuba in seiner Holzhammersprache unmittelbar nach dem Aufstand geschrieben hat, in jenem Aufruf »Wie ich mich schäme!«.

Christa Wolf »Nachdenken über Christa T.«

Christa Wolfs Versuch ›radikaler Subjektivität‹ vermag eine kategorial andere Art des Umgangs mit der Geschichte zumindest anzudeuten; den ›tödlichen‹ Ernst.

In Christa Wolfs Roman *Nachdenken über Christa T.* wird auf den Juniaufstand hingedeutet als auf das Ereignis, das existentielle Erschütterung brachte, das Lebensgefühl und Selbstbewußtsein radikal in Frage stellte[40]. ›Hingedeutet‹ sagten wir, denn der Bezug auf den Aufstand wird nicht direkt hergestellt; ist also nicht belegbar. Es wird an eine Juninacht erinnert; Christa T. und ihre Freunde sitzen »*auf der Treppe der Universität* ... *Es ist Nacht, die Linden duften* ... *Die Ordnung ist endgültig durcheinandergekommen.*« Die der Toten nachdenkende Erzählerin teilt ein Brieffragment mit, das von Selbstmord spricht; es ist datiert, was in diesem Roman ungewöhnlich ist. »*Liebe Schwester, schrieb Christa T. im Frühsommer 53. Wann – wenn nicht jetzt? ... Wann*

soll man leben, wenn nicht in der Zeit, die einem gegeben ist ... Mir steht alles fremd wie eine Mauer entgegen. Ich taste die Steine ab, keine Lücke ... Eine Kälte in allen Sachen. Die kommt von weit her, durchdringt alles. Man muß ihr entweichen, ehe sie an den Kern kommt. Dann fühlt man sie nicht mehr. Verstehst Du, was ich meine?«

Anna Seghers »Das Vertrauen«

1968 veröffentlichte Anna Seghers den Roman *Das Vertrauen*[41]. Hier steht der Aufstand vom Juni 1953 im Mittelpunkt. Der Titel sagt, worum es geht. Der 17. Juni ist der Tag der »*Bewährung des jungen Staates und derer, die ihn geschaffen haben*«; so zu lesen in der offiziellen Geschichte der DDR-Literatur[42].

Für Seghers ist der 17. Juni der Tag der vom Westen versuchten Konterrevolution. Die wird im Stahlwerk Kossin durch Partei und Belegschaften niedergeschlagen – die russischen Panzer werden nicht gebraucht. Auf das Ganze gesehen ist das eine, sagen wir, ›Korrektur‹ der Wirklichkeit durch die Literatur. Die übrigens auch eine kritische Potenz haben kann, dann, wenn sie verstanden wird im Sinne von ›so hätte es sein sollen‹. So mag es als Wunschdenken, als Kritik oder auch als blanker Hohn aufgefaßt werden, wenn der Parteisekretär sagt: »*Ich hab ... erlebt, wie die Richtigen, die Gescheiten, Mittel und Wege fanden, um durchzudringen. Fertig zu werden, mit den anderen – ohne Panzer ... Ich weiß, wer fertig wird mit wem. Das ist es, wofür ich bürgen kann.*«

Das Schema von Seghers Roman ist einfach, bei aller komplizierten und im Detail reichen Ausführung. Es gibt die Hetzer und die Verhetzten, Provokateure und Agenten aus dem Westen und alte Nazis, und es gibt die mit Arbeit und Lohn Unzufriedenen, die anfällig und gefährdet sind. Immerhin fällt aus Arbeitermund das Wort »Ausbeutung«. Auf der anderen Seite stehen erprobte Altkommunisten und junge, idealistische Kommunisten, die zwar momentan in die Irre gehen können, auch erotisch, aber in der Stunde der Gefahr sich glanzvoll bewähren; zu sich selbst kommen und für alle kenntlich werden, als das, was sie in Wahrheit sind. Es scheiden sich Freund und Feind,

die »unsrigen« und die anderen. Der jugendliche Held erkennt: *»Der Streik von Janausch, dem Schiefmaul, und von dem Glattmaul, dem Weber, der darf nicht durch, kein Riß darf sein in der Zeit.«*
Das Vertrauen gibt, wie schon Seghers' 1959 erschienener Roman *Die Entscheidung*, Darstellung und Deutung deutscher Geschichte der Nachkriegszeit – so, wie die SED wünscht, daß sie gesehen wird. *Die Entscheidung* und vor allem *Das Vertrauen* sind die jüngsten »Klassiker« des sozialistischen Realismus; gerühmt als *»Höhepunkte epischer Epochenanalyse«*[43].
Fragt man nach einer speziellen Moral, einer ›Botschaft‹ von *Das Vertrauen*, so wird man sich an die Reflexionen des Parteisekretärs halten, der, in Gedanken an die ermordete Märtyrerin – auch diese Figur fehlt bei Seghers nicht –, zu sich sagt: *» Wieso ist alles gekommen? Warum waren unsre Leute so tief verbittert? Daß man auf sie wirken konnte von innen und außen. Hab ich selbst eine Schuld? . . . Du warst den Menschen nicht nah genug. Du hast nicht genug gewußt. Von den Menschen nicht und auch nicht von ihrer Arbeit . . .«* Und an anderer Stelle: *»Zwar, man hatte andauernd über alles gesprochen. Aber sie hatten es nicht verstanden. Nicht richtig, um danach zu leben. Nur Worte. Nur einzelne Buchstaben.«*
Ein Pädagoge geht mit sich ins Gericht. An die Stelle der »großen Aussprache« zwischen Partei und Massen, von deren Notwendigkeit Brecht so eindringlich sprach, tritt bei Seghers die moralische Einkehr und Besinnung bei denen, die zu lehren und zu leiten haben. Die Rollen selbst werden nicht angezweifelt.

Stefan Heym »5 Tage im Juni«

Heinz Brandt erzählt, wie der 1952 aus den USA in die DDR übergesiedelte Stefan Heym den Plan eines Romans über den 17. Juni verfolgt, wie er Recherchen unternimmt, Diskussionen führt und unbeirrbar allem Abraten und allen Warnungen gegenüber bleibt. *»Ich schreibe den ›Tag X‹ – wenn auch vorerst für die Schublade*[44].*«* Auf der 11. Tagung des ZK 1965 hat Honecker Heym und den noch ungedruckten Roman angegriffen. Heym gehörte zu den *»negativen, feindlichen, zersetzenden Kritikern,*

Zweiflern, Skeptikern«. Honecker nennt ihn neben Robert Havemann und Wolf Biermann. Heym propagiere bei seinem Auftreten in Westdeutschland seinen Roman ›Der Tag X‹, *»der wegen seiner völlig falschen Darstellung der Ereignisse des 17. Juni von den zuständigen Stellen nicht zugelassen werden konnte«*[45].
Stefan Heym ist ein hartnäckiger Mann; er hat es wieder versucht. Es heißt, er habe den Roman mehrmals umgeschrieben. Ich weiß darüber nichts Sicheres. Jedenfalls hat Heym nach dem VIII. Parteitag der SED 1971 seinen Roman unter dem Titel *5 Tage im Juni* dem Verlag »Neues Leben« angeboten. Dort soll lange diskutiert worden sein, bis – auf höhere Anweisung, so heißt es – die Veröffentlichung in der DDR neuerlich nicht zugelassen wurde. Statt dessen erschien der Roman in der Bundesrepublik[46].
Heym unternimmt es, Wahrheit der Geschichte mit den Mitteln der fiktionalen Literatur zu suchen und darzustellen: Literatur als Rede über Wirklichkeit, die fragt, die sucht, die wissen und zeigen will, wie es wirklich gewesen ist.
Über die von Heym eingesetzten literarischen Techniken, über Form und Fragen der ästhetischen Qualität wollen wir hier nur andeutungsweise etwas sagen. Heyms Text ist als Stundenprotokoll aufgebaut, durchsetzt mit Dokumenten und authentischen Zitaten, und gibt eine Art Chronik der Ereignisse vom 13. bis 17. Juni. Romanhaft ist die Existenz eines ›Helden‹, dessen Erlebnisse und Reflexionen einen roten Faden ausmachen. *5 Tage im Juni* nennt der Autor selbst im Untertitel ausdrücklich »Roman«. Die Benennung ist nicht unproblematisch. Heyms Text schwankt zwischen Roman und Reportage – und sinkt passagenweise zur Kolportage ab. »Reportageroman« könnte man sagen und damit an eine Tradition der 20er Jahre anknüpfen. Die eklatanten sprachlichen und stilistischen Niveauunterschiede, das Niveaugefälle in Heyms Werk ist damit freilich nicht erklärt. Man wird an die Entstehungsgeschichte erinnern. Es scheint, daß passagen- und kapitelweise der alte ›Polizei- und Verschwörerroman‹ durchschlägt, daß ganze Teile aus der ersten Fassung in die letzte einfach übernommen wurden – sehr zuungunsten der

literarischen Qualität des Werkes und zuungunsten auch seiner ›Botschaft‹.

Welches nun sind die wichtigsten Elemente des Bildes vom 17. Juni, das Heym dem DDR-Leser hat vorzeigen wollen? Als erstes zu nennen ist wohl die breite und detaillierte Darstellung der Unzufriedenheit unter den Arbeitern, – mit der damals aktuellen Situation, Stichwort ›Normenerhöhung‹, aber darüber hinaus auch generell mit dem ›System‹.

»Der Betrieb gehört uns ... Und was haben wir zu sagen in dem Betrieb, der uns gehört.« »So was nannte sich Arbeiterregierung, in großen Limousinen herumfahren, das konnten sie; das müßte sich alles ändern.« »Herrschaft der Arbeiterklasse – wir sind die Arbeiterklasse, wo herrschen wir? Diktatur des Proletariats – wir sind das Proletariat, und nicht mal unsre eigenen Löhne und Normen dürfen wir diktieren[47].«

Solche Zitate ließen sich häufen. Wichtig ist, daß sie bei Heym nicht aus dem Mund von Westagenten oder alten Nazis kommen, sondern aus dem ›authentischer‹ Arbeiter. Sie sind vielfach ablösbar von der historischen Situation 1953; sie sind unverändert ›aktuell‹, auch für den DDR-Leser der 80er Jahre. Sie stellen kritische Fragen an das System des ›realen Sozialismus‹. Fragen, die ohne Antwort bleiben. So ist es z. B. unvermindert aktuelle Systemkritik, wenn mehrfach die Degradierung der Gewerkschaften zu bloßen Erfüllungsgehilfen der Leitung und Verwaltern des Sozialfonds als Übel verzeichnet wird.

Zum zweiten: Nazis und Westagenten spielen auch bei Heym eine große Rolle. Auch bei ihm gibt es den Mob, Plünderungen und Mißhandlungen von Parteigenossen u. a. m. Der angebliche Plan des Westens, die DDR von ›innen‹ aufzurollen, wird mehrfach thematisiert und entsprechende Figuren in entsprechenden Aktivitäten vorgeführt, wobei übrigens die Rolle der Sozialdemokratischen Partei und ihres Ostbüros besonders hervorgehoben ist. Aber: Der 17. Juni ist bei Heym nicht mehr einfach das Werk des Westens – der hat mitgemischt, aber er hat ihn nicht ›gemacht‹. Heyms Text warnt vor dem Fehler, *»nur weil man einen Verschwörer zu erkennen glaubt, das Ganze als Verschwörung zu sehen. Tausende von Arbeitern verschworen sich nicht. Das waren Bewegungen an-*

derer Dimensionen«[48]. Der 17. Juni wird bei Heym nicht ausschließlich, aber wesentlich als ›authentisches‹ Produkt des DDR-Systems dargestellt. Das ist entscheidend.

Zum dritten zeigt Heym in vielen Auftritten die völlige Isolation der Parteifunktionäre von den Massen. Die Parteikader leben in einem geschlossenen System. Ihr Kontakt zum ›Volk‹ geschieht in der Form des ›Befehls‹ oder der ›Belehrung‹. Heyms Held, der Sekretär der Betriebsgewerkschaftsleitung, ist die Ausnahme. Wenn er versucht, Lehren aus den Ereignissen des Juni 1953 zu ziehen, spricht er wohl für den Autor Heym, sagt er dessen Botschaft.

»Wir haben eine Niederlage erlitten ... und einen Sieg errungen, beides. Sieg und Niederlage sind relative Begriffe; alles hängt davon ab, was wir aus unserem Sieg machen und wieviel wir aus unsrer Niederlage lernen ... Vielleicht könnte man ins Statut unsrer Partei einen Artikel aufnehmen, der die Schönfärberei verbietet und die öffentliche Verehrung einiger Genossen, und der alle Mitglieder zu furchtloser Kritik verpflichtet und jeden bestraft, der diese Kritik zu unterdrücken sucht ... Das ist ein hübscher Gedanke – vielleicht sollte die Regierung sich ein anderes Volk wählen. Aber auch das Volk kann sich keine andere Regierung wählen; eine andere Regierung wäre keine Arbeiterregierung. Was bleibt als Möglichkeit: vielleicht andere Arbeiter in die Arbeiterregierung ... Trotz ihrer Fehler und Mängel ... gibt es nur die eine Partei, nur die eine Fahne. Ich meine das nicht als Freibrief für all die Feiglinge, Dummköpfe, Schönfärber und Beamtenseelen, an denen es bei uns in der Partei nicht mangelt. Ich meine es als Verpflichtung für Genossen mit Herz, aus dieser Partei ihre Partei zu machen ... Die Arbeiterklasse, sagen wir, sei die führende Klasse und die Partei die führende Kraft der Klasse. Offensichtlich muß es Menschen geben, die stellvertretend auftreten für die führende Klasse und deren führende Kraft. Aber wer verhindert, daß sie, stellvertretend, nur noch sich selbst vertreten? Mit der Macht darf nicht gespielt werden, hat neulich einer gesagt, ein führender Genosse. Spielt der mit der Macht, der danach strebt, ihr eine breitere Grundlage zu geben? Kader sind gut, Polizei ist nützlich, noch wichtiger aber sind das Verständnis und die Unterstützung der Mas-

*sen. Natürlich muß man auch den Mut haben,
das Unpopuläre zu tun. Die Minderheit von
heute wird zur Mehrheit von morgen, wenn sie
die Logik der Geschichte auf ihrer Seite hat. Ich
weigere mich zu glauben, daß Menschen, die moderne Maschinen bedienen und den Produk-
tionsablauf beherrschen, nicht imstande sein
sollten – wenn man sie richtig informiert –, über
die eigne Nasenspitze zu blicken ... Das
Schlimmste wäre, für das eigne Versagen den
Feind verantwortlich machen zu wollen. Wie
mächtig wird dadurch der Feind! Doch ist die
Schuld nicht nur von heut und gestern. Auch für*

*die Arbeiterbewegung gilt, daß nur der sich der
Zukunft zuwenden kann, der die Vergangenheit
bewältigt hat*[49].«
Heyms Roman hat ein »Nachspiel« – ein Jahr
danach, 1954. Der so tapfere wie kluge Funktionär hat wieder Schwierigkeiten – und er
wird aus dem Betrieb entfernt, »abgescho-
ben«, auf die Parteischule. Er wehrt sich und
resigniert dann. Da sagt sein Parteisekretär erleichtert: »*Ich freue mich wirklich, daß du Ver-
nunft angenommen hast.*«
Das ist der letzte, höhnisch-bittere Satz von
Heyms »Roman«.

Teil II: Belletristische Literatur aus dem letzten Jahrzehnt[50]

Vor sieben Jahren schrieb ich am Schluß der
Arbeit über den 17. Juni als Thema der Literatur in der DDR: »*Wir meinen, daß die ›Rede
der Dichter‹ ... sich ärmlich ausnimmt, gemes-
sen an Größe und Tragik dessen, was im Juni
1953 geschehen ist. Ärmlich in einem doppelten
Sinne: Es gibt keine literarische Darstellung des
›Ganzen‹, die die Bedeutung des Juniaufstandes
als einer nationalen deutschen Tragödie sichtbar
machte. Und zum zweiten: Die Darstellung indi-
vidueller Schicksale, extremer subjektiver Erfahrungen ist nur sehr einseitig – Held wird zum
Märtyrer im Kampf gegen faschistischen Mob.
Sie läßt jene klarsichtige und differenzierte Radikalität vermissen, die das Thema fordert. Wo
ist der Kommunist, der Erfahrungen macht, die
ihn verzweifeln lassen – und der nicht getröstet
wird? Hoffnung und Leid vieler Unbekannter
bleiben stumm, die Dichter haben ihnen nicht
oder doch nur sehr unvollkommen Sprache gegeben.*«
Texte, die in der Zwischenzeit erschienen sind,
machen es möglich, dieses, schon damals sehr
angreifbare Urteil zurückzunehmen; was ich
vermißt habe, ist nun da.

Der 17. Juni als deutsche Tragödie

Heiner Müller ist der radikalste Dramatiker in
der Nachfolge Bertolt Brechts geworden. Er
hat das dialektische Theater auf die Spitze getrieben, ein Theater, das die Widersprüche der

Wirklichkeit vorzeigt: strenge Denkschule und
Herausforderung, Realität zu begreifen und zu
ergreifen, wissend Zukunft zu ›machen‹. Müller begann in den 50er Jahren mit Produktions-
stücken. Aufbau des Sozialismus in der DDR
war das Thema und grundsätzlicher Optimismus die Haltung, bei großer Schonungslosigkeit im Aufdecken der Realität in ihrer vertrackten, bös-geschichtsbeladenen Widerstän-
digkeit. Die Schonungslosigkeit, die ›dialektische Radikalität‹ machten Müller in der DDR
zu einem vieldiskutierten, bewunderten, oft ge-
scholtenen und wenig gespielten Autor. In den
60er Jahren wandte Müller sich vornehmlich
der Bearbeitung antiker Dramen zu und dem
Aufgreifen antiker Stoffe, aus denen er Mo-
delle formte. Auch diese Arbeiten wurden viel
beachtet, aufgeführt freilich mehr außerhalb
der DDR als in der DDR. In der bislang letzten
Arbeitsphase wurde Geschichte, vorweg die
deutsche Geschichte, zum dominierenden
Thema. Stichwortartig spricht man von der
Wandlung des Produktionsmüllers über den
Antikenmüller zum Deutschlandmüller.
Der grundsätzliche Optimismus ist Müller
gründlich abhanden gekommen. Die Kunst
der Dialektik verband er zunehmend mit einer
ganz anderen Tradition: mit dem »Theater der
Grausamkeit« Antonin Artauds. Er stellte poetische Bilder her; groteske, surrealistische Bilder, fast immer voller Grausen, die Dialektik
überdecken, aber nicht zerschlagen, und böse

Wahrheiten, tödliche Wahrheiten mehrsinnig ausstellen. Der Stückeschreiber Müller fand zu einem ganz eigenen Stil, der in der Theaterlandschaft Sensation machte; in der DDR freilich nur sehr partiell Theaterwirklichkeit wurde. Müller hat auch den Surrealismus radikalisiert, und zwar indem er die poetische Autonomie des surrealistischen Theaters mit Geschichte, mit der Essenz von Geschichte gleichsam auflud.

»Germania Tod in Berlin« ist ein poetisch-theatralischer, in Partien surrealistischer Diskurs über deutsche Geschichte von 1918 bis 1953 mit Rückblenden zum preußischen Friedrich, zu den Nibelungen, zu den Germanen[51]. Drei Szenen haben mit dem 17. Juni zu tun. »Die Brüder 1« sind nichts als ein Bericht, übernommen aus den »Annalen« des Tacitus. Die Cheruskerbrüder Arminius und Flavus stehen an beiden Ufern der Weser in feindlichen Lagern und beschimpfen einander.

»Die Brüder 2« spielen im Gefängnis. Es ist der 17. Juni 1953. Ein Neuer wird eingeliefert. Er hat keinen Eigennamen, heißt »Der Neue« oder »Kommunist«. In der Zelle findet er seinen Bruder, der »Nazi« heißt und eine eigene Geschichte hat. 1933 war er noch Kommunist, wurde von der Gestapo gefoltert und hat niemanden verraten. Dem Freigelassenen glaubten das die Genossen nicht; sie hielten ihn für einen Verräter und Spitzel – und so wurde er es auch. Müller zitiert sich selbst. In »Die Schlacht. Szenen aus Deutschland« hatte er schon diese beiden Brüder gezeigt. Der durch falsches Mißtrauen doch zum Verräter Gewordene hatte vom Bruder den Tod erbeten: *»daß ich kein Hund mehr bin, sondern ein toter Mann*[52].*«*

Der Bruder hatte ihm den versöhnend gemeinten Tod verweigert und den Lebenden aus seinem Bewußtsein getilgt. Jetzt trifft er ihn wieder, zusammen mit einem Saboteur »Brückensprenger« und einem Mörder, der als einziger einen Eigennamen hat und sinnigerweise »Gandhi« heißt.

»Nazi (vortretend): Das ist mein Bruder.
Brückensprenger: Der Rote?
Gandhi (lacht): In der Heimat, in der Heimat, da gibts ein Wiedersehn.

Kommunist: Mein Bruder der Spitzel (Schweigen) Du hast es weit gebracht.
Nazi: So weit wie Du[53].*«*

Die Situation allein schon ist böse und provozierend genug: die Zelle eines DDR-Gefängnisses als gemeinsame »Heimat« für den Kommunisten, den Nazi, den Mörder und den Saboteur. Durch das vergitterte Fenster schauen und hören die vier dem Aufstand zu. Drei erwarten ihre Befreiung: Sie reden vom »Volksaufstand«, und gleich reden sie auch von der »Nacht der langen Messer«, die sie ins Werk setzen werden, sobald sie frei sind. *»Dann gehts auf ein Neues ... Und dann wird geflaggt mit den Genossen. Die Fahne hoch. Heute wird Platz an jeder Fahnenstange.«*

Schließlich hören die vier in der Zelle die sowjetischen Panzer. Der Kommunist triumphiert, aber es ist in jedem Sinne ein verrückter Triumph, den er mit dem eigenen Leben bezahlt und darüber hinaus mit der – antwortlosen – Frage nach der eigenen Identität. Mit der endet die Szene.

In Müllers Szene wird der »Volksaufstand« als faschistische Gefahr vorgestellt. Aber die wirklichen Gegenkräfte, für die der »Kommunist« steht, sind auch im Gefängnis der DDR, genau wie die Faschisten. Und so kann die ›Rettung‹ nur durch die sowjetischen Panzer kommen. Die Internationale, das Lied von der Freiheit und von den Menschenrechten, wird von den Panzerketten der Macht gesungen. Der berufene ›Sänger‹ ist im Gefängnis und wird totgeschlagen. Das ist eine böse Paradoxie, die nirgendwo aufgeht, und so ist das letzte Wort die Frage *»Wer bin ich«*.

Eine Prosaskizze, aus einem einzigen Satz bestehend, nimmt vorweg und faßt vieles zusammen, was die betrachtete Theaterszene bringt. *»Schotterbek, als er, an einem Junimorgen 1953 in Berlin, unter den Schlägen seiner Mitgefangenen aufatmend zusammenbrach, hörte aus dem Lärm der Panzerketten, durch die preußisch dikken Mauern seines Gefängnisses gedämpft, den nicht zu vergessenden Klang der Internationale*[54].*«*

»Das Arbeiterdenkmal« überschreibt Müller eine Szene, die den Streikbeginn thematisiert[55]. Ort- und Zeitangaben lassen sich ohne Zwang assoziieren: Berlin, Stalinallee, 16. Juni 1953. Nur einer Figur hat der Autor einen Namen gegönnt, dem alten Maurer, in einer späteren Szene heißt es, dem »ewigen Maurer«, der alles gebaut hat in der Geschichte der Menschheit, von den ägyptischen Pyramiden bis zu den Wolkenkratzern in New York, immer für die anderen, für die Kapitalisten, jetzt meint er, für sich zu bauen, wie das beim Bau der Moskauer Untergrundbahn begonnen habe. »Hilse« heißt er, und er ist gläubiger Kommunist, ohne Wenn und Aber der Partei ergeben. Sein Name signalisiert Gläubigkeit. Müller hat ihn aus Gerhart Hauptmanns Drama »Die Weber« entliehen. Dort verurteilt der alte Hilse, im unbedingten Vertrauen auf Gottes Fügung, den Aufstand der Weber – und wird sein Opfer; eine verirrte Kugel trifft ihn.

Auf dem Bau präsentiert sich deutsche Nachkriegsgesellschaft: ein ehemaliger General, ein in die Produktion strafversetzter Minister, der gegen den »Neuen Kurs« opponiert hatte (er heißt zunächst »Der Neue«, dann »Minister«, so wie in der besprochenen Gefängnisszene »Der Kommunist« zuerst »Der Neue« genannt wird – die gleiche Figur?), ein national gesonnener »Dicker Maurer«, ein zweifelnder »Junger Mann«, ein Angestellter, der Weisungen ausführt und sonst nichts – das Spruchband »Wir erhöhen unsere Norm« hängt er auf und sodann wieder ab.

Dem Streikaufruf folgen alle, mit unterschiedlichen Absichten, aber sie folgen. Hilse allein bleibt, unbeirrt mauert er weiter. Kahlköpfige Jugendliche – also Westler – erscheinen, bewerfen ihn mit Steinen, bis er zusammenbricht. Sie steinigen ihn, er wird zum »Arbeiterdenkmal«. Das Titelwort der Szene ist schaurig paradox erfüllt: Der Arbeiter als Held steht nicht oben, auf keinem Sockel, auf keiner Säule; er liegt unten. Die Steinpyramide, die ihn begräbt, sie ist das »Arbeiterdenkmal«.

Die beiden letzten Szenen des Dramas heißen »Tod in Berlin 1« und »Tod in Berlin 2«[56]. Die erste ist ein Zitat, zwei Strophen aus dem Sonett von Georg Heym »Berlin III«. Die Toten hocken an der Wand eines Berliner Armenfriedhofs und schauen in den Sonnenuntergang. Die »Marseillaise«, der »alte Sturmgesang«, wird berufen. Auch das ist paradox.

Zum Lied der Revolution gehört Aurora, der Sonnenaufgang; es ist aber Sonnenuntergang. Die Schlußszene des Dramas präsentiert nochmals Hilse, den »ewigen Maurer«. Er ist nicht an der Steinigung gestorben, er liegt im Krankenhaus und stirbt an Krebs. Der Krebs aber ist eine symbolische Krankheit. »Wir sind eine Partei, mein Krebs und ich.« Der Krebs steht, so wird deutlich, für die Partei, mit der Hilse eins geworden ist – und an der er stirbt.

Die Partei wird in der gleichen Szene ein zweites Mal symbolisch vorgestellt. Der junge Maurer kommt mit seiner Freundin; als Jungfrau hat er sie verehrt, aber sie ist eine Hure. »Was soll ich machen. Sie ist eine Hure / Ich hab gedacht, sie ist die heilige Jungfrau.« Die Parallele zur Partei wird als »Beispiel« expliziert.

»Wenn dir zum Beispiel einer sagt, deine / Partei, für die du dich geschunden hast / Und hast dich schinden lassen, seit du weißt / Wo rechts und links ist, und jetzt sagt dir einer / Daß sie sich selber nicht mehr ähnlich sieht / Deine Partei, vor lauter Dreck am Stecken / Du gehst die Wände hoch und ohne Aufzug.«

Die SED, die kommunistische Partei als Krebs und als Hure: Aber, der junge Maurer liebt das Mädchen auch als Hure, und sie erwartet ein Kind. Das Symbol ist überdeutlich: Zukunft ist da, soll da sein, als offene Möglichkeit. »Sie kriegt ein Kind. Sie sagt, es ist von mir.« »Germania Tod in Berlin« schließt auch, aber nicht nur als Endspiel, obwohl der Titel in diesem Sinn gelesen werden muß. »Tod in Berlin«, so sind eben die beiden Schlußszenen überschrieben. Und das heißt: Der 17. Juni als Deutschlands Tod in Berlin. Eindeutig, genauer einsinnig, ist der Schluß des Dramas nicht. Er bleibt offen – wie Geschichte offen bleibt[57].

Eine sozialistische Zukunft der Freiheit und Brüderlichkeit ist aus dem Horizont des Dramas nicht ausgeschlossen, freilich ist der Weg dorthin nicht erkennbar. Am Schluß steht die Vision des Gläubigen, die Utopie eines vereinigten sozialistischen Deutschlands. Dem sterbenden Hilse verwandelt sich die schwangere Hure in Rosa Luxemburg, an deren Leiche er als junger Kommunist vorbeidefiliert war, damals im Jahre 1919, in dem Müllers Drama beginnt. Und Hilse sieht »Die roten Fahnen über Rhein und Ruhr«. Er stirbt lächelnd.

Müllers Text ist extrem. Dem Leser kann daneben verblassen, wie sonst im Drama der DDR über den 17. Juni gehandelt wird. Aber das wäre eine ungerechte, auch eine unhistorische Leseweise. »Germania Tod in Berlin« ist übrigens in zwei, weit auseinanderliegenden Arbeitsphasen entstanden, die sich mit historischen Zäsuren decken, mit dem Beginn der Enthüllungen und Debatten über Stalin 1956 und mit dem Wechsel von Ulbricht zu Honekker in der DDR-Führung 1971.

Produktionsstücke – Optimistische Dialektik

1956 hatte Müller, zusammen mit seiner Frau Inge, ein Produktionsstück verfaßt, das die sehr besonderen Möglichkeiten dieser für Deutschland neuen literarischen Form wohl am besten repräsentiert: »Der Lohndrücker«. In der letzten Szene wird ein Ansatz zu Streik und Aufruhr dargestellt, nicht der historische 17. Juni, aber eine entsprechende Situation[58]. Sie wird in ihrer ganzen vertrackten Komplexität, in ihrer Widersprüchlichkeit dargestellt; nichts wird beschönigt. Aber die Situation wird ›bewältigt‹; genauer, es wird vorgezeigt, wie sie zu bewältigen ist. Die von ›der‹ Geschichte und ›ihrer‹ Geschichte böse gezeichneten Arbeiter finden sich zusammen: Der »Held der Arbeit«, der zugleich der »Lohndrücker« ist und dazu, aus bitterer Überzeugung, ein Denunziant, mit Kollegen, die ihn zusammengeschlagen haben, und mit dem Parteisekretär, den er in der Hitlerzeit ins KZ gebracht hat, um sich selbst zu retten.

Positiv wird eingelöst, was dieser Sekretär in halber Verzweiflung formulierte: »Wenn ihrs nicht begreift, gehen wir alle drauf.« Das Stück endet mit den programmatischen Sätzen des Aufbauwillens. »Wann fangen wir an? / Am besten gleich. Wir haben nicht viel Zeit.« Die Verfasser haben ihrem »Lehrstück« einen Vorspann vorausgeschickt, der das Verhältnis des Textes zur Wirklichkeit und die intendierte Wirkung ausspricht. »Das Stück versucht nicht, den Kampf zwischen Altem und Neuem, den ein Stückeschreiber nicht entscheiden kann, als mit dem Sieg des Neuen vor dem letzten Vorhang abgeschlossen darzustellen; es versucht, ihn in das neue Publikum zu tragen, das ihn entscheidet.«

Wichtig ist der 17. Juni in Volker Brauns Faust-Drama »Hinze und Kunze« (1977) – die erste Fassung von 1967/68 hieß »Hans Faust«[59]. Eine Szene zeigt Streik auf einer Großbaustelle irgendwo in der DDR – Großbaustelle ist ein symbolischer Ort und meint in der Aufbauphase die DDR überhaupt. Forderungen werden gestellt, sich widersprechend und eskalierend. Endlich erscheinen die sowjetischen Panzer. Der Konterrevolutionär – »jetzt lassen wir den Film rückwärts laufen« – ersticht den Mitläufer.

Das Paar Hinze und Kunze, der kommunistische Arbeiter und der Parteisekretär, debattieren den Aufstand und laufen vorerst im Zorn auseinander. Am Schluß des Stückes beginnen sie neu miteinander. Die Trennung von »Entscheiden« und »Ausführen« soll verschwinden, so fordert der Arbeiter. »Gemeinsam handeln, das können auch Sklaven / Gemeinsam entscheiden: das enthältst du mir vor.« Eben diese Trennung ist schuld am Aufstand, so deutet er an, und fordert: »Ich muß jetzt, was ich tu / Mitplanen, eh ich mich drauf einlaß / Sonst kanns uns zuviel kosten.« »Spinner, Fantast«, so nennt ihn der Mann der Partei. »Lies den Fahrplan, aber quatsch nicht in den Kurs / Passagier, sonst kommen wir nie über die Strecke. / Oder schrei herum: lauthalses Zeugnis / Daß die Gemeinsamkeit nicht anders sein kann.«

Der Held des Aufbaus – Identitätsschwäche und faschistische Prägung

»Rotter« heißt der Titelheld eines Theaterstücks von Thomas Brasch[60]. »Ein deutscher Lebenslauf« wäre ein möglicher Untertitel für die lockere Folge meist realistischer, teils surrealistischer Szenen, die von der Weimarer Republik über das nationalsozialistische Deutschland bis in die DDR reicht. Der ›Held‹ ist ohne Identität; »ein Nichts, das an sich selber irre wird« und eben deshalb »ein Held, wenn er gebraucht wird. Der Neue Mensch. Ständig einsatzbereit, ohne hemmende Individualität im bürgerlichen Sinn . . . Das hier ist der

Stoff, aus dem man Werkzeug macht. Ein leeres Blatt, auf das ein Lebenslauf geschrieben wird von der jeweils führenden Klasse. So was führt Leute zum Städteaufbauen, so was führt Leute zum Stadteinreißen, vorausgesetzt es hat den Befehl dazu . . . Das da braucht ein Ideal, weil es an sich selber nicht genug hat.«

Der Lebenslauf des negativen Helden beginnt mit drangsalierter Lehrlingsexistenz zur Zeit der Arbeitslosigkeit Ende der Weimarer Republik: Hilflosem Lebens- und Ausbruchswillen antwortet höhnisch und demütigend anarchistische Lebenslust und asoziale Lebenstüchtigkeit einer Gegenfigur; Lackner heißt sie und stammt aus dem Geschlecht von Brechts Baal. Rotter geht zu den Nazis. Wenn er im Kreis der »Kameraden« prahlend von der Tannenbergfeier erzählt, wächst ihm geliehene Identität zu – er wird wer. Als Plünderer eines jüdischen Geschäftes ist er einfallsreich. Als militärischer Ausbilder brutal und erfolgreich, so wie es gewünscht wird. Seinen Gegenspieler hat er ins Gefängnis gebracht, freilich bleibt ihm der immer ›über‹: das Kind, das seine Frau erwartet – und abtreibt, stammt wahrscheinlich von dem anderen. Bei Kriegsende führt Rotter ein Sonderkommando Jugendlicher, zu denken ist an Werwölfe, im Kampf um Berlin. Die verfassen aufgeschwommene Kriegslyrik und bringen schließlich einander selbst um. Rotter aber hat sich inzwischen neu »zur Verfügung gestellt. Für die Leichenbergung.«

Nach Kriegsende ist er Brigadier, dann Einsatzleiter auf einer Talsperrenbaustelle im Süden der DDR, später bei einem Stahlwerk und einem Erdölkombinat. Er wird mit einem Orden geehrt, nicht mehr gebraucht und sinkt in sein Nichts zurück. *»Jede Zeit braucht ihre Helden, und Rotter war ein Held in unserer.«*

Am 17. Juni ist er Einsatzleiter beim Talsperrenbau. Vom Streik erfahren die Arbeiter über das Radio. Dann kommen Monteure: *»Jetzt gehts den neuen Herren an die Wäsche . . . Absetzung der Regierung, Arbeiterräte und Amnestie.«* Brasch zeigt den Aufstand als genuinen Arbeiteraufstand mit rätedemokratischen Parolen, die sogleich zünden – und mit konkreten Forderungen, die sich aus dem Arbeitsalltag ergeben. *»Ich bin dabei. Ich kenn den neuen Staat: Er ist der neue Text zur alten Melodie . . .*

Der Krug geht so lange zum Brunnen, bis er bricht. Aus abgeschabten Knochen wächst kein neuer Staat. Die Losung heißt: Wie wir heute essen, werden wir morgen arbeiten, nicht umgekehrt. Zusatzration bei uns, Abzug bei der Verwaltung, mehr Decken in die Baracken, Dienstwagen abschaffen und so weiter.«

Abseits steht der Anarchist. Er verlacht die Bescheidenheit der Forderungen, höhnt über die *»freien Männer bei doppelter Verköstigung«* und gibt die Losung aus: *»Abschaffung der Arbeit«.* Er steht auf keiner Seite. *»Ich bin einer von mir«;* so sagt er provozierend genug, und deshalb wird er von den Streikenden auch eingesperrt.

Rotter erweist sich als Kämpfer. *»Ihr seid verrückt geworden. Schluß mit dem Volksfest . . . Vielleicht lernt ihr die Arbeit wieder vor Gewehren.«* Er wird verprügelt und in einen Schornstein eingemauert. *»Dein Aussichtsturm ist fertig. Hier hast du guten Überblick über die historischen Ereignisse.«* Die Panzer entscheiden. Rotter wird befreit, die Aufständischen verhaftet. Er hat das letzte Wort: *»Halt die Schnauze. An die Schaufeln.«*

Braschs knappe Darstellung des 17. Juni ist irritierend genug. Die Funktion, die in der DDR-Literatur in diesem Zusammenhang dem klassenbewußten Revolutionär und dem Helden des Aufbaus zukommt, sie ist hier mit einem höchst problematischen Helden besetzt. Sagen wir es prononciert: ein Nichts als Held. Ein Nichts, das im Nationalsozialismus zu einer Rollenidentität fand und eben diese in der neuen Ordnung der DDR fortführt – und damit zum »Helden« wird –, das ist das Ärgernis des Textes.

»Todtraum« heißt eine surrealistische Szene, in der Rotter ummontiert wird. Die Glieder werden ihm, eines nach dem anderen, ausgerissen und durch hölzerne ersetzt. Parolen schreien aus ihm, zuerst: *»Sieg heil, Sieg heil. Unser Herz aus Stahl . . . Vorwärts, vorwärts schmettern die Fanfaren.«* Und nach erfolgreicher Ummontierung: *»Rotter als Puppe (wird von oben an die Trümmer bewegt und beginnt, Steine zu räumen. Aus dem Schnürboden die Stimme der Puppe, während ihr Mund sich öffnet und schließt. Singt). Bau auf, bau auf, bau auf, bau auf, freie deutsche Jugend bau auf, für*

eine bessere Zukunft bauen wir die Heimat auf.«

Die Verzweiflung des Altkommunisten

»Gedenktafel« heißt ein Text aus Kurt Bartschs 1979 erschienener Sammlung von Gedichten und kleiner Prosa, betitelt *Kaderakte*[61].

Ein Kommunist, KZ-Häftling in der Nazizeit, wird von den Aufständischen gelyncht. Er weiß, daß es Arbeiter sind; er wünscht, es wäre die SS, dann wäre er *»aufatmend gestorben«*. So ist der Tod ohne Trost. Die »Gedenktafel« steht für die definitive Verzweiflung des Genossen. Das ist die Provokation des Textes, der eine unerlaubte Sicht auf die Geschichte ohne jeden Kompromiß vorträgt und im Titel »Gedenktafel« fordert, diese Sicht solle öffentlich gemacht werden. So soll des toten Genossen gedacht werden.

»S., als er am 17. Juni unter den Tritten der Arbeiter zusammenbrach, wünschte, daß die löchrigen Schuhe, die nach ihm traten, Stiefel wären, die Stiefel zu Uniformen gehörten, Koppel Sturmriemen Revolver, Totenköpfe an den Mützen, unter den Mützen die kalten Gesichter seiner Bewacher in Buchenwald ER WÄRE AUFATMEND GESTORBEN.«

Über das gleiche Thema spricht in analoger Weise ein Text, der »Totensonntag« überschrieben ist[62]. Ein alter Kommunist, Kämpfer in der Weimarer Zeit, ist von dem neuen Staat enttäuscht: *»Die Revolution ist 1933 im Blut ersoffen, jetzt ersäuft sie in Tinte.«* Er weigert sich, *»Lehrgänge, Kurse, Parteischulen zu besuchen«*. Er bleibt unten. Der Aufstand der Arbeiter steigert die Enttäuschung zur tödlichen Verzweiflung. Im wörtlichen und übertragenen Sinn steht der Altkommunist zwischen den Fronten, und dieser Ort ist tödlich, definitiv tödlich. Das ist das Urteil, das er sich selbst spricht:

»Otto J., Arbeiter und Kommunist, erhängte sich 1953, an einem Sonntag, in unserer / seiner Wohnung ... 1953, im Juni, als die Arbeiter auf die Straße gingen, um gegen die hohen Normen zu streiken, stand J., die Fäuste in den Taschen, zwischen den Arbeitern und den hinter sowjetischen Panzern anrückenden Volkspolizisten. Er bekam die Steine der einen und die Knüppel der

anderen ab. Er stand in der Mitte, blutend. Sein Platz, der auf beiden Seiten der Front war, blieb leer auf der einen, leer auf der anderen Seite. Dann verließ er auch seine Mitte.«

Kurt Bartschs Roman *Wadzeck*[63] erzählt die Geschichte einer Dirne, ihres Zuhälters und eines alten Kommunisten in Berlin. Als der Zuhälter ins Gefängnis kommt, versucht die Dirne ein neues Leben und kommt, nach bösen Erfahrungen, zu dem Alten, dessen Güte und Sanftheit ihr neu sind. Für beide entwickelt sich ein prekäres Nachsommerglück, das der zurückkehrende Wadzeck, den Mord vorbereitend, bedroht. Das Ende ist offen, die Katastrophe wahrscheinlich.

In diese Romanhandlung eingeblendet ist die Geschichte des alten Kommunisten Karl Baumann von der Weimarer Zeit bis 1967.

Sie waren drei Freunde, Arbeiter, Kommunisten. Einer wurde wegen Disziplinlosigkeit aus der Partei ausgeschlossen und lief zur SA über. *»Wenn die Revolution nicht von links kommt, kommt die Revolution eben von rechts.«* (S. 46) Die beiden anderen überlebten die Hitlerzeit in Gefängnissen und Konzentrationslagern. Nach 1945 wird der eine ein hoher Funktionär, überzeugt von der Notwendigkeit einer Erziehungsdiktatur und vom Primat des Apparates und der Macht. *»Wir sind Kommunisten, Karl, und wir sind an der Macht. Wir werden, jeder an seinem Platz, diese Macht festhalten müssen, wie Sisyphos seinen Stein hielt. Wir werden blutige Hände haben, blutige Köpfe, aber wir lassen die Macht nicht los, wie Sisyphos seinen Stein losließ vor dem Gipfel des Berges.«* (S. 49) Diese kühne Korrektur des Sisyphos-Mythos mißlingt. Der alte Kampfgefährte entfremdet sich Karl; er wird zu einer Maske. Als der ihn vor wachsender Unzufriedenheit der Arbeiter warnt und von ihrem Zorn über die Normenerhöhung berichtet, kommt es zu einem vielsagenden Dialog. *»›Ich kenne die Arbeiter, ich weiß, wie sie über die Maßnahmen denken.‹ Richard: ›Wichtiger ist, wie wir über die Maßnahmen denken.‹«* (S. 51) Karl fühlt sich fremd und schweigt. Die Fahrt mit der Straßenbahn wird ihm zum Symbol. *»Ich sitze zwar in dem Karren, aber ich sitze hinten, auf den harten hölzernen Bänken. Mir tut der Hintern weh, aber ich sitze gern hier. Sind*

lauter Leute um einen rum, mit denen man lachen, über alles reden kann. Vorn hingegen, wo gelenkt wird, haben sie ein Schild angebracht: Die Unterhaltung der Fahrgäste mit dem Wagenführer ist untersagt.« (S. 52)
Am 16. und 17. Juni ist er auf den Straßen. Was er sieht, entsetzt ihn. *»So weit ist es also gekommen.«* (S. 53) In der Nacht zum 17. Juni schaut er aus dem Fenster. *»Leer, alles ausgestorben. Der Tod, ein Würger ging durch die Stadt. Er ... sah sein Gesicht ... in der Scheibe. Das bin ich. Knochen, ein Totenschädel ... Mein ganzes Leben war nichts, und doch war es Kampf und Kampf, und nichts erreicht, und alles bloß Hirngespinste, Liebe Glaube Hoffnung.«* (S. 56)
Am 17. Juni sieht er, wie *»Jugendliche in Lederjacken ... sie trugen Messer, waren mit Fahrradketten bewaffnet«*, einen in Brand gesteckten HO-Laden plündern. Die Menge sieht tatenlos zu. Er stellt sich den Plünderern entgegen und wird niedergeschlagen. *»Karl lag schon am Boden, blutend, in schwarzen Rauch gehüllt, als er das Kreischen der Panzer hörte. (Musik, welch schöne Musik.) Er fiel in tiefe Bewußtlosigkeit.«* (S. 58)
Als er im Krankenhaus wieder zu sich kommt, war sein Freund, der Funktionär, dagewesen und hatte eine Karte hinterlassen: *»Rot Front, Richard«*. Er glaubt ihn verwandelt. *»»Man muß von unten und nicht von oben regieren. Was wir brauchen, sind Arbeiterräte‹: Richard, vor zwanzig Jahren. Heute, dachte Karl, würde er so wieder denken. Er hielt den Brief und lächelte seelig.«* (S. 61)
Aber er irrt sich. Als er dem Freund den Text von Rosa Luxemburg über die »Cliquenwirtschaft« zu lesen gibt – *»eine Diktatur allerdings, aber nicht die Diktatur des Proletariats, sondern die Diktatur einer Handvoll Politiker ...«* –, reagiert dieser zuerst mißtrauisch, zornig und zuletzt höhnisch. *»»Rosa Luxemburg ... Die kannte den Sozialismus auch nur vom Hörensagen ... man muß Weiber klagen lassen, sie hören schon selbst auf ...‹ Die Wagentür wurde geschlossen. Richard schob innen die Spitzengardinen beiseite, winkte Karl zu. Das Auto fuhr. Sieht aus, als fährt Richard im Leichenwagen, dachte Karl, der ihm bedrückt nachsah.«* (S. 63 f.)

Aber vielleicht hat der Freund sich doch noch verwandelt. 1954 liest Karl, wieder einmal krank, in der Zeitung von der Zerschlagung einer »parteifeindlichen Gruppe« mit dem Namen des Freundes. *»Er lachte schrill auf. Die Aasgeier, Leichenfledderer, jetzt fallen sie über ihn her. Die Krähen über die Krähe.«*
Er hat eine Vision. *»Bilder – ein Tisch war da, an dem kauend und schmatzend ein fettes Weib saß. Sie hielt eine Gabel, stach blutige Fleischstücke in ihren Mund ... Ich bin, sprach das fette Weib, die Revolution. Ich will fressen von meinem Fleisch und saufen von meinem Blut. Was klopft da. Ist das mein Herz? Ich habe kein Herz. Sie rülpste und stand vom Tisch auf.«* (S. 66)
Da kommt der alte Kommunist von Sinnen, und ›verrückt‹ findet er Ausdruck, demonstrativen Ausdruck für ›seinen‹ Lebensglauben. *»Er sei, hieß es, in langen Unterhosen, in der Hand eine rote Fahne, singend durch die belebte Münzstraße marschiert. Polizisten mit Gummiknüppeln hätten ihn nach langem verbissenen Kampf überwältigt und, von den Pfiffen der Zuschauer (einer größeren Menschenmenge) begleitet, an Händen und Füßen gefesselt abtransportiert.«* (S. 67)
Der Rest ist Abgesang. Ein Invalidenrentner, der allein ist, viel trinkt, sich erinnert und Katzen hält – der Kater heißt Thälmann – und einen Widerschein von Gück mit erwähnter Dirne sucht und auch findet – und den Wadzecks Messer erwartet[64].

Miserabilität des oppositionellen Intellektuellen

»Aufruhr« ist ein kurzer Text von Jochen Ziem betitelt, ein Brief, den ein Medizinstudent seiner Verlobten schreibt, in der Nacht nach dem 17. Juni[65]. Die große Chance ist vertan, ist nicht wahrgenommen worden, das ist der Tenor. Wobei weitgehend offen bleibt, was der Briefschreiber sich unter richtigem Wahrnehmen der Chance dieses Tages vorstellt – lediglich die vermißte Besetzung von Rundfunk und Post, das nicht stattgehabte Eindringen in die Kasernen der Volkspolizei und deren Gewinnung für die Sache des Aufstands deuten eine Richtung an. Wut, Überdruß, Ekel, das sind die Empfindungen des Briefschreibers.

»Ich haue ab, ich verziehe mich, ich verdufte, hier bleibe ich nicht länger! Mit diesem Drecksvolk will ich nichts mehr zu tun haben. Hier kann ich nicht leben! Was sind das für Menschen. Seit Jahren haben alle auf diesen Tag gewartet, haben ihn herbeigesehnt, jeder hat davon gesprochen, was er tun wird, wenn es so weit ist, wie er mutig sein wird, wie aktiv ... Und nun war er da, dieser Tag. Und was haben wir aus diesem Tag gemacht? Wie haben wir ihn genutzt? Was ist geschehen?« (S. 106)

»Gemacht« hat der Briefschreiber selbst gar nichts. Er hat beobachtet, gut und differenziert und hochmütig distanziert beobachtet und ist sehr vorsichtig gewesen – den »für den Notfall« mitgenommenen Schlagring läßt er verschwinden, als die sowjetischen Soldaten kommen. Ein Intellektueller comme il faut.

Die Szene ist Halle, das zeigen die genannten Örtlichkeiten. Die gläserne Polizistenkabine auf einer Verkehrsinsel ist leer. »Ein Halbwüchsiger« in modisch westlicher Kleidung hält ein Mikrofon und ruft zu einer Demonstration um 17 Uhr auf dem Hallmarkt auf. Die Menschen bilden Gruppen, diskutieren. Der Beobachter erwartet eine Rede mit entscheidenden Parolen.

»Nichts! Es ist wie morgens am Rosenmontag, wo sie noch herumstehen, vor sich hinlungern und ein Ereignis erwarten, an dem sie teilhaben möchten, ohne genau zu wissen, woher es kommen soll.« (S. 108)

In der Universität ist *»gar nichts los«*. Immerhin beobachtet er eine sprechende Szene. Ein Transparent »Der Marxismus ist allmächtig, weil er richtig ist« ist halb heruntergerissen. Studenten und Arbeiter stehen gestikulierend davor. Die Studenten wollen das Transparent wieder vollständig aufhängen, die Arbeiter es ganz abreißen. Die Studenten *»getrauen es sich aber nicht. Und die Arbeiter zögern.«* (S. 109)

Vor dem Händeldenkmal sieht er eine Sträflingspuppe aufgehängt, mit einem Schild auf der Brust »Freiheit«.

Der Versuch, ein Gefängnis zu stürmen, bleibt ohne Nachdruck, unernst. Ein sehr langsam fahrender sowjetischer Panzer wirkt *»vertrauenswürdig wie ein Ackerwagen. Die zweihundert laufen nicht auseinander. Sie nehmen nur eine friedlichere Haltung ein. Sie alle werden*

plötzlich wie Schüler, die der Öffnung eines Gymnasiums harren.« (S. 110)

Auf dem Hallmarkt ist er in einer Kundgebung und beobachtet, wie ein wirklicher oder vermeintlicher Spitzel gelyncht werden soll – aber es fehlt ein Strick. Das Deutschlandlied wird gesungen, die erste Strophe, der Rütlischwur wird zitiert: Wir wollen frei sein, wie die Väter waren, eher den Tod als in der Knechtschaft leben. Der Beobachter ist mißtrauisch. *»Ich möchte wohl auch gern Freiheit rufen, fürchte aber, daß sich meine Freiheit mit ihrer Freiheit nicht verträgt. Deshalb halte ich meinen Mund.«* (S. 114)

Die Verkündung des Ausnahmezustands, Panzer und vereinzelte Schüsse lassen alle auseinanderlaufen. Ein nervöser, sehr junger Leutnant der Volkspolizei schießt aus Versehen auf eine schwangere Frau, flieht und wird aus einem Fenster geworfen – oder ist er selbst gesprungen? Er liegt *»mit schrägem Genick«* auf der Straße. Das sind die beiden Opfer des Tages, die der Beobachter zu Gesicht bekommt. Beinahe hätte er hier einmal mitgehandelt. Er war bei der Verfolgung des Leutnants dabei, hat sich aber sogleich den Fuß verrenkt und also nichts getan.

Auf seinem Zimmer soll er den Neffen der Wirtin beherbergen. Er tut es ungern. Der Arbeiter berichtet, wie sie den Generalstreik beschlossen und Deputierte zur Direktion geschickt hatten und wie diese verhaftet worden seien. Der Intellektuelle ist voll Verachtung. *»Ich frage ihn, was ich von ihm halten soll, daß er nichts riskiert, daß er sich scheut, öffentlich zu bekennen, Solidarität zu üben mit seinen verhafteten Freunden. Da wirft er mir nur einen dummen Blick zu.«* (S. 116)

Es ist Nacht und alles schläft. *»Ich kann nicht schlafen. Ich schaffe es nicht. Ich weiß, morgen werden sie sich alle wieder treffen ... Sie werden ein wenig aneinander vorbeiblicken, als hätten sie ein Fest hinter sich, auf dem sich alle etwas danebenbenommen haben. Das ertrage ich nicht.«* (S. 116)

Damit ist der Brief zu Ende. Reiner moralischer Abscheu schüttelt den briefschreibenden Intellektuellen. Aber Ziems Erzählung ist noch nicht zu Ende. Ein weiterer Absatz folgt. Der Brief bleibt unabgeschickt und wird ins Tagebuch übertragen; verlorengehen soll er denn doch nicht, auch wenn der Schreiber sich besonnen hat, auf seine Karriere nämlich.

»Ich habe den Brief an Marianne in mein Tagebuch übertragen. Ich habe mich mit Freunden beraten. Sie halten es für unklug, schon jetzt zu gehen. H. sagt zum Beispiel: Ich soll in jedem Fall hier noch promovieren. Ob ich denn nicht weiß, wie hundsmiserabel es drüben den Assistenzärzten geht. Und schließlich ist zur Zeit ein Facharzt nirgends so billig zu erlangen wie hier. Ich soll mal an K. denken, rät H. Der hat sich hier sogar noch technische Geräte gekauft und mit rübergenommen und dann sofort eine Praxis eröffnen können. Was der sich für Schwierigkeiten erspart hat! Ich glaube, das ist richtig.« (S. 116)

Ziems kurzer Text gibt eindringlich zusammengefügte Mosaiksteine aus dem Geschehen am 17. Juni in Halle. Vor allem aber, und das ist sein besonderes Verdienst, stellt er Hochmut und Miserabilität eines oppositionell gesonnenen Intellektuellen aus[66]. Die literarische Figur steht für viele Menschen in der historischen Realität; macht sie kenntlich. Ziems briefschreibender Mediziner und seinesgleichen sind die an Zahl gewiß weit überwiegenden Gegenfiguren zu jenen Intellektuellen, die sich nach dem 17. Juni für eine Demokratisierung von Partei und Staat eingesetzt haben, daran gescheitert sind und zum Teil lange Jahre im Gefängnis gelitten haben. Erich Loests Autobiographie *Durch die Erde ein Riß* erinnert den Lebenslauf eines Intellektuellen dieser Art[67].

Die »Bewältigung« des 17. Juni in der Literatur der DDR

Die im zweiten Teil unserer Arbeit bislang betrachteten Texte sind mehrheitlich in der DDR nicht gedruckt worden und nur in der Bundesrepublik erschienen. Und die auch in der DDR veröffentlichten sind nicht repräsentativ für die literarische Gestaltung, nämlich für die »Bewältigung« des 17. Juni in der DDR-Literatur. Zum Abschluß unserer Studie sollen wenigstens einige wenige Texte besprochen werden, denen solche Repräsentanz zukommt.

Helmut Hauptmann hat mehrfach den 17. Juni thematisiert. Er hat den Tag in Leipzig erlebt und darüber für den Schriftstellerverband einen »Bericht über meine Erlebnisse und Eindrücke in Leipzig am 17. und 18. Juni 1953« geschrieben. Der blieb unveröffentlicht; ein Manuskript liegt im Brecht-Archiv[68]. 1965 veröffentlichte Hauptmann in der Zeitschrift des Schriftstellerverbandes »Fragen zur Selbstverständigung« unter dem Titel »Kostoff und unser Gewissen«; eine Skizze zu einem nie fertiggestellten Werk[69].

Kostoff ist ein bulgarischer Kommunist, der in einem Schauprozeß zu Unrecht verurteilt wurde. 1956 liest Hauptmann den Prozeßbericht und schaudert, und er fragt sich, ob Entsprechendes auch in der DDR möglich war. Solche Prozesse nicht, so beruhigt er sich – etwas vorschnell –, aber Verhaftungen doch ja, und er fühlt Schuld, weil er sich nicht gekümmert hat, als ein Bekannter ›verschwand‹. Der XX. Parteitag der KPdSU und die Enthüllungen über Stalin erschüttern ihn. Er will begreifen. *»Es wird eine Zeit dauern, eh alles geklärt ist. Vieles glaube ich schon zu verstehen. Nur eins werde ich nicht verstehen: Welches Motiv kann einen Kommunisten bestimmen, anzuordnen, daß Gefangene ›physisch‹ zu vernehmen sind?«* (S. 120)

»Ich habe eine Genossin, die zehn Jahre in Hitlers KZ war, in diesen Tagen weinen gesehen. Aber es gibt Genossen, die sagen: ›Ihr diskutiert zu viel über Stalin, der zweite Fünfjahrplan ist wichtiger.‹« (S. 129)

In diese politische und moralische Krisensituation werden die Erinnerungen an den 17. Juni in Leipzig eingeblendet. Hauptmann war gerade im Dimitroff-Museum in Leipzig und hörte eine Tonbandaufzeichnung aus dem Reichstagsbrandprozeß. Lärm von der Straße stört ihn auf.

»Jenseits des Platzes marschierten Demonstranten. Was war denn für ein Anlaß? Der Tag: 17. Juni? Ich verstand nicht. Arbeiter liefen in ihrer Arbeitskleidung. Trümmerfrauen waren dabei. Krakelig bemalte Schilder wurden getragen. In der kleinen Beethovenstraße hatte sich vorm Kreisgericht schon die Menge zusammengeballt und johlte. Das alles machte einen vorrevolutionären Eindruck. Jetzt konnte ich auch ein Transparent entziffern. Wir erklären uns solidarisch

mit den Berliner Bauarbeitern, stand darauf gepinselt. Und ein Schild schrie ungelenk und lakonisch über die Köpfe hinweg: Nieder mit der Regierung! ... Die demonstrierenden Züge verloren sich. Sie wußten wohl selbst nicht mehr genau, was und wohin sie eigentlich wollten. Es bildeten sich Gruppen und Ansammlungen, die mit Genugtuung und Gegröl das Herunterreißen, Zertrampeln von Transparenten und Symbolen der Arbeiterbewegung betrieben oder beklatschten. Gute Gesichter sah ich nicht dazwischen. Vielleicht waren noch welche dabei, doch waren sie dann verzerrt. Aus der Innenstadt zog eine Rauchfahne hoch. Das Ernst-Thälmann-Haus der Gewerkschaften starrte fassungslos aus zerschlagenen Scheiben. Auf dem Balkon lamentierte ein Betrunkener und hielt eine Ansprache an den leeren Fahrdamm. Die Demolierer hatten ihren Rausch ausgetobt, waren längst weiter. Ich registrierte das alles weniger mit Entsetzen als mit Erstaunen. Die Leute waren voll der tollsten, wildesten Gerüchte. Ich ging zurück zum Museum. Auf den Plätzen bleiben und arbeiten, sagten die Dienststellen der Partei. So warteten die Genossen des Dimitroff-Museums auf Besucher und auf jene Horde von Krawallmachern, die angedroht hatten, das Gebäude zu stürmen. Ich wartete mit. Wir sahen hinunter über den Platz. Vorm Präsidium versuchte eine Handvoll Volkspolizisten, die Straße freizudrücken. Eine fanatisierte Menge warf Steine in die Fenster und nun auch nach dem Offizier und seinen paar Mann, die mit gezogenen Pistolen den Haufen am erneuten Vordringen zu hindern suchten. In Bedrängnis abgegebene Warnschüsse – dem Knall nach Platzpatronen – wurden mit höhnischem Gelächter quittiert. Der Offizier blutete übers ganze Gesicht. Als er scharf schießen ließ, stoben die Steinschmeißer auseinander. Ein Mann blieb auf dem Pflaster liegen, regungslos, bizarr. Der Haufen sammelte sich wieder, schleppte den Liegengebliebenen auf den Rasen an der Brücke und brüllte im dumpfen Sprechchor: ›Mörder! Mörder! Mörder!‹ Ich haßte diese tobenden Leute, ich haßte sie für das, was sie in Scherben hauen wollten. Und ich bemitleidete sie. Ich hätte sie mögen an die Hand nehmen, ihnen alles erklären wie Kindern, alles, was mir klar war. Ich haßte sie wegen ihrer Dummheit. Ihrer Dummheit wegen. ›Sie mußten schie-

ßen‹, sagte der Direktor ... Ich sah ihm ins Gesicht und wußte: er haßte und bemitleidete sie auch ... ›Wir sind mit daran schuld, daß er erschossen wurde‹, sagte ich laut zu mir ... Ich war bereit gewesen, das Museum zu verteidigen. Ich war bereit, den Staat zu verteidigen, die sozialistische Idee zu verteidigen. Aber ich war auch bereit, die Arbeiter zu verstehen, die demonstriert hatten. Das machte mein Herz schwer ...

›Wir Kommunisten können heute nicht weniger entschlossen als der alte Galilei sagen: Und dennoch dreht sie sich! Das Rad der Geschichte dreht sich nach vorwärts. Es dreht sich und wird sich drehen bis zum endgültigen Sieg des Kommunismus.‹ Dies, Dimitroffs Schlußwort, bleibt, auch wenn es ihm Verhetzte zum zweiten Male in diesem Saal streitig machen wollten. Sie kamen nicht bis hierher. Ich schämte mich für sie, denn es waren Deutsche, aus unserer Republik.« (S. 124f.)

Des weiteren zitiert Hauptmann aus seiner Denkschrift von 1953: »...unbedingte Offenheit und Ehrlichkeit in der Darlegung unserer Politik... Kampf gegen jede Art der Schönfärberei... Prinzipientreue und Unversöhnlichkeit sind nicht unvereinbar mit Verständnis und Toleranz«. (S. 126)

Hauptmann veröffentlichte seine »Skizze... aus einem einzigen Grund: Ich will... beweisen, daß es gewisse Tabus gar nicht gibt.« Damit, so meint er, »ist das Problem nicht zu Ende, damit ist die Arbeit nicht zu Ende. Damit fängt sie an.« (S. 136)

Hauptmanns »Fragen zur Selbstverständigung« stellen den 17. Juni in einen politisch interessanten und brisanten Zusammenhang. Es geht um Fehlentwicklungen im Sozialismus, zu deren Diskussion aufgefordert wird aus der Perspektive eines überzeugten, aber doch lernwilligen Genossen.

Hauptmann ist weder vorher noch nachher in vergleichbarer Weise kühn gewesen. 1964 hatte er Reportagen aus einem Industrieprojekt veröffentlicht[70]. Dort springt ein »Bestarbeiter« vom Krankenlager auf, als Streik und Aufruhr drohen, ergreift eine FDJ-Fahne und stellt sich mit seinen Lehrlingen den Provokateuren. Zwar wird er zusammengeschlagen, die Schläger aber müssen fliehen, und am nächsten Tag kann störungsfrei gearbeitet werden. Ein Bilderbuchheld und eine Bilderbuchgeschichte. *Der Kreis der Familie* ist ein Entwicklungsroman mit autobiographischen Zügen von der Hitlerzeit bis 1953. Hauptmann hat ihn 1981 in überarbeiteter Form neu vorgelegt[71]. Er spielt meist in Berlin, Aktionen der FDJ in West-Berlin werden geschildert, der 17. Juni nimmt einen wichtigen Platz ein, die Szenen wechseln zwischen Berlin und Leipzig, wo die aufgeführten Beobachtungen Hauptmanns neu verwendet werden. Es macht wenig Sinn, ins Detail zu gehen. Durchgängig ist, vergleicht man mit der »Skizze«, die Entproblematisierung des Geschehens. Das Versprechen der Skizze, die Arbeit der offenen Selbstverständigung fange jetzt an, hat Hauptmann in seinen bislang veröffentlichten Texten, auch und gerade in dem 1981 vorgelegten Roman, nicht eingelöst. Das wirkt wie eine Zurücknahme jenes kühnen Vorsatzes. Im Roman steht Gut gegen Böse, allerdings gibt es schwankende und unklare Figuren und Verführte. Der Held aber findet zur Klarheit. Im Sommer 1953, nach dem Aufstand, gewinnt er das Liebesgeständnis und Eheversprechen der Freundin und ringt sich zugleich zu dem Entschluß durch, für zwei Jahre zur Kasernierten Volkspolizei zu gehen, freiwillig, ohne Aufforderung. Das ist die Folgerung, die er für sich aus dem 17. Juni zieht. Schöner kann das Ende eines Entwicklungsromans gar nicht sein: In Freiheit wird Ordnung hergestellt, privat wie politisch.

Anstelle eines Schlußwortes

Wir hüten uns vor dem Versuch, ›zusammenzufassen‹. Wir wünschen, der Leser möge, zustimmend und widersprechend, fragend und weiterdenkend, ›freien Gebrauch‹ machen von dem, was zu den aufgeführten Texten gesagt wurde[72]. Eine Prämisse unseres Verfahrens war, daß der Leser die Texte auf die Wirklichkeit der Juniaufstände beziehen kann und bezieht und zugleich auf die von politischem Interesse verfertigten Bilder des 17. Juni, als des »Tages X« auf der einen, als »Tag der Deutschen Einheit« auf der anderen Seite.

Die Möglichkeiten von Literatur werden da deutlich. Was die Dichter finden und erfinden und im Text zusammenbinden, das kann Streitgespräch über Wirklichkeit sein, Streitgespräch jeder denkbaren Art. Literatur kann aber auch vorgegebene Bilder, von anderen Instanzen vorgegebene Bilder der Wirklichkeit ausmalen, auch das auf unterschiedlichste Weise. Literatur als Diskurs und Literatur als Illustration.

Freilich kann unser Text dies nur unvollständig deutlich machen; er mag das Gemeinte andeuten. Er ist das Fragment eines Fragmentes. Platzmangel machte eine Kürzung um etwa die Hälfte nötig. Ihr fiel die Interpretation der meisten »affirmativen«, aber auch kritischer literarischer Texte zum 17. Juni zum Opfer; was das Bild verzerrt. Hier seien wenigstens Autoren und Titel genannt: Jurek Becker, »Der Boxer«, 1976; Werner Heiduczek, »Tod am Meer«, 1977; Horst Bastian, *Gewalt und Zärtlichkeit,* 1974; Rainer Kerndl, *Die seltsame Reise – und lange Ankunft des Alois Fingerlein* (Theaterstück), 1979; Siegfried Pitschmann, *Ein Junibericht* (Prosaskizze); Bernhard Seeger, *Der Harmonikaspieler,* 1981; Erik Neutsch, *Frühling mit Gewalt,* 1974. 1983 wird der gesamte Text des zweiten Teils der Arbeit im Deutschland Archiv erscheinen. Der unbefriedigte Leser sei darauf verwiesen.

Anmerkungen

1 Thomas K. Brown: »Brecht and the 17th of June, 1953«. In: Monatshefte 3, 1971. S. 48–55. Die im Text referierten Fakten entnehme ich, wenn nicht anders vermerkt, diesem Aufsatz. Künftig zitiert als: Brown.

2 Die Brechtzitate entstammen einem Brief Brechts an Peter Suhrkamp vom 1. Juli 1953. Peter Suhrkamp, Freund und Verleger Brechts, hatte Brecht um eine Erklärung seiner Haltung gebeten. Der Brief hat dementsprechend einen Akzent von ›Rechtfertigung‹ Brechts gegenüber dem ›bürgerlichen Humanisten‹ Suhrkamp. Der Brief ist noch nicht vollständig veröffentlicht. Die zitierten Fragmente nehme ich aus Brown, S. 51. Von Suhrkamps Bitte um Erklärung berichtet Völker. Vgl. Klaus Völker, Bertolt Brecht. München/Wien 1976. S. 395.

3 Manfred Wekwerth: »Brief an einen westdeutschen Journalisten«. In: Kürbiskern, Februar 1968. S. 191. Wekwerth war 1953 Assistent am Berliner Ensemble.

4 Ebd. S. 190.

5 Vgl. Brown, S. 49 f.

6 Brown, S. 50.

7 Neues Deutschland, 23. Juni 1953. Klaus Völker: Brecht-Chronik, München 1971. S. 147. Künftig zitiert als: Völker. Es ist hier vielleicht zu beachten, daß »Neues Deutschland« zu diesem Zeitpunkt in Opposition zu Ulbricht stand. Der Chefredakteur Herrnstadt war einer der Protagonisten des »Neuen Kurses«. Die ›doppelte‹ Deutung der Ereignisse, welche Brecht vorträgt, entspricht mehr der Gruppe um Herrnstadt als den Parolen Ulbrichts.

8 Vgl. Völker, S. 149.

9 Bertolt Brecht, Gesammelte Werke. Frankfurt 1967 (Werkausgabe Edition Suhrkamp). Band 20. S. 327. Künftig zitiert als: Brecht.

10 Bertolt Brecht, Arbeitsjournal. 2. Band. Frankfurt 1973. S. 1009.

11 Völker, S. 149. Brechts Gedicht: Die Wahrheit einigt, vgl. Brecht, Band 10. S. 1011.

12 Brecht, Band 20. S. 326. Das Zitat ist ein Teil des dritten Abschnittes der Notizen Brechts zum Parteitag der »Entstalinisierung«. Vorher heißt es: »Der Ausbruch aus der Barbarei des Kapitalismus kann selber noch barbarische Züge aufweisen. Die erste Zeit der barbarischen Herrschaft mag dadurch unmenschliche Züge aufweisen, daß das Proletariat, wie Marx es beschreibt, durch die Bourgeoisie in der Entmenschtheit gehalten wird. Die Revolution entfesselt wunderbare Tugenden und anachronistische Laster zugleich.«

13 Kurt Barthel, genannt Kuba: »Wie ich mich schäme«. Zitiert aus: Konrad Franke, Die Literatur der Deutschen Demokratischen Republik (= Kindlers Literaturgeschichte der Gegenwart. Bd. 2). Zürich/München 1974, S. 112 f.

14 Brecht, Bd. 10. S. 1009 f. Die meisten politischen ›Gelegenheitsgedichte‹ Brechts blieben zunächst ungedruckt, waren auch nicht zur – unmittelbaren – Veröffentlichung gedacht, sondern »zu innerem Gebrauch« (so Brecht im Brief an Paul Wandel, vgl. Völker, S. 148) für Kreise gleichgesinnter Genossen und Freunde, denen Brecht solche Texte vortrug oder zuschickte. Die ›Kreise‹ fungierten auch als Ersatzöffentlichkeit; in ihnen konnten Möglichkeiten des Gebrauchs poetischer Texte unterschiedlicher Machart ausprobiert werden. So notiert z. B. Kantorowicz am 28. Juni 1953: »Von Brecht geht ein grimmiges Sprüchlein um, dessen Text mir heute . . . auf einem Zettel zugesteckt worden ist.« Es handelte sich um

Brechts Gedicht »Die Lösung«. Alfred Kantorowicz, Deutsches Tagebuch, zweiter Teil. Berlin (West) 1979, S. 389. Der hochgestellte Funktionär Paul Wandel als Empfänger des Textes »Die Wahrheit einigt« gibt der Anweisung »zu innerem Gebrauch« einen zweiten Sinn: ein Wort des kommunistischen Dichters Brecht an die Mächtigen in Staat und Partei.

Eine Auswahl von Gedichten aus den »Buckower Elegien« war 1953 in Heft 13 der »Versuche« erschienen (vgl. Brecht, Bd. 10. Anmerkungen, S. 24). Nach Brechts Tod veröffentlichte »Sinn und Form« aus dem Corpus der späten Gedichte: Der Radwechsel, Tannen, Beim Lesen des Horaz, Böser Morgen, Eisen, Laute, Nicht so gemeint. Erst 1976 in Völkers Biographie sind zwei der Texte aus der Zeit des Aufstands abgedruckt worden, über die Funktionäre und über die blinden Massen, die nach den »Fleischtöpfen Ägyptenlands«, das ist West-Berlins, ziehen, fähig, wie Brecht meinte, sich »Für ein Fäßlein Wein/ Für ein Säcklein Mehl« zu verkaufen und »ein Kriegsknecht« zu werden. »Wenn das Kalb vernachlässigt ist / Drängt es zu jeder schmeichelnden Hand, auch / Der Hand des Metzgers«. Über die Genossen von der Parteileitung dichtete er bitter: »Jetzt / Herrschen sie und sprechen eine neue Mundart / Nur ihnen selber verständlich, das Kaderwelsch / Welches mit drohender und belehrender Stimme gesprochen wird / Und die Läden füllt – ohne Zwiebeln«.

Zitiert aus: Klaus Völker: Bertolt Brecht. Eine Biographie. München/Wien 1976. S. 393 f.

15 Brecht, Bd. 10. S. 1012.

16 Brecht, Bd. 10. S. 1015.

17 Clemens Heselhaus, Immanente ästhetische Reflexion. Lyrik als Paradigma der Moderne. München 1966. S. 324.

18 Jürgen Link: Die Struktur des literarischen Symbols. Theoretische Beiträge am Beispiel der späten Lyrik Brechts. München 1975.

19 Brecht, Bd. 10. S. 1009.

20 Brecht, Bd. 10. S. 1010.

21 Brecht, Bd. 10. S. 1006.

22 Brecht, Bd. 10. S. 1003 f.

23 Brecht, Bd. 10. S. 1027 f.

24 Brecht, Bd. 10. S. 1011 f.

25 Vgl. Völker, S. 148.

26 Brecht, Bd. 10. S. 1009.

27 Vgl. Völker, S. 143.

28 Brecht, Arbeitsjournal, Bd. 2. S. 1012.

29 Vgl. Brecht, Arbeitsjournal, Bd. 2. S. 1012 und 958.

30 Zum Büsching-Projekt vgl. die Vielzahl neuer Informationen in dem sehr verdienstvollen Aufsatz von Stephan Bock: »Chronik zu Brechts ›Garbe/Büsching‹-Projekt und Käthe Rülickes Bio-Interview ›Hans Garbe erzählt‹«. In: Brecht-Jahrbuch 1977 (Frf./M. 1977), S. 81–99. Von Bock erfahre ich, daß Hans Garbe, jener auch durch Eduard Claudius Roman »Menschen an unsrer Seite« (1951) berühmt gewordene Ofenmaurer und »Held der Arbeit«, den Brecht zum Helden seines Dramas machen wollte, im Juni 1953 in der Stalinallee arbeitete, daß Brecht seine Mitarbeiterin Käthe Rülicke am Nachmittag des 17. Juni zu ihm schickte und folgendes erfuhr: »Garbe erzählt, er habe am Vormittag all seine Orden angelegt, sei zu den Demonstranten gegangen und habe, ›neben‹ ihnen hergehend (so Rülickes Notat über dieses Gespräch), sie zu agitieren versucht. Er sei erkannt worden, Rufe von ›Schlagt ihn tot!‹ bis zu ›Laßt ihn gehen, der gehört zu

uns!‹ seien laut geworden. Man habe ihn bedroht, nur das Eingreifen von Volkspolizisten habe ihn vor dem Zusammengeschlagenwerden bewahrt. Wer gerufen und wer Prügel angedroht habe, Provokateure oder Bauarbeiter, sei für ihn nicht genau feststellbar gewesen. Rülicke macht über das Gespräch ein Notat und berichtet Brecht.« (Bock, S. 95).

31 Stephan Hermlin: Die Kommandeuse. Zuletzt wieder abgedruckt in: Auskunft. Neue Prosa aus der DDR. Herausgegeben von Stefan Heym. Hamburg 1977 (rororo Nr. 4046). S. 196–205.
Zum Wirklichkeitsmaterial von Hermlins Erzählung: Eva Dorn war keine »Kommandeuse«, sondern irgendeine Aufseherin im KZ Ravensbrück. Sie war auch nur zu zehn Jahren Zuchthaus verurteilt worden, also war ihr kein Mord nachzuweisen gewesen. Das spätere Todesurteil gegen sie war ein Propagandaschlag; rechtlich nicht zu begründen. Eine ausgewiesene Faschistin sollte als Protagonist des Aufstandes vom 17. Juni vorgezeigt werden. Dorn hatte tatsächlich ihrem Vater geschrieben: »Dann ziehen wir wieder unsere geliebte SS-Uniform an.«

32 Ebd. S. 197, 198, 199 f.

33 Ebd. S. 201, 205.

34 Der Herausgeber von »Auskunft. Neue Prosa in der DDR«, Stefan Heym, hat nur die Autoren ausgewählt, nicht die Texte. Jeder Schriftsteller hatte die Freiheit, selbst zu bestimmen, mit welchem Text er in dieser Anthologie vertreten sein wollte. Vgl. das Vorwort zu »Auskunft«.

35 Fritz Selbmann: »Anhang den Tag vorher betreffend«. In: Auskunft, S. 98–104. Zu Selbmanns Verhalten vgl. die Berichte von Heinz Brandt, Ein Traum, der nicht entführbar ist, München 1967, S. 234–238, und Robert Havemann, Fragen, Antworten, Fragen. Aus der Biographie eines deutschen Marxisten, München 1970, S. 127–135 (vgl. auch diese Edition S. 126).
»Anhang den Tag vorher betreffend« ist zuerst in dem Sammelband Fritz Selbmann, Das Schreiben und das Lesen, Halle/Saale 1974, erschienen. Der gleiche Band enthält einen zweiten Text zum 17. Juni: »Der Tag X der Eleanor Dulles«, der die These vom westlich gesteuerten konterrevolutionär-faschistischen Putsch in scharfer Form vorträgt. »Anhang den Tag vorher betreffend« gehört in den Zusammenhang von Selbmanns Roman »Die Söhne der Wölfe« (Halle/Saale 1966), der am Lebensweg jenes Heinz Lorenzen schildert, der sich am 17. Juni durch entschlossenes und hartes Durchgreifen auszeichnet und in seinem Betrieb die Situation meistert. Die Szene vor dem Haus der Ministerien findet sich auch im Roman, aber in anderer Form. Der redende Minister Selbmann erscheint nicht, und die ganze Situation ist härter.

36 Auskunft, S. 104.

37 Hermann Kant, Die Aula, Roman, Berlin (Ost) 1965. Kant hat seinem Roman ein programmatisches Motto vorangestellt, ein Heine-Zitat: »Der heutige Tag ist das Resultat des gestrigen. Was dieser gewollt hat, müssen wir erforschen, wenn wir zu wissen wünschen, was jener will.« Zu Kants poetischem Prinzip und Verfahren vgl. Heinrich Mohr: »Gerechtes Erinnern. Untersuchungen zu Thema und Struktur von Hermann Kants Roman ›Die Aula‹ und einige Anmerkungen zu bundesrepublikanischen Rezensionen«. In: Germanisch-Romanische Monatsschrift. NF 21/2. 1971. S. 225–245.

38 Hermann Kant, Das Impressum. Rütten und Loening, Berlin (Ost) 1972. Ich zitiere aus der 7. Auflage, 1976. Ebenda, Seite 402 f., 404.

39 Ebenda, S. 408 f.

40 Christa Wolf, Nachdenken über Christa T. Mitteldeutscher Verlag, Halle 1968. Luchterhand Verlag, Darmstadt 1969. Die im folgenden zitierten Passagen ebenda, S. 220 und S. 90 f.

41 Anna Seghers, Das Vertrauen. Berlin (Ost) 1968. Anna Seghers, Gesammelte Werke in Einzelausgaben Bd. VIII. Aufbau Verlag, Berlin und Weimar 1975. Die im folgenden zitierten Passagen ebenda, S. 362, 338, 396.

42 Geschichte der deutschen Literatur von den Anfängen bis zur Gegenwart. Bd. 11. Literatur der Deutschen Demokratischen Republik. Volk und Wissen, Berlin (Ost) 1976. S. 631.

43 Ebenda, S. 630.

44 So Stefan Heym zu Heinz Brandt. Heinz Brandt, Ein Traum der nicht entführbar ist. A. a. O. (Anm. 35), S. 277. Das folgende Zitat ebenda, S. 275 f. Eine Neuauflage von Brandts so erregend informativer wie betroffen machender Autobiographie ist 1977 im Verlag Europäische Ideen, Berlin (West), erschienen.

45 So in Honeckers Bericht des Politbüros an die 11. Tagung des ZK (Dezember 1965). Hier zitiert aus Brandt, Ein Traum der nicht entführbar ist. A. a. O. (Anm. 35), S. 211.

46 Stefan Heym, 5 Tage im Juni. Bertelsmann, München/Gütersloh/Wien 1974. Fischer Taschenbuch Nr. 1813 (Januar 1977). Ich zitiere aus dieser Ausgabe.

47 Ebd. S. 53, 29, 203.

48 Ebd. S. 231 f.

49 Ebd. S. 260–262.

50 Ausgeklammert bleibt hier die autobiographische Literatur, zu der 1983 eine eigene Arbeit im Deutschland Archiv erscheinen wird. Heinrich Mohr: Darstellung und Deutung der Juniaufstände 1953 in neuerer autobiographischer Literatur.

51 Heiner Müller, Germania Tod in Berlin. Berlin (West) 1977. Das Stück ist bislang in der DDR weder gespielt noch gedruckt worden, und zwar, so eine Äußerung Heiner Müllers in München, eben wegen jener Szenen über den 17. Juni. Die Uraufführung des Stückes fand 1978 in den Münchener Kammerspielen statt.

52 Heiner Müller, Die Schlacht. Szenen aus Deutschland. In: ders., Die Umsiedlerin oder das Leben auf dem Lande. Berlin (West) 1975, 5. 8. 1977 erschien »Die Schlacht«, zusammen mit »Traktor« und »Leben Gundlings . . .« im Henschel-Verlag, Berlin (Ost). Die Uraufführung fand 1975 in Ost-Berlin, in der Volksbühne statt. »Die Schlacht« hat, ähnlich wie »Germania . . .«, eine lange Entstehungszeit. Müller hat 1951 die ersten Szenen geschrieben und erst 1974 das Stück fertiggestellt.

53 Germania Tod in Berlin, a. a. O. (Anm. 51), S. 69 f. Die folgenden Zitate sind alle aus der Szene »Die Brüder 2«, S. 69–74.

54 Germania Tod in Berlin, a. a. O. (Anm. 51), S. 15.

55 Germania Tod in Berlin, a. a. O. (Anm. 51), S. 64–67. Dort alle im Text aufgeführten Zitate.

56 Germania Tod in Berlin, a. a. O. (Anm. 51), S. 75–78.

57 Mit Recht akzentuiert Klussmann in seiner intensiven und differenzierten Interpretation das Moment Hoffnung. Vgl. Paul Gerhard Klussmann: »Heiner Müllers Germania Tod in Berlin«. In: Walter Hink: Geschichte als Schauspiel, Frankfurt/M. 1981, S. 396–414.

58 Heiner Müller: Der Lohndrücker. In: Geschichten aus der Produktion 1. Berlin (West) 1974, S. 15–44. Die im Text aufgeführten Zitate sind alle aus der 14. und 15. Szene, ebd. S. 40–44. »Der Lohndrücker« ist zuerst 1957 in der Zeitschrift des Schriftstellerverbandes erschienen (NDL,

H. 5/1957, S. 116–141), 1958 im Ostberliner Henschel-Verlag. Die Uraufführung fand 1958 im Städtischen Theater Leipzig statt.
59 Volker Braun, Stücke 1. Frankfurt/M. 1975 (Suhrkamp Tb 198), S. 71–125. Die folgenden Textzitate ebd. S. 115, 113, 116, 115. »Hinze und Kunze« ist zuerst 1975 im Henschel-Verlag Berlin (Ost) erschienen. In einer ersten Fassung wurde das Stück als »Hans Faust« 1968 in der DDR uraufgeführt.
60 Thomas Brasch: Rotter. In: ders. Rotter Und weiter. Ein Tagebuch, ein Stück, eine Aufführung, Frankfurt/M. 1978. Die folgenden Zitate ebd. S. 133, 100, 129, 116, 116, 119, 136. Das Stück wurde im wesentlichen in der DDR geschrieben, aber erst in West-Berlin fertiggestellt. Das Stuttgarter Schauspiel hat es im Dezember 1977 uraufgeführt. In der DDR ist das Drama des in die Bundesrepublik ›übergesiedelten‹ Autors natürlich (leider natürlich!) weder gedruckt noch gespielt worden.
61 Kurt Bartsch, Kaderakte. Gedichte und Prosa. Reinbek b. Hamburg 1979, S. 50. In der DDR wurden »Gedenktafel« und »Totensonntag« nicht veröffentlicht.
62 Ebd. S. 49.
63 Kurt Bartsch, Wadzeck. Roman. Reinbek b. Hamburg 1980. Zitate aus »Wadzeck« werden in unserem Text mit der Seitennummer aus dieser Ausgabe angegeben. Entsprechend verfahren wir im folgenden bei der Besprechung umfangreicherer Texte. – In der DDR ist »Wadzeck« nicht gedruckt worden.
64 »Wadzeck«, Bartschs erster Roman, steckt voller literarischer Zitate und Anspielungen, auf die hier leider gar nicht eingegangen werden konnte. Die Titelfigur ist von Döblin ›entliehen‹, erinnert aber zugleich an Büchners »Woyzeck«. In einem Vorspann bekennt sich Bartsch ausdrücklich zu seinem ›Leihverfahren‹: »Für Anleihen / Zitate bedanke ich mich bei Georg Büchner, Alfred Döblin, Richard Leising und Heiner Müller sowie bei zahlreichen Schlagertexten.«
65 Jochen Ziem: Aufruhr. In: ders.: Die Klassefrau. Darmstadt und Neuwied 1974, S. 106–116. (Wieder abgedruckt in: Walwei-Wiegelmann [Hrsg.]: Die Wunde namens Deutschland. Freiburg/Heidelberg 1981, S. 15–25). Ich zitierte aus der Erstveröffentlichung. – Ziem stammt aus Magdeburg, ist schon Mitte der fünfziger Jahre in die Bundesrepublik gekommen, gehört also im strengeren Sinne nicht in unsere Zusammenstellung. Ich habe seinen Text trotzdem ausgewählt, weil er eine neue und, wie mir scheint, wichtige Perspektive bringt.

66 Ziems Text »Aufruhr« ist in einer ersten Fassung schon 1966 veröffentlicht worden (Kursbuch 4/1966, S. 83–89). »Brief aus Halle, Juni 1953«, so hieß die Überschrift. Es ist nur ein Brief, ohne Nachsatz, geschrieben von einem Studenten an seinen Freund. Was berichtet wird, deckt sich inhaltlich weitgehend mit »Aufruhr«, es fehlt die Absicht des Schreibers, die DDR zu verlassen, und das harte und selbstgerechte Urteil über den Arbeiter. Das Ende ist Resignation, durchaus auch Geringschätzung, in die der Schreiber sich aber einbezieht. »Ich habe einem deutschen Aufstand beigewohnt. Ich weiß jetzt, wie berechtigt es ist, wenn uns die Regierungen dieses Landes seit 1525 nur Mißachtung entgegenbringen. Auch ich gehe jetzt schlafen. Ich grüße dich! Gute Nacht! L. S.« Dem Brief fehlt, was »Aufruhr« so interessant macht, die Innenansicht eines hochmütigen und miserablen Intellektuellen.
67 Erich Loest, Durch die Erde ein Riß. Ein Lebenslauf. Hamburg 1981.
68 Vgl. Stephan Bock: »Der 17. Juni 1953 in der Literatur der DDR. Eine Bibliographie (1953–1979)«. In: Jahrbuch zur Literatur in der DDR. Hrsg. von Paul G. Klussmann und Heinrich Mohr. Bd. 1, Bonn 1980, S. 152.
69 Neue Deutsche Literatur (NDL) 13/1965, S. 117–136.
70 Helmut Hauptmann: Das komplexe Abenteuer Schwedt. Reportagen auf den Spuren der Fließfertigung. Halle/Saale 1964. Die folgende Szene ebd. S. 124f. – In der Bundesrepublik ist das Buch nicht erschienen.
71 Helmut Hauptmann: Der Kreis der Familie. Bekenntnisse des jüngeren Bruders. Halle/Leipzig 1981. Eine erste Fassung war 1964 erschienen. Ich habe sie nicht erhalten können, muß also auf einen Vergleich verzichten. – In der Bundesrepublik ist »Der Kreis der Familie« nicht erschienen.
72 Die hier betrachteten Texte sind nur eine Auswahl. Verwiesen sei auf die schon zitierte Bibliographie zum 17. Juni in der Literatur von Stephan Bock (vgl. Anmerkung 68). Eine Vollständigkeit anstrebende Erfassung und Auswertung des »Materials« war keineswegs die Absicht unserer Studie – obwohl das ein Desiderat ist, genauer, bislang war. Eine an der Universität Salzburg eingereichte Dissertation, die der Verfasser mir freundlicherweise zugeschickt hat, unternimmt es, die Lücke zu schließen. Johannes Pernkopf: Der 17. Juni 1953 in der Literatur der beiden deutschen Staaten BRD und DDR. Maschinenschriftlich, Salzburg/Berlin (West) 1982. Die Dissertation soll in der Reihe »Stuttgarter Arbeiten zur Germanistik« im Verlag Hans-Dieter Heinz erscheinen.

Die Autoren

Ewers, Klaus, Historiker, Bielefeld, wissenschaftlicher Angestellter an der Universität Osnabrück, arbeitet mit Thorsten Quest zusammen an einem von der Stiftung Volkswagenwerk geförderten Forschungsprojekt über den 17. Juni 1953, dessen Ergebnisse im Herbst 1983 veröffentlicht werden sollen. Die hier vorgelegte Arbeit ist Teil des Forschungsprojekts. Veröffentlichungen: „Einführung der Leistungsentlohnung und verdeckter Lohnkampf in den volkseigenen Betrieben der SBZ (1947–1949)", in: Deutschland Archiv Heft 6/1980; „Aktivisten in Aktion. Adolf Hennecke und der Beginn der Aktivistenbewegung 1948/49", in: Deutschland Archiv Heft 9/1981.

Fricke, Karl Wilhelm, Leiter der Ost-West-Redaktion des Deutschlandfunk, Köln. Veröffentlichungen u. a.: Warten auf Gerechtigkeit. Kommunistische Säuberungen und Rehabilitierungen. Bericht und Dokumentation, Köln 1971; Politik und Justiz in der DDR. Zur Geschichte der politischen Verfolgung 1945–1968. Bericht und Dokumentation, Köln 1979; Die DDR-Staatssicherheit. Entwicklung, Strukturen, Aktionsfelder, Köln 1982.

Mohr, Heinrich, Prof. Dr. phil., Hochschullehrer für Literaturwissenschaft und Sozialgeschichte der Literatur an der Universität Osnabrück, Vorsitzender des Arbeitskreises „Literatur und Germanistik in der DDR" und Mitherausgeber von dessen Jahrbüchern, Mitglied des Arbeitskreises DDR-Forschungsförderung im Bundesministerium für innerdeutsche Beziehungen. Veröffentlichungen u.a.: „Literatur als Kritik und Utopie der Gesellschaft", in: Kultur und Gesellschaft in der DDR, Deutschland Archiv, Sonderheft 1977; „DDR-Geschichte als Thema der DDR-Literatur", in: 30 Jahre DDR, Deutschland-Archiv, Sonderheft 1979; „Entwicklungslinien der Literatur im geteilten Deutschland", in: Jahrbuch zur Literatur in der DDR, Bonn 1980.

Quest, Thorsten, Sozialwissenschaftler, Göttingen, wissenschaftlicher Angestellter an der Universität Osnabrück, arbeitet mit Klaus Ewers zusammen an einem von der Stiftung Volkswagenwerk geförderten Forschungsprojekt über den 17. Juni 1953, dessen Ergebnisse im Herbst 1983 veröffentlicht werden sollen. Die hier vorgelegte Arbeit ist Teil des Forschungsprojekts.

Wettig, Gerhard, Dr. phil., wissenschaftlicher Direktor und stellvertretender Leiter des Forschungsbereichs Außenpolitik am Bundesinstitut für ostwissenschaftliche und internationale Studien, Köln. Veröffentlichungen u. a.: Entmilitarisierung und Wiederbewaffnung in Deutschland 1943–1955. Internationale Auseinandersetzungen um die Rolle der Deutschen in Europa, München 1967; Die Sowjetunion, die DDR und die Deutschland-Frage 1965–1976. Einvernehmen und Konflikt im sozialistischen Lager, Stuttgart 1977; Das Vier-Mächte-Abkommen in der Bewährungsprobe. Berlin im Spannungsfeld von Ost und West, Berlin (West) 1981; Konflikt und Kooperation zwischen Ost und West. Entspannung in Theorie und Praxis, Bonn 1981.

17. Juni 1953, 12 Uhr mittags,
Leipziger Straße Ecke Wilhelmstraße
in Ost-Berlin

Demonstrationszug Unter den Linden

Streikende Arbeiter in der Stalinallee

Hennigsdorfer Stahlwerker ziehen durch den französischen Sektor nach Ost-Berlin

Vor dem Haus der Ministerien

Am Potsdamer Platz fallen die ersten Schüsse

Demonstranten verbrennen Propagandamaterial aus einem SED-Büro in der Schützenstraße

Demonstranten holen die rote Fahne vom Brandenburger Tor

Sowjetpanzer greifen ein

Vor dem alten Rathaus in Leipzig

Arbeiter der Kirow-Werke in Leipzig
auf dem Marsch zum Amtsgericht.
Text auf dem Transparent:
Wir fordern Butter keine Kanonen
Freiheit und mehr Lohn!!!

Karl-Marx-Platz in Leipzig

Solidaritäts-
klärung
mit Berlin!

Vor dem Gerichtsgebäude in Leipzig

Demonstrationszug in Magdeburg

Magdeburger Demonstranten fordern die
Freilassung aller politischen Gefangenen

streik in den Zeiss-Werken Jena

Demonstration in Jena

Gegendemonstration der SED
am 26. Juni 1953 in der Stalinallee

UNSERE ANTWORT AN PROVOKATEURE :
FESTES VERTRAUEN ZUR REGIERUNG !

SED-Propaganda demonstriert deutsch-
sowjetische Freundschaft: »Maria Verbelow
vom Transformatorenwerk Karl Liebknecht in
Berlin-Oberschöneweide dankt sowjetischen
Panzermännern für ihren Einsatz.«

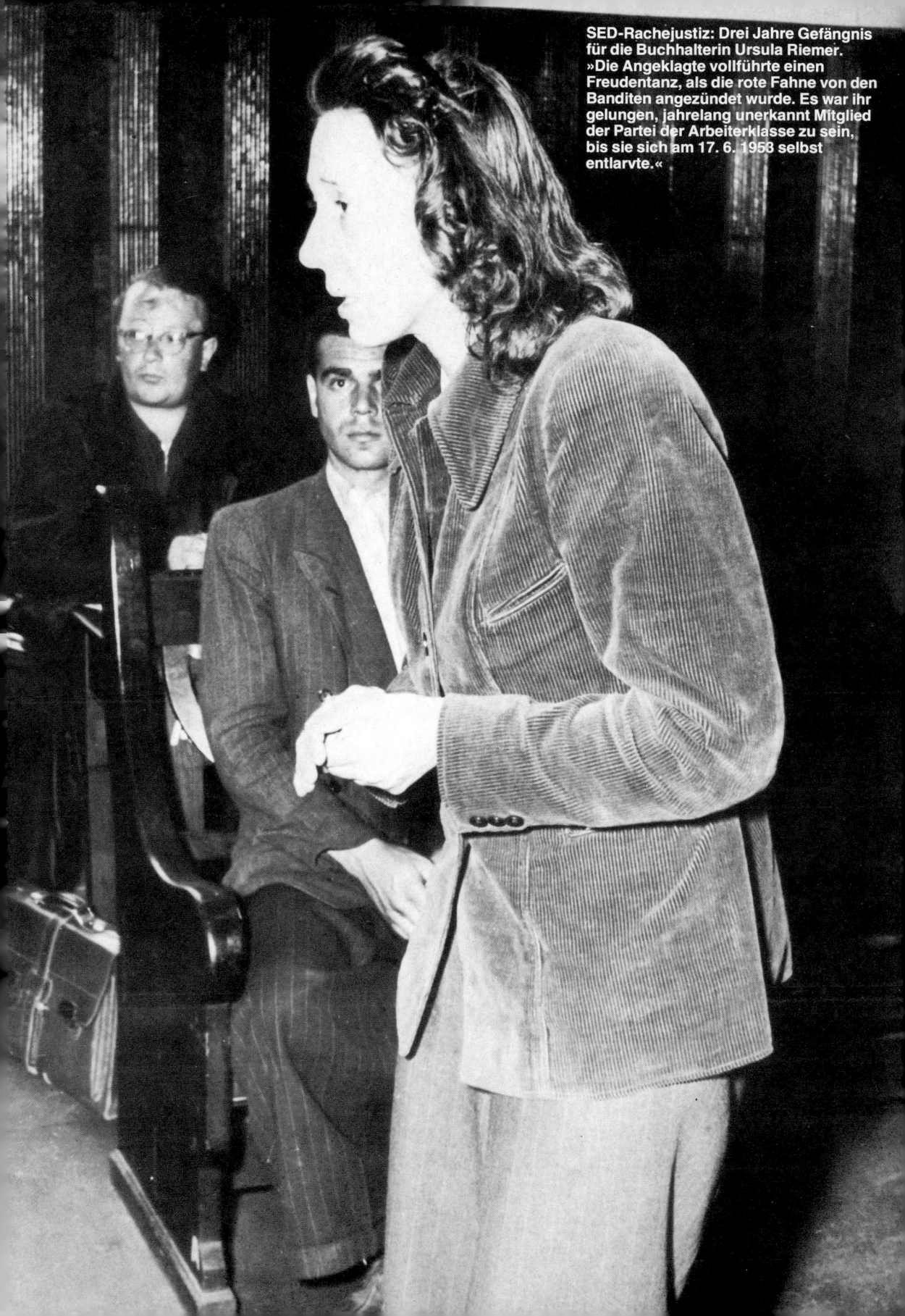

SED-Rachejustiz: Drei Jahre Gefängnis für die Buchhalterin Ursula Riemer. »Die Angeklagte vollführte einen Freudentanz, als die rote Fahne von den Banditen angezündet wurde. Es war ihr gelungen, jahrelang unerkannt Mitglied der Partei der Arbeiterklasse zu sein, bis sie sich am 17. 6. 1953 selbst entlarvte.«

Arbeiter bergen verletzten Kollegen

**Trauerfeier für die Toten
des 17. Juni in West-Berlin**

Berichte und Reflexionen von Zeitzeugen

Drei Gruppen von Zeitzeugen werden hier vorgestellt: am Streik beteiligte Arbeiter als die eigentlichen Hauptpersonen des Aufstandes; Partei- und Staatsfunktionäre; Intellektuelle.

Von den Arbeitern gibt es keine literarischen Zeugnisse; sie äußerten sich nach ihrer Flucht in Rundfunk- und Fernsehsendungen.

Die Funktionäre (Brandt und Schenk) sind einzigartige Quellen für die Zeitgeschichte, weil sie an Schaltstellen der politischen Macht saßen (Berliner Landesleitung der SED, Regierung) und direkten Kontakt zum SED-Politbüro hatten (über Hans Jendretzky und Bruno Leuschner).

Die Intellektuellen, darunter Altkommunisten wie Havemann und Kantorowicz, überzeugte Anhänger des Kommunismus in Deutschland wie Heym und Niekisch, widerlegen mit ihren Analysen die Behauptung der SED, der Aufstand sei nichts als ein von westlichen Agenten ausgelöster und ferngesteuerter faschistischer Putschversuch gewesen. Jürgen Rühles Beitrag beleuchtet ein bisher noch wenig erforschtes Feld, die Auswirkungen des sowjetischen Kurswechsels 1952/53 und der damit zusammenhängenden Fraktionskämpfe in der SED-Führung auf die kulturpolitische Szene der DDR. Die Intellektuellen, obwohl am Aufstand 1953 nicht beteiligt, profitierten davon, denn die stalinistische Kunstdiktatur geriet dabei ins Wanken, und es formierten sich die Kräfte für die intellektuelle Opposition 1956/57.

Die literarischen Zeugnisse sind alle nur im Westen erschienen, nach der Flucht ihrer Autoren oder ihrem Bruch mit der DDR, im Falle der gebliebenen DDR-Bürger Havemann und Heym ohne Genehmigung der DDR-Zensur. Aber alle Autoren waren am 17. Juni 1953 Bürger der DDR bzw. dort beschäftigt mit Wohnsitz in West-Berlin (Niekisch und Rühle), alle waren in der einen oder anderen Weise in die Ereignisse verstrickt. Es handelt sich also ausnahmslos um authentische Zeitzeugnisse, die eine Innenansicht des Aufstandes vermitteln. In einigen Fällen haben Autoren oder Herausgeber erläuternde Fußnoten hinzugefügt, sie stehen jeweils am Ende der Beiträge.

Augenzeugenberichte von streikenden Arbeitern

Wilhelm Grothaus
Antifaschistischer Widerstandskämpfer, Streikführer in Dresden

Wilhelm Grothaus, Jg. 1893, stammte aus einer Bergarbeiterfamilie in Herten/Ruhrgebiet. 1905 nahm er als Zwölfjähriger zum erstenmal an einem Streik teil, 1919 trat er der SPD bei. 1926 ging er nach Berlin, wo er den kommunistischen Reichstagsabgeordneten Georg Schumann aus Leipzig kennenlernte, den er 1933, nach dem Reichstagsbrand, vor der Gestapo in seiner Wohnung versteckte. Er schloß sich der illegalen KPD an, ging 1934, von der Polizei aus Berlin ausgewiesen, nach Dresden und leitete die dortige Gruppe von Schumanns Leipziger Widerstandsorganisation. Lange arbeitslos, weil die NSDAP aus politischen Gründen immer wieder seine Entlassung forderte, kam er 1940 als kaufmännischer Angestellter im Sächsischen Brücken- und Stahlhochbau, ABUS, unter. 1944 fiel die Widerstandsorganisation von Georg Schumann durch Verrat der Gestapo in die Hände. Schumann wurde am 23. November hingerichtet, Grothaus nach ergebnisloser Folter des Hochverrats angeklagt, er erwartete ebenfalls das Todesurteil. In der Bombennacht des 13. Februar 1945 gelang ihm die Flucht aus dem Dresdner Gefängnis Mathildenstraße. Er schlug sich illegal nach Herten durch. Nach Kriegsende ging er zurück nach Dresden zu seiner Frau, die dort die Gestapo-Haft überlebt hatte. Er wurde Mitglied der KPD, dann SED, kam in die Kommunalverwaltung, 1950 wurde er kaufmännischer Leiter in seiner alten Firma ABUS. Erika von Hornstein hat aus diesem exemplarischen Lebenslauf für den Westdeutschen Rundfunk einen Fernsehfilm gemacht (gesendet am 17. Juni 1966). Grothaus berichtete in diesem Film auch über den 17. Juni 1953 in Dresden und seine Rolle als Streikführer. Wir zitieren im folgenden aus dem Sendemanuskript. Wilhelm Grothaus ist wenige Wochen nach diesen Fernsehaufnahmen gestorben.

Am Abend des 16. Juni erfuhr Grothaus über den RIAS, daß in Berlin die Bauarbeiter gegen die Normenerhöhungen marschierten und zum Generalstreik aufriefen. Vor Grothaus stand die Frage: Sollten sie in Dresden sich anschließen?

»Ich war dafür. Zunächst einmal aus einem sehr wichtigen und entscheidenden Grund, der für mich in meiner ganzen politischen Arbeit schon in der Vergangenheit immer ausschlaggebend gewesen war, nämlich aus Gründen der Solidarität. Nachdem die Arbeitsniederlegung erfolgt war und nachdem die Bauarbeiter den Kampf gegen das System aufgenommen hatten, war ich der Meinung, daß man schon aus Gründen der Solidarität nicht mehr ausweichen könne und mitmachen müsse, unter allen Umständen.«

In der Nacht trafen bei Grothaus die Freunde ein und beschlossen, auch in Dresden den Streik auszurufen. Sie bildeten sofort ein Streik-Komitee, mit Grothaus an der Spitze. Allein das Sachsenwerk und die ABUS mit 7600 Arbeitern stellten eine Kraft dar...

Während am Morgen des 17. Juni in Berlin schon der Aufstand brannte, versammelten sich die 1600 Arbeiter der ABUS.

»Wir haben uns dann in der großen Montagehalle eingefunden. Hier versuchte zunächst der Vertreter der Zentralen Parteileitung der Bezirksleitung zu sprechen, der niedergeschrien wurde. Dann versuchte der Gewerkschaftsobmann zu sprechen, dem es aber auch nicht gelang, zu Wort zu kommen. Dann bin ich auf eine große Drehbank gestiegen und habe zu den Versammelten, etwa 1600 Arbeitern, gesprochen, und dann war's auch still. Die Arbeiter kannten mich ja alle und wußten auch, was ich wollte, mehr oder weniger. Ich habe dann den Arbeitern gesagt, daß nicht so entscheidend sei die Ursache des Kampfes in Berlin, die Frage der Normenerhöhung, sondern daß wir diesen Kampf, der in Berlin noch das Gesicht eines Gewerkschaftskampfes trage, umgestalten müßten in einen politischen Kampf und daß unsere Forderung nicht darauf hinauslaufen könne, eine Beseitigung der Normenerhöhung zu verlangen, sondern daß die entscheidenden Forderungen die seien, die grundsätzlich entscheidenden Forderungen: Beseitigung der Regierung, Sturz des kommunistischen Systems, Freilassung aller politischen Gefangenen, freie und geheime Wahlen und dann die Wiederherstellung der Einheit Deutschlands. Die ganze Versammlung hat meinen Ausführungen unter großem Beifall zugestimmt, und auch in der Abstimmung zeigte sich, daß die ganze Belegschaft, die 1600 Arbeiter, restlos hinter diesen Forderungen standen.«

Jetzt setzte die Arbeiterschaft der ABUS sich in Marsch zum Sachsenwerk. Die Nachricht war durchgekommen, daß dort Otto Buchwitz aus Berlin sprechen sollte.

»Als wir auf dem Hof ankamen, sprach Buchwitz bereits, aber unter sehr großem Widerspruch der etwa 5000 bis 6000 Arbeiter des Sachsenwerkes. Buchwitz war, als die Länder noch bestanden, Landtagspräsident gewesen, war dann nach Berlin gegangen und gehörte hier dem Zentralkomitee der Partei an. Den hatte die Partei nach Dresden geschickt, vielleicht weil sie, das kann ich nur vermuten, weil sie sich gesagt hatte, da sitzt ein gefährlicher Mann. Aber Buchwitz war eben, na, was soll ich sagen, zu weich. Keine Energie, kein gar nichts! Er heulte immer. Man sagte auch: die Tränendrüse der Partei. Wenn er vor Arbeitern sprach, dann kam er immer auf ein Thema, wo er heulen konnte. Wie ich ihn da so armselig stehen sah – kullerten ihm so ein paar Tränen runter, er könnte gar nicht begreifen, wieso die Arbeiterklasse dann nun jetzt – in dem Augenblick tat er mir tatsächlich leid. Ich denke: ›Du armer Mann‹, wie er da so hilflos stand und nicht wußte, was er mit den tobenden Arbeitermassen anfangen sollte. Da ist er dann vom Rednerpult da runtergewankt, so gottverlassen, ich weiß nicht, da tat er mir doch leid. Aber man kann nichts machen...«

Die Arbeiter riefen den Namen von Grothaus, er sollte gegen Buchwitz sprechen. Grothaus stieg auf die Rednertribüne und wiederholte die fünf Forderungen.

»Nach der Rede, die ich gesprochen hatte, kam Buchwitz und sagte zu mir: ›Ja, hör mal, das, was du machst, ist Verrat an der Arbeiterklasse!‹ Da habe ich gesagt: ›Verrat an der Arbeiterklasse wäre das, wenn ich jetzt nicht mitmachen würde, wenn ich jetzt die Arbeiter, die in allen Städten aufgestanden sind, im Stich lassen würde. Das wäre Verrat an der Arbeiterklasse, aber was... Den Kampf gegen den Kommunismus, das ist kein Verrat an der Arbeiterklasse.‹ Ich sagte: ›Du siehst doch, die

ganze Arbeiterschaft will ja nicht, die will ja gar nichts vom Kommunismus wissen. Die Demonstration läuft, die halt' ich nicht auf, da kann kommen, was will.‹«

»Ich war ja eigentlich für kurze Zeit hoffnungsvoll, wie ich sah, daß die Russen sich nicht rührten. Die rührten sich auch nicht; die guckten zu, daß ein Teil der Polizeibeamten mitmachte, die marschierten mit in den Zügen,

---

BÖSER MORGEN

Die Silberpappel, eine ortsbekannte Schönheit
Heut eine alte Vettel. Der See
Eine Lache Abwaschwasser, nicht rühren!
Die Fuchsien unter dem Löwenmaul billig und
    eitel.
Warum?
Heut nacht im Traum sah ich Finger, auf mich
    deutend
Wie auf einen Aussätzigen. Sie waren
    zerarbeitet und
Sie waren gebrochen.

Unwissende! schrie ich
Schuldbewußt.

Bertolt Brecht, Gesammelte Werke,
Bd. 10, S. 1010.

---

nicht alle, aber doch ein ganz großer Teil der Polizei marschierte mit. Und wie ich sah, daß das so weiterging. Dann kam hinzu die Bevölkerung, die stand zu Zehntausenden an den Straßen. Man hätte Parteiabzeichen von der SED, Mitgliedsbücher, hätte man körbeweise einsammeln können. Das haben die Leute alles weggeworfen. Wir sind an einer Schule vorbeigekommen, da haben die Kinder die russischen Lehrbücher zerfetzt, aus den Fenstern rausgeschmissen auf den Schulhof. Die Parteigrößen waren alle geflüchtet. Es war überhaupt niemand mehr da. Ich denke, das läuft ja glänzend, also ohne jede Vorbereitung, ohne alle Waffen, bloß von dem Volkswillen getragen. Also da war ich wirklich hoffnungsvoll, muß ich sagen.«

Plötzlich aber kam die Nachricht, der Belagerungszustand sei verhängt! Aber der Beschluß des Streikkomitees stand fest: Um vier Uhr werden sich sämtliche Betriebe Dresdens zu einer Kundgebung auf dem Postplatz versammeln.

»Ich hab' gesagt: ›Ungeachtet . . .‹, so habe ich auch den Versammelten gesagt, den Arbeitern, ›. . . ob Belagerungszustand oder nicht . . .‹ Wir wußten ja nicht positiv, stimmt das oder nicht. ›. . . wir marschieren trotzdem!‹ Und dann fehlte uns der letzte Beweis unserer Auffassung gegen den Kommunismus, wenn die Vertreter des ersten Arbeiter- und Bauernstaates der Welt auf uns schießen.

Ich sagte, der Beweis würde uns dann noch fehlen.«

»Ich bin dann nach Hause gegangen und hörte vielleicht gegen 21.00 Uhr nach meiner Erinnerung vom Londoner Sender die Aufforderung: ›Stellt den Kampf ein, er hat keinen Sinn mehr!‹ Diese Mitteilung hat mich, ich möchte sagen, mehr als betäubt, weil mir nicht eingehen wollte, daß nach diesem doch gewaltigen Kampf, der nur mit dem Willen und mit dem Geist gegen den Kommunismus zum Austrag gekommen war, ohne jede Waffe, ohne einen Schuß, daß jetzt im letzten Augenblick alles das, was schon erreicht war, wieder verlorenging.«

»Es fanden sich dann noch einige meiner Kameraden in meiner Wohnung ein, die die gleiche Nachricht gehört hatten. Und zu dieser Stunde bestanden zweifelsohne noch viele Möglichkeiten zu fliehen. Ich habe zu meinen Kameraden gesagt, ich stelle jedem frei zu fliehen.

Ich fliehe nicht. Ich bleibe hier, und zwar darum, weil ich genau weiß, daß unsere Flucht eines der hervorragendsten Propagandamittel der Kommunisten in den nächsten Tagen sein wird, die den Massen beibringen werden, daß das die Führer ihres Aufstandes gewesen seien, die, die sie im Stich gelassen hätten und jetzt ihr Heil im Westen gesucht hätten. Dabei haben auch meine übrigen Kameraden erklärt, daß sie nicht fliehen würden, und sie sind auch tatsächlich alle in Dresden geblieben.«

Noch in der Nacht wurden Grothaus und fünf Mitglieder des Streikkomitees verhaftet und ins Gefängnis der Staatssicherheit eingeliefert. Stunden später schon ging der Transport weiter ins sowjetische Gefängnis Radebeul.

»Die Russen wollten über den 17. Juni überhaupt nichts wissen, und das interessierte sie gar nicht, die Vorgänge des 17. Juni, obschon ich sie dann doch einem, auf dessen Verlangen, einem vernehmenden Kommissar da geschildert habe. Aber in den eigentlichen Vernehmungen interessierte der 17. Juni nicht. Sie wollten nur wissen, mit welchen Agenten wir in Verbindung gestanden haben, also mit westlichen Agenten, darum ging vier Wochen – nahezu vier Wochen lang immer die Vernehmung, jede Nacht kam immer ein anderer vernehmender Kommissar, der immer die Personalien wieder aufnahm, immer wieder die gleiche Frage stellte: ›Mit welchen Agenten haben Sie Verbindung gehabt in Westdeutschland?‹ Einmal bin ich ziemlich in Wut geraten und hab' da einem vernehmenden Kommissar gesagt: ›Die Fragerei mit den Agenten, die könnten Sie endlich beenden. Denn wenn überhaupt hier von Agenten gesprochen werden könne, dann sollten Sie diese Agenten suchen im Zentralkomitee der Partei. Das wären diejenigen, die durch ihre auf allen Gebieten verunglückten Maßnahmen und durch ihre Methoden den Aufstand veranlaßt hätten. Da wären die tiefsten Wurzeln des Aufstandes zu suchen. Mit westlichen Agenten hätten wir nicht eine einzige Verbindung gehabt.‹ . . .

Im Gefängnis Münchnerplatz wartete Grothaus auf seine Aburteilung.

Hier hatte er neun Jahre zuvor bereits als Gefangener der Gestapo gesessen. Die Verhandlung fand am 22. und 23. Juni statt. Vor der Urteilsverkündung sagte Grothaus in seinem Schlußwort:

»Es ist vielleicht ein merkwürdiger Zufall, aber die Verhandlung gegen uns hier, heute, findet genau in demselben Saal statt, in dem seinerzeit die Verhandlung gegen die Widerstandsgruppe Schumann stattgefunden hat. Und ich weiß auch das, was Sie nicht wissen, nämlich die letzten Worte, die Schumann hier gesprochen hat:

›Es wird einige Zeit vergehen, und dann werden Sie an der Stelle sitzen, wo wir heute sitzen. Und das Volk wird Sie richten. Und Sie werden dann das tun, was wir alle hier nicht tun: Sie werden um Ihr Leben zittern, weil Sie so entsetzlich feige sind.‹«[*]

* Wilhelm Grothaus wurde zu 15 Jahren Zuchthaus verurteilt, das höchste Strafmaß in Dresden im Zusammenhang mit dem 17. Juni. Nach Verbüßung von acht Jahren, in Torgau, Leipzig und Waldheim, wurde er aus Anlaß des Todes von Staatspräsident Wilhelm Pieck amnestiert.

Horst Schlaffke, 25 J.,
Maschinist, Stalin-Allee, Block C-Süd

Ich arbeitete seit 22. 4. in der Stalin-Allee als Maschinist, zunächst auf Block G-Süd, dann auf C-Süd.
Am Freitag, dem 12. 6., nach der Mittagspause wurden die Bauarbeiter von ihren Gerüsten gerufen. Ein BGL-Vertreter gab bekannt, daß die Normen rückwirkend um 10% erhöht seien. Unter uns Arbeitern gab es hellste Empörung. »Kommt ja gar nicht in Frage!« schrien viele. »Wir wollen die Betriebsleitung sprechen. Wir werden nicht eher arbeiten, bis diese Sache geregelt ist und die Normen rückgängig gemacht sind«, riefen die Arbeiter, und das wurde auch beschlossen. Nun kamen Vertreter der Betriebsleitung, des FDGB und der Partei und versuchten, uns zu beschwichtigen: »Bedenken Sie doch, wenn Sie die Arbeit nicht aufnehmen, dann können alle diese Leute hier nicht einziehen.« »Und wenn ich meine Miete nicht zahlen kann, dann kann ich ausziehen!« rief einer. Wir waren inzwischen in ein Gebäude hineingegangen, und die Arbeiter von der Rüdersdorfer Schule waren dazugekommen. Zunächst sprach ein FDGB-Vertreter: »Die Regierung hat ihre Fehler eingesehen. Man kann aber nicht einfach auf die Bravour kommen: Wir arbeiten nicht mehr. Wir sehen ein, in welcher schwierigen Lage Sie sind, und wir werden Ihre Interessen aus besten Kräften vertreten.« Einer rief dazwischen: »Ihr tut ja gerade, als ob ihr uns etwas schenken wollt, ihr gebt uns höchstens das wieder zurück, was ihr uns geklaut habt.« Dann sprach ein großer stabiler Bauarbeiter mit scharfgeschnittenem Gesicht und nacktem Oberkörper. Es war übrigens derselbe, der vier Tage später, am 16. Juni, vor dem Regierungsgebäude als erster freie

Wahlen gefordert hatte. Er schilderte, wie dreckig es den Arbeitern gehe und daß es Facharbeiter gibt, die nur mit 85 Pfennig in der Stunde nach Hause gehen. Es würde nur immer hin und her diskutiert, aber man komme nicht zu klaren Entscheidungen. Er rief die Arbeiter auf, nicht von der Stelle zu gehen, bis die Betiebsleitung endlich einmal klar gesagt habe, was sie wolle. Neben mir sagte ein Funktionär: »Das ist ja eine richtige Verhetzung!« Ich sagte dem Kerl: »Nimm dir nicht so viel raus, die Regierung hat schon eine Schwenkung um 180 Grad in ihrem Tonfall gemacht, paß nur auf, daß du nicht auch noch eine 180-Grad-Schwenkung machen mußt.« »Das geht dich gar nichts an, du bist doch Maschinist«, sagte ein Funktionär und schaute mich von oben bis unten an, weil ich in schwarzer Arbeitskleidung war und nicht aussah wie die Bauarbeiter. »Du arbeitest doch im Stundenlohn«, meinte er. »Das geht mich genauso an, du solltest dich schämen, wenn du meinst, man müsse sich nur für sich selbst einsetzen.« Es wurde beschlossen, daß am anderen Tag – am Samstag – um 11 Uhr im Gewerkschaftshaus weiter verhandelt werden soll.
Am anderen Morgen hatten sich in der Frühe viele Funktionäre auf dem Bau verteilt. Überall summten sie herum wie die Bienen. Sie hatten sich vorher genau abgesprochen, was sie uns weismachen wollten. Sie erklärten, mit allen Kräften sich dafür einzusetzen, daß die Normen rückgängig gemacht werden. Sie taten so, als sei mit Sicherheit damit zu rechnen, daß das Gesetz wieder aufgehoben wird. Sie hatten es tatsächlich fertiggebracht, uns in so viele Diskussionsgruppen aufzuspalten, daß die Versammlung um 11 Uhr nicht stattfinden konnte. Der Arbeiter mit dem nackten Oberkörper kam zu mir: »Unser ganzer Streik von gestern war umsonst«, und tatsächlich war es den Funktionären gelungen, die Versammlung ausfallen zu lassen. Wir haben zwar den ganzen Samstag nicht mehr gearbeitet, aber es war beschlossen, daß am Montag die Arbeit wiederaufgenommen wird. Um 12 Uhr machten wir Feierabend. Sehr verärgert gingen wir nach Hause. Jetzt hatten wir so lange diskutiert und nichts erreicht.
Am Montag, dem 15., wurde gearbeitet. Keiner

wollte vorläufig an einen neuen Streik glauben. Erst am nächsten Tag erfuhr ich, daß am selben Montag auf Block 40, nur etwa 600 m entfernt, gestreikt worden ist. Etwa um 9.15 Uhr hörte ich meine Kollegen rufen: »Schaut mal auf die Straße!« Draußen kamen die Bauarbeiter von Block 40 und trugen voran ein Transparent, auf welchem stand: »Wir fordern Herabsetzung der Normen«. Überall hieß es auf dem Bau: »Kommt, kommt, laßt alles stehen und liegen.« Ich habe meine Hexe oben liegenlassen und bin gleich runtergerannt auf die Straße. Mindestens 90% von unserem Bau marschierten mit. Wir gingen zunächst in einer großen kreisförmigen Bewegung an allen Baustellen vorbei. »Berliner, reiht euch ein, wir wollen keine Sklaven sein!« riefen wir nach allen Seiten.

Am Alexanderplatz stoppte der Verkehrspolizist den ganzen Verkehr, damit unser Zug ungehindert passieren konnte. Vor den HO-Läden riefen wir »HO macht uns KO«. In der Wallstraße vor dem FDGB standen ein paar Funktionäre draußen. Sie wollten uns zum Marx-Engels-Platz hindirigieren. (Das war ganz in der Nähe.) Dort sollten wir mit ihnen öffentlich verhandeln. Wir suchen uns die Leute und den Platz selber aus, ihr hattet fünf Jahre Zeit, sagten wir.

Die Bauarbeiter von der Staatsoper nahmen wir mit. Vor der Linden-Universität riefen wir: »Studenten reiht euch ein. Unterstützt die Arbeiter.« Einige Studenten schauten aus den Fenstern und klatschten. Daraufhin wurde gerade das Portal geschlossen. »Die haben Angst um ihr Stipendium«, sagte neben mir ein Arbeiter. Doch einige, die dort herumstanden und mutmaßlich Studenten waren, traten in unseren Zug ein. In der Nähe der Wilhelmstraße fuhr direkt vor unserem Zug ein roter BMW bzw. EMW, wie es in der Sowjetzone jetzt heißt. Zwei Funktionäre stiegen aus und redeten auf uns ein. Sie liefen Gefahr, überrannt zu werden, und nun stiegen sie aufs Dach ihres Autos und gestikulierten wild. »Macht keinen Unsinn!« riefen sie. »Marschiert nicht in die Westsektoren. Vermeidet unnötiges Blutvergießen.« »Wollt ihr denn auf uns schießen?« fragten wir. »Wenn ihr rüberkommt, dann schießen die auf euch«, sagte einer. Wir

brüllten vor Lachen und gaben dem großen Zuge bekannt, was sich vorne abgespielt hatte. Alles lachte. Die Funktionäre wurden von ihrem Wagendach heruntergezogen.

Friedrich Schorn, 39 J., Rechnungsprüfer in den Leunawerken

Die Leunawerke beschäftigen 28 000 Menschen. Es ist das größte Werk in der sowjetischen Besatzungszone. Am Mittwoch, dem 17. 6., auf dem Wege zum Arbeitsplatz, wurde auf Straßen und in Straßenbahnen bereits heftig über die Vorgänge in Berlin diskutiert. Im Bau 15 der Leunawerke wurde die Arbeit nicht aufgenommen. Arbeiter des Baues schickten in die anderen Betriebe unseres Werkes ihre Vertrauenspersonen mit dem Auftrag, »gute Leute« möchten in den Bau 15 kommen zu einer Besprechung.

Um 8.15 Uhr sprach im Werkfunk der Kreissekretär der SED Hertel und gab allen Leunaarbeitern bekannt, daß die Regierung die Normen zurückgenommen habe. Doch forderte er gleichzeitig zur freiwilligen Erhöhung der Normen auf. Als er dies sagte, begann lautes Gelächter unter den Angestellten meiner Abteilung. Die Kreisleitung der SED schickte sogleich Agitatoren in die einzelnen Betriebe, welche mit den Arbeitern über die freiwilligen Arbeitsnormen diskutieren sollten. Im Bau 15 kamen die Agitatoren gar nicht dazu, den Mund aufzumachen. Sie wurden bei Betreten des Raumes hinausgedrängt.

Alle Arbeiter des Baues 15 verließen nun ihre Arbeitsplätze und gingen auf den Hof vor den Bau 24. Unterwegs nahmen sie jeden, den sie antrafen, mit. Viele Arbeiter übernahmen es sogleich, die Werkangehörigen in den anderen Betrieben zu verständigen. Ohne daß irgendeine Absprache getroffen war, fanden sich sofort genügend Leute, welche selbständig das Notwendige taten. Nach wenigen Minuten war der Hof mit allen anwesenden Werkangehörigen – etwa 20 000 – angefüllt. Ohne beauftragt zu sein, ordnete ich an, daß sofort ein Lautsprecherwagen geholt werden müsse. Der Verwahrer wollte ihn uns nicht herausgeben und mußte erst in den Schalterraum hinuntergezogen und dort überwältigt werden. Den SED-Funktionären, welche im Schaltraum die Sicherungen herausgenommen hatten, sagte ich: »Wollt ihr totgeschlagen werden? – Fügt euch freiwillig!« Die Sicherungen wurden mit ihrer Hilfe wieder eingedreht, und wir erhielten den Schlüssel zum Lautsprecherwagen.

Während das Streikkomitee seine Beschlüsse faßte, setzte ich mich an die Spitze der 20 000 Betriebsangehörigen, und wir zogen nach Merseburg. Bauarbeiter, Straßenbahner, Fabrikarbeiter, Vopos, Hausfrauen und andere Zivilisten reihten sich noch ein. Voran ging eine Malerkolonne der Leuna-Werke, die in Blitzesschnelle die alten Parolen abriß und die Wände mit unseren Freiheitslosungen bestrich. Mehrfach wurden alle drei Strophen des Deutschlandliedes und Brüder zur Sonne zur Freiheit gesungen. Als gerade die letzten Demonstranten der Bunawerke den Uhlandplatz erreicht hatten, traf unser Zug mit seiner Spitze ein. Ein ungeheuerlicher Jubel setzte ein. Fremde Menschen, jung und alt, fielen einander in die Arme, und viele weinten. Es war ein Begrüßungstaumel, der nicht enden wollte. Wir hatten auf dem Uhlandplatz drei Lautsprecherwagen und konnten verständlich zur ganzen Menge sprechen. Es waren etwa 100 000 Menschen. Zunächst sprach ein Mann von den Bunawerken gegen die SED-Tyrannei. Anschließend gaben wir unter großem Beifall unsere Freiheitslosungen bekannt. Doch rief ich gleichzeitig zur Disziplin auf und forderte auf, nichts zu unternehmen, wodurch die sowjetische Besatzungsmacht sich provoziert sehen könnte. Zahllose Bürger traten an uns heran und baten um »Einsätze«. Sie sagten dem Sinne nach: Ich bin zu allem bereit, sei es noch so gefährlich und koste es, was es wolle. Der Buna-Streikleiter schickte 200 – teilweise ausgesuchte – Männer zur Papierfabrik Königs-Mühle mit dem Auftrag, dort die von Vopos bewachten Arbeiter zu befreien. Kommandos zur Besetzung der Stadt- und der Kreisverwaltung wurden fortgeschickt. Später wurde uns gemeldet, daß alles gelang. Damit der Streik diszipliniert und planmäßig durchgeführt wird und damit alle Betriebe beteiligt sind, rief ich auf, ein Streikkomitee zu gründen, das sich aus Angehörigen aller Betriebe aus Magdeburg und Umgebung zusammensetzen sollte. Durch Zurufe aus der Bevölkerung wurde ein etwa 25köpfiges Gremium aus der Menge gewählt und mit Applaus begrüßt. Ein befreiter Bulgare und ein Deutscher sprachen zur Menge und dankten ihren Befreiern und der Bevölkerung. Als die Menge erfuhr, daß unter den Befreiten ein zehnjähriger Junge und eine Frau mit einem zwei Jahre alten Kinde war, setzten minutenlange Drohrufe wie »Mörder«, »Schlagt sie tot« ein. Das Echo durch die Häuser machte die Anklage des Volkes furchtbar und unheimlich.

Nun wurde mir gemeldet, daß sowjetische Truppen das Gefängnis, aus welchem wir die politischen Gefangenen befreit hatten, inzwischen besetzten und Neuverhaftete eingeliefert waren. Ich rief auf, sich zum Gefängnis in Marsch zu setzen. Als die wütende Menge angewalzt kam, zogen sich die Sowjets in die Haftanstalt zurück, und unmittelbar darauf erschienen die Neuverhafteten als Befreite. Inzwischen war es 16 Uhr geworden, und ich ordnete für alle Betriebsangehörigen den Rückmarsch in die Betriebe an, damit dort die Streikforderungen erzwungen werden können. Ich fuhr voraus in die Leunawerke, wo ich leider feststellen mußte, daß das Streikkomitee des Werkes sich nur mit innerbetrieblichen Aufgaben befaßt hatte. Da kamen auch schon die ersten sowjetischen Lastwagen mit Fliegern in Infanterieausrüstung im Werk an. Die empörte Menge beschrie die Soldaten mit Pfuirufen. »Was wollt ihr hier, macht, daß ihr fortkommt!« »Nennt ihr das Demokratie?« Andere Betriebsangehörige riefen: »Laßt die armen Kerle, die wollen genauso frei sein wie wir. Was können die dafür, daß sie hier sein müssen.« Die Soldaten waren zum Teil noch Kinder, waren ängstlich und eingeschüchtert. Ich sprach mit einem und erfuhr, daß sie überhaupt nicht wußten, um was es geht. Ein Offizier schien die Situation jedoch besser zu durchschauen und sagte: »Gut so, weitermachen, in einem Jahr sind wir in Rußland auch soweit.«

Rund 800 sowjetische Soldaten waren eingerückt. Ich suchte sofort den Sowjetoberst auf, und meine erste Frage war: »Haben Sie Befehl erteilt, daß die Soldaten schießen dürfen?« –

»Nein«, sagte er. – Ich sagte: »Ich genieße hier so viel Autorität, daß – wenn ein einziger Schuß fallen wird, Sie diese Fabrik nicht lebendig verlassen werden.« Der Oberstleutnant sagte nichts. Meine zweite Frage war: »Was sollen denn die Sowjetsoldaten hier?« Seine Antwort war, daß diese Soldaten nur da seien, um die sowjetischen Betriebsangehörigen, welche waffenlos und Zivilisten seien, zu beschützen. Ich antwortete, daß ich eine Respektierung der Arbeiter verlange und es darum zweckmäßiger sei, die Soldaten im Bau 15 in der Nähe der sowjetischen Betriebsangehörigen unterzubringen. Der Oberst willigte ein, und ich ging nun gleich ans Mikrofon und gab dem ganzen Werk bekannt, daß die Generaldirektion sich bereit erklärt habe, die Soldaten außerhalb des Werkes zusammenzuziehen. Nun mußten wir aber feststellen, wie gemein wir betrogen worden waren, denn es kamen nun immer mehr Soldaten und Offiziere, die gleichmäßig das Werk besetzten. Mehrfach hatte ich dem sowjetischen Offizier versprochen gehabt, daß wir vollste Disziplin wahren würden, und in seiner Gegenwart hatte ich mehrfach die Menge zur Disziplin aufgerufen. In der Nacht ging ich nicht nach Hause, da ich mit meiner Verhaftung rechnen mußte. Durch einen Freund erfuhr ich, daß in der Nacht zweimal ein Polizeiauto in der Nähe meiner Wohnung vorfuhr und daß das Haus umstellt worden sei.

Dennoch ging ich am anderen Morgen in den Betrieb. Ich war gewiß, daß die Sowjets es nicht ohne weiteres wagen würden, mich vor der Belegschaft zu verhaften. Nun mußte ich feststellen, daß in der Nacht viele weitere Hunderte von Soldaten und mindestens 200 Pakgeschütze und etwa 20 Panzer gekommen waren und in dem Werk Aufstellung genommen hatten. Unsere sämtlichen Streikposten waren entfernt, und die von uns am Vortage entwaffnete Werkspolizei war wieder bewaffnet. Die SED-Funktionäre verteilten Flugblätter, in denen die Betriebsangehörigen aufgefordert wurden, die »Agenten«, »Rädelsführer« und »Provokateure« zu melden. Meine Arbeitskameraden waren bitter enttäuscht, daß das die Antwort auf unser faires Verhalten war. Ich erfuhr, daß von der 30köpfigen Streikleitung nur vier gekommen sind. Die anderen waren verhaftet oder geflüchtet. Ich besprach noch einige Einzelheiten mit Freunden, die mir halfen, das Werk zu verlassen, so daß ich nicht in die Fänge des SSD fiel und nach West-Berlin flüchten konnte.

Heinz Brandt
SED-Funktionär in der Opposition

Heinz Brandt, Jg. 1909, war wegen illegaler antifaschistischer Arbeit von 1934–1945 inhaftiert (Zuchthaus Brandenburg, KZ Sachsenhausen, Auschwitz, Buchenwald). Von 1945–1953 arbeitete Heinz Brandt als hauptamtlicher Funktionär im Apparat der KPD, später SED, zuletzt war er Sekretär der SED-Bezirksleitung Berlin für Agitation und Propaganda. Nach Stalins Tod engagierte er sich für einen demokratischen Sozialismus und eine grundlegende Reform der SED. Am 17. Juni solidarisierte er sich mit den streikenden Arbeitern. Nach der Niederschlagung des Aufstandes fiel er der Parteisäuberung zum Opfer. 1958 floh er mit seiner Familie über West-Berlin in die Bundesrepublik. Als Redakteur der Gewerkschaftszeitung »Metall« weilte er im Juni 1961 zur Berichterstattung über einen Gewerkschaftskongreß in West-Berlin. Bei dieser Gelegenheit wurde er vom Staatssicherheitsdienst der DDR nach Ost-Berlin entführt. Nach einem Jahr Isolierhaft wurde er in einem Geheimprozeß wegen angeblicher Spionage zu 13 Jahren Zuchthaus verurteilt und bis 1964 im Zuchthaus Bautzen eingekerkert. Eine große internationale Protest- und Solidaritätsbewegung erreichte seine vorzeitige Entlassung in die Bundesrepublik. Hier veröffentlichte er 1967 im Paul List Verlag, München, sein autobiographisches Buch »Ein Traum, der nicht entführbar ist – Mein Weg zwischen Ost und West« (als Reprint 1977 neu erschienen im Verlag europäische ideen, Berlin), eine der wichtigsten Quellen zu Vorgeschichte und Verlauf des 17. Juni, der unsere Auszüge entnommen sind.

Augenzeuge des 17. Juni

Gegen Ende der ersten Juniwoche 1953 rief mich Hans Jendretzky in sein Bürozimmer und sagte mir mit glücklichem Gesicht: »Heinz, ich habe eine gute Nachricht, die beste von der Welt. Es ist geschafft. Wir fangen ganz neu an – und im Hinblick auf ganz Deutschland. Das ist die größte Wendung in der Geschichte der Partei; Semjonow hat sie von drüben mitgebracht. Im Pol-Büro ist die Entscheidung bereits gefallen.«

Nie wieder habe ich den nüchternen Hans Jendretzky so schwärmerisch und gelöst gesehen ... Er sagte mir, alles, was jetzt unternommen werde, geschehe auf der Grundlage einer sich anbahnenden Verständigung der Alliierten über Deutschland. Malenkow und Churchill seien schon weit vorangekommen. Sowohl aus internationalen als auch aus gesamtdeutschen Gründen müsse jetzt rasch gehandelt werden. Die Fristen seien kurz. Vor allem: Die Beschlüsse der 2. Parteikonferenz würden annulliert[1]. Das bedeutete nicht nur die Liquidierung des »Aufbaus des Sozialismus«. Denn diese 2. Parteikonferenz hatte auch »die Staatsmacht zum Hauptinstrument bei der Schaffung der Grundlagen des Sozialismus« deklariert, also administrativen Druck und Terror nach sowjetischem Vorbild.

Das Pol-Büro sei bereits beauftragt, binnen einer Woche die »neue Linie« anhand der knappen russischen Direktive auszuarbeiten. Die bisherige Führung der SED sei von Semjonow unerhört scharf kritisiert worden. Rudolf Herrnstadt habe den Auftrag erhalten, personelle Vorschläge für ein neues Pol-Büro, ein neues Sekretariat des Zentralkomitees sowie für ein neues ZK insgesamt auszuarbeiten und sie der Parteispitze zur Beschlußfassung vorzulegen. Ulbricht war nur noch formal Generalsekretär der Partei, faktisch war ihm die Führung bereits entzogen.

Es war nicht zu fassen ... Das lange, nervenaufreibende Bangen hatte sich also endlich doch gelohnt. Jetzt, buchstäblich im letzten Moment, sollte alles anders werden. Die Bahn schien frei für eine friedliche, demokratische Umwälzung in der DDR, damit aber auch für die Wiedervereinigung.

Das bisherige Regime würde in Etappen ins Gleiten kommen und zuletzt durch freie Parlamentswahlen völlig überwunden werden. Die SED-Herrschaft würde abgetragen, nicht gesprengt werden, der Terror aufgehoben, die Geheimpolizei aufgelöst und so eine in ihren Folgen unabsehbare Explosion vermieden werden ...

Im Geheimprozeß gegen Berija wurde dieser unter vielem anderen des »Verbrechens« beschuldigt, er habe die DDR dem Westen ausliefern wollen. So absurd eine Reihe von Beschuldigungen gegen Berija auch gewesen sein mögen – wie z. B. die, er sei schon aus der zaristischen Zeit her ein Agent der »Ochrana« (der zaristischen Geheimpolizei) und später der imperialistischen Westmächte gewesen –, sicherlich trifft es zu, daß er an der Spitze jenes Kurses stand, der als »neuer Kurs« in die Geschichte der DDR eingehen sollte und der zweifellos in Richtung einer demokratischen Wiedervereinigung angelegt war.

Erst die Katastrophe dieser Politik, erst der Aufstand vom 17. Juni vereitelte diese Konzeption und ermöglichte es den Rivalen Berijas, den verhaßten Komplizen Stalins zu vernichten.

Die Vorgeschichte des 17. Juni ist demnach durch folgende Umstände charakterisiert:

☐ Die provokatorische Politik Walter Ulbrichts (im Gefolge der 2. Parteikonferenz der SED 1952, die den sogenannten Aufbau des Sozialismus beschloß) hatte alle Schichten des Volkes, insbesondere aber die Arbeiter, in wachsende Opposition zur SED und an den Rand der Erhebung geführt.

☐ Der Tod des Tyrannen hatte einen ungeheuren Druck von der Bevölkerung genommen und eine Atmosphäre unbestimmter Erwartung auf kommende umwälzende Ereignisse geschaffen.

☐ Es fehlte eine politische Alternative. Individuelle Oppositionelle, so wie ich, wagten bestenfalls in kleinen Konventikeln ein offenes Wort. Der Erhebung war keine Periode offener geistiger Auseinandersetzung vorausgegangen, mit zündenden Ideen. Es gab weder in der Partei noch in sonstigen Institutionen Ansatzpunkte für eine kritische Diskussion, für eine Darlegung humaner, demokratisch-sozialkritischer Gedankengänge. Es fehlten organisatorische Voraussetzungen (Ausschüsse, Klubs, Foren) in den Betrieben und Universitäten. Die artikulierte geistige Einflußnahme kam ausschließlich von *außen*, sie war illegitim (Bundesrepublik, Westberlin und in gewissem Umfange auch Jugoslawien). Das einzige, leicht zugängliche Informationsmittel war der westliche Rundfunk. Die konspirativen Kontakte mit dem »Westen« oder Jugoslawien waren zahlenmäßig und politisch bedeutungslos.

☐ Der »neue Kurs« wurde (wie wir gleich sehen werden) kleinlich-zögernd, administrativ-

sabotierend, oktroyierend, auf alt-stalinistische Weise also, den Massen *auferlegt*, als Geheimpolitik des Pol-Büros *erlassen*. So startete dieser neue Kurs faktisch als Bankrotterklärung einer gelähmten Führung, anstatt die Idee zu vermitteln, daß ein fruchtbarer Neubeginn durch die schöpferische Initiative der Massen möglich sei. Eine solche Initiative wäre z. B. durch Arbeiterkomitees und Universitätsklubs gefördert worden. Aber gerade dies wurde ängstlich vermieden. Die Art, wie dieser neue Kurs auf der Bildfläche erschien, bezeugte die gleiche Verachtung der Massen, das gleiche bürokratisch-sterile Machtdenken, das gleiche Verfahren, den Menschen zu manipulieren, welches typisch für den alten Kurs gewesen war. Die hektische Eile, die amputierte Form, in welcher der neue Kurs verwirklicht wurde – insbesondere, daß an der Normenerhöhung festgehalten wurde –, machten ihn von vornherein unglaubwürdig. So war der neue Kurs eine häßliche Mißgeburt, die als Symbol der Schwäche und Fäulnis der SED ins Leben trat. Das System erwies sich als der Regeneration unfähig. Wie jedes reaktionäre, überlebte Regime scheiterte es gerade zu dem Zeitpunkt, als es versuchte – überstürzt und unter Ausschluß der Öffentlichkeit –, *halbe* Reformen durchzuführen, um dadurch zu *überleben*.

Wir aber, meine Freunde und ich, hatten in diesen ersten Junitagen noch die Illusion, ein wahrhaft neuer Kurs stünde bevor, so, wie ihn mir Hans Jendretzky angekündigt hatte, so, wie ihn die sowjetische Führung, wie ihn zumindest Berija und Malenkow offensichtlich auch ursprünglich konzipiert hatten ...

Für Sonntag, den 7. Juni, frühmorgens, wurde über Nacht das Sekretariat der Berliner Bezirksleitung zu einer außerordentlichen Sitzung zusammengerufen. Hans Jendretzky gab jetzt offiziell dem Sekretariat einen Teil dessen bekannt, was er mir vor kurzem mitgeteilt hatte. Dabei erzählte er eine Episode aus den vorangegangenen Pol-Büro-Sitzungen, die ein bemerkenswertes Licht auf den Stand der Entstalinisierung im Kreml warf. Das Pol-Büro, so berichtete Jendretzky, habe in Anwesenheit Semjonows und auf dessen Empfehlung hin sämtliche Maßnahmen zur Feier des 60. Geburtstages von Walter Ulbricht aufgehoben.

»Wir empfehlen dem Genossen Walter Ulbricht«, habe Semjonow lapidar geäußert, »seinen 60. Geburtstag auf keine andere Weise zu feiern als Lenin seinerseits seinen 50.«

Die Frage lag nahe, wie denn der historische Verlauf dieses 50. Geburtstages war. Fred Ölßner – ebenfalls in Opposition zu Walter Ulbricht – (er war nach der Abhalfterung von Anton Ackermann zum Chefideologen der SED avanciert) griff den zugespielten Ball sofort auf und fragte hintergründig:

»Ja, wie war denn das damals eigentlich?«

»Nun, Genosse Lenin hat zum Abend ein paar Gäste eingeladen«, gab Semjonow mit maliziösem Lächeln zurück.

Hans Jendretzky malte diese Szene mit sichtlichem Behagen aus – vor allem die Wirkung dieser Worte auf Ulbricht. Dann berichtete er, daß Moskau an einer raschen Verwirklichung des neuen Kurses äußerst interessiert sei. Die Initiative gehe eindeutig von dort aus. Semjonow habe die entscheidenden Gesichtspunkte für die jetzt zu fassenden ZK-Beschlüsse schriftlich in Thesenform überbracht, und diese seien vom Pol-Büro wortwörtlich übernommen worden.

»Bisher wurde nur übersetzt, aber noch nicht Eigenes geschaffen«, sagte er. Die Ausarbeitung und Verkündung des neuen Kurses solle aber bereits in einigen Tagen auf einem ZK-Plenum erfolgen. Diese, die 14. ZK-Tagung, würde somit historische Bedeutung erlangen: »Sie wird die Weiche für die Lösung der deutschen Frage stellen.«

Jendretzkys Hinweis auf die bevorstehende 14. ZK-Tagung war für mich das Stichwort, nach Franz Dahlem zu fragen. »Es ist ihm doch zugesagt worden, daß er sich auf der nächsten Tagung gegen die absurden Beschuldigungen im Zusammenhang mit dem Field- und Slansky-Komplex rechtfertigen kann. Ich denke, daß der neue Kurs wohl nicht nur die 2. Parteikonferenz liquidiert, also den ›Aufbau des Sozialismus‹, sondern vor allem auch das 13. Plenum mit seinen Slansky-Lehren. Das 13. Plenum stand im eklatanten Widerspruch zum neuen Kurs und zur Rehabilitierung der Ärzte.«

Meine Frage rief bei Friedrich Ebert (Sohn des ehemaligen deutschen Reichspräsidenten, Pol-Büro-Mitglied und Oberbürgermeister von Ostberlin) eine Reaktion hervor, die ich gerade bei ihm am allerwenigsten vermutet hätte. »Es ist eine Provokation«, brüllte er mich mit hochrotem Kopf an, »die Angelegenheit Dahlem mit dem neuen Kurs zu verquicken. Damit kann man nur alles gefährden.« Es sei eigenartig, welch gefährliche Auffassungen durch mich ins Berliner Sekretariat »lanciert« würden. Fritz Ebert verließ bald darauf äußerst erregt unsere Sitzung, um, wie er selbst sagte, »Walter Ulbricht von den merkwürdigen Vorgängen im Berliner Sekretariat zu unterrichten«.

Ich legte diesem Zusammenstoß mit Ebert keine Bedeutung bei. Ohnehin hatte ich ihn niemals sehr ernstgenommen. Der hat ja noch gar nicht gemerkt, was die Stunde geschlagen hat, dachte ich mir.

Weitere drei Tage verflossen. Immer noch tagte das Politbüro in Permanenz. Immer noch war keinerlei Veränderung in der Politik der Partei eingetreten. Auch von einem Termin für die angeblich bevorstehende ZK-Tagung war noch nichts zu hören. Jegliche weitere Information blieb vorerst aus. Hans Jendretzky vermied es – so schien es mir –, mit einem von uns zusammenzutreffen . . .

Indes, es kam nie zu jener ZK-Tagung, die uns Hans Jendretzky so bestechend ausgemalt hatte. Der neue Kurs wurde weder ausgearbeitet noch zur Diskussion gestellt und vom Parteiforum beschlossen. Nur das ZK-Plenum – es gilt laut Parteistatut als höchstes Parteigremium zwischen den Parteitagen – wäre berechtigt gewesen, eine so grundlegende Wendung der Politik zu proklamieren. Die eigentliche Entscheidung war ohnehin in Moskau gefallen.

Strenggenommen hätte es für einen derart einschneidenden Kurswechsel sogar eines außerordentlichen Parteitages bedurft. Statt dessen wurde der neue Kurs schlagartig und kommentarlos, sozusagen aus blauem Himmel, der Öffentlichkeit bekanntgegeben. Das »Neue Deutschland« veröffentlichte am 11. Juni 1953 schlicht ein »Kommuniqué des Politbüros des Zentralkomitees der SED vom 9. Juni 1953«.[2]

Das war alles.

Ein solcher Vorgang war in der Geschichte der

kommunistischen Parteien ohne Beispiel. Parteifunktionäre, Mitglieder und die gesamte Öffentlichkeit wurden über Nacht vor vollendete Tatsachen, vor eine völlig neue Politik gestellt. Nicht nur die manipulierten Massen, die einfachen Parteimitglieder waren ahnungslos. Selbst die Parteileitungen lasen an diesem denkwürdigen Tage überrascht und fassungslos ihr Zentralorgan. Die dürren Worte des Kommuniqués trafen die Funktionäre wie ein Schock:
Es wurden schwerwiegende Fehler eingestanden und die Korrektur der gesamten Mittelstands- und Kirchenpolitik verkündet. Rechtssicherheit wurde zugesagt und die Preiserhöhungen sowie der Fortfall der Arbeiter-Wochenfahrkarten zurückgenommen. Die gesamtdeutsche Konzeption des neuen Kurses wurde in dem entscheidenden Satz umrissen, daß die Beschlüsse des Pol-Büros die »Herstellung der Einheit Deutschlands« durch die »Annäherung der beiden Teile Deutschlands« erleichtern sollten. Im Lichte der heutigen Entwicklung ist interessant, daß hier von beiden *Teilen*, nicht aber – entsprechend der heutigen Zwei-Staaten-Theorie – von beiden *Staaten* Deutschlands die Rede ist.
Das ebenso knappe wie inhaltsreiche Kommuniqué entbehrte jeder Erläuterung. Es erregte einen Sturm der widerstreitendsten Meinungen und Gefühle. Das um so mehr, als – ebenfalls auf der Titelseite des »Neuen Deutschland« – eine sensationelle Nachricht in Bild und Text auf die Hintergründe des mysteriösen Kommuniqués zu deuten schien. Es wurde der »Antrittsbesuch« des neuen »Hohen Kommissars der UdSSR in Deutschland«, W. S. Semjonow, gemeldet (sein Vorgänger Puschkin war soeben in der Versenkung verschwunden) sowie der Abschiedsbesuch des Oberbefehlshabers der sowjetischen Besatzungstruppen, Armeegeneral W. E. Tschuikow, gleichzeitig aber auch der »Antrittsbesuch« des ihn ablösenden neuen Oberbefehlshabers, Generaloberst A. A. Gretschko ...

Nach dem Fehlstart des neuen Kurses

An diesem 11. Juni ahnte ich noch nicht, daß wir nur vier Tage vor einer Volkserhebung ge-

gen Partei und Regierung – indirekt auch gegen die sowjetische Besatzungsmacht – standen, so ernst ich auch die Lage ansah.
Der Leitartikel kündigte zwar eine Volkserhebung an, aber für die Bundesrepublik: »... in Westdeutschland wächst von Tag zu Tag die Isolierung, in der sich ... die landesverräterische Adenauer-Clique befindet ..., entzündet sich tagtäglich der Kampfwille der Patrioten aufs neue, und immer machtvoller ...«
So also richtet Ulbricht den neuen Kurs zugrunde, dachte ich mir. Das ist seine Sprache, das ist seine Politik, jetzt, da er – vom Kreml gezwungen – das für ihn so gefährliche, für uns so lebenswichtige Experiment des neuen Kurses startet.
Selbsttäuschung, Betrug an den Massen, die große Lüge ...
Ich bin damals der Ansicht gewesen, daß die Gruppe um Ulbricht den neuen Kurs bewußt in die Katastrophe führen wollte und daß es die restaurativen Kräfte in der Bundesrepublik waren, die ihn dabei wirkungsvoll unterstützten.
Heute, mit einem gewissen Abstand, fällt es mir schwer zu sagen, ob Walter Ulbricht in jenen verhängnisvollen Tagen blind oder bewußt all das vereitelte, was uns als Hoffnungsschimmer erschien.
Am nächsten Tag, Freitag, dem 12. Juni, brachte »Neues Deutschland« wiederum auf der Titelseite Beispiele »freiwilliger« Normenerhöhung, sogar solche von 20 bis 40 Prozent. Anstatt die zehnprozentige Normenerhöhung zu liquidieren, wurden im Gegenteil die Partei- und Gewerkschaftsfunktionäre angehalten, die Normenschraube noch weiter anzuziehen. Wieder fehlte jeglicher Kommentar zu dem vorangegangenen Kommuniqué.
Ebenfalls ohne Kommentar wurden ein Regierungskommuniqué und drei Regierungsverordnungen veröffentlicht, nach denen der Fünfjahresplan (der detaillierte staatsdirigistische Wirtschaftsplan) umgestoßen, die Forcierung der Schwerindustrie abgeblasen und in präziser Aufzählung die ökonomischen Verschlechterungen und die staatlichen Repressalien der vergangenen Zeit rückgängig gemacht wurden. Geblieben war allein die Normensteigerung ...

Versäumte Stunde

Ununterbrochen ging das Telefon auf meinem Schreibtisch.

Die Parteifunktionäre der Ostberliner Großbetriebe wandten sich hilfesuchend an die Bezirksleitung. Sie ertranken im Sturm der Fragen, hatten keine Erklärung für das Vorgefallene. Groteskerweise hielten viele die Ausgabe des »Neuen Deutschland«, die das mysteriöse Pol-Büro-Kommuniqué enthielt, für eine »westliche Fälschung«, waren sie doch darauf getrimmt worden, allerorten »dunkle Machenschaften des Klassenfeindes« zu wittern.

Ich rief auf der internen Telefonleitung Hermann Axen an und unterrichtete ihn darüber, wie ratlos die Partei in den Betrieben sei. Hermann Axen sagte schnoddrig, von oben herab: »Warum willst du das ZK festlegen? Du weichst vor den Parteisekretären zurück, anstatt sie anzuleiten. Das Pol-Büro-Kommuniqué enthält alle Antworten. Es spricht für sich selbst. Wir müssen die Arbeiter auffordern, es sorgfältig zu lesen, dann bedarf es keines Kommentars.«

Unmittelbar darauf rief mich Hermann Axen von sich aus an:

»Ich habe mit Walter Ulbricht gesprochen, und es bleibt dabei. Kein Kommentar. Aber etwas anderes. Du bist als Agitationssekretär verantwortlich dafür, daß sofort in allen Bezirken (Ostberlins) Transparente und Losungen verschwinden, die auf den Beschlüssen der 2. Parteikonferenz beruhen. Unauffällig muß alles verschwinden, was zum ›Aufbau des Sozialismus‹ auffordert, überhaupt das Wort ›Sozialismus‹ enthält. Du mußt dich sofort mit den Kreisleitungen der SED (in Ostberlin) in Verbindung setzen und das Notwendige veranlassen. Das ist eine interne Anweisung, die auf keinen Fall popularisiert werden darf.«

»Soll die Entfernung dieser Losungen ebenfalls kommentarlos erfolgen?« fragte ich.

»Selbstverständlich«, antwortete Axen.

Nun prangten aber diese Losungen nach damaliger Unsitte zu Tausenden an den Häuserfassaden, Zäunen, Brücken, den Mauern und Innenwänden der Betriebe. Ihre schlagartige Beseitigung war eine Massenaktion. So sprach sich diese »unauffällige, geheime« Liquidierung des »Sozialismus« wie ein Lauffeuer herum und erhöhte die Unruhe unter den Massen. Unter den Parteimitgliedern aber steigerte sich das Gefühl völliger Verwirrung.

Der erbitterte Machtkampf innerhalb der SED lag offen zutage. Der »neue Kurs« trat nicht nur als ferngesteuerte Geheimpolitik in Erscheinung, er war auch von Begleiterscheinungen umgeben, die ihn diskreditierten und lächerlich machten. Aber auf Verständnis wurde kein Wert gelegt, geschweige denn auf die schöpferische Mitwirkung der Parteimitglieder und der werktätigen Massen.

Bei den Arbeitern gab es kein langes Kopfzerbrechen, keine komplizierte Analyse. Sie faßten ihre Meinung in den vier Worten zusammen, die ihnen die westliche Deutung des Phänomens bot: *»Die SED ist pleite.«*

Ein anderer Eindruck war bei einem solchen Sabotagestart des neuen Kurses auch schwer möglich. Weit schwerwiegender aber war eine weitere Deutung, die eng damit verbunden war: Die SED ist bankrott und muß klein beigeben – aber nur gegenüber den Kapitalisten.

Den Unternehmern, den Großbauern, den Geschäftsleuten wird »Zucker in den Hintern geblasen«, wir Arbeiter gehen leer aus, denn die Normenerhöhung bleibt bestehen. Wir fordern die sofortige Rücknahme der Normenerhöhung. Wir übernehmen keinerlei Verpflichtungen zum 30. Juni, zum 60. Geburtstag Walter Ulbrichts, dem wir diese Normenerhöhung verdanken. »Der Spitzbart muß weg.«

Walter Ulbricht hatte durch seinen Größenwahn selbst dazu beigetragen, daß sich die Stimmung gegen die Normen unmittelbar mit der Stimmung gegen die Partei, gegen die Regierung, gegen seine Person vor allem verband: »Rücktritt der bankrotten Regierung! Freie Wahlen!«

Das Denkgebäude der SED war auf den Kopf gestellt. Sie hatte in ihrem eigenen Bereich gerade das geschaffen, was sie vergeblich, weil unrealistisch, für die Bundesrepublik erstrebt und lauthals als bevorstehend angekündigt hatte:

Eine echte revolutionäre Situation . . .

Am späten Vormittag des 11. Juni – also unmittelbar nach Veröffentlichung des Kommuniqués – trat das Sekretariat der Berliner Bezirks-

leitung der SED erneut zusammen. Hans Jendretzky war unsicher und hilflos. Er hatte
nichts anderes zu verkünden, als daß nunmehr
für Ostberlin konkrete Beschlüsse im Rahmen
der Richtlinien dieses Kommuniqués gefaßt
werden müßten. Doch dürften unsere Maßnahmen auf keinen Fall über diese Beschlüsse
hinausgehen.

Es war Alfred Neumann zu Ohren gekommen,
daß ich am frühen Morgen auf eigene Faust
die Mitarbeiter der Bezirksleitung zusammengefaßt und ihnen das Kommuniqué – natürlich
in meiner Deutung – erläutert hatte. Er kritisierte mein »eigenmächtiges Vorgehen«, daß
ich entgegen oberster Anweisung das große
Tabu durchbrochen hätte.

Hans Jendretzky erteilte mir eine sanfte Rüge.
Sie war in einer Form ausgesprochen, die
meine Haltung praktisch bestätigte. Ich verwies auf die Anrufe aus den Betrieben und erklärte, daß der »neue Kurs« unsinnig sei, wenn
die Normenerhöhung aufrechterhalten bliebe.

Wieder war es Friedrich Ebert, der erregt in die
Diskussion eingriff. Er behauptete, die ZK-Tagung sei aus gutem Grunde vermieden worden,
denn eine Normendiskussion oder gar eine
Erörterung des »Falles Field-Dahlem« sei zur
Zeit das Schädlichste, was geschehen könne:
»Wer gegen die Normen spricht, stört den
›neuen Kurs‹.« Ebert verlangte unter Bezug-
nahme auf Walter Ulbricht, daß man den »negativen Elementen« in den Betrieben, die
»westliche Parolen« verbreiteten, energisch
entgegentreten müsse.

Rote Teppiche

Es war am Abend des 15. Juni, einem Montag,
da erschien die Sekretärin Otto Grotewohls
aufgeregt bei Bruno Baum in der Wirtschafts-
abteilung der Bezirksleitung. Sie legte ihm einen Brief vor, den die Bauarbeiter vom Krankenhausneubau Friedrichshain an Grotewohl,
den damaligen Ministerpräsidenten der DDR,
geschrieben hatten. Zufällig war ich anwesend.
Dieser Brief – er ist inzwischen zu einem historischen Dokument geworden – forderte von
der Regierung die sofortige Zurücknahme der
Normenerhöhung. Der neue Kurs – so wurde
ausgeführt – habe nur den Kapitalisten etwas

gebracht, aber nicht den Arbeitern. Für Diens-
tagvormittag, den 16. Juni, wurde eine Delegation der Bauarbeiter angekündigt, die sich an
Ort und Stelle den Bescheid des Ministerpräsidenten abholen wolle. Für den Fall einer negativen Antwort wurde Streik angedroht.

Otto Grotewohl schien unsicher, ja völlig hilflos zu sein und bat um die Meinung der Bezirksleitung der SED. Auf Grund ihrer Kenntnis der konkreten Lage solle sie raten, was zu
tun sei. Bruno Baum, überlegene Ruhe aus-
strahlend oder posierend, fällte ein salomoni-
sches Urteil: Nur nicht bange machen lassen,
Otto (Grotewohl) dürfe die Lage in Berlin
nicht durch die »DDR-Brille« sehen. Dort, in
der »Provinz«, habe es in den letzten Tagen
zwar an die sechzig Streiks gegeben und einen
jubelnden Empfang der auf Grund des neuen
Kurses freigelassenen politischen Häftlinge. In
Ostberlin aber sei alles ruhig geblieben. Hier
habe sich die Leitung nicht »aufweichen« lassen, und hier sei auch weiterhin nichts zu befürchten – »solange wir nicht weich werden
und in Panik fallen«.

»Auf keinen Fall klein beigeben«, postulierte
er, »wenn die Delegation erst über die roten
Teppiche im Amtssitz Grotewohls geht, wird
ihr so feierlich zumute, daß sie ganz zahm verhandeln wird.«

Darin habe man ja reiche Erfahrung aus der
Weimarer Zeit, damals, als es noch umgekehrt
herum ging. Wie oft hätten bürgerliche, hätten
sozialdemokratische Minister die aufgebrachten Arbeiter mit ein paar wohlwollenden Worten nach Hause geschickt, und die seien dann
auch noch ihr ganzes Leben lang auf diese
große Begegnung stolz gewesen . . . Diese Wirkung der Obrigkeit hätte uns damals genug
Kummer bereitet – aber heute käme sie uns zu-
gute. Grotewohl solle also den Brief überhaupt
nicht beantworten, die Delegation ruhig »an-
rücken« lassen und ihr dann überlegen – von
der hohen Warte des Ministerpräsidenten her
– erläutern, daß strenge Sparsamkeit nun einmal vonnöten sei . . .

Grotewohls Sekretärin ging sichtlich beruhigt.
Sie war gar nicht erfreut darüber, daß ich ihr –
im Gang noch – den entgegengesetzten Rat mit
auf den Weg gab: Die Regierung solle noch
heute abend über Radio die *generelle* Zurück-

nahme der Normenerhöhung verkünden und den Bauarbeitern einen schriftlichen und mündlichen Bescheid darüber gleich zu Beginn der Arbeitszeit an die Baustelle zugehen lassen.

»Das wäre ja Kapitulation«, meinte sie schnippisch und sehr von oben herab – sie war wieder ganz »Regierung«. Die Sache mit den roten Teppichen hatte ihr ungemein imponiert. Otto Grotewohl war telefonisch nicht erreichbar – rief mich auch nicht an, obwohl ich ihn durch seine Sekretärin darum hatte bitten lassen.

Sowjetische Offiziere bestärkten an diesem Abend Bruno Baum noch in seiner Auffassung, daß jedes »Zurückweichen« in der Normenfrage von Übel sei. So lautete ihr offizieller Auftrag. Im privaten Gespräch aber ließen sie Bedenken durchblicken . . .

Die Ereignisse des 16. Juni

Am Dienstag, dem 16. Juni, kamen am frühen Morgen Parteiagitatoren – sie sollten die Bauarbeiter an der Stalinallee politisch »aufklären« und sie vor »unüberlegten« Handlungen »warnen« – fluchtartig zur Bezirksleitung zurück. Die Bauarbeiter wollten ihre Delegation zur Regierung begleiten, um damit ihren Forderungen Nachdruck zu verleihen.

An diesem Morgen war in der »Tribüne« (Organ der Staatsgewerkschaften, des FDGB) auf Geheiß Walter Ulbrichts ein provozierender Artikel (von Otto Lehmann) erschienen.[3] Nachdrücklich wurde betont, daß der neue Kurs keineswegs die Normenerhöhung in Frage stelle. Diese sei ganz im Gegenteil »in vollem Umfang richtig« und daher »mit aller Kraft durchzuführen«. Wiederum wurde als Erfüllungstermin der 30. Juni, Ulbrichts Geburtstag, genannt.

Der Artikel war ein Schuß gegen das »Neue Deutschland«[4]. In solchen Formen spielte sich der Rivalenkampf Ulbricht-Herrnstadt ab.

Das stur-primitive Elaborat goß Öl in das Feuer, statt auf die Wogen.

Noch hatte sich der Demonstrationszug am Krankenhausneubau Friedrichshain nicht in Bewegung gesetzt, und schon hatten sich die Kollegen benachbarter Baustellen zu den achtzig Bauarbeitern hinzugesellt. Die beschwörenden Worte der Agitatoren prallten wirkungslos ab. Niemand ließ sich auch nur auf eine Diskussion mit ihnen ein: »Bist du für oder gegen die Normenerhöhung?« war die ultimativ an sie gerichtete Frage. Auftragsgemäß hatten sie dafür zu sein – damit schon war ihnen das Wort entzogen.

»So sieht es überall in der Stalinallee aus, an sämtlichen Baustellen«, stotterten sie bestürzt, »es wird eine Riesendemonstration geben. Ihr müßt sofort etwas tun . . .«

Was zu tun sei, wagten sie nicht offen auszusprechen. Sie waren verstört, ja niedergeschmettert: Zum erstenmal erlebten diese jungen Menschen – meistens Kursusteilnehmer der Kreis-Parteischulen, die nun in der Praxis hatten beweisen sollen, was ihnen an Theorie gelehrt worden war – eine echte Aktion der Arbeiterklasse. Ihnen war unfaßbar, daß sie gegen die »Partei der Arbeiterklasse« gerichtet war.

Um acht Uhr dreißig rief Bruno Baum mich schon zu sich. Hans Kiefert war bereits bei ihm. Bruno Baum war totenbleich. Zum zweitenmal sah ich ihn unsicher und fahrig. Alle diese Menschen überkamen die Geschehnisse, die jetzt anhuben, wie ein unfaßbares Naturereignis . . . Auf die rettende Formel vom »Tage X«, der von »außen« her – den Imperialisten – angezettelt sei, verfielen sie erst, als die russischen Panzer sie aus ihrer hilflosen Lage befreit hatten.

Hans Jendretzky war nicht anwesend – das Pol-Büro tagte routinemäßig (wie jeden Dienstag).

So betroffen waren die beiden, daß es mir Mut gab. Ich sagte klipp und klar: »Jetzt gibt es nur noch eins, das Pol-Büro muß sofort die Normenerhöhung zurücknehmen. Alles andere bedeutet Bürgerkrieg, vielleicht Krieg. Ich fahre jetzt zum Pol-Büro rüber und stelle den Antrag. Ganz offiziell. Kann ich nur in meinem oder auch in eurem Namen sprechen?«

»Unbedingt auch in meinem«, sagte Hans Kiefert wie erlöst.

Bruno Baum knurrte: »Ja, ich sehe nun auch keine andere Möglichkeit mehr.«

Ich ließ Hans Jendretzky aus der Pol-Büro-Sitzung herausrufen. Er kam sofort – von Rudolf Herrnstadt begleitet. Sie hörten, was gesche-

hen war, und erklärten sich auf der Stelle be-
reit, den Antrag zu vertreten.
»Also du meinst, man muß sich hinter die For-
derungen der Arbeiter stellen – sie sind be-
rechtigt?« fragte Herrnstadt noch.
»Man muß unbedingt, man hätte es schon
längst tun sollen, und nun ist es höchste Zeit«,
drang ich in ihn.
»War der Artikel über die Stalinallee im
›Neuen Deutschland‹ wirklich so verfehlt?
Der soll jetzt an allem schuld sein«, fragte
Herrnstadt unruhig.
»Eine unsinnige Behauptung. Aber dafür ist
jetzt doch keine Zeit. Es geht nun wirklich um
Wichtigeres.«
Ich saß viele Stunden im Korridor und wartete
auf Bescheid. Die Zeit erschien mir endlos.
Was mochte inzwischen in der Stalinallee vor-
gegangen sein?
Auch Bruno Baum erschien jetzt in dem langen
Korridor des »Glaspalastes« (so nannten die
Berliner das große Gebäude des Zentralkomitees) und brachte neue Hiobspost.
Einmal kam Semjonow aus dem Sitzungszim-
mer heraus – er ließ sich von sowjetischen Offizieren, die ihn herausgerufen hatten, Informationen geben –, verschwand aber gleich wieder
hinter der Doppeltür. Dann erschien Ulbricht,
begleitet von Hans Jendretzky. Er verkündete
in seiner gestelzten, kalten Art, aber doch sichtlich aufgeregt:
»Das Pol-Büro hat dem Antrag der Bezirksleitung zugestimmt. Eine entsprechende Erklärung geht sofort über den Sender.«
Er erteilte Bruno Baum die Anweisung, die Demonstration »aufzuhalten und aufzulösen«. Es
würde genügen, ihr den Beschluß des Pol-Büros mitzuteilen.
Dieser Auftrag war irreal.
Übrigens wurde der Politbüro-Beschluß keineswegs »sofort« verkündet. Es vergingen weitere kostbare Stunden bis dahin. Überdies
wurde er in so verklausulierter Form veröffentlicht, daß er seine Wirkung verfehlte. Was da
verkündet wurde, klang unglaubwürdig, ja be-
trügerisch und von nackter Angst diktiert.[5]
Als ich gemeinsam mit Bruno Baum die Demonstration erreichte, war sie bereits am Alexanderplatz, dem Zentrum Ostberlins, angelangt und auf viele tausend Menschen ange-

wachsen. Sie erhielt ständigen Zustrom aus
den anliegenden Betrieben, Läden, Verwal-
tungsstellen und durch Straßenpassanten. Gerade dadurch bewegte sie sich sehr langsam
vorwärts – aber mit unbeirrbarer Stetigkeit und
elementarer Gewalt.
Der Zug hatte eine innere, natürliche Disziplin. Das war nicht die stumpfe Ordnung der
gewohnten Zwangsdemonstrationen. Es war
ein dumpfes Brodeln und Summen in ihm, wie
er da anquoll, und eine erregende, aufrüttelnde
Entschlossenheit. Nur vereinzelt wurden Rufe
laut. Gerade die aktive Ruhe war es, welche die
Demonstranten so bedrohlich erscheinen ließ.
Die Rufe richteten sich gegen die Normenschinderei, gegen Partei und Regierung, vor allem aber gegen Walter Ulbricht.
»Wir wollen freie Menschen sein und keine
Sklaven«, hörte man immer wieder. Und »freie
Wahlen« blieb vorerst die einzige positive Forderung.
Zwischen den demonstrierenden Arbeitern,
den Hausbewohnern, Büroangestellten und
Straßenpassanten wuchs spontan und explosiv
ein Band der Gemeinsamkeit. Aus den Fenstern der Mietshäuser, der Verwaltungsgebäude gafften, winkten und riefen die Menschen. Es begann die große Verbrüderung auf
der Straße.
»Zur Regierung, zur Leipziger Straße«, war
das Losungswort, das sich nach allen Seiten
fortpflanzte. Die verkehrsregelnden »Volkspolizisten« standen hilflos und verwirrt, umbran-
det von Menschen, die selbst nicht glauben
wollten, noch gar nicht begriffen, was hier geschah. Die Demonstration weitete sich zusehends zu einer allgemeinen Erhebung aus.
Wie in Andersens unsterblichem Märchen
»Des Kaisers neue Kleider« genügte das erste
offene Aussprechen der Wahrheit, die erste
Gegenüberstellung der Wirklichkeit mit der offiziellen Fiktion, um die Menschen sehend zu
machen. Es erwies sich nicht nur die Lüge, sondern auch die Schwäche des Systems ...
Kaum waren wir dem Demonstrationszug am
Alexanderplatz begegnet, da kapitulierte
Bruno Baum vor der Aufgabe, die ihm Walter
Ulbricht zugewiesen hatte. Baum hatte genug
gesehen – er verstand sich ja auf Arbeiteraktio-
nen –, um zu begreifen, daß es hier nicht mehr

um ein lokales, »aufzulösendes« Ereignis ging. Dieser Vorgang war bereits irreversibel; eine Volkserhebung war im Entstehen.

Das hier konnte nicht mit einer improvisierten Ansprache eingedämmt werden – sei sie nun lockend oder drohend. So weigerte er sich denn, zu den Demonstranten zu sprechen. Wie wollte er auch diese vorwärts drängende Menge, deren Wesen die *Bewegung* war, zum Stehen bringen?

Mit Recht fürchtete er auch, die Bauarbeiter könnten gegen ihn handgreiflich werden, war er doch eben erst vom »Neuen Deutschland« als »Holzhammer-Funktionär« angeprangert worden. Ohnehin galt er seit langem als rücksichtsloser Einpeitscher der Normenschinderei.

»Hier kann ich nichts mehr machen«, meinte Bruno Baum. »Ich muß zurück in die Bezirksleitung, damit wenigstens einer da ist, der leitet.«

Aber er sagte nicht, was er zu tun gedächte, wie er sich unter diesen Umständen das *Leiten* vorstelle. Sicherlich beabsichtigte er, sich mit Waldemar Schmidt in Verbindung zu setzen, dem damaligen Leiter der Berliner Volkspolizei – und wahrscheinlich auch mit den sowjetischen »Freunden«.

Einstmals hatten wir alle den brutalen Ausspruch von Gustav Noske verurteilt: »Einer muß ja der Bluthund sein« – das war, als Noske sich in den Wirren der Novemberrevolution von 1918 mit den kaiserlichen Generalen, mit den faschistischen Freikorps gegen die aufständischen Arbeitermassen verband.

Auch Waldemar Schmidt und Bruno Baum dachten nun in militärischen Kategorien, wollten den »Putsch« im Keim – mit Waffengewalt – ersticken.

Erst am Nachmittag sollte ich erfahren, wie berechtigt meine Befürchtungen gewesen und woran die abenteuerlichen Pläne gescheitert waren.

Die »Anführer«, die »Rädelsführer« der Demonstration waren keineswegs mehr Herr der Situation; sie führten eine Aktion, die in Stunden, ja in Minuten über ihre ursprünglichen Ziele hinausgewachsen war.

Meine Mitteilung, daß die Normenerhöhung inzwischen vom Pol-Büro der SED zurückgenommen worden sei, übte keinerlei Wirkung aus:

»Das wollen wir von der Regierung, das wollen wir von Walter Ulbricht selber hören«, lautete die Antwort.

Aber gesetzt den Fall, Walter Ulbricht hätte den Mut gefunden, ihnen das hier und jetzt zu verkünden – nichts hätte sich am Ablauf geändert. Ihre Antwort an mich war mehr eine Ausflucht, die verhüllen sollte, wie sehr sie selbst bereits Getriebene in dieser Aktion waren.

Immerhin, meine Mitteilung pflanzte sich schnell im Zuge fort. Doch sie hatte das Gegenteil von dem zur Folge, was Walter Ulbricht von ihr erhofft hatte. Die Demonstranten gingen nicht nach Hause, sondern schritten nur entschlossener ihrem Ziele zu. Ihr Kraftbewußtsein hatte sich erhöht. Der erste große Erfolg der Streikdemonstration war errungen.

Der Zug quoll unaufhaltsam weiter, über den historischen Lustgarten, der nun Marx-Engels-Platz hieß, über die ganze Breite der Straße Unter den Linden, der Friedrichstraße und Leipziger Straße hinweg bis zu dem Platz vor dem Regierungsgebäude.

Die Arbeiterregierung hatte sich eilfertig vor ihren Arbeitern verriegelt. Eiserne Gitter hinderten den Zugang. In Sprechchören wurden Walter Ulbricht und Otto Grotewohl aufgefordert, zu erscheinen und den Arbeitern Rede und Antwort zu stehen. Doch Balkon und Fenster blieben leer.

Da ich den Zug an der Spitze begleitet hatte, kannten mich die Demonstrationsführer und halfen mir auf ein von ihnen mitgeführtes Fahrrad. Sie hielten mich fest, und ich sprach stehend vom Fahrradsattel.

Die Normenerhöhung sei von der Partei mit sofortiger Wirkung zurückgenommen worden, sagte ich. Das sei ein erster großer Erfolg. Nun aber müsse nachgestoßen werden. Das Wichtigste sei jetzt, sofort Arbeiterausschüsse zu wählen, um eine demokratische Grundlage, eine Interessenvertretung in den Betrieben zu sichern. Der neue Kurs müsse zur Wiedervereinigung und zu freien Wahlen führen.

Es gab mehr ungläubige als zustimmende Zwischenrufe: »Wer bist du schon?« – »Sagst du die Wahrheit?« – »Ulbricht, Grotewohl soll uns das sagen.«

Ich weiß heute nicht mehr, wie Robert Havemann auf den Platz gekommen ist. Kaum war ich von dem Fahrrad heruntergestiegen, drängte sich der große, kräftige Robert durch und bestieg selbst das Stahlroß. Was immer er aber sagte, auch er scheiterte an dem allgemeinen Verlangen, unmittelbar von Partei und Regierung selbst zu erfahren, woran die Arbeiter jetzt waren.

Danach ergriffen einige der Demonstrationsführer das Wort.

Auch sie sprachen ins Leere. Die Kundgebung hatte keinen Widerpart. Türen und Fenster des Regierungsgebäudes blieben verschlossen. Partei und Regierung blieben stumm.

Einzig und allein Minister Fritz Selbmann fand den Mut, mit den Arbeitern zu sprechen. Vergeblich. Die Demonstranten ließen ihn nicht zu Worte kommen. Auch ihm sagten sie, daß Walter Ulbricht selbst ihnen Rede und Antwort zu stehen habe.

Nach und nach versickerte die Ansammlung. Aus den Verwaltungsgebäuden der Umgebung hatten sich mittlerweile SED-Funktionäre unter die Arbeiter gemischt. Doch sie diskutierten kaum. Verstört hörten sie die seltsame Mär, daß die Normenerhöhung fallengelassen worden sei, für die sie doch bis zu diesem Augenblick hatten eintreten müssen. Als die Nachricht später vom Ostberliner Sender bestätigt wurde, fühlten sich insbesondere die Betriebsfunktionäre der Partei durch diesen »Rückzieher« ihrer Führer genasführt und vor ihrer Belegschaft desavouiert. Hatten sie doch auch noch nach dem neuen Kurs die Normenerhöhung wütend gegenüber den Arbeitern verteidigen müssen . . .

Als ich am frühen Nachmittag des 16. Juni wieder zur Bezirksleitung kam, erhielten wir im Sekretariat eine aufschlußreiche Mitteilung.

Der Chef der Volkspolizei, Waldemar Schmidt, hatte bereits am frühen Morgen – als sich der anfänglich noch kleine Demonstrationszug in der Stalinallee zum Abmarsch formierte und sich durch die Parteiagitatoren nicht beirren ließ – die sowjetische Besatzungsmacht um eine Sondergenehmigung gebeten. Die »Volkspolizei« sollte den Volkszug auflösen und die »Rädelsführer« verhaften.

Doch jegliche Maßnahme solcher Art war ihm strikt untersagt, als »provokativer Vorschlag« abgelehnt worden. Nun beschwerte sich Waldemar Schmidt mit hochrotem Kopf über die »knieweichen Freunde«.

»Hätten wir«, so meinte er, »sofort durchgegriffen und die Maßnahmen der Polizei durch einen Schwarm von Agitatoren abgedeckt, dann wäre alles schon längst vergessen.«

Nun bestürmte er Hans Jendretzky, die Russen doch »endlich umzustimmen«. Er fand mit seinem Rat keine Gegenliebe. Jendretzky meinte entschieden, er wolle nicht als »Arbeiterschlächter« in die Geschichte eingehen. Das Gespenst von Gustav Noske schreckte den alten Gewerkschafter.

Die Sekretariatssitzung war ursprünglich für eine ganz andere Aufgabe bestimmt gewesen. Die Bezirksleitung der Berliner SED steckte bis über die Ohren in einer Routinearbeit: Für den Abend war eine entscheidende Parteiaktivtagung angesetzt worden.

Diese außerordentliche Tagung mußte organisatorisch und technisch vorbereitet werden. Das war nicht einfach; denn zwei Tage vorher erst war sie beschlossen worden – als kleiner Erfolg der Opposition gegen Walter Ulbricht. Auf der Parteiaktivtagung sollten Otto Grotewohl und Walter Ulbricht den neuen Kurs erläutern und zur Diskussion stellen. Endlich war eine kleine Tribüne erstritten, auf der die Führung Farbe bekennen sollte. Angeblich sollte das Referat von Otto Grotewohl – in bezug auf die Fehler der Vergangenheit – sehr scharfe Formulierungen enthalten, mit direkter bzw. indirekter Zielrichtung gegen Walter Ulbricht.

So war Hans Jendretzky in diesen Stunden mit seinem Herzen und in seinem Sinn weitaus mehr mit der bevorstehenden Parteiaktivtagung als mit den umwälzenden Ereignissen beschäftigt, die sich soeben vollzogen und die wir noch gar nicht in ihrem vollen Umfange erfaßt hatten.

Hinzu kam, daß Jendretzky sich ernsthafte Sorgen machte, die Ereignisse in Berlin könnten seinem Einfluß schaden und Ulbricht den Vorwand und auch die Möglichkeit dafür liefern, den alten, harten Kurs aufrechtzuerhalten.

»Wir werden«, so sagte Hans, »während der

Parteiaktivtagung mit den Genossen vom Pol-Büro beraten, was zu tun ist.«

Eine einzige Maßnahme wurde in dieser kurzen Sekretariatssitzung festgelegt: Die Sekretariatsmitglieder wurden auf die wichtigsten Großbetriebe aufgeteilt. Jeder von ihnen sollte am nächsten Morgen in einer Belegschaftskundgebung die Rücknahme der Normenerhöhung und den neuen Kurs erläutern.

Weitere Schlußfolgerungen wurden nicht gezogen.

Die Parteiaktivtagung – mit so großen Erwartungen erhofft – nahm einen gespenstischen Verlauf. Ulbricht und Grotewohl sprachen in akademischen Worten und bagatellisierender Form über den Inhalt des neuen Kurses.[6] Sie sprachen so, als hätte sich inzwischen nichts ereignet. Die wahrhaft erschütternden Vorgänge des Tages wurden nur am Rande gestreift. Unter ihrer Einwirkung hatte Grotewohl die schärfsten »selbstkritischen« Passagen seiner Rede gestrichen. Durch die Ereignisse eingeschüchtert und sowohl ihre Fiktionen als auch ihre soziale Existenz in Frage gestellt sehend, wagten die Parteifunktionäre weniger als je, offen zu diskutieren.

Alle dachten daran, keiner sprach von dem, was vorgefallen.

Über der Tagung lag ein drückendes Verschweigen und Nichtsehen-Wollen: Nicht weniger als eine Revolution hatte begonnen. Im Dunkel der Nacht schon sollte das Signal der Bauarbeiter aus der Stalinallee die Betriebe Ostberlins und der DDR zur Aktion führen. Ulbricht aber vermeinte, das Übergreifen des Feuers durch die Normenerklärung im Rundfunk verhindert zu haben.

Die Volkserhebung vom 17. Juni

Am Morgen des 17. Juni stand Ostberlin, stand die DDR im Zeichen der Volkserhebung.

Es kam zu tumultartigen Szenen in den Straßen Ostberlins. Ich sah, wie Funktionärsautos umgeworfen, Transparente und Losungen, auch Parteiabzeichen abgerissen und verbrannt wurden.

In vielen Städten der DDR kam es zum Massensturm auf Gefängnisse, auf Partei- und Regierungsdienststellen, insbesondere solche des Staatssicherheitsdienstes. Zentren der Generalstreikbewegung, des beginnenden Aufstandes waren die traditionellen Industriegebiete Sachsen und Thüringen – von jeher Mittelpunkte der Arbeiterbewegung.

Als ich morgens zu dem mir zugeteilten volkseigenen Großbetrieb Bergmann-Borsig in Berlin-Wilhelmsruh kam, wurde dort keine Hand gerührt. Die Arbeiter diskutierten am Arbeitsplatz und führten in den Hallen kleine Versammlungen durch. Vertrauensleute nahmen von Abteilung zu Abteilung miteinander Verbindung auf, um eine Versammlung der gesamten Belegschaft herbeizuführen. Vor kurzem war hier ein sogenanntes Kulturhaus mit einem riesigen Saal fertiggestellt worden, der allen Belegschaftsangehörigen Platz bot.

Interessant war meine Begegnung mit dem Parteisekretär des Betriebes. Er meinte, im Betrieb würde es »ruhig bleiben«. An Arbeit sei allerdings kaum zu denken.

Ich veranlaßte ihn, die gesamte Belegschaft durch den Lautsprecher in den großen Saal des Kulturhauses zu rufen. In wenigen Minuten war der Riesenraum von einem einzigen Brodeln erfüllt.

In diesem Moment, da die Arbeiter hier in Aktion versammelt waren, so fuhr es mir durch den Kopf, und nur für die Dauer dieser Aktion, gehört dieser Betrieb wahrhaft ihnen. Genau das sagte ich auch.

»Heute ist dieser Betrieb euer Betrieb geworden, aber damit steht auch in eurer Verantwortung, was aus ihm wird. Erstens: nichts zerstören; zweitens: hier und sofort einen Betriebsausschuß wählen!«

Dieser Vorschlag wurde ohne Diskussion angenommen und unmittelbar verwirklicht. Zum Ausschußvorsitzenden wurde ein älterer, erfahrener sozialdemokratischer Arbeiter gewählt. In der Diskussion, die der Wahl des Betriebsausschusses folgte, sprachen etwa zwanzig Arbeiter.

Das war eine elementare, leidenschaftliche Auseinandersetzung, eine historische Abrechnung mit dem SED-Regime. All das, was sich bisher gestaut hatte, nie offen in Versammlungen ausgesprochen worden war, brach sich jetzt Bahn. Aus eigenem Erleben, in der drastischen, ungekünstelten Sprache des erregten

Menschen, der von seinen persönlichen Erfahrungen ausgeht, wurden zahllose empörende Beispiele von Rechtswillkür angeführt. Namen von Arbeitskollegen aus dem Betrieb wurden genannt, die verhaftet, verurteilt, mißhandelt worden waren, deren Angehörige nichts mehr von ihnen gehört hatten.

Es wurde eine Entschließung angenommen, die den gewählten Arbeiterausschuß bevollmächtigte, die wirtschaftlichen und politischen Interessen der Belegschaft zu vertreten und sich mit ähnlichen Ausschüssen in anderen Betrieben in Verbindung zu setzen. Als politisches Hauptziel wurde die Wiedervereinigung Deutschlands durch freie demokratische Wahlen gefordert.

Am Schluß der Versammlung sprang ein Arbeiter auf das Podium und forderte die Belegschaft auf, sich mittags am Betriebstor zu versammeln, um in das Stadtzentrum zu demonstrieren – überall wären bereits derartige Streikdemonstrationen im Gange.

Unmittelbar im Anschluß an die Versammlung trat der Ausschuß zu seiner konstituierenden Sitzung zusammen, legte die wichtigsten betrieblichen und politischen Forderungen fest und beschloß, sich an die Spitze der Streikdemonstration zu stellen.

Der Demonstrationszug kam nicht weit. Um 13 Uhr war der Ausnahmezustand eingetreten. General Dibrowa, der sowjetische Stadtkommandant, hatte ihn verhängt. Unmittelbar darauf kämmten sowjetische Truppen die Straßen durch. Die Bergmann-Borsig-Demonstration wurde aufgelöst, die »Rädelsführer« – darunter der sozialdemokratische Vorsitzende des soeben gewählten Betriebsausschusses – verhaftet. Welch glorreiche Aktion der Sowjet(Räte)macht gegen die Räte!

In wenigen Stunden waren die Gefängnisse Ostberlins überfüllt. Sinnigerweise wurden Lagerräume im zentralen Schlacht- und Viehhof – sie standen leer, denn an Fleischvorräten mangelte es – mit verhafteten Streikenden vollgepfercht. Die Gefangenen waren nicht nur menschenunwürdig untergebracht, an ihnen entlud sich die Wut jener Volkspolizeioffiziere, die eben noch ihre Sache verloren gesehen hatten, die erst unter dem Schutz sowjetischer Panzer ihre Sicherheit wiederfanden – und

nun um so ingrimmiger ihren Bütteldiensten nachgingen.

Was sich hier abspielte, ging selbst dem hartgesottenen Waldemar Schmidt auf die Nerven. Er berichtete in der Bezirksleitung von den empörenden Vorgängen, und Hans Jendretzky verpflichtete ihn, »diesen Schlacht- und Viehhofmethoden ein Ende zu bereiten«.

Ich hatte gleich nach Beendigung der Belegschaftsversammlung den Betrieb verlassen und war noch, ehe der Ausnahmezustand verkündet war, zu Fuß durch die Innenstadt in die Bezirksleitung zurückgekehrt.

Es war wie zu Beginn eines Bürgerkrieges. Unter die streikenden Demonstranten hatten sich inzwischen auch zahllose Westberliner, zumeist Jugendliche, gemischt.

Funktionärsautos wurden angehalten und umgekippt, Transparente und DDR-Embleme abgerissen und in Brand gesteckt. Spontane Demonstrationszüge und organisierte Sprechchöre, Kuriere auf Fahrrädern, meist Westberliner Herkunft, Ansprachen von Autos und improvisierten Podesten . . .

SED-Mitgliedern wurden die Parteiabzeichen abgerissen. Johlende Gruppen setzten sich wirr, auf zufällige Zurufe hin, in Bewegung: »Auf zum Glaspalast!« – »Zum Ministerium!« – »Zum Brandenburger Tor!« Der Erhebung fehlte das Selbstverständnis, also fehlten ihr auch die Lieder. Sie vermochte noch nicht, sich zu artikulieren.

So sang man »Brüder, zur Sonne, zur Freiheit«, aber ebenso auch das »Deutschland-Lied« – und doch drückte beides nicht das aus, was die Menschen wollten und dumpf empfanden. In der allgemeinen Turbulenz machte mich das Deutschland-Lied am meisten betroffen. Das war das letzte – so empfand ich –, was hierher gehörte.

Gewiß waren es nicht nur Arbeiter, die aus Westberlin hinzugeströmt waren. Gewiß traten auch Rowdys und politische Abenteurer mit dunklen Zielen und dunklen Auftraggebern in Aktion. Sie fanden hier ein günstiges Betätigungsfeld. Aber sie fanden es auf der Grundlage einer elementaren Massenerhebung.

Alles, was ich in diesen Stunden, in diesen Straßen sah, waren immer wieder Arbeiter und Arbeiterinnen, die ihre »volkseigenen« Betriebe verlassen hatten, weil sie die Stunde für gekommen hielten, eine Ordnung zu ändern, die ihnen unerträglich geworden war, sich einer Obrigkeit zu entledigen, die sie nicht mehr dulden wollten.

Wie unscharf und nebulos auch ihre Ziele waren, so wollten sie doch eines gewiß nicht: eine Reise zurück in die Vergangenheit, eine Wiederherstellung der alten Besitzverhältnisse des ostelbischen Großgrundbesitzes und des Konzerneigentums der Wehrwirtschaftsführer und Rüstungsindustriellen.

So manch einer aber von denen, die hier aus Westberlin zum Dienst eingesetzt waren – von obskuren Diensten –, diente gewiß anderen Zielen.

Als ich kurz vor 13 Uhr in der Bezirksleitung eingetroffen war, teilte mir Bruno Baum triumphierend mit, daß unsere »Freunde« endlich ein Einsehen gezeigt und die Sache in die Hand genommen hätten:

»In wenigen Minuten haben wir den Ausnahmezustand, und dann wird aufgeräumt.«

Bruno Baum und Waldemar Schmidt vor allem fühlten sich jetzt als Sieger.« »Schließlich«, dozierte Bruno Baum, »ist alles eine Machtfrage. Wehe uns, wenn wir das vergessen und uns die Macht aus den Händen winden lassen. Jetzt hat die Sowjetmacht zugeschlagen, und der ganze Spuk ist vorbei.«

Und tatsächlich, vom Fenster aus – über den August-Bebel-Platz hinweg – sahen wir die Panzer, die Unter den Linden in Richtung Brandenburger Tor rasselten, um die Sektorengrenze hermetisch abzuriegeln und die »Unruhen im Keime zu ersticken«.

1 Auszug in diesem Buch S. 175 f.
2 Abgedruckt in diesem Buch S. 181 f.
3 Am 14. Juni war im Neuen Deutschland ein Artikel über die Bauarbeiter von der Stalinallee erschienen: »Es wird Zeit, den Holzhammer beiseite zu legen«. Er polemisierte gegen die von der Parteiführung befohlene Methode, die Zustimmung zur zehnprozentigen Normerhöhung mit Erpressungen und Fälschungen zu erzwingen (Auszüge in diesem Buch S. 184).
4 Abgedruckt in diesem Buch S. 184.
5 Abgedruckt in diesem Buch S. 185.
6 Auszug aus der Rede Grotewohls in diesem Buch S. 185 f.

Fritz Schenk
Im Haus der Ministerien

Fritz Schenk, Jg. 1930, aus einer traditionsreichen sozialdemokratischen Familie im Mansfeldischen Kupferbergbaugebiet am Ostrand des Harzes stammend, war 1953 persönlicher Referent des Vorsitzenden der Staatlichen Plankommission, Bruno Leuschner, der gleichzeitig dem Politbüro der SED, also dem höchsten politischen Entscheidungsgremium der DDR, angehörte. Leuschners Büro war die Schaltstelle für die staatliche Wirtschaftspolitik, über seinen Schreibtisch liefen alle wirtschaftspolitischen Entscheidungen der deutschen Stäbe wie der sowjetischen Besatzungsmacht. Fritz Schenk hat die Zeit bei Leuschner in seinem Buch »Im Vorzimmer der Diktatur – Zwölf Jahre Pankow« geschildert, 1962 bei Kiepenheuer & Witsch in Köln erschienen, 1981 vom Wilhelm Naumann Verlag, Würzburg, neu herausgegeben unter dem Titel »Mein doppeltes Vaterland – Erfahrungen und Erkenntnisse eines geborenen Sozialdemokraten« (gekürzt, mit einem zweiten Teil, der seine politischen Erfahrungen im Westen reflektiert). Aus der Erstausgabe wurden neben den Teilen, die unmittelbar das Geschehen am 16. und 17. Juni betreffen, solche Passagen ausgesucht, die die wirtschaftliche Ausgangslage nach Stalins Tod und die ökonomischen Probleme des Neues Kurses beleuchten.

Der Jahresplan für 1953 hatte keinen guten Start. Überall herrschte großer Mangel an Arbeitskräften und vor allem an Material. Die westlichen Embargobestimmungen, die wegen des Koreakrieges gegen den Ostblock verhängt worden waren, brachten die Wirtschaft in größte Schwierigkeiten. Im Dezember erhielten wir an manchem Tag über hundert Briefe mit Hilferufen aus den Betrieben. Da Leuschner nach wie vor den größten Teil der Post grundsätzlich nicht beantwortete, dauerte es nicht lange, und unser Büro wurde von Betriebsdelegationen belagert.

Ihre Sorgen waren immer die gleichen. Wegen lächerlicher Kleinigkeiten drohte die Produktion zum Stillstand zu kommen oder der Verkehr zu erliegen. Ein drastisches Beispiel schil-

derte mir eine Abordnung des städtischen Ver-
kehrsamtes von Halle. Dort war in der Nähe
des Hauptbahnhofes, wo sich der gesamte
Straßenbahnverkehr kreuzte, ein Schienen-
stück gebrochen, das sich nur in Schweden beschaffen ließ. Etwa 10 000 Westmark waren erforderlich, um das Ersatzteil zu kaufen. Aber
alle Versuche des Außenhandelsministeriums,
das Stück auf Schleichwegen mit Hilfe interna-
tionaler Schieberorganisationen in die Zone zu
holen, waren fehlgeschlagen, und nun saßen
fünf Mann in meinem Zimmer, die sich, wohl-
ausgerüstet mit Gutachten, Photographien und
Argumenten, ihrer Verantwortung entledigen
wollten.

»Wenn wir dieses Kreuzungsstück nicht bekommen«, sagte der technische Straßenbahn-
direktor, »müssen wir im sogenannten Pendel-
verkehr fahren. Das bedeutet, daß wir entweder den doppelten Fahrzeugpark und das doppelte Zugpersonal bereitstellen müssen oder
nur noch die Hälfte Fahrgäste befördern können. Wenn das eintreten sollte, hätte es unüber-
sehbare Auswirkungen für die gesamte chemi-
sche Industrie unserer Republik.

Ein großer Teil der Werktätigen von Halle
fährt in die chemischen Betriebe nach Leuna
und Buna, ja selbst nach Bitterfeld und Wolfen, und wir sind dann nicht in der Lage, diese
Arbeiter pünktlich zu den Frühzügen zu befördern.«

Ich sah mir die Photographien an und konnte
nur mit dem Kopf schütteln. Das Kreuzungsstück war unzählige Male geschweißt und ab-
geschliffen worden. Die einzelnen Schichten
hatten sich immer wieder gelöst, waren breitge-
fahren und lagen wie Blätterteig aufeinander.
Nach jeder nächtlichen Reparatur hatte sich
die Bruchstelle ausgeweitet, der Unterbau und
die Straße waren in Mitleidenschaft gezogen
worden, und so war eine Gefahrstelle erster
Ordnung entstanden.

Mit solchen Berichten hätte ich unser ganzes
Büro tapezieren können. Das SED-Zentralorgan »Neues Deutschland« konnte beinahe
nicht mehr erscheinen, weil Ersatzteile für die
Setz- und Druckmaschinen fehlten, die seit jeher hauptsächlich aus der Bundesrepublik und
aus England kamen. Das Fernsehen wartete
auf Kameras aus Westdeutschland, um ein

durchgehendes Programm gestalten zu können. In den Schächten fehlten Förderseile, und
täglich rechneten die Fachleute mit schweren
Unfällen.

In allen Maschinenbaubetrieben standen halb-
fertige Anlagen, weil Kugellager, Schrauben
und andere Normteile aus dem Westen fehlten.
In der Textilindustrie blieben immer mehr Maschinen stehen, weil die nur im »kapitalistischen Lager« erhältlichen Ersatzteile nicht kamen.

Die Stimmung aller Funktionäre war unter den
Nullpunkt gesunken. Wir ahnten, daß etwas in
der Luft lag, daß etwas Außergewöhnliches geschehen mußte, weil es so nicht weiterging.
Ulbricht hatte schon vor dem Beschluß über
den Volkswirtschaftsplan 1953 einen Bittbrief
an Stalin geschrieben und um Materialhilfe gebeten.

Nun war das Jahr 1952 in wenigen Tagen zu
Ende, der neue Plan sollte anlaufen – und
keine Antwort traf ein. »Wie geht es weiter?«
Diese Frage stellten wir uns gegenseitig, aber
keiner konnte sie beantworten ...

Stalins Erbe

Da aber trat ein Ereignis ein, das alle hektische
Unruhe erstarren ließ, alle Spekulationen zu-
nichte machte: am 5. März 1953 starb Stalin.
Mit einem Schlag war die Lage verändert. Niemand interessierte sich mehr für Sonderaktio-
nen und Kampagnen; die Maschine stand still.
Auf einmal hatten die höchsten Funktionäre
Zeit, still in ihren Zimmern zu sitzen und aus
Kohlepapier Trauerränder für ihre Roten Ek-
ken zu schneiden. Und dann saßen sie mit ernster Miene in den Trauerversammlungen,
scheinbar ganz dem Gedenken an den »weisen
Führer aller Werktätigen« hingegeben. Aber
von echter Ergriffenheit war nur bei naiven
Gemütern etwas zu spüren. Alle anderen be-
herrschte die Frage: Was kommt nun? Die
Ruhe hielt nur wenige Tage an. Noch war der
tote Diktator nicht beigesetzt, da gab Moskau
schon die Zusammensetzung der neuen Füh-
rung bekannt. Wir horchten auf: zum erstenmal seit langen Jahren war wieder von kollektiver Führung die Rede. Kündigte sich hier ein
ernsthafter Wandel an? Würde mit Stalin auch

das System, der Stalinismus, verschwinden?
Würde es wenigstens Erleichterungen geben?
Nie waren die Westzeitungen so gefragt gewesen wie in diesen Tagen. Ein hoher Funktionär
nach dem anderen kam in mein Zimmer und
las aufmerksam die Artikel und Kommentare.
Aber schlüssige Antworten waren auch da
nicht zu finden.

Erste Andeutungen über die Absichten der
neuen Herren im Kreml erhielten wir, als Grotewohl, der die Regierungsdelegation zu den
Beisetzungsfeierlichkeiten geleitet hatte, wieder in Berlin eintraf. Leuschner hatte mit ihm
eine längere Aussprache und kam niedergeschlagen ins Büro zurück. Er rief seine engsten
Mitarbeiter zusammen und unterbreitete ihnen
die Hiobsbotschaft: »Also, liebe Genossen!
Die Würfel sind gefallen. Wir werden keine
großen Lieferungen aus der Sowjetunion bekommen. Wir müssen mit den Schwierigkeiten
im wesentlichen allein fertig werden. Was
nun?«...

Der stellvertretende sowjetische Planungschef
Nikitin kam früher nach Ostberlin, als wir erwartet hatten. Er bezog im April in Karlshorst
Quartier und verhandelte tagelang mit der Zo-
nenführung. Die Weisungen, die er mitbrachte,
widersprachen aller bisherigen Politik. Er teilte
mit, daß die Russen keine Sonderlieferungen
mehr schicken könnten. Die Sowjetführung
plane einen neuen Kurs, der auf die Verbesserung des Lebensstandards der Bevölkerung ab-
ziele. Dazu müsse sie alle verfügbaren Reser-
ven einsetzen. Der SED werde empfohlen, ihre
Wirtschaftspolitik ebenfalls zu ändern und
Maßnahmen zu ergreifen, die eine rasche Verbesserung der mitteldeutschen Lebensverhält-
nisse zur Folge hätten...

Der Neue Kurs

Ulbrichts Auftrag, Leuschner solle sich auf die
Ausarbeitung des Neuen Kurses konzentrieren, war für ihn ein erwünschter Anlaß, alle Ta-
gesfragen auf andere abzuwälzen. Im April
und Mai gelang es ihm sogar, die »Feuerwehr-
maßnahmen« am laufenden Plan ganz auf das
Finanzministerium abzuschieben. Er begründete das mit eigener Überlastung und der Unfähigkeit Sägebrechts. Unter anderen Verhält-

nissen hätte er das nie getan. Zwischen der
Plankommission und dem Finanzministerium
bestand scharfe Rivalität. Von Finanzfragen
verstand die Mehrheit des Politbüros noch weniger als von Wirtschaftsplanung; daher hatte
es die Plankommission leichter als der Finanz-
apparat, ihre Meinung bei der Parteiführung
durchzusetzen. Finanzminister Rumpf blieb
meist im Hintertreffen. So nutzte er denn im
Frühjahr 1953 mit Übereifer die Chance, erstmals seine Vorschläge zur Erfüllung der Fi-
nanz- und Staatshaushaltspläne verwirklichen
zu können, ohne von der Plankommission gestört zu werden.

Seine Aktivität schlug sich in Anordnungen
und Verordnungen des Ministerrats nieder, die
für die Bevölkerung äußerst negative Auswirkungen hatten. Geschäftsleuten, Handwerkern, Angehörigen freier Berufe entzog man
die Lebensmittelkarten. Zahlreiche Lebensmit-
telsubventionen wurden abgebaut und die
Preise der betreffenden Waren zum Teil beträchtlich erhöht. Die verbilligten Arbeiterrückfahrkarten wurden praktisch abgeschafft;
nur Arbeiter mit sehr geringem Einkommen
behielten diese Vergünstigung. Ärztlich ver-
ordnete Kuraufenthalte sollten künftig auf den
Jahresurlaub angerechnet werden. Für Millionen bedeuteten diese Maßnahmen ein Sinken
des Lebensstandards. Was aber ihren Zorn
ganz besonders erregte, war der Zynismus, mit
dem Presse und Rundfunk diese offensichtli-
chen Verschlechterungen als Fortschritte im
sozialistischen Aufbau priesen.

Den Clou bildete dann der Regierungsbeschluß vom 28. Mai 1953[1], der kategorisch eine
Erhöhung der Arbeitsnormen um 10 Prozent
anordnete. Das war gleichbedeutend mit einer
Lohnsenkung um diesen Satz; denn die Normen waren damals schon so hoch, daß es den
Arbeitern unmöglich gewesen wäre, den Verlust durch erhöhte Leistung auszugleichen. –
Es wäre natürlich übertrieben, wollte man sagen, daß diese Maßnahmen allein den Aufstand auslösten und die Volkserhebung sozusagen eine Folge des Alleinganges von Willi
Rumpf gewesen wäre. Ihre Wurzeln lagen
selbstverständlich viel, viel tiefer und reichten
bis in die unmittelbare Nachkriegszeit zurück.
Die übereilten Verordnungen lieferten jedoch

den unmittelbaren Zündstoff. Sie gaben der Bevölkerung im Übermaß Argumente für berechtigte Kritiken, gegen die nicht einmal die hartgesottenen Stalinisten etwas einwenden konnten. Als die Beschlüsse rückgängig gemacht wurden, faßte sich Leuschner immer wieder an den Kopf und fragte: »Wie war es nur möglich, solchen Quatsch zu beschließen?« . . .

Am 11. Juni fand sich der Politbürobeschluß über den Neuen Kurs in großer Aufmachung auf der ersten Seite von »Neues Deutschland«.[2] Er enthielt das Eingeständnis, Partei und Regierung hätten »in der Vergangenheit eine Reihe von Fehlern begangen« und die Interessen mancher Bevölkerungskreise vernachlässigt.

In der Nacht vom 9. zum 10. Juni fuhren zahlreiche Wagen durch Ost-Berlin. Sie holten verantwortliche Funktionäre des Staatsapparates an ihre Arbeitsplätze zurück. Es galt, den Politbürobeschluß – formell enthielt er ja nur »Empfehlungen« – zu einem Beschluß des Ministerrats umzuarbeiten, der dann am 11. Juni verabschiedet wurde.[3] Die unpopulären Maßnahmen der letzten Zeit wurden rückgängig gemacht und politische und wirtschaftliche Lockerungen angekündigt. Der Beschluß über die Normenerhöhung aber blieb bestehen. Und gerade dieser war allen Werktätigen der ärgste Dorn im Auge. Als in der darauffolgenden Woche die Parteiagitatoren in allen Betrieben und Verwaltungen den Neuen Kurs zwar mit Superlativen priesen, dabei jedoch die Normenerhöhung verteidigten, spitzte sich die Diskussion immer mehr auf diese eine Frage zu.

Aufruhr

Am Vormittag des 16. Juni begannen Auseinandersetzungen zwischen Parteifunktionären und Bauarbeitern auf der Stalinallee. Als die Forderung der Arbeiter nach Zurücknahme des Beschlusses über die Normenerhöhung nicht erfüllt wurde, setzten sie sich nach dem Haus der Ministerien in Marsch. Sie beabsichtigten, ihr Anliegen Grotewohl persönlich vorzutragen.

Doch es war Dienstag, der Tag der Politbürositzungen; Grotewohl hielt sich im Parteige-

bäude in der Wilhelm-Pieck-Straße auf. Den Streikenden mußte die Auskunft des Pförtners, Grotewohl sei nicht im Hause, wie eine Ausrede erscheinen; sie ließen sich nicht abweisen. Der Pförtner benachrichtigte also das Büro Grotewohls vom Wunsch der Bauarbeiterdelegation. Das Büro gab den üblichen Bescheid, sie solle an den zuständigen Minister verwiesen werden. Die Delegation lehnte das Ansinnen ab. Es kam zu den ersten lauten Worten. Der Pförtner wagte einen neuen Anruf im Sekretariat des Regierungschefs und schilderte die Lage etwas genauer. Ein Mitarbeiter des Büros wurde auf Erkundungsgang geschickt. Das Sekretariat Grotewohl lag nämlich im Innenhof, und man konnte von dort aus nicht sehen, was sich am Eingang abspielte.

Der Bericht dieses vorgeschobenen Beobachters löste den ersten Anruf im Politbüro aus. Dort saß im Vorzimmer eine resolute Genossin aus dem Büro Otto Schöns, ein echter weiblicher Zerberus, darauf dressiert, alle unliebsamen Störungen vom Politbüro fernzuhalten. Sie war schnell mit einer patzigen Antwort bei der Hand: »Ist denn im janzen Haus der Ministerien keen handfester Jenosse, der mal soon paar Männecken beruhjen kann?«

Das Büro Grotewohl, nun schon nervös geworden, versuchte andere ins Gefecht zu schicken. Eine Sekretärin klingelte bei mir an und trug mir im Befehlston auf: »Genosse Schenk, richten Sie bitte dem Genossen Leuschner aus, daß er im Auftrage des Ministerpräsidenten zu den Bauarbeitern sprechen soll. Die Sache ist sehr eilig.«

Ein Jahr früher wäre ich vielleicht auf den Trick hereingefallen. Ich hätte mir auch zugetraut, Sägebrecht auf so eine Art in den Tumult zu beordern. Aber ich hatte nicht umsonst ein Jahr lang die Praktiken der SED-Bürokratie studiert. So antwortete ich höflich: »Tut mir leid, Genossin, aber unser Chef ist ebenfalls im Politbüro. Sie wissen ja, heute stehen vorwiegend wirtschaftliche Themen auf der Tagesordnung. Es wundert mich übrigens, daß Ihr Chef dem Genossen Leuschner diesen Auftrag nicht persönlich erteilt hat. Sie sitzen doch in der Wilhelm-Pieck-Straße zusammen.«

Damit hatte ich Ruhe. Das Mädchen hängte schnell ein, weil es sich ertappt fühlte.

Inzwischen steigerte sich die Ungeduld der Bauarbeiter, die immer noch vergeblich Einlaß in das Regierungsgebäude forderten. Ihre Schar wuchs ständig an. Als sie sich schließlich in Sprechchören Gehör zu verschaffen suchten, erschienen die ersten Funkstreifen der Polizei.

Die Polizisten standen erstmals vor einer solchen Situation und wußten nicht, wie sie sich verhalten sollten. In politischen Schulungen war ihnen jahrelang eingetrichtert worden, sie hießen deshalb »Volkspolizei«, weil sie nicht wie frühere Hüter öffentlicher Ordnung gegen Arbeiter, sondern nur gegen die Ausbeuterklasse vorzugehen hätten. Als sie nun die Arbeiter in ihrer Maurerkluft auf dem Platz vor dem Regierungsgebäude sahen, kehrten sie eiligst um und fuhren ins Polizeipräsidium zurück, um sich von höchster Stelle Instruktionen zu holen. Von dort aus ist wahrscheinlich auch die Meldung zum Politbüro durchgedrungen. Trotzdem erschien Grotewohl nicht. An seiner Stelle wurde Selbmann in den Kampf geschickt. Dieser versuchte zuerst, eine Abordnung von nur wenigen Maurern als Unterhändler ins Haus der Ministerien zu bekommen. Aber diese Taktik verfing nicht. Die Bauarbeiter ließen sich nicht darauf ein, irgend jemanden zu ihrem Sprecher zu wählen, und sie wollten sich auch nicht mit Selbmann begnügen. Als der Minister einen Tisch auf den Vorplatz stellen ließ und von dort zu der Menge sprechen wollte, ließen ihn die Streikenden nicht zu Wort kommen. »Entweder Grotewohl erscheint«, riefen sie, »oder es dreht sich morgen kein Rad mehr.« Selbmann blitzte ab, und der Zug setzte sich wieder in Richtung Stadtmitte in Bewegung. Überall schlossen sich weitere Demonstranten an, und in kämpferischer Begeisterung riefen sie allen Passanten zu: »Macht mit! Seid nicht feige! Wir haben es satt! Morgen ist Generalstreik!«

Als Leuschner am späten Nachmittag aus dem Politbüro kam, schien er ganz verwundert über das, was sich vor unserem Hause zugetragen hatte. Meine Schilderung nahm er mit einem fast ungläubigen Lächeln hin, so daß ich den Eindruck gewann, er war sich der Bedeutung der Ereignisse nicht bewußt. Er hörte mir auch nicht lange zu.

»Lassen wir dieses Thema jetzt«, wehrte er ab, »ich habe morgen eine Menge zu erledigen. Zunächst muß ich heute nachmittag noch einmal in die Wilhelm-Pieck-Straße. Sie aber laden heute noch alle Vorsitzenden der Bezirksräte, die Minister, Leiter zentraler Ämter und alle Verantwortlichen für Planung, Industrie, Wohnungsbau, Handel und Versorgung, Investitionen, d. h. alle wichtigen Leute, für morgen früh 10 Uhr zu mir ein. Setzen Sie sich sofort an den Sonderapparat und sprechen Sie mit allen Vorsitzenden, Ministern usw. persönlich. Sagen Sie ihnen, es handelt sich um einen Auftrag des Politbüros, von dem niemand entbunden werden kann. Das Politbüro macht jeden für sein Erscheinen verantwortlich und überläßt es jedem selbst, welche und wie viele Funktionäre er mitbringen will. Wir müssen morgen über die wichtigsten Veränderungen des Fünfjahrplanes Klarheit schaffen.«

Und da er die Trägheit der kommunistischen Bürokratie kannte, setzte er mit Nachdruck hinzu: »Sie wissen doch, wie das sonst immer ist. Wir bestellen die Leute hierher, sie sitzen wie die Grafen da, rauchen dicke Zigarren und denken, sie brauchen nur zuzuhören. Das geht morgen nicht! Morgen müssen sie hier an Ort und Stelle entscheiden. Ich will konkret wissen, bis wann welche Objekte stillgelegt werden können, was für Material und wieviel Arbeitskräfte dabei frei werden, wieviel Wohnungen man dafür bauen kann und so weiter. Ist das klar?«

»Klar!«

Bis in die späten Abendstunden saß ich am Telefon. Es dauerte mitunter sehr lange, ehe ich die einzelnen Funktionäre an den Apparat bekam. Die Bezirksratsvorsitzenden, die noch weniger vom Neuen Kurs erfahren hatten als die Angestellten des zentralen Apparates, waren nicht leicht zu bewegen, auf einen Anruf hin Hals über Kopf nach Berlin zu fahren und auch noch ihre wichtigsten Berater mitzunehmen. Sie brachten viele Einwände vor. Die Vorsitzenden der Industriebezirke Dresden, Chemnitz, Magdeburg, Halle und Leipzig befürchteten schon an diesem Abend die Unruhen, die am nächsten Tag Wirklichkeit wurden. »Ihr müßt doch völlig verrückt sein da oben«, schimpften die meisten, »uns zu einem Zeitpunkt nach Berlin zu rufen, wo wir hier dringend gebraucht werden. Habt ihr denn gar keine Ahnung, wie es hier aussieht?« Und fast jeder sicherte sich mit dem Schlußsatz ab: »Ich möchte mit allem Nachdruck betonen, daß ich jede Verantwortung ablehne, wenn während meiner Abwesenheit Dinge geschehen, die man jetzt noch nicht übersehen, aber ahnen kann. Hinterher heißt es dann wieder: Das hättet ihr wissen müssen.«

Auf der Fahrt nach Hause bot sich mir ein Bild, wie ich es noch nie gesehen hatte. Überall waren kleinere und größere Trupps von Arbeitern unterwegs, die in Sprechchören zum Generalstreik aufriefen. In der Nähe des Ostbahnhofs und in den Bezirken Friedrichshain und Treptow waren die meisten Parteilosungen von den Wänden gerissen oder Arbeiter gerade damit beschäftigt, sie zu vernichten. In der Stralauer Allee beschriftete eine Gruppe von Jugendlichen die rote Ziegelsteinmauer des Osthafens mit den Losungen »Freiheit« – »Gegen die Normenerhöhung« – »Freie Wahlen«.

Ich schlief spät ein an diesem Abend und wurde früh geweckt. Aber es war nicht die Stimme meiner Wirtin, die mich aus dem Schlaf riß, sondern ein Geräusch, das ich 1945 zum erstenmal gehört hatte. Gegen vier Uhr früh mochte es sein, als ich aufgeschreckt ans Fenster eilte und in der Morgendämmerung sowjetische Panzer nach Berlin fahren sah. Ich wohnte noch immer in Adlershof, ganz in der Nähe des Adlergestells, der wichtigsten Ausfallstraße nach der Zone. In Königs Wusterhausen und Wünsdorf waren starke sowjetische Verbände stationiert, und von dort mußten die Panzer kommen.

Ich fand keinen Schlaf mehr. In den Häusern wurde es lebendig. Bald standen die Menschen fröstelnd und vor Erregung zitternd vor den Haustüren oder an den Fenstern. Nach gut einer Stunde herrschte wieder Stille – eine bedrückende Stille.

Als ich gegen 9 Uhr abgeholt wurde und ins Büro fuhr, war ich erstaunt, nichts mehr von den Panzern zu sehen. An den Fahrspuren ließ sich erkennen, daß sie in Schöneweide nach Karlshorst abgebogen waren.

In den Straßen herrschten um diese Zeit schon wieder – oder noch immer – die Demonstranten. Je näher wir der Stadtmitte kamen, um so dichter wurde der Menschenstrom. Wir mußten viele Umwege fahren. Die meisten Kraftwagen der Regierung trugen nämlich das polizeiliche Kennzeichen »GB 006«. Das war in Berlin allgemein bekannt. Und da die Demonstranten uns wütend die Fäuste entgegenstreckten, wurde es eine nicht ganz ungefährliche Fahrt.

Als wir das Regierungsgebäude erreichten, war die Straße zwar noch frei, aber vom Potsdamer Platz her schob sich durch die Leipziger Straße ein schwarzer Menschenstrom auf die Wilhelmstraße zu. Die Gittertore des ehemaligen Luftfahrtministeriums waren geschlossen. Dahinter standen junge Volkspolizisten mit Maschinenpistolen und Gummiknüppeln. Ihre Gesichter zeigten Unsicherheit und Angst. Nur nach vielem Zureden öffneten sie einen Flügel, um unseren Wagen einzulassen.

Kurz darauf hatte die Demonstration den Vorplatz des Regierungsgebäudes erreicht. In größter Eile wurde unser Wachkommando auf die Straße entsandt, um eine Sperrkette zu bilden und den Vorplatz freizuhalten.

Unsere Sekretärin Elsa war kreidebleich, als ich das Sekretariat betrat. »Gott sei Dank, daß du da bist! Hier steht alles kopf. Die Partei hat zu einer Gegendemonstration aufgerufen. Alle Angestellten sind durch den Garten und hinteren Ausgang marschiert, um die Leipziger Straße freizuhalten. Ich bin als einzige hiergeblieben, um auf den Chef und auf dich zu warten. Vorhin hat nämlich jemand vom ZK angerufen und ausrichten lassen, daß die Genossen Leuschner und Selbmann den Oberbefehl über unser gesamtes Objekt tragen. Ich möchte nur wissen, wo der Chef bleibt. Selbmann hat schon dreimal nach ihm gefragt.«

In diesem Augenblick trat Leuschner zur Tür herein. Jeder Blutstropfen war aus seinem Gesicht gewichen. Tief atmend blieb er stehen. Seine rechte Hand steckte unter dem Rockaufschlag, und einige Male flüsterte er: »Mein Herz – mein Herz.«

Er hatte erst wenige Tage vorher einen schweren Herzanfall gehabt. Wir packten ihn links und rechts unter den Armen und brachten ihn in sein Zimmer. Dort ließ er sich stöhnend auf die Couch fallen. Er war noch immer unfähig zu sprechen.

Elsa riß alle Zimmerfenster auf. Von der Straße drang unzusammenhängendes Toben und Grölen herein. Manchmal, wenn eine Sperrkette der Polizei durchbrochen wurde oder ein Steinwurf ein noch unbeschädigtes Fenster zerstörte, schwoll der Lärm zu einem vielstimmigen Geschrei an.

Als sich wieder ein solches Aufbrausen erhob, sah mich Leuschner unsicher an: »Das sind die Leute, um die wir seit Jahren ringen, von denen wir uns einbilden, daß wir ihre Interessen vertreten. Haben wir denn alles falsch gemacht?« Aber gleich schien er seine Worte zu bereuen und sprach sich selbst leise Mut zu: »An sich sind die paar tausend Leute ja noch nicht die ganze Bevölkerung. Und dann darf man Berlin nicht als Maßstab nehmen. Hier ist die Atmosphäre durch Westberlin verseucht. Das kommt doch alles nur aus diesem verdammten Wespennest.«

Er bekam keinen neuen Herzanfall. Die Schwäche ließ überraschend nach. Doch der gewohnte Schwung und die überlegene Sicherheit kehrten nicht so rasch zurück. Es war unverkennbar: Leuschner war tief deprimiert.

»Ich habe es nur noch mit Mühe und Not ins Haus geschafft«, berichtete er, während er vor den Spiegel trat und seine Kleidung ordnete. »An der Wilhelmstraße waren wir mit einem Male mitten zwischen Demonstranten. Die Fahrer haben die Situation richtig erfaßt und sind in die Clara-Zetkin-Straße eingebogen; sonst wäre unser Wagen sicher umgekippt worden. Ich bin ausgestiegen, die Fahrer haben meine Tasche und meinen Mantel bei sich behalten; sie wollten sich in eines der Gebäude in der Luisenstraße retten, ins Außenministerium oder in die Volkskammer. Ja, und ich bin einfach mit den Demonstranten mitgezogen. Zuerst die Ebertstraße entlang, dort habe ich mich stillschweigend in den Tiergarten verdrückt, habe den Potsdamer Platz über Bellevue-, Potsdamer- und Stresemannstraße umgangen und mich von hinten hereingeschlichen.«

»Da hatten Sie aber Glück, daß Sie niemand erkannte«, meinte Elsa.

»Wieso, mich kennt doch kein Mensch«, entgegnete er bestimmt. »Und dann haben wir ja schließlich eine illegale Zeit hinter uns. Ein bißchen weiß ich schon noch, wie man sich in einer aufgeregten Masse verdrückt«, setzte er hinzu, und es huschte ihm sogar ein Lächeln über das müde Gesicht.

Nachdem wir ihm die Anweisung des ZK mitgeteilt hatten, nahm er mich beim Ärmel und sagte: »Also, gehen wir mal zu Selbmann.« Unterwegs traten wir in ein Zimmer, dessen Fenster auf die Leipziger Straße gingen, um von dort aus auf die Demonstranten blicken zu können. Der Raum sah wüst aus. Obwohl er im zweiten Stock lag, waren alle Fensterscheiben zerschlagen. Auf den Schreibtischen und am Fußboden lagen große Ziegelsteinbrocken. Die Demonstranten hatten sie aus den gegenüberliegenden Trümmergrundstücken geholt und hereingeworfen.

Als Leuschner an eines der Fenster treten wollte, hielt ihn ein Abteilungsleiter zurück: »Vorsicht, Genosse Leuschner, das ist gefährlich. Die werfen immer noch, obwohl das jetzt schon schwieriger ist. Sie stehen jetzt nämlich so dicht gedrängt, daß keiner mehr richtig werfen kann. Der Steinhagel ist vor ungefähr einer halben Stunde auf uns niedergeprasselt.«

Wir gingen von der Seite her an die Fenster heran und schauten vorsichtig auf die Straße. Links staute sich die Menge bis über den Potsdamer Platz hinaus. Rechts konnten wir bis zur Friedrichstraße sehen, bis dorthin stand die Menge aneinandergedrängt. Gegenüber dem Regierungsgebäude, auf der linken Seite der Wilhelmstraße, standen Tausende auf den noch nicht abgeräumten Trümmern. Von dort her wurden immer noch Steine geschleudert. Unmittelbar vor dem Haus hatten Volkspolizisten eine dreifache Kette gebildet, um die drängenden Massen von den Toren zurückzuhalten. Noch konnten sie den etwa 50 mal 50 Meter großen Vorplatz verteidigen. Dahinter stand ein Teil der Regierungsbeamten, die am Morgen zu der Gegendemonstration aufgerufen worden waren; andere waren von den Streikenden nach dem Potsdamer Platz zu abgedrängt worden.

Die Masse der Demonstranten verhielt sich ziemlich diszipliniert. Die vorderen schrien auf die Volkspolizisten ein und versuchten, sie auf ihre Seite zu ziehen. »Schämt ihr euch nicht«, hörte ich einen Hünen mit Bärenstimme brüllen, »diese Strolche auch noch zu verteidigen? Das will eine Arbeiterregierung sein, die sich vor uns verschanzt? Werft die Russenuniformen weg und macht mit uns mit!«

An anderer Stelle begann eine Gruppe das Schlesierlied zu singen. Wieder andere forderten im Sprechchor die Rückgabe der Ostgebiete. Nur noch vereinzelt ertönte der Ruf: »Weg mit den Antreibernormen!« In der Mitte der Straße wollte sich eine Schlägerei entwickeln. Aber die Streitenden wurden von den Umstehenden getrennt. Kurz darauf wurde ein Mann nach vorn zu den Volkspolizisten gestoßen. Offensichtlich hatte er Partei für das Regime ergreifen wollen. Er bekam tüchtige Prügel und zwängte sich, aus Mund und Nase blutend, durch die Beine seiner Beschützer. Mit Fußtritten und groben Schimpfworten wurde er durch die Sperrkette gestoßen, blieb liegen und wurde dann ins Haus geschleppt.

Wir sahen dem Treiben etwa 15 Minuten lang zu. Niemand sprach ein Wort. Leuschner schaute sich wiederholt zu mir und den anderen Regierungsangestellten um und schüttelte dabei resigniert den Kopf. Die anderen schlugen jedesmal die Augen nieder. Ich glaube, sie waren froh, als wir gingen. Selbmanns Büro glich einem Bienenstock. Parteisekretäre aller Dienststellen, KVP-Offiziere und -Soldaten, einige Staatssekretäre und viele höhere Beamte waren um den Industrieminister versammelt. Selbmann ging sofort auf Leuschner zu und zog ihn beiseite. Er berichtete in kurzen Worten, daß die Parteiführung mit den Sowjets verhandle. Es sei noch nicht klar, wie vorgegangen werden solle. Karlshorst wünsche kein Blutvergießen. Zaisser habe den Truppen jeglichen Waffengebrauch verboten.

Dann beratschlagten die beiden, wie man die versprengten Staatsfunktionäre wieder ins Haus schleusen könnte. An diesem Gespräch beteiligten sich fast alle Versammelten. Sie waren darüber ungehalten, daß die Partei die sogenannte Gegendemonstration angeordnet hatte, und schimpften auf den Berliner Parteisekretär Hans Jendretzky, der, wie sie sagten, diesen Blödsinn verzapft habe.

Die meisten Anwesenden fühlten sich trotz der andrängenden Massen vor unserer Tür vollkommen sicher und manche sogar noch stark. Die Altkommunisten bemängelten die Nachsicht, die man gegenüber den Streikenden walten lasse, und betonten immer wieder, daß man gegen die »Rabauken« nur mit Brutalität vorgehen könnte. »Die Strolche, die da draußen stehen, kann man nicht mit Worten überzeugen, sondern nur mit dem Knüppel, und wenn das nicht hilft, dann eben mit Pulver und Blei«, wetterte ein alter SED-Mann.

Leuschner und Selbmann vereinbarten, daß Selbmann das alleinige Kommando übernehmen und Leuschner sich zurückziehen sollte, um seine Arbeit am neuen Kurs fortzusetzen. Auf dem Rückweg warfen wir noch einmal einen Blick auf die Leipziger Straße hinunter. Das Bild hatte sich kaum verändert. Die Masse stand – man konnte fast sagen geduldig – und wünschte noch immer Grotewohl und Ulbricht zu sprechen. Gerade als wir uns vom Fenster abwenden wollten, erhob sich ein lautes Hallo. Gegenüber dem Regierungsgebäude befand sich eine Imbißstube der HO, und diese wurde soeben gestürmt. Jugendliche hatten die Fensterscheibe eingeschlagen und drangen in den Raum ein. Ein danebenliegendes privates Bekleidungsgeschäft blieb verschont.

»Kommen Sie, wir müssen weitermachen«, sagte Leuschner und zog mich vom Fenster fort. Als wir durch die leeren Gänge schritten, meinte er: »Jetzt nimmt die Sache rein politischen Charakter an. Bisher konnte man noch denken, daß die Normen tatsächlich das Hauptthema bildeten. Aber wenn die Fensterscheiben bei der HO eingeschlagen werden und das Privatgeschäft daneben in Ruhe gelassen wird, dann ist doch wohl klar, daß sich die Aktion gegen ganz etwas anderes richtet. Mit Normen hat das nichts mehr zu tun.«

»Wann werden die Truppen denn eingreifen?« fragte ich.

»Keine Ahnung, aber es wird nicht zum Äußersten kommen.« Er erklärte nicht, was er mit »Äußerstem« meinte.

Wir waren inzwischen wieder in unserem Sekretariat angelangt, und dem Planungschef war es nur noch darum zu tun, rasch mit der vorgesehenen Beratung zu beginnen. Ich erhielt den Auftrag, die wichtigsten Mitarbeiter heranzuholen. Als ich auf den Vorplatz hinaustreten wollte, wurde ich vom Einlaßdienst zurückgehalten: Selbmann hatte befohlen, die Türen verschlossen zu halten und ihre Verbarrikadierung vorzubereiten. Ich mußte mir erst einen von Selbmann unterschriebenen Passierschein holen. Bald fand ich Bayer, Lange, Straßenberger und einige andere Funktionäre. Sie standen hinter der Sperrkette und diskutierten teils mit den Streikenden, teils untereinander. Meine Aufforderung, zur Sitzung zu kommen, hielten sie für einen schlechten Witz. Sie waren tief deprimiert, und ihre Stimmung machte sich in Zynismen Luft. Die meisten wären sicherlich am liebsten zu den Streikenden übergetreten; aber keiner zweifelte daran, daß die Russen den Aufstand binnen kurzem niederschlagen würden. Sie stritten auch über die Frage, was geschehen würde, wenn die Russen nicht eingriffen und der Aufstand zu den Ergebnissen führte, die die Masse erhoffte. Die Mehrzahl meinte, es würde dann sehr schnell zur Wiedervereinigung und zu einer gesamtdeutschen Bundesrepublik kommen. Doch damit war keiner so richtig einverstanden. Sie wollten zwar, daß die SED-Diktatur hinweggefegt würde, aber zu einer, wie sie sagten, überstürzten Wiedervereinigung wollten sie nicht ja sagen. Sie fürchteten, dann werde sich in Deutschland der räuberischste Kapitalismus breitmachen, und vielleicht käme es zu einer Wiederholung des Unheils der vergangenen Jahrzehnte. Sie waren über alle Maßen ratlos ...

Gegen Mittag erreichte der Aufstand seinen Höhepunkt. Die Kampfrufe hatten nur noch politischen Inhalt. Statt »Weg mit den Normen!« hörte man fast nur noch »Weg mit Ulbricht!« Auch der Ruf nach freien Wahlen verstummte nicht mehr, und bald sangen Tausende die dritte Strophe des Deutschlandliedes: »Einigkeit und Recht und Freiheit für das deutsche Vaterland ...«

Dann peitschten Maschinengewehrsalven durch die Luft, Panzer kamen die Leipziger Straße herauf mit dröhnenden Motoren, rasselnden Ketten und quietschenden Rädern – doch alles wurde übertönt von den Panikschreien der vielen tausend wehrlosen Menschen, die die stählernen Kolosse vor sich hertrieben.

Diesmal herrschte in unserem Raum besonders lange Schweigen. Leuschner und die meisten anderen waren blaß geworden. Nach einer Weile murmelte jemand vor sich hin: »Der Marxismus-Leninismus kennt in unserer heutigen Gesellschaft zwei Hauptklassen, die sich feindlich gegenüberstehen: die Arbeiterklasse und die Klasse der Ausbeuter. Das sozialistische Lager, geführt von der Sowjetunion, dem auch wir angehören, vertritt die Interessen der Arbeiterklasse. Kann mir jemand sagen, wessen Blut heute geflossen ist? Waren das Kapitalisten, die heute die Straßen füllten und jetzt zusammengeschossen werden?«

Er erhielt keine Antwort und hatte wohl auch keine erwartet.

Bald triumphierte wieder die Organisation. Kaum waren die ersten Schüsse verhallt, da gab der Rundfunk auch schon bekannt, daß General Dibrowa, der sowjetische Stadtkommandant von Berlin, den Ausnahmezustand verhängt habe. Alle Bürger wurden aufgefordert, die Straßen zu verlassen. Ab 6 Uhr abends herrschte Ausgehverbot. Die Sowjettruppen riegelten den Westsektor ab, und in Ostberlin begann ein Kesseltreiben gegen die versprengten Arbeitertrupps.

Im Haus der Ministerien waren die ganze untere Etage und die Kellergänge mit Verhafteten belegt. Die Tore waren jetzt wieder weit geöffnet. Durch sie trieben die Russen und ihre deutschen Helfer die besiegten Arbeiter in das Gebäude. Jetzt hatte sich das Blatt gewendet; die Fußtritte und Fausthiebe wurden mit Zinsen zurückgezahlt. Dabei taten sich besonders diejenigen hervor, die keine Stunde früher noch gezittert hatten. Die meisten Regierungsangestellten verkrochen sich jedoch angewidert in ihren Zimmern.

Am Abend wurden die Gefangenen abtransportiert, und mehrere Kompanien Volkspolizisten bezogen Quartier. Gegen 18 Uhr meldeten sich auch das ZK und die Berliner SED-Leitung wieder. Sie ordneten an, die Parteimitglieder sollten die Plakate, die den Ausnahmezustand verkündeten, ankleben und alle Personen melden, die sich am Aufstand beteiligt hatten.

Hin und wieder fielen noch Schüsse. Aber sonst herrschte Friedhofsruhe.

Wackliges Vertrauen

Die Lähmung war im Regierungsgebäude auch am nächsten Vormittag noch spürbar. Viele Mitarbeiter konnten nicht zum Dienst erscheinen, weil die öffentlichen Verkehrsmittel noch stillstanden, und die Spitzenfunktionäre befanden sich im Parteihaus, wo die am Vortag ausgearbeiteten Beschlußvorlagen behandelt wurden. Erst am Nachmittag wurde es lebendig. Die Parteiführung hatte beschlossen, den Apparat wieder anzukurbeln. Sie tat das, indem sie für den späten Nachmittag eine »Vertrauenskundgebung« ansetzte. In aller Eile wurde vor dem Haupteingang des Hauses der Ministerien eine Tribüne zusammengezimmert, auf der sich die Machthaber den herbefohlenen Demonstranten zu präsentieren gedachten.

Der Vorgang entbehrte nicht der Ironie. Genau an der Stelle, wo zwei Tage zuvor Fritz Selbmann von den Bauarbeitern der Stalinallee niedergeschrien worden war und tags darauf die angstschlotternden Volkspolizisten dem Ansturm der Aufständischen nur dank des Eingreifens sowjetischer Panzer hatten standhalten können, dort fand am 18. Juni eine »Arbeiterkundgebung« statt, an der fast nur Angehörige der neuen Führungsschicht teilnahmen. Denn die Massen der Arbeiter waren noch gar nicht wieder in ihren Betrieben erschienen. An vielen Stellen wurde trotz des Ausnahmezu-

stands und der strikten Aufforderung, die Arbeit wiederaufzunehmen, weitergestreikt. Außerdem wußte die letzte Kehrfrau in unserem Gebäude, daß der Aufstand in der Zone, vor allem in Sachsen, Thüringen und Anhalt, noch immer nicht niedergeschlagen, ja, daß er in entfernteren Gebieten (Ostsachsen und Mecklenburg) überhaupt erst am 18. Juni ausgebrochen war. Noch eine Woche nach dem Aufstand in Berlin lief das Leben in der Zone längst nicht wieder in ruhigen Bahnen.

Geradezu blamabel aber wirkte diese »Vertrauenskundgebung« dadurch, daß sie sich unter dem Schutz – oder der Drohung? – sowjetischer Maschinenpistolen abspielte. Während die Parteibeamten vor dem Regierungsgebäude aufmarschierten, blieben die Russen hinter ihren provisorisch errichteten Barrikaden liegen und sahen unbewegt oder auch verständnislos zu. Das Schauspiel war ja auch schwer zu begreifen. Gestern noch waren die Scheiben und Türen eingeschlagen, Gebäude in Brand gesetzt, Autos umgekippt und Funktionäre verprügelt worden, und heute marschierten die Marschkolonnen der Kommunisten wieder wie in besten Zeiten auf. Vielleicht haben manche Russen befürchtet, es könne sich hinter dieser Kulisse eine geschickt getarnte neue »Konterrevolution« verbergen. Es dauerte jedenfalls geraume Zeit, ehe sie ihre Maschinenpistolen etwas lockerten.

1 Abgedruckt in diesem Buch S. 179.
2 Abgedruckt in diesem Buch S. 181 f.
3 Abgedruckt in diesem Buch S. 182 f.

Alfred Kantorowicz
Deutsches Tagebuch

Alfred Kantorowicz, 1899–1979, Dr. jur., lebte im Berlin der Weimarer Republik als politischer Publizist, Literaturhistoriker, Schriftsteller, Journalist. Seit 1931 Kommunist, emigrierte er 1933 vor der Verfolgung durch die Gestapo nach Frankreich. Er nahm am Spanischen Bürgerkrieg 1936–1938 als Offizier der Internationalen Brigaden teil, wurde nach der Niederlage der Republik in Frankreich interniert, floh in die USA und kehrte 1946 nach Berlin zurück. Hier gründete er die Zeitschrift »Ost und West«, die eine Freistatt humanistischen Geistes, eine friedliche Brücke zwischen Ost und West sein sollte und es bis zu ihrer Schließung durch die SED 1949 auch war. Freund und später Nachlaßverwalter Heinrich Manns, gründete Kantorowicz das Heinrich-Mann-Archiv an der Akademie der Künste und das Thomas-Mann-Archiv an der Akademie der Wissenschaften in Ost-Berlin. An der Ostberliner Humboldt-Universität war er von 1950 bis 1957 Professor für Neuere Deutsche Literatur. Nach der ungarischen Revolution im Oktober/November 1956 verweigerte er seine Unterschrift unter die Verdammungsresolution der SED gegen die ungarischen Schriftsteller und entzog sich den Repressalien der Partei schließlich durch die Flucht in die Bundesrepublik.

Hier veröffentlichte er seine in der Emigration und in Ost-Berlin geführten Tagebücher, die in zwei Bänden 1959 und 1961 unter dem Titel »Deutsches Tagebuch« beim Kindler Verlag, München, erschienen (1978 und 1979 im Verlag europäische Ideen, Berlin, als Reprint neu aufgelegt). Dem Band II des »Deutschen Tagebuchs« ist unser Auszug entnommen.

Den 24. Juni 1953

Gestern abend besuchte mich überraschend Ewald. Er ist jetzt Meister im Niles-Werk in Weißensee und wollte seinem Herzen Luft machen. Er erzählte von der Parteiversammlung im Kreis Weißensee, auf der bekanntgegeben wurde, daß gerade die ältesten Arbeiter, die schon vor 33 der KPD angehört haben, ihre Parteibücher zurückgaben mit Erklärungen wie: »Ihr seid ja nicht besser als die Nazis«; oder: »Die Ausbeutung ist jetzt schlimmer als im Kapitalismus«; oder: »So eine Antreiberei hat's vorher nie gegeben«; oder: »Warum hat man den Arbeitern das Streikrecht genommen ... Weil wir jetzt volkseigen sind ... ist ja

Käse, was haben wir davon, wenn wir mehr schuften müssen und weniger zu fressen kriegen als je zuvor«. Ewald hält die Reaktion für falsch. Er sagt, wenn jetzt die Besten aus der Partei austreten, dann machen sie nur den Jasagern Platz. Gerade die Alten, die auch unter Hitler für ihre Überzeugung geradegestanden hätten, müßten dabeibleiben und jetzt auch unter Ulbricht geradestehen. »Meinst du, mich kotzt das nicht an – wie die Kollegen einen manchmal ansehen, weil man die Parteinadel trägt: als ob man verantwortlich wäre für den Bockmist, den die da oben machen.« Ich sagte zu ihm:

»Du nicht, Ewald, von dir wissen sie, daß du einer von ihnen geblieben bist.« ...

Die Funktionäre der Bezirksleitung von Weißensee machten es, wie er berichtet, gerade den ehrlichen alten Arbeitern schwer, sich weiter zur Partei zu bekennen. Sie wiederholten stur die Siegesbulletins des »Neuen Deutschland«. Wer gegen den Nonsens opponierte, wurde »Provokateur« genannt, mit dem die Staatsmacht abrechnen werde. Die alten Genossen riefen: »Ihr habt immer noch nicht begriffen, was los ist.« Sie sagten dem Vorsitzenden, wie die Stimmung unter den Arbeitern in den Betrieben wirklich sei. Er hörte gar nicht hin. Dieser Kreisleiter von Weißensee, Leupold (oder so ähnlich) mit Namen, hat sich in den kritischen Tagen nur in seinem Auto unter starker Polizeibedeckung sehen lassen. Daher war er nun auf der Parteiversammlung besonders schneidig. Jemand sagte: »Die Arbeiter von ›Injekta‹ wollen, daß Ewald zu ihnen spricht.« Leupold brüllte giftig: »Du scheinst ja den Nicht-Klassenbewußten unter den Kollegen zu Munde zu reden, Genosse Ewald. Wir werden noch auf deine Haltung zurückkommen. Wer zu den Kollegen von ›Injekta‹ spricht, bestimmen wir.« Ich sagte zu Ewald: »Wundert dich das? Die Apparatschiks, die sich nur noch mit Polizeibedeckung in einen Betrieb wagen, müssen doch jeden verdächtigen, der noch Vertrauen bei den Arbeitern hat.« Ewald brummte vor sich hin: »Kennst du den Vers, den man jetzt überall auf der Straße und im Betrieb hört:

Die Bonzen kleben an den Posten,
Das Volk bezahlt ja alle Kosten ...«
Dann fügte er hinzu: »Verstehst du, daß wir deshalb dabeibleiben müssen, gerade wir. Von außen kannst du nichts machen.« Da ich nachdenklich schwieg, griff er mich am Arm und sagte: »Wenn du jetzt schlappmachst und aufgibst, versohl' ich dir den ...«
Und dann gab er mir, anschaulich ins einzelne gehend, den Bericht über die Versammlung, die gestern in den Niles-Werken mit Walter Ulbricht stattfand. Ich schreibe diese erregende Darstellung, seine Worte noch im Ohr, so nieder, wie ich sie von ihm gehört habe.
Etwa 700 Arbeiter füllten den Kultursaal. Ulbricht kam, eskortiert von acht Polizeimotorrädern. Die Polizisten umringten ihn bei seinem Eintritt. Die Arbeiter johlten, pfiffen und schrien, als die Polizei zur Bühne vordrang. »Pfui!« – »Ei-ei, wer kommt denn da mit so vielen Kindermädchen!« – »Polizei raus!« – »Hoch lebe der Arbeiterführer, der mit Polizeibedeckung zu den Arbeitern kommt!« – »Raus mit der Polizei oder mit Ulbricht!«
Ulbricht flüsterte mit den Polizisten. Sie verließen die Bühne. Er ging ans Rednerpult. Ein Vorsitzender der »Nationalen Front« eröffnete die Versammlung; während er noch sprach, kamen die Polizisten mit Stühlen wieder in den Saal und setzten sich vor die erste Reihe. Neue Empörung. »Nun langt's aber!« – Pfui-Rufe, viele Arbeiter erhoben sich, um zu gehen. Ulbricht winkte den Polizisten, sie zogen sich zurück.
Er begann sein Referat ohne vorherige Einleitung. Schon beim ersten Satz wurde er unterbrochen. Etwa 150 bis 200 Arbeiter erhoben sich, stühlerückend, und stampften aus dem Saal. Andere schrien: »Genug, aufhören!« Ein Arbeiter stand auf und rief: »Diese Rede haben Sie schon zehnmal gehalten, und wir haben das alles schon hundertmal gehört. Wir wollen jetzt mal ganz konkret sprechen.« Ein anderer Arbeiter rief: »Hat ja doch keinen Sinn. Wir verstehen nicht, was Sie reden. Sie verlangen von unserer Jugend, daß sie richtig Deutsch spricht, und Sie selber haben es immer noch nicht gelernt.«

Ulbricht steckte das Manuskript in die Rocktasche. Er sagte: »Ich bin ein Arbeitersohn, dem die kapitalistische Gesellschaft nur vier Jahre Schule erlaubt hat. Und ihr müßt es mir nicht übelnehmen, wenn ich auch heute manchmal fehlerhafte Sätze spreche. Aber darauf kommt es gar nicht an. Ihr versteht mich nur deshalb nicht, weil ihr nicht verstehen wollt, was ich euch zu sagen habe.«
Rufe: »Hoho!«
Nach anderen Zwischenrufen erhob sich in der Mitte des Saales Ewald und rief: »Ich muß schon sagen, Genosse Ulbricht, schwer machst du es uns. Wie stehen wir als einfache Genossen zwischen den Kollegen und sollen ihnen Rede und Antwort stehen, daß du hier mit Polizei herkommst.«
Danach stand der Meister Wilke auf, ein 60jähriger, hochqualifizierter Arbeiter. Die Engländer, denen früher die Niles-Werke gehörten, sandten 1945 Besatzungsoffiziere in seine Wohnung, um ihn nach Bielefeld zu holen. Er blieb aber seinem Stammwerk treu. Er fragte Ulbricht: »Erklären Sie uns mal: wenn ich schlecht arbeite an meinem Kessel, dann fliege ich. Sie haben öffentlich gestanden, daß Sie politisch schlecht gearbeitet haben, aber Sie bleiben. Und was gedenken Sie nun zu tun?« (Das saß. Es ging um den Posten.)
Ulbricht reagierte wütend: »Sie lügen! Es ist nicht wahr. Bringen Sie mir den Beweis, daß ein guter Arbeiter entlassen wird, wenn er mal an seiner Maschine was falsch macht – etwas anderes ist es, wenn er die Maschine absichtlich kaputtmacht. Dann ist er ein Feind. Aber wer will behaupten, daß die Regierung ein Feind der Arbeiter ist!«
Weitere Arbeiter schnellten ihre Fragen auf ihn ab. Einer verlangte im Namen seiner Abteilung zu sprechen. Er sagte: »Zu mir haben die Arbeiter nämlich Vertrauen.« Er forderte: »Entfernung der Plakate und Losungen in Weißensee, keine übergroßen Bilder der Parteiführer. Wir wollen eine saubere Stadt haben.« Ein anderer rief: »Keine Versammlungen mehr!« Zwischenruf: »Und keine Aufbauschichten!« Dann verlangte der Gewerkschafter Wienke im Auftrag der Gewerkschaft Gruppe 9 die Freilassung der nach dem 17. Juni gemachten Gefangenen. Allein aus den

Niles-Werken seien über 100 Arbeiter verschwunden.

Ulbricht entgegnete, viele Arbeiter seien bei Verhängung des Ausnahmezustandes nach West-Berlin geflüchtet. Man solle nicht glauben, alle, die seit Mittwoch nicht mehr da seien, wären verhaftet.

Ein anderer Meister sagte: »Wir haben schon hundertmal berechtigte Kritik geübt. Der Erfolg war immer gleich Null, so daß wir schließlich über das, was wir jetzt über die Beschlüsse der Regierung, den sogenannten neuen Kurs erfuhren, alle nur sagten: die Botschaft hör ich wohl, allein mir fehlt der Glaube.«

Ein Parteimitglied sagte: »Wir haben ja immer gewollt, daß frei gesprochen wird und kritisiert wird. Aber leider ist es so gekommen, daß wir zuletzt nicht mehr gewagt haben, den Mund aufzumachen.«

Wieder ein anderer Meister beklagte sich über die schlechte Belieferung des Werkes mit Material und das Durcheinander der Arbeitsorganisation. Er sagte: »Es ist schon nicht mehr auszuhalten, daß wir immer nur Vorwürfe zu hören bekommen, wir erfüllen unseren Plan nicht. Wie sollen wir denn den Plan erfüllen, wenn uns kein Rohmaterial zur Verfügung gestellt wird.«

Ein Freund von Ewald, der Arbeiter Kreisel, sagte: »Ich bin der Meinung, daß unsere Funktionäre im Betrieb lieber am Tag ein bis zwei Stunden durch den Betrieb gehen und mit den Arbeitern über ihre Sorgen sprechen sollen, als

daß sie sich an ihren Schreibtisch setzen und einen Bericht schreiben, der am Ende doch nicht stimmt.« Die Unruhe wuchs; Zwischenrufe mehrten sich. Am Ende verdarb Ulbricht alles, was noch zu verderben war, indem er eine vorbereitete »Resolution« zur Abstimmung bringen lassen wollte. Da brach der Sturm los. »Aha! – ein Hurra für die SED!« – »Es lebe der Führer!« – »Ohne uns!« – Ulbricht versuchte, sie zu überschreien. Schließlich gelang es ihm, die Resolution vorzulesen: Die übliche Vertrauenserklärung für Partei und Regierung. Er stellte sie zur Abstimmung. Die Zählung ergab: 188 dafür; dagegen alle übrigen. Ulbricht selber schätzte: »Also etwa 500 dagegen.« Er erklärte die Versammlung für beendet. Die Arbeiter sagten: »Mensch, morgen koof ick mir auch ne Zeitung, mal sehen, was die draus machen.«

Soweit der Augen- und Ohrenzeugenbericht Ewalds. Das »Neue Deutschland« von heute morgen hat daraus in seinem fünfspaltigen Artikel prompt – nein, ich will nicht sagen ein Siegesbulletin mit Fanfarengeschmetter, aber eine Art Idylle gemacht, so als habe man sich friedlich-schiedlich einmal miteinander ausgesprochen. Könnte ich nicht ohnehin jedem Wort Ewalds vertrauen, so ersähe ich aus der vergleichsweise zurückhaltenden Tonart des Berichts im »Neuen Deutschland«, wie es gestern abend in den Niles-Werken (die offizielle Schreibung lautet jetzt: VEB Großdrehmaschinenbau »7. Oktober«) wirklich zugegangen ist.

Robert Havemann
Lektion in Klassenkampf

Robert Havemann, 1910–1982, geborener Münchener, Chemiker, Dr. phil. habil., seit 1932 Mitglied der KPD, wurde wegen Widerstandes gegen die Gewaltherrschaft Hitlers 1943 zum Tode verurteilt, wegen angeblich kriegswichtiger Forschungsarbeiten am Leben gelassen, von Einheiten der Roten Armee am 27. April 1945 aus dem Zuchthaus Brandenburg-Görden befreit, zusammen mit Erich Honecker. Von 1946 bis 1964 war er Professor für Naturwissenschaften an der Ostberliner Humboldt-Universität, dann wurde er wegen seiner regimekritischen Vorlesungen, die unter dem Titel »Dialektik ohne Dogma« im Westen veröffentlicht wurden, zuerst aus dem Lehrkörper der Humboldt-Universität, 1965 auch aus der Akademie der Wissenschaften ausgeschlossen und als Leiter der Arbeitsstelle für Fotochemie fristlos entlassen. Aus seinem 1970 beim R. Piper u. Co. Verlag, München, erschienenen Erinnerungsbuch »Fragen–Antworten–Fragen - Aus der Biographie eines deutschen Marxisten« wurde die folgende Passage ausgewählt.

Der Aufstand vom 17. Juni brach in Wirklichkeit nicht deshalb zusammen, weil Panzer stärker sind als unbewaffnete Volksmassen. Volksmassen sind stärker als Panzer, aber nur dann, wenn sie ein klares politisches Ziel haben, das unter den gegebenen Umständen überhaupt erreichbar ist, und wenn sie eine entschlossene, organisiert arbeitende Führung haben, der sie vertrauen. Beide Voraussetzungen waren nicht erfüllt. Das Wesentliche dabei war das Fehlen einer Führung. Sie hätte das unbewußte spontane Drängen der Bewegung auf konkrete, erreichbare Ziele lenken können. Die Zaisser-Herrnstadt-Gruppe, die eine Zeitlang hoffte, von der Volksempörung zu profitieren, und dadurch die Aktivität der Parteiführung lähmte, war andererseits auch unfähig, wohl auch unentschlossen, die Führung des Aufstandes zu übernehmen. Diese Leute waren letzten Endes nur mutig, wenn stärkere Kräfte hinter ihnen standen. Aber die von ihnen erwartete Hilfe aus Moskau war im entscheidenden Augenblick ausgeblieben. Die Kräfteverhältnisse schienen ihnen zu bedenklich. Kleinbürger sind eben nur dann Revolutionäre, wenn die Revolution praktisch schon gesiegt hat. Selbst dann kommen sie meistens noch zu spät.

Mein Freund Stefan Heym hat die Vorgeschichte und den Ablauf des Volksaufstandes vom 17. Juni in einem Roman dargestellt, dem er den Titel »Der Tag X« gab. Er ließ das Manuskript vervielfältigen und sandte fünfzig Exemplare, große, dicke, in schwarzes Kaliko gebundene Schwarten, an fünfzig Politiker und Künstler in der DDR. Von vielen erhielt er ausführliche Stellungnahmen, teils sehr positive, teils kritische, teils scharf ablehnende. Der List-Verlag nahm das Manuskript an und schloß mit Heym einen Vertrag. Aber das Buch durfte nicht veröffentlicht werden. Ich war damals sehr entschieden für die Veröffentlichung. Inzwischen habe ich meine Meinung geändert. Stefan Heym sollte der Partei dafür dankbar sein, daß »Der Tag X« nie erschienen ist. Heym übernimmt nämlich die grundfalsche offizielle Lesart, wonach der »17. Juni« ein von den westlichen Geheimdiensten organisiertes konterrevolutionäres Unternehmen war. Heym zeichnet zwar ein treffendes Bild der stalinistischen Parteibürokratie und beleuchtet die ökonomischen Hintergründe der Unzufriedenheit der Arbeiter in den volkseigenen Industriewerken. Diese Erscheinungen werden dann aber von einer Gruppe von Spezialisten der CIA in raffinierter Weise für die Vorbereitung der Konterrevolution ausgenutzt. Ausgekochte Agenten gewinnen einfältige sozialdemokratische Arbeiter und Gewerkschaftler, mit deren Hilfe die Belegschaft eines Großbetriebes aufgehetzt wird. Planmäßig wird der Tag X in Szene gesetzt.

Nirgends in der Welt geschieht irgend etwas auf der politischen Szene, ohne daß die Geheimdienste, die westlichen wie die östlichen, ihre Finger darin haben. Auch im Berlin des Jahres 1953 waren sie sicher nicht fern. Aber es ist eine Naivität, zu glauben, daß diese Finger die Weltgeschichte bewegen. Der Ausbruch des Juniaufstandes kam überraschend für alle. Er begann an jenem Morgen des 16. Juni 1953 am Strausberger Platz in Berlin, als eine Handvoll Bauarbeiter ihr selbstgefertigtes Transparent entfalteten, mit dem sie gegen die neueste zehnprozentige Normerhöhung, also gegen eine Lohnsenkung, protestierten. Dieser unbedeutende Vorgang war die kleine Ursache einer riesigen Wirkung. Er brachte eine Lawine ins Rutschen, deren Eismassen sich in Monaten, ja in Jahren aufgestaut hatten. Wenn eine kleine Ursache eine große Wirkung zeitigt, so ist diese kleine Ursache immer nur die letzte in einer ganzen Kette vorhergehender Ereignisse, deren Wirkungen so lange latent bleiben, bis schließlich die angesammelte Quantität in Qualität umschlägt ...

Ich sehe für den Juniaufstand hauptsächlich die folgenden Gründe, die alle in einem unlösbaren Zusammenhang miteinander stehen. So, wie ich sie nenne, sind sie auch nicht einander gleichwertig. Sie sind nur besondere Nebenerscheinungen einer einzigen Hauptsache. Der ursprünglichste aller Gründe dafür, daß sich die Arbeiter gegen ihren eigenen Staat auflehnen und schließlich in einen konterrevolutionären Strudel hineingerissen werden, ist die tragische Halbheit der »stalinistischen« Revolution. Dieser Grund besteht weiterhin überall da, wo der Stalinismus noch nicht überwunden ist. Die unvollendete Revolution wird ständig von der Konterrevolution bedroht. Das Schlimme dieses Zustandes liegt darin, daß die latente Bedrohung die Aufrechterhaltung der stalinistischen Struktur notwendig zu machen scheint. Das Risiko, den zweiten Schritt zu vollziehen, erscheint so übergroß, daß selbst dann, wenn es einer Partei oder einem Volk tatsächlich gelingt, diesen zweiten Schritt zu machen, sich alle anderen, die den Schritt noch nicht gemacht haben, von der Konterrevolution bedroht fühlen, nicht nur sich selbst, sondern vor allem die Vorangeschrittenen. So war es und so ist es in der ČSSR. Die Interventen kamen nicht nur, weil sie ihre eigene innere Sicherheit bedroht fühlten, sondern weil sie wirklich glaubten, in der ČSSR sei die Konterrevolution am Werk. Das mußte so sein, weil es gar nicht anders sein konnte.

Zu ihrer eigenen größten Verwunderung kamen die zu Hilfe Geeilten in ein Land, in dem Ruhe und Frieden herrschten und die kommunistische Partei im ganzen Volk ein Ansehen genoß wie nirgends sonst in der Welt.

Im Jahre 1953 war der Lebensstandard in der DDR noch sehr niedrig. Wenig gab es zu kaufen, die Lebensmittel, soweit sie nicht auf Karten bezogen wurden, waren teuer. Die Rationen der Lebensmittelkarten reichten nicht hin und nicht her. Aber diese schlechte ökonomische Situation war nicht der eigentliche Grund für den Aufstand. Die Gründe lagen tiefer. Weil der Stalinismus wohl die kapitalistischen Produktionsverhältnisse zerstört, also das Privateigentum an Produktionsmitteln aufgehoben hatte, aber an die Stelle der kapitalistischen Produktionsverhältnisse keine sozialistischen, sondern staatsmonopolistische gesetzt hatte, mußten die Arbeiter nicht nur das »Gefühl« haben, sie seien gar nicht Eigentümer des »Volkseigentums« – sie waren es auch nicht. Das »sozialistische Bewußtsein« konnte sich trotz aller ideologischen Kampagnen nicht entwickeln, solange die ökonomische Wirklichkeit nicht sozialistisch war. So »fühlten« sich die Arbeiter ebenso ausgebeutet wie im Kapitalismus, sogar noch mehr, weil ihnen die einzige Waffe, die sie im Kapitalismus im Kampf gegen die Ausbeutung zur Verfügung hatten, aus der Hand geschlagen war: das Streikrecht. Darum war der Juniaufstand ein verzweifelter Versuch, das Streikrecht wiederherzustellen. Arbeiter streiken nicht gegen ihren eigenen Staat, gegen den Betrieb, der ihnen gehört. Was hat es für einen Sinn, die Arbeit niederzulegen, wenn der wirtschaftliche Gewinn, den sie sich selber erarbeiten, dadurch nur gemindert wird? Arbeiter, die streiken, um ihre Lohnforderungen durchzusetzen oder um andere wirtschaftliche Rechte zu sichern, fügen denen einen Schaden zu, die ihnen den angemessenen Lohn und andere Rechte verweigern. Sie wollen zeigen, daß der angerichtete Schaden größer ist als der Nutzen, den die Herrschenden haben, wenn sie ihnen Lohn und Rechte verweigern. Arbeiter, die streiken, sind nicht die Eigentümer ihres Betriebes. Wären sie es wirklich, so kämen sie nie auf die Idee eines Streiks. Sie würden selbst über ihren Lohn entscheiden, und zwar aufgrund ihrer Rechte als Eigentümer. Daß sie nicht mehr an Lohn aus dem Betrieb herausholen können, als sie selbst erarbeitet haben, ist wohl eine Logik, die auch ohne den Verstand eines Staatsfunktionärs zu begreifen ist. Wenn die Arbeiter nicht nur »fühlen«, sondern wissen, daß sie selbst die Eigentümer ihrer Betriebe sind, dann werden sie alle ihre Intelligenz, Solidarität und Wachsamkeit darauf verwenden, daß kein Ausschuß produziert wird, daß mit den Maschinen und den Rohstoffen sorgsam und sparsam umgegangen wird, daß ein Höchstmaß von Leistung mit den vorhandenen Mitteln erzielt und alles getan wird, um die Technologie ständig zu verbessern und die Arbeitsproduktivität zu heben. Mit einem Wort, sie werden alles das tun, was bisher die privaten Eigentümer und nun auch die staatlichen Eigentümer angestrebt haben. Aber sie werden es freiwillig tun, weil die Sache »ihr eigenes Geschäft« geworden ist. Das ist der Sozialismus, ökonomisch. Er ist keine Illusion, aber vorläufig nur eine Hoffnung. Weitere wichtige historische Gründe, die den Aufstand des 17. Juni in der DDR ermöglicht haben, waren Folgen von Stalins Tod. Es waren die Machtkämpfe der Diadochen, die sich über Jahre hinzogen und schließlich mit dem Sieg Chruschtschows ihr vorläufiges Ende fanden. Je mehr das Ende eines Diktators heranrückt, desto mehr verhärtet sich gewöhnlich das innenpolitische Klima. Die Nachfolger belauern sich gegenseitig und versuchen mit Hilfe des noch Herrschenden ihre Konkurrenten abzuschießen. So übertreffen sie sich gegenseitig in ihrer Devotheit nach oben und ihrer Härte nach unten. Nach dem Ende des Diktators aber, ob nun durch Tod oder Sturz, wendet sich das Blatt. Jeder der nun an die Macht gelangenden Diadochen übertrifft den Vorhergehenden an Liberalität und Offenherzigkeit. Der Nachfolger eines gefürchteten Diktators braucht Popularität, wenn er sich an der Macht halten will.

Diese Phase war in der DDR 1953 angebrochen. Die Verschärfung des innenpolitischen Kurses vor dem Juni war noch die Politik des lebenden Stalin. Stalin war zwar schon tot, aber erst mit dem »Neuen Kurs«, der Anfang Juni verkündet wurde, war er auch in der DDR endgültig gestorben. Die Machtkämpfe der Zaisser-Herrnstadt-Gruppe, in deren Hintergrund Berija stand, hatten begonnen. Sie lähmten das Zentrum der Partei, die staatliche Gewalt lockerte sich. Das Kommuniqué des Politbüros, das den »Neuen Kurs« verkündete, offenbarte eine innere Schwäche der Partei, die nach außen bisher nie in Erscheinung getreten war. Die Berliner Bezirksleitung stand gewissermaßen mit einem Bein im Lager der Zaisser-Herrnstadt-Gruppe. Bruno Baum, der Sekretär für Wirtschaft, und der Erste Sekretär, Hans Jendretzky, waren zumindest Sympathisierende dieser Gruppe, wenn sie nicht sogar insgeheim mit ihr konspirierten. Der Zug der Bauarbeiter durch die Berliner Innenstadt konnte zu dieser außerordentlichen Stärke anschwellen, weil niemand ihm entgegentrat, weil im Gegenteil sogar das Politbüro vor ihm zurückwich, indem es sich sofort bereit erklärte, die zehnprozentige Normerhöhung zu streichen. Der Aufstand wurde möglich, weil sich die stalinistische Führung in einer schweren inneren Krise befand. Die Partei war im entscheidenden Moment praktisch ohne Führung. Aber auch der Aufstand fand im entscheidenden Moment keine politische Führung. Er verlor sein ursprüngliches Ziel aus den Augen und nahm objektiv konterrevolutionäre Formen an. So mußte er zusammenbrechen.

Stefan Heym
Memorandum zum Juni-Aufstand

Stefan Heym, Jg. 1913, Romanschriftsteller, Erzähler und Essayist, emigrierte 1933 über die Tsche-
choslowakei in die USA. Er nahm als Soldat,
später als Offizier der amerikanischen Armee an
der alliierten Landung in der Normandie, der Befreiung Frankreichs und der Besetzung Deutschlands teil. Nach Kriegsende war er Mitgründer der
amerikanischen »Neuen Zeitung« in München,
wurde aber bald wegen prokommunistischer Haltung nach den USA zurückversetzt und entlassen.
1952 übersiedelte er in die DDR, wo er als Publizist
und Schriftsteller eine rigorose antifaschistisch-
kommunistische Umerziehungsideologie vertrat.
Er identifizierte sich grundsätzlich mit dem politischen System der DDR, übte aber oft scharfe Kritik
an konkreten Herrschaftspraktiken, wofür das hier
abgedruckte Memorandum ein Beispiel ist. Gegen
Ende der fünfziger Jahre entwickelte er sich immer
mehr zu einem Kritiker des Regimes, seine letzten
Bücher durften in der DDR nicht mehr erscheinen
(»Fünf Tage im Juni«, 1974, »Collin«, 1979). Die erste Fassung seines Romans über den 17. Juni
sollte »Der Tag X« heißen und übernahm die par-
teioffizielle These, der Aufstand sei von westlichen
Geheimdiensten organisiert worden. Robert Havemann sagte später, Heym könne der Partei dankbar sein, daß sie die Publikation verhindert habe
(vgl. diesen Band S. 146). Die umgearbeitete Fassung erschien 1974 im C. Bertelsmann Verlag,
München, unter dem Titel »5 Tage im Juni«. Das
hier abgedruckte Memorandum über die Ursachen
des Juni-Aufstandes schrieb Heym am 21. Juni
1953 für den Chefredakteur der von der sowjetischen Militärverwaltung herausgegebenen Tages-
zeitung »Tägliche Rundschau«, Oberst Michail Pe-
trowitsch Sokolow, zum erstenmal veröffentlicht in
dem von Peter Mallwitz herausgegebenen Band
Stefan Heym, »Wege und Umwege – Streitbare
Schriften aus fünf Jahrzehnten«, C. Bertelsmann
Verlag, München 1980.

Sehr verehrter Herr Sokolow!
Auf Ihren Wunsch versuche ich, die Gedanken
und Eindrücke, die ich Ihnen gestern bei unserer Unterredung mitzuteilen trachtete, schriftlich zu fixieren. Wie auch bei unserer Unterhaltung möchte ich vorausschicken, daß ich
mir keine Autorität irgendeiner Art anmaße.
Meine Beobachtungen und Schlußfolgerungen
mögen irrig sein. Aber ich glaube, daß ich als
Schriftsteller und Journalist einigermaßen
daran gewöhnt bin, Umstände mit offenen Au-

gen zu sehen und den Menschen mit offenen
Ohren zuzuhören.
Ich werde versuchen, für meine allgemeinen
Beobachtungen die notwendigen konkreten
Beispiele anzuführen. Ich glaube, diese Bei-
spiele werden in den meisten Fällen ganz ty-
pisch sein, auch wenn sie unwichtig erschei-
nen.
Das größte Beispiel – die Ereignisse des
17. Juni selbst – hat wie ein Erdbeben eine
Spalte in dem Boden aufgerissen, auf dem wir
hier in Deutschland, und besonders in der
DDR, stehen. Plötzlich hat es sich gezeigt, daß
es nicht allzu viele Menschen sind, auf deren
Standhaftigkeit, Initiative und klares Denken
man hierzulande rechnen kann.
Ich weiß durch einen ADN-Reporter, daß der
Kommandeur des ersten Sowjettanks, der in
Richtung Brandenburger Tor vorging, oben
auf dem Tank stand und mit erhobenen, ver-
schränkten Händen die Bevölkerung begrüßen
wollte, von der er selbstverständlich annahm,
daß sie in ihrer überwältigenden Mehrzahl auf
seiten der Arbeitermacht stünde und daher das
Eingreifen der Roten Armee billigen und unterstützen würde. Er wurde ausgepfiffen und
niedergeschrien.
Man darf sich auch nicht durch die Tatsache,
daß in entscheidenden Betrieben wie bei der
Eisenbahn und im Kraftwerk Klingenberg
nicht gestreikt wurde, dazu verführen lassen zu
glauben, daß die Arbeiter dieser Betriebe nun
für Sozialismus, *für* die Sowjetunion sind. Eine
gewisse Anzahl – ja; aber das Gros, glaube ich,
verhielt sich neutral, abwartend, und handelte
aus der Tradition heraus, daß gewisse öffentliche Dienste zu funktionieren haben. Ich
glaube, daß das Kraftwerk und die Eisenbahn
auch weiterfunktioniert hätten, wenn die Amerikaner einmarschiert wären.
Ich sprach mit einer Arbeiterin im Rheuma-In-
stitut in Berlin-Lichtenberg, die mir erklärte:
»Wir haben selbstverständlich nicht gestreikt –
wir sind doch ein Gesundheitsbetrieb!«
Ich brauche Ihnen nicht die Maßnahmen auf-
zuzählen, die, eine nach der anderen, zu einer

solchen Anhäufung von Massenunzufrieden-
heit führten, daß die Agenten aus dem Westen
für ihre Aktivitäten fruchtbaren Boden fanden.
Gewisse Reaktionen der Bevölkerung waren
jedoch vorauszusehen.

Die Erhöhung der Marmeladenpreise, z. B., bedeutete, daß jeder Bürger der DDR jeden Morgen beim Frühstück an eine unpopuläre Maßnahme erinnert und dadurch verärgert wurde,
denn Marmelade ist es, was er sich aufs Brot
streicht. Dabei waren die durch Erhöhung der
Marmeladenpreise eingebrachten Summen lächerlich gering, wie mir vom Staatssekretär im
Finanzministerium versichert wurde.

Daß man den Geschäftsleuten und Handwerkern und Kleinunternehmern die Lebensmittelkarten gerade zu einer Zeit entzog, wo in der
HO keinerlei Fette zu kaufen waren, bedeutete,
daß man bei dem Rest der Bevölkerung Sympathien gerade für jene Schichten erzeugte, die
das kapitalistische Element im Lande vertraten. Die Stimmung war dann: »Die armen Geschäftsleute – jetzt läßt man sie verhungern!«
Dazu kam, daß die Maßnahme ohne jede
Differenzierung durchgeführt wurde und, soviel ich weiß, auch ohne rechtzeitige Erteilung
von Durchführungsbestimmungen. Geschäftsleute und Handwerker, die es sich leisten
konnten, in der HO zu kaufen, wurden genauso behandelt wie solche, die das Geld dazu
unter keinen Umständen aufbringen konnten.
Und das in einem Lande, wo die Arbeiterklasse von kleinbürgerlichen Elementen durchsetzt ist, wo so gut wie jeder Arbeiter Ver-
wandte und Bekannte unter Handwerkern und
Kleingewerbetreibenden besitzt!

Worüber man aber besonders sprechen muß,
ist die Art, in der solche Maßnahmen der Bevölkerung bekanntgegeben wurden. Der Entzug der Lebensmittelkarten wie auch die kürz-
lich erfolgte Zurücknahme des Entzugs wurden begründet mit den Worten: *Zur Verbesserung des Lebensstandards.* Man kann nicht
zwei einander widersprechende Maßnahmen,
die innerhalb weniger Monate erfolgen, in derselben Art und Weise begründen. Die gleiche
sprunghafte Widersprüchlichkeit zeigte sich in
den Maßnahmen der Kirche und der »Jungen
Gemeinde« gegenüber.

Dadurch mußte zwangsläufig bei der Bevölkerung der Eindruck entstehen, daß die Regierung nicht weiß, was sie tut; und dieser Eindruck wurde durch das berühmte Kommuniqué noch bestärkt. Das öffentliche demonstra-
tive Eingeständnis von Fehlern durch eine Regierung, die breite Teile der Bevölkerung gegen sich hat und die nur in einem Teil eines
Landes herrscht, ist eine sehr fragwürdige Taktik. Wenn, wie es bereits geschehen ist, man
jetzt der Bevölkerung Vorwürfe macht, daß sie
dieses Eingeständnis als Schwäche auslegte, so
ist das falsch. Man hätte vorhersehen müssen,
daß die Bevölkerung es als Schwäche auslegen
würde.

Denn wir haben es mit Deutschen zu tun. Wir
brauchen nicht über die Geschichte des deutschen Volkes unter dem Kaiserreich und unter
Hitler zu sprechen; das ist bekannt. Man muß
aber darüber sprechen, daß man die bekannten
Tatsachen der Geschichte und ihre Auswirkungen auf das Wesen breiter deutscher Schichten
nicht genügend beachtet hat.

Regierung und Partei haben bereits festgestellt,
daß zuviel administriert und zuwenig überzeugt wurde. Das wirkte sich auch in Ton und
Führung der Propaganda und Publizistik aus.
Das gröbste Beispiel dieser Auswirkungen sind
die zahllosen klischeeartigen Resolutionen
und Erklärungen, in denen jede, aber auch
jede Maßnahme gebilligt wurde, und die dann
auch in der Presse gedruckt wurden. Aber
ebensowenig wie diese Resolutionen von denen, die darüber abstimmten, ernst genommen
wurden, ebensowenig wurden sie von der Bevölkerung geglaubt.

Das, zusammen mit der zu Formeln erstarrten,
beinahe unmenschlichen Sprache in Presse
und Rundfunk, führte zu einem allgemeinen
Absinken des Vertrauens.

Ich habe Ihnen geschildert, wie selbst am 17.
Juni im Schriftstellerverband eine Resolution
vorgeschlagen wurde, die voll der alten Phrasen war. Gegen fünfzehn Uhr, als ein neues
Redaktionskomitee die Resolution noch um-
änderte, wurde der Generalsekretär ungeduldig und erklärte, die Resolution sei bereits vom
ZK gebilligt, d. h. bevor darüber von den
Schriftstellern abgestimmt worden war. Welche Bedeutung haben Resolutionen, die von
oben her bestellt werden?

Über die Wahrheit, über Dinge, die dem Herzen der Menschen nahe liegen, wurde wenig geschrieben und wenig gedruckt. Man kann aber Mißstände und Mängel nicht verschweigen, denn sie sind im Volke bekannt, und wenn *wir* nicht zuerst darüber schreiben und berichten und sie zu erklären versuchen, erhalten die Leute durch den RIAS, dem sie so gut wie alle zuhören, eine falsche Interpretation.

In seiner Rede vom 16. Juni hat Grotewohl das Fehlen der vier Milliarden Mark durch falsche Maßnahmen auf der mittleren Ebene des Regierungsapparats erklärt. Aber wie kam es, daß von der unteren und mittleren Ebene keine Berichte nach oben gingen, oder erst viel zu spät gingen? Die Wahrheit scheint zu sein, daß nach oben berichtet wurde, was oben angenehm war, und daß man oben durch so viele Schichten von der Bevölkerung unten getrennt war, daß die berechtigten Beschwerden nicht durchdrangen.

Der Fahrer Ihres Kollegen Suldin berichtete mir über eine Konversation mit dem Fahrer eines SIM-Wagens, der von einem Mitglied des ZK benutzt wird. Der SIM-Fahrer sagte: »Ja, wenn der Kerl doch mal mit der S-Bahn oder U-Bahn oder Straßenbahn fahren würde, da wäre es besser um uns bestellt, denn da würde er zu hören kriegen, was die Leute denken!« Suldins Fahrer antwortete dem SIM-Fahrer: »Und warum sagst *du's* ihm denn nicht?« Darauf der SIM-Fahrer: »Was – und meine Stellung verlieren?«

Wichtig ist hier nicht so sehr das Verhältnis zwischen einem ZK-Mitglied und seinem Fahrer, als die Einstellung so vieler Arbeiter, daß es keinen Zweck hat, sich zu beschweren und die Wahrheit zu sagen – denn dann wird man bestraft.

Die Organe, durch die der Arbeiter und die Bevölkerung überhaupt sich ausdrücken sollten – vor allem die Presse und die Gewerkschaften –, waren ihm verstopft. Es ist doch merkwürdig, daß die Arbeiter der Stalinallee sich *nicht* an ihre Gewerkschaften mit ihren Beschwerden wandten. Was sollten sie denn tun, um sich Gehör zu verschaffen? Sie wurden ja direkt in eine Situation hineingetrieben, in der sie streiken und demonstrieren mußten!

Die Angestellten einer Zweigstelle der Berliner Sparkasse berichteten mir, daß sie keine Bezahlung für Überstunden erhalten, obwohl man in ihrer Zweigstelle mehrere Kollegen abgebaut hatte, wodurch Überstunden absolut notwendig wurden. Ich fragte sie, warum sie sich nicht durch ihre Gewerkschaft mit dem Problem auseinandersetzten. Darauf erhielt ich die Antwort: »Wollen Sie sich über uns lustig machen?« Ich sagte: »Aber ihr wählt doch eure Gewerkschaftsvertreter!« Sie antworteten: »Aber wir kennen die Leute doch gar nicht! Man legt uns eine Liste vor. Das ist alles. Bis vor einem Jahr hatten wir noch eine Betriebsarbeitsgemeinschaft, da ging es noch; aber jetzt gibt's auch das nicht mehr. Mit wem sollen wir denn über unsere Sorgen sprechen?«

Es war dann selbstverständlich, daß schon bei den letzten Gewerkschaftswahlen Schwierigkeiten auftraten, und daß sich Arbeiter weigerten, als Kandidaten aufzutreten. Feriendienst und Theaterbillettvermittlung sind Nebenaufgaben der Gewerkschaft; die Interessenvertretung der Arbeiter ist die Hauptaufgabe; aber das erfordert Mut, Mut nach oben hin und Mut auch den Arbeitern gegenüber. Mir scheint, daß die Gewerkschaftsarbeit, auch für Schriftsteller und Kulturarbeiter, gründlich geändert werden muß.

All das hätte unter gewöhnlichen Umständen und in einem normalen Lande auch zu schweren Folgen geführt; in einem gespaltenen Lande, unter dem Druck der Amerikaner, mußte es katastrophal wirken.

Die Grundtatsache in Deutschland ist, daß die deutschen Arbeiter *keine* Revolution gemacht haben, und daß sie 1945, in ihrer Mehrzahl, zwar den Krieg satt hatten, aber deshalb noch keine neue Gesellschaftsordnung wollten. Die deutschen Kapitalisten unter Hitler waren klug genug gewesen, die deutsche Arbeiterklasse zu einem Teil an ihrer Beute teilnehmen zu lassen; ebenso wie die amerikanischen Arbeiter in den entscheidenden Industrien an der Weltausbeutung durch den amerikanischen Imperialismus beteiligt sind. Das erklärt die Tatsache, die mir von Frau Volkskammer-Abgeordneten Lewitt-Küter berichtet wurde, daß am 17. Juni auf einem Transparent an einem Betrieb die Losung auftauchte: »Wir wollen unsere Ausbeuter wieder!« Das erklärt die Tatsache, mir berichtet durch die Frau des Schriftstellers Petersen, daß ein Arbeiter beim Vorbeifahren der sowjetischen Tanks sagte: »Das sind die Burschen, die der Hitler vergessen hat zu vergasen.« Das erklärt die Tatsache, mir berichtet durch den Schriftsteller Peter Kast, der am 17. Juni aus der DDR nach Berlin reiste und mir sagte: »Es war eine Reise durch Feindesland.« Vielleicht sind diese letzten Beispiele nicht typisch; aber sie zeigen eine Tendenz an.

So wie Radio, Presse, Gewerkschaften und offensichtlich auch Teile der Partei bis zum 17. Juni dieser Bevölkerung gegenüber versagten, so versagten sie auch am 17. Juni.

Ich kam unter Schwierigkeiten gegen ein Uhr nachmittags in den Schriftstellerverband. Dort waren ca. zwanzig Angestellte und zwanzig Schriftsteller versammelt, bereit zu kämpfen, bereit, etwas zu tun. Es kamen, soviel mir bekannt ist, keine Anweisungen zum Handeln.

Das Radio spielte Operettenmusik, und die ersten Kommentare kamen erst gegen Abend. Ich muß Ihnen über die Arbeit der westlichen Sender während dieses entscheidenden Tages nicht berichten. Wo aber war unser Lautsprechersystem? Wo waren die Lautsprecherwagen der Regierung und Partei? Wo waren die Extraausgaben der Zeitungen?

In der Redaktion der *Neuen Berliner Illustrierten* forderte einer der Redakteure, sofort Fotoreporter auszusenden. Es wurde ihm abgelehnt mit der Begründung: »Wir werden doch solche Sachen nicht noch bei uns drucken!« Am nächsten Tag schickte man ihn nach West-Berlin, um die entsprechenden Bilder bei United Press einzukaufen.

In der Kulturredaktion des *Neuen Deutschland* wurde einem jungen Schriftsteller, der sich erbot, Artikel über die Vorgänge zu schreiben, von dem zuständigen Redakteur Girnus erklärt: »Darüber brauchen Schriftsteller überhaupt nicht zu schreiben; das ist Angelegenheit des politischen Kommentars.«

Beim Rundfunk wurden fähige Schriftsteller, die sich erboten, in dieser Ausnahmezeit freiwillig mitzuhelfen, das Programm zu gestalten, mit den Worten abgewiesen: »Wir sehen keinen Grund, unser Programm zu ändern.«

Es ist klar, daß der unmittelbare Anlaß zum 17. Juni auf die Agentenarbeit der Westmächte zurückzuführen ist. Sonst wäre ja nicht zu gleicher Zeit an so vielen Stellen in dieser organisierten Form losgeschlagen worden. Die Ursache aber ist nicht der Anlaß – und die Ursache zu den Ereignissen liegt in der DDR. Denn wenn die Agenten keinen Boden vorgefunden hätten, der sich für ihre Arbeit eignete, so wären sie sofort isoliert worden oder hätten gar nicht erst losgeschlagen.

Ich möchte Sie, verehrter Herr Sokolow, und durch Sie die verantwortlichen sowjetischen Stellen bitten – ich bitte Sie um Ihrer eigenen Landsleute und um des Weltfriedens willen –, sich in diesem Punkt keine Illusionen zu machen. Ein paar Erleichterungen auf sozialem Gebiet ändern die Grundlage nicht, *wenn nicht auf allen Gebieten des Lebens in der DDR eine neue Haltung den Menschen gegenüber geschaffen wird.* Das bezieht sich auf Gewerkschaften wie auf Parteiapparat, und was die Schriftsteller betrifft, auf das Gebiet der Kultur, der Presse, des Radios. Man muß den Arbeitern und allen Bevölkerungsteilen eine Presse geben, der sie wieder Vertrauen schenken. Man muß in einer Sprache zu ihnen sprechen, die sie verstehen und die die ihre ist. Man muß die Dinge drucken, die die Leute interessieren, und zwar deshalb interessieren, weil es *ihre* Dinge, *ihre* Probleme sind. Man muß die Wahrheit schreiben und drucken. Man muß aufhören zu beschönigen. Man muß lernen, wie man die Menschen überzeugt. Man überzeugt sie einmal durch Taten – und das ist im Augenblick das allerwichtigste –, aber auch dadurch, daß man die Taten richtig und *verständlich* interpretiert und darstellt.

Für den Augenblick schlage ich Ihnen für Ihre Zeitung eine Serie von Reportagen und literarischen Artikeln vor, in denen die Sorgen und die Kritik der Arbeiter und der Bevölkerung zum Ausdruck kommen – wenn möglich, schon unter Hinzusetzung von Maßnahmen, die getroffen wurden, um Abhilfe zu schaffen, wenn nicht möglich, auch ohne das.

Ich schlage vor, daß diese Reportagen und Artikel von den fähigsten und ehrlichsten und am klarsten sehenden Schriftstellern geschrieben werden, Schriftstellern, die imstande sind, den richtigen Ton zu finden, und deren Schreibweise frei ist von den großen Phrasen und Klischees, die so viel Schuld tragen an den Ereignissen des 17. Juni.

Viele Arbeiter haben während des Streiks und der Demonstrationen gesagt: WIR WOLLEN GEHÖRT WERDEN. Man hatte sie nicht oder nicht rechtzeitig gehört. Jetzt kommt es darauf an, daß sie den Eindruck gewinnen: Jawohl, man hört uns! Jetzt kommt es darauf an, ein Ventil zu öffnen, um den aufgestauten Haß, die aufgestaute Mißstimmung, abblasen zu lassen.

Jetzt kommt es darauf an, wieder Vertrauen zu schaffen – Vertrauen der Arbeitermassen und der Bevölkerung zu Regierung und Partei. Wenn Ihre Zeitung vorangeht, bin ich überzeugt, daß die andern folgen werden.

Ernst Niekisch
Denkschrift an den sowjetischen Hochkommissar
W. S. Semjonow

Ernst Niekisch, 1889–1967, politischer Schriftsteller, war in der Weimarer Republik als Herausgeber der Zeitschrift »Der Widerstand« einer der führenden Vertreter des sogenannten Nationalbolschewismus. 1937 verhaftet, wurde er 1939 zu lebenslangem Zuchthaus verurteilt. Nach dem Kriege lebte er in West-Berlin, 1948 wurde er Professor an der Ostberliner Humboldt-Universität. Die hier gekürzt zitierte Denkschrift, worin er seine Befürchtungen über die Folgen der Ulbricht-Politik ausdrückte, hatte er schon am 5. Juni begonnen, aber erst nach dem 17. Juni beendet und abgesandt. Sie erschien in: Ernst Niekisch, Erinnerungen eines deutschen Revolutionärs, Band 2; »Gegen den Strom, 1945–1967«. Verlag Wissenschaft und Politik, Köln 1974.

Ausgangspunkt einer unvoreingenommenen Betrachtung der Dinge muß das Wesen der Bevölkerung innerhalb der Deutschen Demokratischen Republik sein. Zwar hat das deutsche Volk nie eine eigentlich bürgerliche Revolution aktiv durchgefochten; aber im Laufe des 19. und 20. Jahrhunderts wurde es doch tief vom bürgerlichen Geiste erfaßt und durchdrungen. Der Durchschnittsdeutsche ist seinem Wesen nach heute ein Bürger, der auf die bürgerlichen Ideale, das Recht des Individuums, die Rechtsstaatlichkeit, die Unantastbarkeit des Privateigentums und in gewissem Umfange die staatsbürgerliche Freiheit Gewicht legt. Wennschon er sich aufgrund seiner Traditionen in mancher Hinsicht von dem westeuropäischen Bürger unterscheidet, so ändert dies doch nichts daran, daß er sich der bürgerlichen Welt zugehörig fühlt. Dies gilt auch für den Arbeiter. Die Sozialdemokratie ist deshalb noch heute eine so große und starke Partei, weil sie sich zu einer linksgerichteten kleinbürgerlichen Partei umgebildet hat; der deutsche Arbeiter will weniger eine grundsätzlich neue Ordnung, er erstrebt vielmehr, selbst ein kleiner Bürger zu werden. Er fühlt sich nicht als Proletarier, der alles, was er hat, in seinem Taschentuch unterbringen kann; ihn verführt die gute Stube, das Vertiko, das Eigenheim und das kleine Gärtchen um sein Häuschen. Wenn vor 1933 die Kommunistische Partei in Deutschland so mächtig angeschwollen war, so bedeutete dies keineswegs, daß Millionen deutscher Arbeiter ihre bürgerliche Grundausrichtung preisgegeben hätten; in der Kommunistischen Partei versammelten sich damals lediglich die Opponenten gegen die großbürgerliche Form der Staatlichkeit, welche sich im Rahmen der Weimarer Republik immer deutlicher ausgeprägt hatte.

Das bürgerliche Gesamtbewußtsein der deutschen Arbeiterschaft belebte sich nach 1945 wieder aufs neue angesichts der unmittelbaren Begegnung mit den bolschewistischen Gesellschafts- und Ordnungsgedanken, die im östlichen Teile Deutschlands sinnfällig in Erscheinung traten. So unzufrieden der westdeutsche Arbeiter mit der Entwicklung der westdeutschen Bundesrepublik sein mag, so will er diese doch keineswegs zerschlagen; er hält an der Form der bürgerlichen parlamentarischen Demokratie fest und wehrt sich innerlich verzweifelt dagegen, sie gegen die proletarische Demokratie auszuwechseln. Nur so ist zu verstehen, daß die Kommunistische Partei in der westdeutschen Bundesrepublik keine Erfolge zu erzielen vermag und sich in zunehmendem Maße rückläufig entwickelt ...

Würde man heute nach den Grundsätzen der bürgerlichen formalen parlamentarischen Demokratie in der Deutschen Demokratischen Republik wählen, so würden vermutlich die Parteien, welche als Träger des politischen und wirtschaftlichen Systems der Deutschen Demokratischen Republik gelten, kaum viel mehr als 10 Prozent erreichen, wobei diese Schätzung immer noch als reichlich optimistisch gelten darf. Dies ist eine Tatsache, die man nicht dadurch aus der Welt schafft, daß man sie ignoriert ...

Schon immer hatte es schweren Anstoß erregt, daß Verhaftungen vorgenommen wurden, ohne daß richterliche Haftbefehle vorlagen und ohne daß die Angehörigen über das Schicksal der Verhafteten etwas erfahren konnten. Daß Menschen plötzlich verschwinden und auf unabsehbare Zeit festgehalten werden, daß sie ihre Freiheit verlieren, ohne daß ein kontrolliertes Rechtsverfahren gegen sie durchgeführt wurde, daß ihr Schicksal den Angehörigen gegenüber im dunkeln gelassen wird, das sind Vorgänge, an denen der europäische Bürger Anstoß nimmt. Eben solche Vorgänge hatten ihn einst gegen den fürstlichen Absolutismus empört; um sie abzustellen, hatte er Revolution gemacht; um vor ihnen in Zukunft bewahrt zu werden, hatte er den Rechtsstaat geschaffen. In solchen Vorgängen erblickt er den Ausdruck von Mißachtung, ja Verachtung des Menschen; sie sind ihm unerträgliche und unverzeihliche Verstöße gegen die Humanität. In diesem Punkte reagiert der bürgerliche Mensch mit Heftigkeit.

Die Auffassung, daß innerhalb der Deutschen Demokratischen Republik Willkür und Rechtlosigkeit herrsche, wurde dadurch bestärkt, daß auch der Verfassung nur geringe Achtung entgegengebracht wurde. Grundrechte der Verfassung wurden fortgesetzt verletzt: Im Widerspruch zur Verfassung wurde eine Zensur eingeführt, gegen die Verfassung wurde die Meinungs-, Presse- und Versammlungsfreiheit unterdrückt, gegen die Verfassung wurden auch Abgeordnete verhaftet, deren Immunität verfassungsmäßig geschützt ist. Es war bestürzend zu sehen, daß die Obrigkeit selbst die Verfassung mißachtete. Wie sollte da der Staatsbürger zur Ehrfurcht vor der Verfassung erzogen werden? ...

In dieser Situation propagierte die Deutsche Demokratische Republik weiterhin den Gedanken der deutschen Wiedervereinigung. Es gehört zu den erschütterndsten Erfahrungen, daß sie mit allen Bekenntnissen zur deutschen Wiedervereinigung keine Wirkung zu erzielen vermochte. Doch hatte dies seine verständlichen Gründe. Die Wirtschafts- und Sozialpolitik der Deutschen Demokratischen Republik zielte in der Tat auf eine sozialistische Ordnung, also auf eine soziale Strukturänderung, hin. In dem Maße, in dem sich die Wirtschafts- und Gesellschaftsverfassung der Deutschen Demokratischen Republik dem sowjetischen Vorbild annäherte, wurde die Kluft zwischen West- und Ostdeutschland breiter und tiefer. Da die Deutsche Demokratische Republik mit äußerster Intensität die Strukturänderung betrieb, glaubte man ihren Versicherungen nicht, daß sie es auf eine Wiedervereinigung Deutschlands absehe. Ihre Taten widersprachen ihren Worten.

Die Taten aber redeten eine sehr deutliche Sprache: Kein westdeutscher Bürger spürte das Verlangen, einem sowjetähnlichen System Vorschub zu leisten. Die Folge der Sozial- und Wirtschaftspolitik der Deutschen Demokratischen Republik war, daß sie die westdeutsche Bevölkerung tatsächlich immer stärker von sich abstieß. Die nationalen Parolen, welche die Deutsche Demokratische Republik ausgab, wurden als hohle und leere Phrasen betrachtet und überhört.

Es versteht sich, daß die Sowjetunion Wert darauf legt, vertrauenswürdige Sachwalter an der Spitze der Deutschen Demokratischen Republik zu wissen. Aber solche Sachwalter müssen nicht bloß das Vertrauen der Sowjetunion, sie müssen auch dasjenige der Bevölkerung der Deutschen Demokratischen Republik genießen. Darüber hinaus müssen sie geschickt sein, die Sache, die ihnen anvertraut ist, gut und erfolgreich zu führen.

In dieser Hinsicht haben einige bekannte Vertreter der Deutschen Demokratischen Republik vollkommen versagt. Sie tragen die Verantwortung für die Zerrüttung der Landwirtschaft, für die Republikflucht, für das Mißtrauen, das die Bevölkerung der Rechtsprechung und vielen Verwaltungsmaßnahmen der Regierung entgegenbringt. Bleibt die Stellung dieser durch ihre Mißerfolge bloßgestellten Persönlichkeiten unerschüttert, dann wird die Deutsche Demokratische Republik allen politischen Kredit, alles politische Prestige verlieren ...

Recht unglückselig gestaltete sich das Verhältnis zur Intelligenz. Soviel wurde wohl erkannt, daß eine Gesellschaft ohne die Beihilfe der Intelligenz nicht bestehen kann. Die Aufgabe der Intelligenz ist es, einer Gesellschaftsordnung die geistige Legitimation zu verschaffen, sie vernünftig und notwendig erscheinen zu lassen, die Köpfe für sie zu gewinnen ...

Die Atmosphäre, die einzig und allein der Intelligenz zuträglich ist, ist die Atmosphäre geistiger Freiheit. Der schöpferische Geist kann nur denken und künstlerisch produzieren, wenn er dies in aller Freiheit zu tun vermag. Dies bedeutet keineswegs grundsätzlich geistige Ungebundenheit überhaupt. Jeder Denker und Künstler steht im Rahmen einer bestimmten gesellschaftlichen Ordnung. Er muß ihr zugehören und sich zugehörig fühlen. So hat er den engsten Zusammenhang mit der inneren Lebensgesetzlichkeit und dem geheimsten Wesen dieser Gesellschaftsordnung. Was er hier denkt und künstlerisch gestaltet, denkt und gestaltet er aus der zwingenden Daseinsnotwendigkeit dieser gesellschaftlichen Ordnung heraus. Infolgedessen denkt er tiefer und gestaltet er zwingender, als jedes übrige Mitglied dieser gesellschaftlichen Ordnung hätte denken und gestalten können. Bindet man aber den schöpferischen Geist an zwingende Vorschriften, so fühlt er sich nicht nur vergewaltigt, sondern das Werk, das er auf solche Weise schafft, muß flach, phrasenhaft, unecht werden. Der schöpferische Geist ist eben das, was er ist, weil er tiefer sieht und echter empfindet als der Durchschnittsmensch. Eben deshalb

kann man sagen, dem schöpferischen Geist hafte etwas Seherisches an.

Ist auch nicht jeder Intellektuelle ein schöpferischer Geist, so regt sich doch in der Regel irgend etwas von diesem Bedürfnis nach Freiheit des Schaffens in ihm. Wird diese Freiheit des Schaffens beeinträchtigt, fühlt er sich unglücklich und im Innersten gestört. So etwa ist es völlig unmöglich, daß das Zentralkomitee einer Partei Regeln und Anweisungen ausarbeitet, durch die vorgeschrieben wird, wie gedacht und künstlerisch gestaltet werden soll. Würde Lenin dem Beschluß eines solchen Zentralkomitees im Jahre 1902 unterworfen gewesen sein, hätte er nie seine Schrift ›Was tun?‹ schreiben können und veröffentlichen dürfen. Die Mitglieder des ZK sind weder Fachleute in geistigen Dingen, noch sind sie schöpferische Geister. Sie sind unzuständig, in geistigen und künstlerischen Dingen mitzureden, wie sehr sie dies immerhin in politischen und wirtschaftlichen Dingen sein mögen. Ihre Beschlüsse auf kulturellem Gebiet sind Kompetenzüberschreitungen und bedeuten praktisch eine Verknechtung der schöpferischen Intelligenz. Dies hält aber kein schöpferischer Geist aus ...

Die erbittertsten Feinde der Deutschen Demokratischen Republik konnten keinen heißeren Wunsch hegen als den, einen Zwist zwischen der Deutschen Demokratischen Republik und der protestantischen Kirche hervorzubringen. Denn damit verlor die Deutsche Demokratische Republik heimliche Bundesgenossen und den aus den Verhältnissen selbst entsprungenen Resonanzboden innerhalb der Grenzen der deutschen Bundesrepublik. Jener heißeste Wunsch der Feinde der Deutschen Demokratischen Republik ist inzwischen erfüllt worden. Der Streit zwischen der Deutschen Demokratischen Republik und der protestantischen Kirche brach aus. Es ist sehr wohl möglich, daß der schlaue, ganz westlich orientierte und deutschnational gesinnte Bischof Dibelius auf diesen Kampf hingearbeitet hat. Aber die Deutsche Demokratische Republik hat es ihm, wenn er solche Absichten verfolgte, leichtgemacht, zu seinem Ziel zu gelangen. Mit aller Bestimmtheit sei betont, daß ich mich als Gegner der kapitalistischen Ordnung und Vorkämpfer einer sozialistischen Ordnung fühle. Aber ich bin der Meinung, daß man den Sozialismus kompromittiert, wenn man ihn unter widerstrebenden Umständen und mit verfehlten Mitteln gewalttätig durchsetzen will. So richtig die Enteignung des Großgrundbesitzes und der Konzerne war, so bedenklich war die Beschleunigung des Tempos, das bei der Umbildung der kleinen und mittleren Privatwirtschaft in eine kollektive Wirtschaft eingeschlagen wurde. Der Schaden, der durch dieses hastige Tempo angerichtet wurde, war unermeßlich; Nutzen wurde dadurch schlechthin nirgends gestiftet. Es rächte sich, daß der gesellschaftliche und wirtschaftliche Umbau der Deutschen Demokratischen Republik nicht aufgrund einer elementaren Revolution, sondern von oben her auf dem Verwaltungswege in Angriff genommen wurde. Wäre dieser Umbau Sache einer revolutionären Masse gewesen, würde er in den Herzen dieser Masse (wie dies in der Sowjetunion der Fall ist) verwurzelt sein. Als Angelegenheit der Staatsbürokratie aber hat er keine gewinnende Macht; der 17. Juni bewies sogar, daß er einen großen Teil der werktätigen Masse geradezu gegen sich hat ...

Jürgen Rühle
Der 17. Juni und die Intellektuellen

Jürgen Rühle, Jg. 1924, leitete nach seiner Rückkehr aus sowjetischer Kriegsgefangenschaft von 1949 bis 1955 das Feuilleton der (Ost-)»Berliner Zeitung«, der damals auflagenstärksten Zeitung der DDR. Die »Berliner Zeitung« und die Wochenzeitung des Kulturbundes »Sonntag«, deren Theaterkritiker Rühle war, nahmen schon nach dem XIX. Parteitag der KPdSU im Herbst 1952 offen Partei für die von der SED verfemte und verfolgte Kunst. Bei der Formulierung einer intellektuellen Opposition arbeitete Rühle mit Johannes R. Becher, Bertolt Brecht, Ernst Bloch, Wolfgang Harich, Peter Huchel, Hans Mayer, Alfred Kantorowicz u. a. zusammen. Nach dem 17. Juni spielte die »Berliner Zeitung« eine wesentliche Rolle bei dem von der Akademie der Künste und dem Präsidium des Kulturbunds geführten Kampf gegen die Staatliche Kunstkommission, die allmächtige Zensurbehörde, die Anfang 1954 schließlich abgeschafft und durch ein Ministerium für Kultur unter Becher ersetzt wurde. Rühle legte im März 1955 seine Arbeit in Ost-Berlin nieder und schrieb die »Kurze Geschichte des Neuen Kurses in der Sowjetzone«, aus der wir hier den für Vor- und Nachgeschichte des 17. Juni wichtigsten Teil abdrucken (Jürgen Rühle: »Kulturpolitik im Tauwetter. Die kurze Geschichte des Neuen Kurses in der Sowjetzone«, Der Monat, Berlin [West], Nr. 82, Juli 1955). Einige Informationen hat der Autor in den Anmerkungen nachgetragen. Vgl. auch Dokumentation S. 204 ff.

Im Sommer des Jahres 1950 überraschte Stalin die Welt mit einer Arbeit über die Sprachwissenschaft. Ich erinnere mich, wie wir uns damals den Kopf zerbrachen, was dieser erstaunliche Exkurs wohl zu bedeuten habe. Von Stalin signierte Äußerungen waren die autoritativsten Deklarationen innerhalb der kommunistischen Welt, sie galten (vor der Aufhebung des Persönlichkeitskults durch Malenkow) als klassisch und unfehlbar wie die Enzykliken des Papstes und wurden nur noch an wirklich entscheidenden Wendepunkten bemüht. Um irgendeine beliebige These oder Richtung in der Sowjetunion und im Weltkommunismus verbindlich zu machen, genügte im allgemeinen ein Leitartikel der *Prawda* oder ein Beschluß des Zentralkomitees. Die persönliche Redaktion Stalins aber war z. B. nötig, um dem sogenannten *»Kurzen Lehrgang der Geschichte der KPdSU«* Autorität gegenüber allen anderen Auffassungen von der Parteigeschichte zu geben; Stalins Bemerkungen über die Rolle der zaristischen Diplomatie revidierten die eingefleischten Vorurteile aller Marxisten und Leninisten gegen die russische Vergangenheit, und seine Kritik an Hegel und Clausewitz machte mit der seit Marx traditionellen Verehrung der klassischen deutschen Ideologie Schluß.

Was aber um alle Welt trieb den Herrn über ein Drittel der Erde ausgerechnet in die Sprachtheorie, mit der er allenfalls in jungen Jahren, als er als Nationalitätenfachmann Parteikarriere machte, einmal in Berührung gekommen sein mochte?

Um die Tragweite eines solchen Vorganges zu verstehen, muß man wissen, daß nach der Philosophie des dialektischen Materialismus, die für jeden Parteifunktionär bindend ist, alle Erscheinungen der Welt im Zusammenhang stehen und aufeinander einwirken. Danach kann man also durch einen Eingriff auf einem beliebigen, ganz abseitigen Gebiet, sagen wir der »Astrobotanik« (so nennt man in der Sowjetunion die Wissenschaft von der Pflanzenwelt im Universum) oder eben der Sprachwissenschaft, Reaktionen in den zentralen politischen und wirtschaftlichen Bereichen auslösen. Ein solches Verfahren ist für die totalitäre Gesellschaft ungemein praktisch: Man kann auf lange Sicht eine Kursänderung einleiten, ohne dem Ausland Einblick zu gewähren und die eigene Bevölkerung zu beunruhigen, man kann den schwerfälligen Funktionärsapparat langsam an die neuen Methoden und Gesichtspunkte gewöhnen, ja, man kann, wenn sich unerwünschte Ergebnisse zeigen, das ganze Unternehmen wieder abblasen, ohne daß jemand viel davon gemerkt hat. Der besondere Nachdruck, den Stalin bzw. das Politbüro, dessen Meinung er deklarierte, gleich am Anfang seiner Arbeit auf »die aktive Rolle des Überbaus«, d.h. den Einfluß der Ideologie auf die gesellschaftlichen Verhältnisse, gelegt hatte, deutete den Hintergedanken der Ausführungen an.

Man brauchte also nur zu überlegen, was denn nun, abgesehen von den rein fachlichen Fragen, dieses Edikt Stalins von allen früheren unterschied. Das war vor allem die ungewöhnlich leidenschaftliche Konfrontation eines bestimmten Abschnitts der sowjetischen Scholastik – der Theorie vom »Klassencharakter der Sprache« – mit der Wirklichkeit, das offene Desavouieren eines Dogmas, das ebenso wie die Lyssenkosche Biologie[1] oder in der Kunst der Sozialistische Realismus als unantastbar galt. Stalin verhöhnte die so lange protegierten Theoretiker als »Buchstabengelehrte und Talmudisten, die auf dem Ofen liegen und aus dem Kaffeegrund über die Sprachelemente weissagen«. Indem Stalin die historisch-vergleichende Methode der Sprachforschung für relativ besser erklärte, gab er eine wichtige Position der sowjetischen Wissenschaft preis, deren Überlegenheit über die »bürgerliche«, »idealistische« bisher *a priori* angenommen wurde. Jeden anderen als Stalin hätte man bei solchen Tendenzen der Todsünden des »Objektivismus« und der »Kriecherei vor dem Westen« geziehen. – So wurden im Sommer 1950 für den aufmerksamen Beobachter zum erstenmal Anzeichen eines neuen Kurses in der Sowjetunion sichtbar, nicht gezeugt, aber ans Licht getreten in einem abgelegenen Zweig der Wissenschaft, von wo aus er sich, einer atomaren Kettenreaktion in Zeitlupe vergleichbar, immer verzweigter und immer schneller ausbreitete, um schließlich in mächtigen Explosionen der ganzen Welt vor Augen zu treten ...

Einstweilen aber schlich die Diskussion in der Sowjetunion noch in sehr exklusiven Regionen dahin. Von der Sprache kam man auf die formale Logik, deren Verhältnis zur Dialektik man zu klären unternahm. Daß dies an sich ein ziemlich willkürlicher Gegenstand war, geht schon daraus hervor, daß bereits im Jahre 1946 »auf Initiative des Genossen Stalin« der Logikunterricht an den sowjetischen Schulen eingeführt, die »metaphysische« Logik also längst rehabilitiert worden war. Die Diskussion ging denn auch aus wie das Hornberger Schießen und ließ Logik wie Dialektik zu ihrem Recht kommen. Dessen ungeachtet traten im Zuge dieser Auseinandersetzungen neue, sehr aufschlußreiche Momente ans Licht: Mit der Logikdiskussion übernahmen die Mitarbeiter des Moskauer Instituts für Philosophie die Leitung der Meinungskämpfe und behielten sie auch auf dem ihnen eigentlich fremden Gebiet der Kunst, das anschließend in die Diskussion gezogen wurde, ja, zum Teil auch später in Fragen der Ökonomie und Staatstheorie; ihr Chef, Georgi Alexandrow, wurde einer der wichtigsten Interpreten des neuen Kurses. Dieser Alexandrow war erst 1947 von Shdanow, dem »zweiten Mann der Partei«, Lieblingsschüler und designierten Nachfolger Stalins, wegen »Objektivismus, Liebedienerei vor den alten Philosophen und zahnlosen Vegetariertums« vernichtend abgekanzelt worden. Ein Jahr später starb Shdanow unter mysteriösen Umständen. Alexandrows pronardcierter Wiederauf-

Anmerkungen s. S. 173.

stieg machte die hintergründige politische Tendenz der so harmlos scheinenden ideologischen Haarspaltereien transparent.[2] Zu gleicher Zeit schob sich, offiziell noch gänzlich im alten stalinistischen Fahrwasser, als Nachfolger Shdanows Malenkow in den Vordergrund ...

Verwirrte Logik

Außerhalb der Sowjetunion ahnten die wenigsten etwas von den schwebenden Veränderungen, die ja auch in ihrem Ursprungsland kaum bemerkbar weitersickerten, in hochgelehrten und verklausulierten Abhandlungen versteckt. Die Kreml-Astrologie war damals noch nicht so entwickelt wie heute. Für die Funktionäre in den Randgebieten des sowjetischen Imperiums, in den Volksdemokratien und in der DDR, waren die Vorgänge erst recht dunkel. Ein guter Kommunist fällt bei jedem plötzlichen Ereignis in der Parteiführung aus allen Wolken; mit Hilfe der Dialektik werden dann nachträglich alle Wendungen, Sprünge und Zickzack-Bewegungen wieder in eine logische Linie gebracht, die sich schnurgerade von Marx bis zum heutigen Tag zieht.

So kam die SED auf die unglückselige Idee, »zur Aneignung sowjetischer Erfahrungen« auch eine Logikertagung einzuberufen, und beauftragte ein Mitglied des Zentralkomitees mit dem Referat, das dieser sich mühsam aus den unklaren und unvollkommenen sowjetischen Verlautbarungen zusammenklauben mußte.[3] Er tat das Nächstliegende und orientierte sich auf den neuesten Aufsatz in der Moskauer Zeitschrift *Fragen der Philosophie* – in der Annahme, daß dies sicher der letzte Schrei sei, aber mit dem Pech, daß noch vor der Drucklegung seines in Jena gehaltenen Referats bereits ein weiterer Artikel in Moskau erschienen war. Derart kam es, daß sich der neuernannte Logikspezialist der SED im Abstand von nur wenigen Wochen auf zwei ganz verschiedene sowjetische Kapazitäten berief, nicht ohne jedesmal zu bemerken, daß ihm die jeweils zitierte Lösung als »die einzig richtige« erscheine. Das theoretische Organ der SED *Einheit* und die *Deutsche Zeitschrift für Philosophie* in der DDR diskutieren über Logik,

glaube ich, heute noch ... Die wenigen bürgerlichen Philosophen und Logiker, die noch im Osten übriggeblieben waren, zogen sich demgegenüber viel geschickter aus der Affäre. Sie beriefen sich auf Stalin, daß, wenn die Sprache nicht zum »Überbau« zu rechnen sei, natürlich die Logik auch nicht, und ein bekannter Berliner Mathematiker [Kurt Schroeder] erklärte den verblüfften SED-Vertretern, die Einleitungen zu den bürgerlichen Logik-Lehrbüchern seien sicher bürgerliche Ideologie, bitte sehr: die könne man streichen; aber die marxistischen Kommentare seien auch wieder Ideologie, nur eine andere – mit der Wissenschaft der Logik hätten, laut Stalin, beide nichts zu tun! (Protokoll im 1. Beiheft zur *Deutschen Zeitschrift für Philosophie*.) Womit die Professoren ihre Ruhe hatten. Die Partei aber beorderte den erfolglosen Genossen schleunigst aus dem heiklen Gebiet der Logik in das der Architektur, wo er mit der gleichen Sachkenntnis den gleichen Unsinn anrichtete, nur daß dort noch keine neuen sowjetischen Erörterungen vorlagen, die die Angelegenheit verwirren konnten. Das sollte erst viel später kommen.

Quod licet Jovi ...

Inzwischen erfaßte die sowjetische Diskussion die Kunst und damit wesentlich breitere Kreise. Hier brachte sie die Kampfansage an Propagandakitsch, »Fotografismus«, Konfliktlosigkeit und Schönfärberei, die seit langem die Kunst des Sozialistischen Realismus beherrscht hatten. Die bis dato unantastbare »fortschrittlichste Kunst der Welt« wurde urplötzlich von ihrem lorbeerumrankten Podest gestürzt und mußte sich in aller Öffentlichkeit einige vernichtende Charakteristika gefallen lassen:

Über Literatur:

»Wenn er ein Romanheld ist, muß er ein hübscher Kerl sein, wunderbar Gitarre spielen, Gedichte schreiben und ... furchtbar stark sein ... Der Stil ist ausgeglichen und glatt. Es ist nur von zarten und erhabenen Dingen die Rede; alles zuckersüß, und nichts, woran man Anstoß nehmen müßte.«

(Literaturnaja Gaseta)

Über Dramatik:
»Nach den Stücken zu urteilen, ist stets alles in bester Ordnung, gibt es keinerlei Konflikte. Einige Bühnendichter sind der Meinung, daß es ihnen so gut wie verboten ist, das Schlechte, Negative, das ihnen im Leben durchaus begegnet, zu kritisieren ... Es wurde behauptet, daß bei uns alles auf den Konflikt zwischen dem ›Guten‹ und dem ›Besseren‹ hinausläuft ... Schreibt die Wahrheit!« *(Prawda)*

Über bildende Kunst:
»Nehmen wir an, ein Künstler hat folgendes Thema gewählt: Schüler, die die Schule beendet haben, besuchen ihre Lehrerin. Er hat es nicht deshalb gewählt, weil es ihn tief bewegt und er von dem Wunsch gedrängt wird, der Welt seine Gefühle mitzuteilen, sondern aus anderen, weniger erhabenen Erwägungen heraus, sei es, weil dieses Thema auf der Auswahlliste steht und die anderen Themen dieser Liste schon vergriffen sind ... Er weiß, daß dieses Thema etwas Rührendes haben muß – das gehört sich nun mal so –, und er beginnt, die ganze Szene rührend und ergreifend zu ›machen‹, sie zu ›erwärmen‹, wobei er sich schon oft bewährter Methoden bedient. Doch es kommt kein echtes Gefühl dabei heraus ... – nur Sentimentalität. Finden wir nicht in den Ausstellungen auf diese Weise gespieltes Heldentum, gespielte Romantik, sogar gespielten Humor?« *(Sowjetskaja Kultura)*

Über Musik:
»Wie oft hörten wir unter Anwendung gewaltiger Orchestermittel ›monumentale‹ Werke, die lautstimmig leeres kompositorisches Stroh droschen; dieses Stroh wurde mit einem gewichtigen, aktuellen, sich hauptsächlich in der programmatischen Verpackung ausdrückenden Thema gewürzt ... Ein solches Werk wird im Komponistenverband, in der Hauptverwaltung für Kunstangelegenheiten und im Rundfunk häufig genug positiv bewertet.«
(Aram Chatschaturian in Sowjetskaja Musika)

Über Kritik:
»Für einige Rezensenten sind die Bücher in zwei Kategorien eingeteilt: prämiierte und dem Verriß verfallene. Untersuchen die Kritiker ein Buch der ersten Kategorie, legen sie gewöhnlich den Inhalt dar, wie das die Schüler der siebenten Klasse tun; um im voraus eventuelle Bezichtigungen der ›Lobhudelei‹ zu parieren, zählen sie zum Schluß auf, was in dem rezensierten Roman noch fehlt ... Untersuchen dergleichen Kritiker ein Buch, das ihrer Meinung nach dem Verriß anheimfällt, verwandeln sie sich in Staatsanwälte ... Den einen Schriftsteller tadelt man, weil er zu lange schweigt, dem anderen wirft man vor, sein Kriegsroman zeige nicht den Heroismus des Hinterlandes, und einem dritten, daß seine Helden zu wenig lebensfroh oder zu selbstsicher sind ... Dann kann der Leser Beteuerungen der Schriftsteller darüber hören, daß sie Romane ›geplant‹ haben, die dem Wolga-Don-Kanal, der Textilindustrie oder dem Friedenskampf gewidmet sind ... und die Redaktionen schicken die Autoren auf Dienstreise, damit sie Romane über die verschiedenen Zweige der Volkswirtschaft schreiben.«
(Ilja Ehrenburg in Snamja)

In der DDR war man damals gerade erst dabei, die von Shdanow schon vor Jahren in der Sowjetunion propagierten radikalen Kunsttendenzen durchzusetzen, als diese nun durch die neue sowjetische Diskussion schon wieder in Frage gestellt wurden. In der schon erwähnten Unkenntnis der Tatsache, daß sich ein grundlegender Umschwung auf allen Gebieten des sowjetischen Lebens anbahnte, fanden die deutschen Funktionäre (unterstützt von den ebenfalls ahnungslosen sowjetischen Stellen in Karlshorst) nur einen fatalen, für sie höchst gefährlichen Ausweg aus dem Dilemma: die Leute, die fortwährend das Schlagwort von der »Aneignung sowjetischer Erfahrungen« auf den Lippen führten, unterschlugen die neuesten sowjetischen Auffassungen, weil die Menschen in der DDR für sie »noch nicht reif genug« seien. Die deutsche Übersetzung eines Artikels der berühmten Bildhauerin Vera Muchina, die einst den Pariser Weltausstellungspavillon der UdSSR geschmückt hatte, wurde verhindert, kritische Aufsätze, sogar ein Leitartikel der *Prawda*, der der Prominenz zu Leibe ging, wurden tendenziös gekürzt, auf einem Theaterkongreß wurden den teilnehmenden

Theaterleuten nicht die inzwischen erschienenen umwälzenden Publikationen »gegen den Tiefstand der sowjetischen Dramatik«, sondern uralte Manuskripte über bildende Kunst (dem rückständigsten Gebiet der sowjetischen Kunst überhaupt) in die Hand gedrückt usw. usf. Einmal wollte das ZK gegen die *Berliner Zeitung,* ein nur indirekt parteigebundenes Massenorgan, dessen Kulturredakteur ich war, ein Verfahren einleiten, weil wir einen wichtigen sowjetischen Artikel in einer anderen Fassung als der offiziellen deutschen gebracht hatten; bei der Untersuchung stellte sich heraus, daß nicht unsere, sondern die parteiamtliche Übersetzung vom Original abwich. Der Abdruck von Satiren sowjetischer Schriftsteller, die damals auf Anregung ihrer Regierung die Mißstände anprangerten und die neuen Ideen propagierten, wurde uns verboten, »weil schon Goebbels solche Satiren für antisowjetische Propaganda mißbraucht hätte«. Daß die sonst doch herzlich wenig autonomen SED-Funktionäre mit derartigen Taschenspielereien gegen die Moskauer Linie aufzumucken wagten, lag in ihrer nackten Existenzangst begründet, denn ein auf vernünftigen Voraussetzungen beruhender neuer Kurs hätte einen großen Teil von ihnen entbehrlich gemacht.

Als »Formalist« ertappt

Dann kam im Herbst 1952 der XIX. Parteitag der Kommunistischen Partei der Sowjetunion. Malenkow hielt das Hauptreferat und ging auch auf Fragen der Kunst ein. Er übte heftige Kritik an der bisherigen Sowjetkunst, die in ihrer Primitivität den Ansprüchen der Massen und der Partei nicht mehr genüge, und legte den Künstlern und Kulturfunktionären die Grundbegriffe künstlerischen Gestaltens dar, die in der Sowjetunion aus der Mode gekommen waren. Indem er »sowjetische Gogols« forderte, »die mit der Flamme der Satire alles Negative, Vermoderte, Überlebte aus dem Leben ausbrennen«, wandte er sich unverkennbar gegen Shdanow, der noch wenige Jahre vorher den weltberühmten Satiriker Sostschenko wegen »Verleumdung der sowjetischen Wirklichkeit« gemaßregelt hatte. Wenn auch Shdanow niemals direkt apostrophiert

wurde, verschwand doch sein Name von da ab aus allen Parteipublikationen; es war, als hätte er niemals regiert.

Nun war meiner Meinung nach ein Verschweigen der Entwicklung in der Sowjetunion nicht mehr möglich. Die Rede Malenkows war Pflichtlektüre für jeden Parteizirkel, und ich nahm als selbstverständlich an, daß ihr Inhalt auch von jedem Parteifunktionär begriffen würde. Ich schrieb für die *Berliner Zeitung* einen Artikel (21. Oktober 1952), der die ostdeutsche Öffentlichkeit mit den neuen sowjetischen Erkenntnissen bekanntmachen sollte.[4] Sicherheitshalber spickte ich meinen Artikel bis an die Grenze der Lesbarkeit mit Zitaten aller marxistischen Klassiker (unglücklicherweise aber vornehmlich mit solchen von Malenkow und Mao Tse-tung, die noch nicht heilig gesprochen waren) und beschränkte mich auf die Erörterung ästhetischer Probleme, von denen ein normaler westlicher Leser nie ahnen würde, daß sie politische Bedeutung haben könnten.

Der Aufsatz schlug wie eine Bombe ein. Ich war ahnungslos in den Ameisenhaufen all jener Funktionäre getreten, die sich der Umerziehung des deutschen Volkes zum sozialistischen Realismus geweiht hatten und die nun ihr Lebenswerk bedroht sahen. Das Zentralorgan der SED *Neues Deutschland* eröffnete auf anderthalb seiner Riesenseiten eine Kampagne gegen die *Berliner Zeitung* und mich, die sich dann in allen einschlägigen Kulturzeitschriften der Partei fortpflanzte. Der damals höchste Kulturbeamte der DDR, Leiter der Staatlichen Kunstkommission, der auf den treffenden Namen Holtzhauer hört[5], ließ es sich nicht nehmen, meinen Artikel zum Gegenstand einer ausführlichen und prinzipiellen Erörterung über die »reaktionären Anschauungen der Bourgeoisie auf künstlerischem Gebiet« zu machen. Man entdeckte in meiner eigenmächtigen Antizipation des Neuen Kurses ein äußerst verwerfliches, vielleicht gar hochverräterisches Unternehmen:

»Die Ansichten Rs. laufen auf den Versuch hinaus, den sozialistischen Realismus, den die bislang formalistischen Künstler einzig um den Preis völligen Bruchs mit ihrer alten Welt- und Kunstanschauung erringen können, durch beträchtlichen Preisnachlaß auch den immer noch unbelehrbaren Nachtretern und verstohlenen Nachbetern formalistischer Richtungen annehmbar zu machen. Derlei kunsttheoretischer Rabatt, derlei ideologischer Preisnachlaß ist um so bedenklicher, als er von einem Nachlassen der revolutionären Wachsamkeit zeugt, und dies in einer Zeit, da es zu den Machenschaften des imperialistischen Lagers gehört, samt aller anderen Sabotage auch möglichst viel ideologische Diversion in unser Lager zu schleusen.«

(Franz Leschnitzer, Moskau,
in der Berliner Zeitung)

»Wohl ist der Formalismus geschlagen und zurückgedrängt worden, aber er hält sich noch krampfhaft und verteidigt zäh einzelne Positionen ... In dem Artikel von R. tritt eine Methode in Erscheinung, die unter Benutzung von Zitaten, welche aus dem Zusammenhang gerissen sind, versucht, den sozialistischen Realismus mit angeblich marxistischen Argumenten zu schlagen.«   *(Der bildende Künstler)*

Formalismus, worunter man im Osten alle moderne Kunst von den Impressionisten bis Klee, von Debussy bis Strawinsky zu verstehen pflegt (die *Tägliche Rundschau,* Organ der sowjetischen Besatzungsmacht, gebrauchte in einem ihrer inquisitorischen »Orlow«-Artikel[6]

dafür offenherzig das in Deutschland bekanntere Synonym »Entartete Kunst«), war das Schlimmste, dessen man jemand in der stalinistischen Kulturpolitik zeihen konnte. Das ZK berief eigens eine theoretische Konferenz, auf der ein ZK-Mitglied, das ein halbes Jahr später seine »Fehler« selbstkritisch und weinerlich bereute, die *Berliner Zeitung* ein Agentennest nannte. Ein anderer forderte, uns die Fenster einzuschmeißen.[7] Die SED-Mitglieder der Redaktion wurden wegen ihrer mangelhaften ideologischen Wachsamkeit zur »Selbstkritik« gezwungen. – Der Staatssicherheitsdienst nahm sich der Angelegenheit an.[8]
Wenn ich letzten Endes doch glimpflich davonkam, so mag es daran gelegen haben, daß ich als parteiloser, sowieso mit bürgerlichen Resten behafteter Intellektueller, als »guter Heide«, wie Milosz sagt[9], eine gewisse Narrenfreiheit genoß. Daraufhin schrieb ich das Ganze noch einmal, nur diesmal geschickter, nämlich als Artikel zum dreiundsiebzigsten Geburtstag von Stalin, und geschmückt mit echten Stalin-Zitaten, hauptsächlich aus seiner Frühzeit, als der Alte noch konzilianter war.[10]
Da war z. B. die Anekdote von einem bekannten Flugzeugkonstrukteur, der mit Stalin über das Vergnügen an Abenteuerromanen plauderte. Als der Ingenieur bedauerte, daß man in der Sowjetunion nicht nur keine neuen Bücher dieser Art schreibe, sondern nicht einmal die

„Kein Zeichen der Schwäche, Brüder, wir weichen nicht, und wenn ich rufe: Formalismus! — dann los."

Aus dem „Sonntag"

alten neu auflege, antwortete Stalin verschmitzt: »Wie wollen Sie, daß unsere Verleger Cooper verlegen, wenn dort kein Wort von Kollektivwirtschaften und Traktoren steht.« Auf Wunsch der Redaktion mußte ich hinzufügen: »Stalins ironische Bemerkung ist nicht ohne Wirkung geblieben; heute werden in der Sowjetunion nicht nur die alten, guten Abenteuerromane verlegt, sondern auch prachtvolle neue geschrieben.« Ich hatte gegen diese Einschränkung nichts einzuwenden, denn jeder Leser wußte natürlich, daß es jedenfalls in der DDR keine Abenteuerromane, sondern nur Bücher von Kollektivwirtschaften und Traktoren gab.

Derweil liefen die Verfechter des alten Kunstkurses Amok. In ihrem Unterbewußtsein rumorte das Trauma eines vielleicht doch einmal kommenden neuen Kurses. Wahrscheinlich hatten sie nur deshalb meine Angelegenheit so aufgebauscht, weil sie spürten, daß es die letzte Chance war, ihre Gegner mundtot zu machen. Am meisten hatte die bildende Kunst zu leiden, weil dort die leichteste Betätigung für Dilettanten möglich war (der Vergleich eines Bildes mit der Photographie ist ein sehr plausibles Verfahren) und weil die sowjetischen Kulturoffiziere, die literarisch und musikalisch meist sehr gebildet waren (ihnen verdankte die DDR die »Ehrenrettung« Richard Wagners), aus Mangel an entsprechenden Traditionen in Rußland von Malerei und verwandten Künsten gar nichts verstanden. So kam es, daß die Kunstkommission eine Boykotthetze gegen alle noch im Osten lebenden (auch gegen die dem Kommunismus nahestehenden) Künstler von Format inszenierte; einige flüchteten, andere zogen sich in die innere Emigration zurück. In den Kunstausstellungen hingen Bilder, die schon unter Hitler im Haus der Kunst in München ausgestellt waren; ein Mann, der einst Hitler-Büsten fabrizierte, porträtierte jetzt den Präsidenten Wilhelm Pieck; und ein monumentales Gemälde »Flieger in der Luft«, das der Ministerpräsident Grotewohl in einer Festansprache rühmte, ging auf ein Photo nationalsozialistischer Pimpfe zurück. Demgegenüber wurden Ernst Barlach und Käthe Kollwitz, die wegen ihrer Gesellschaftskritik von den deutschen Linken seit je verehrten

Meister, verunglimpft und als »der imperialistischen Kunst verfallen« gebrandmarkt. Man erhob »das Banner Dürers« (den man in Ermangelung jeden Originals in der DDR für einen Naturalisten hielt) und zog gegen Grünewald und Botticelli, die »Vorläufer des Formalismus«, zu Felde, als handele es sich um Erzfeinde wie Trotzki oder Churchill. Als im Ostberliner »Märkischen Museum« zufällig unbekannte Handzeichnungen Grünewalds gefunden wurden, verschloß die Kunstkommission die »künstlerisch wertlosen« Zeichnungen in den Tresor, »damit der Feind sie nicht mißbrauchen könne«.[11] Der Direktor des Museums, der die Blätter ahnungslos publiziert hatte, ein alter, ganz unpolitischer Mann, wurde gemaßregelt und ging nach Westberlin.

Diese hanebüchenen Exzesse einer kleinen Gruppe von Kulturfunktionären brachten alle Intellektuellen der DDR gegen die Kulturpolitik der Regierung auf. Es bildete sich eine Art Einheitsfront, angefangen von prinzipiellen Gegnern des Regimes und ganz unpolitischen Menschen bis zu den prominenten kommunistischen Dichtern und Künstlern, ja bis zu hohen Parteifunktionären, die den Schaden fürchteten, den Dummheit und Engstirnigkeit hier anrichteten.

Im Frühjahr 1953 traten endlich die Ereignisse ein, die auch die Kulturpolitik der DDR vor völlig neue Tatsachen stellten. Der Tod Stalins, die Freilassung der »zionistischen« Ärzte, die zuvor des Mordes an Shdanow beschuldigt worden waren, die Verhaftung und Erschießung der sowjetischen Staatssicherheitsminister, die Verkündung des Neuen Kurses in der DDR unter schweren Selbstanklagen der Regierung, der Aufstand der mitteldeutschen Arbeiter – das alles waren weltbewegende Vorgänge, an die niemand gedacht hatte, als die sowjetischen Parteitheoretiker noch über Sprachwissenschaft und formale Logik diskutierten.

Die Intellektuellen nach dem 17. Juni

Die allgemeine Erregung und der revolutionäre Auftrieb, von denen die Menschen im Osten Deutschlands angesichts der Umwälzungen in der Staatsführung ergriffen wurden, lösten in den Wochen um den Volksaufstand jene Bewegung unter den Intellektuellen aus, die später in der westdeutschen Presse als »der 17. Juni der Intelligenz« bezeichnet wurde. Sie fand ihren festlichen Prolog mit der Premiere des satirischen Lustspiels »*Shakespeare dringend gesucht*« im Ostberliner Deutschen Theater. Der junge Dramaturg dieses Theaters, Dr. Heinar Kipphardt[12], hatte sich in diesem Stück all seine Sorgen und Nöte über den östlichen Kunstbetrieb von der Seele geschrieben – offenbar auch er in der stillen Hoffnung auf eine eventuell einmal kommende Kursänderung, denn während er an seiner Komödie schrieb, war an eine öffentliche Aufführung gar nicht zu denken gewesen (noch im Text nannte er, als ehemaliger Nervenarzt psychiatrisch gebildet, die Idee, in der DDR eine Satire aufführen zu wollen, »die schönste wahnhafte Illusion des zwanzigsten Jahrhunderts«). Nun kam das Stück zur rechten Zeit. Die Uraufführung hatte den Charakter einer Demonstration. An zwei Stellen wurde das von Stürmen lange gestauter Heiterkeit begleitete Spiel durch minutenlangen Szenenbeifall unterbrochen: Als eine »Abgesandte aus Berlin« (vergleichbar dem reitenden Boten des Königs am Schluß der alten französischen Komödien) zu einem lokalen Kulturgewaltigen kommt, einem ehemaligen Milchprüfer, der sich durch Austreibung aller Talente »um den künstlerischen Nachwuchs verdient gemacht hat«, und dessen Suada mit den Worten unterbricht: »Ich weiß nicht, ob man einen Fachmann wie Sie auf die Dauer der Milchwirtschaft entziehen kann . . .« Und bei dem Ausspruch: »Wir brauchen Menschen, die bei ihrer Arbeit das Gesicht den Massen und nicht den vorgesetzten Dienststellen zuwenden.« Nach der Aufführung stand das Parkett auf wie ein Mann und applaudierte. Es war hübsch anzusehen, wie die unter dem Publikum verstreuten Parteifunktionäre schamhaft nach der Regierungsloge schielten, ob sie zustimmen dürften. Da trat der Ministerpräsident Grotewohl bis an die Brüstung vor und klatschte lang anhaltend. Es war jene Zeit, als die SED, durch den Druck von oben und unten verwirrt, eine Resolution annahm, in der es hieß: »Wenn die Arbeiter die Partei nicht verstehen, sind nicht die Arbeiter schuld« (we-

nige Wochen später wußte von einer solchen Resolution niemand mehr etwas).

In dieser Atmosphäre faßten die Intellektuellen sich ein Herz und verlangten von der Regierung eine Beseitigung ihrer Bedrängnisse. Die höchsten kulturellen Gremien der DDR, die Akademie der Künste und der Präsidialrat des Kulturbundes, in den letzten Jahren zu bloßem Schattendasein verurteilt, nahmen auf Initiative der in seltener Einmütigkeit auftretenden Dichter Becher und Brecht Resolutionen an, in denen sie sich die administrative Einmischung staatlicher Stellen in die Kunst verbaten. Das SED-Organ *Neues Deutschland* wollte die Publikation dieser Erklärungen verhindern, aber die *Berliner Zeitung* druckte sie. Schon vorher war ein angesehener Parteipropagandist namens Besenbruch zu mir gekommen und hatte mich um die Veröffentlichung eines Aufsatzes gegen die Kunstkommission ersucht, den das eigentlich zuständige *Neue Deutschland* abgelehnt hatte. Besenbruch wollte den oppositionellen Stimmungen in der Intelligenz von Parteiseite aus das Wasser abgraben, eine sehr geschickte Idee, aber das *Neue Deutschland* war durch seinen Kulturkritiker Wilhelm Girnus so in die alte Linie verstrickt, daß es vor jeder Revision, sei es auch von oben, Angst hatte. In der *Berliner Zeitung* war der Artikel trotz seines verschrobenen Parteijargons ein Signal. Wir veröffentlichten täglich weitere Angriffe auf die alte Kulturpolitik, die von allen Seiten an uns herangetragen wurden. Wir brachten Bilder, die die Kunstkommission und das ZK diktatorisch aus Ausstellungen entfernt hatten, und Bert Brecht schickte uns seine letzte »reimlose Lyrik in freien Rhythmen«, darunter ein Gedicht auf das »Amt für Literatur«:

Das Amt für Literatur mißt bekanntlich den Verlagen
unserer Republik das Papier zu, soundso viele Zentner
des seltenen Materials für willkommene Werke.
Willkommen
sind Werke mit Ideen,
die dem Amt für Literatur aus den Zeitungen bekannt sind.
Diese Gepflogenheit

müßte bei der Art unserer Zeitungen
zu großen Ersparnissen an Papier führen, wenn
das Amt für Literatur für eine Idee unserer
* Zeitungen*
immer nur ein Buch zuließe. Leider
läßt es so ziemlich alle Bücher in Druck gehen,
* die eine Idee*
der Zeitungen verarzten.
So daß
für die Werke manchen Meisters
dann das Papier fehlt.

Höhepunkt der Kampagne war ein brillanter Aufsatz des Publizisten Wolfgang Harich, der temperamentvoll die Absetzung der Kunstkommission und der allmächtigen Kunstkritiker Girnus und Magritz forderte, weil sie u. a. »die Kunstproduktion gehemmt, Schaffenskrisen psychotischen Charakters bei hervorragenden Künstlern hervorgerufen, die besten Kunsthistoriker abgestoßen und das Ansehen der kulturellen Errungenschaften unserer Republik in ganz Deutschland geschädigt haben«.[13] Aber auch Harich nahm als guter Genosse die Absichten der Regierung vor den Taten ihrer unfähigen Funktionäre in Schutz.[14] Man muß überhaupt bedenken, daß viele Wortführer der Kampagne treu zur SED standen und in der Durchsetzung des Neuen Kurses lediglich »die schärfste Waffe der Partei« sahen, bei den Massen Vertrauen zu gewinnen. So verurteilten die Beschlüsse der Akademie und des Kulturbundes ausdrücklich die Erhebung vom 17. Juni, und Brecht verspürte an jenem Tage das Bedürfnis, in einem Telegramm seine Verbundenheit mit Ulbricht auszudrükken. Auf die Haltung der Parteiliteraten traf vorzüglich das Wort, das der französische Historiker Prosper Lissagaray schon im vorigen Jahrhundert niederschrieb: »Diese alten Weiber, welche ihr ganzes Leben lang die Revolution besungen hatten, liefen jetzt, da sie leibhaftig vor ihnen stand, erschrocken davon, wie der arabische Fischer bei der Erscheinung des Genius.« Andererseits aber lag ihnen als gebildeten und kultivierten Menschen auch ehrlich an einer sauberen geistigen Atmosphäre, und ihre kulturellen Forderungen stimmten in jenen Tagen mit der Meinung der ganzen Intelligenz überein.

Die von allen Seiten attackierten Kulturfunktionäre gerieten in Panik. Der allmächtige Kulturchef des *Neuen Deutschland*, Girnus, der Mann, dem keiner von uns widersprechen durfte, als er Barlach als »Barfüßler«, das *Bauhaus* als »imperialistische Kulturbarbarei« diffamierte und einen angesehenen Künstler und Dozenten zur Flucht nach dem Westen trieb, weil dessen Schüler verfaulte Fische gemalt hatten – dieser Girnus schrieb der *Berliner Zeitung* einen verängstigten Brief, aus dem hervorging, daß er das ZK schon immer vor der Kunstkommission gewarnt habe.[15] Die Mitglieder der Kunstkommission selbst legten reueknirschende Schuldbekenntnisse ab, die Brecht wie folgt schildert:

Geladen zu einer Sitzung der Akademie der
* Künste*
zollten die höchsten Beamten der
* Kunstkommission*
dem schönen Brauch, sich einiger Fehler zu
* zeihen,*
ihren Tribut und murmelten, auch sie
zeihten sich einiger Fehler. Befragt
welcher Fehler, freilich konnten sie sich
an bestimmte Fehler durchaus nicht erinnern.
Alles, was
ihnen das Gremium vorwarf, war
gerade nicht ein Fehler gewesen. Denn
* unterdrückt*
hatte die Kunstkommission nur Wertloses,
* eigentlich auch*
dies nicht unterdrückt, sondern nur nicht
* gefördert.*
Trotz eifrigsten Nachdenkens
konnten sie sich nicht bestimmter Fehler
* erinnern, jedoch*
bestanden sie heftig darauf,
Fehler gemacht zu haben – wie es der Brauch
* ist.*

Ein Schritt vorwärts, zwei Schritt zurück

Es wäre für die Regierung in dieser Situation ein leichtes gewesen, die kompromittierten Funktionäre fallenzulassen, die Kunstkommission aufzulösen, die Fehler des alten Kurses zu verurteilen, wie sie es ja auf verschiedenen politischen und wirtschaftlichen Gebieten schon getan hatte (allerdings auf Moskauer Druck) – und sie hätte erstmalig bei den Intellektuellen Sympathien gewinnen können. Aber Regierung und Parteiführung fürchteten sich vor der Revolte einer Gruppe von Literaten, Künstlern und Professoren. Wenn wir Holtzhauer absetzen, so sagten sie, verlangt man, daß wir auch Ulbricht entfernen. Sie hatten noch immer das dumpfe Grollen der Volksmassen vom 17. Juni im Ohr. An jenem Tage war die Reform von oben mit der Revolution von unten zusammengestoßen, und wie es in solchen Fällen immer zu gehen pflegt, schreckte die herrschende Klasse vor den Konsequenzen ihrer Intentionen zurück. Da es ihr nicht auf die Freiheit selbst, sondern nur auf die Beschwichtigung der Massen ankam, die nun doch nicht eingetreten war, nicht eintreten konnte unter den antidemokratischen Verhältnissen der totalitären Gesellschaft, hatte der ganze Neue Kurs seinen Sinn verloren und wurde nur noch dem Namen nach weitergeführt, um bei bester Gelegenheit endgültig begraben zu werden.

Als die ersten Anzeichen einer solchen Entwicklung unterirdisch spürbar wurden, schrieb ich in der *Berliner Zeitung* einen Leitartikel, in dem ich wenigstens die Minimalforderungen zu verteidigen versuchte.[16] Dabei passierte es mir, daß ich in der naiven Annahme, es ginge gegen jede Art kulturpolitischer Mißstände, als Beispiel eines Fehlers die Behandlung angesehener Maler hervorhob, deren Meisterklassen administrativ aufgelöst worden waren.[17] Für diesen Übergriff war aber ausnahmsweise einmal nicht die Kunstkommission, sondern die Akademie der Künste verantwortlich, weshalb ihr Präsident Becher, gegen die anderen sonst der schärfste Kritiker, sofort telefonisch bei der Chefredaktion der *Berliner Zeitung* die weitere Publikation stoppte. Ich mußte also für den zweiten Teil der Auflage am nächsten Tag den Artikel mit einem anderen Beispiel, und zwar aus dem Bereich der vorübergehend noch zum Abschuß freigegebenen Kunstkommission, ausstatten, das freilich nicht schwer zu finden war. Besonders peinlich war dabei, daß wir nicht mehr genau wußten, welcher Leserkreis schon die erste Fassung bekommen hatte (die Auflagen überschnitten sich), so daß ein Teil unserer Leser zu seinem Erstaunen und nicht geringer Verwirrung zwei Tage hintereinander denselben Artikel nur mit jeweils verschiedenem »Aufhänger« vorgesetzt bekam. Dabei war die Aufhebung jeglicher Zensur eine der wichtigsten Forderungen gerade – der Akademie der Künste.

Das war ein böses Omen und zeigte schlagartig, wie heterogen die »Einheitsfront« der Intellektuellen war. Jetzt mußte sich erweisen, wem die Partei und die Macht und wem die künstlerische Freiheit mehr wert war. Der Unglücksrabe Besenbruch, der in bravster Absicht die ganze Aufregung eingerührt hatte, mußte sich vor der Partei durch einen Aufsatz im *Neuen Deutschland* rehabilitieren, in dem er faktisch alles widerrief, wofür er zehn Tage früher eingetreten war, und die Artikel der *Berliner Zeitung,* bei der er doch gerade vor dem Boykott seines Parteiorgans Schutz gesucht hatte, als gefährliches Gift denunzierte. Ich weiß heute noch nicht, wieviel seines Artikels wirklich von ihm und wieviel von Girnus stammte – genug, er mußte seinen Namen dazu hergeben. Klassisch war die Demagogie, mit der er gegen seine Verbündeten von gestern vorging: Der Erfolg des Neuen Kurses, hatte Harich geschrieben, hinge davon ab, daß die Menschen, die ihn durchführen werden, es ehrlich meinen und aus ihren Erfahrungen zu lernen gewillt seien. »Was bedeutet das?« fragte Besenbruch. »Wer sind denn diese Menschen, die den Neuen Kurs durchführen? Das ist unsere Regierung mit den Genossen Grotewohl und Ulbricht an der Spitze, das ist unsere Partei mit dem Zentralkomitee an der Spitze . . ., und diesen Menschen gegenüber wagt Harich die ungeheure Unterstellung, daß sie es nicht ehrlich meinen könnten.« Man beachte, auf welche feine Art man zum Staats- und Parteifeind gestempelt werden kann. – Der Staatssicherheitsdienst nahm sich der Angelegenheit an . . .

Nun wurde es auch für die liberale Gruppe der Parteidichter, von der die Akademie- und Kulturbundbeschlüsse ausgegangen waren, höchste Zeit, aus der kompromittierenden Bundesgenossenschaft mit den allzu Radikalen herauszukommen. Deshalb entschuldigte sich Bechers engster Mitarbeiter, Staatssekretär Alexander Abusch[18], im Kulturbundorgan *Sonntag* in langen Wendungen für all die unbeabsichtigten Scherereien, erkannte dem Staat wieder alle Rechte zu, die man ihm zuvor abgesprochen hatte, und bezeichnete diejenigen, die sich zu weit vorgewagt hatten, als die Insassen einer Kutsche, die sich beim plötzlichen Passieren einer Kurve aus dem Wagen schleudern lassen. (Daß die derart denunzierten Sprecher der Intellektuellen dann doch nicht weiter verfolgt wurden, hing mit den Fraktionskämpfen im Politbüro der SED zusammen, denen zwei ihrer hauptsächlichsten Verfolger, der Chefredakteur des *Neuen Deutschland,* Rudolf Herrnstadt, und der Staatssicherheitsminister Wilhelm Zaisser, selbst zum Opfer fielen.)[19]

Die Preisgabe aller Forderungen nach kultureller Freiheit durch die Präsidien des Kulturbundes und der Akademie der Künste wurde vom Politbüro mit dem Versprechen auf ein Ministerium belohnt, das unter Leitung des Präsidenten beider Gremien, Johannes R. Becher, gegründet werden sollte, um die Herrschaft Holtzhauers abzulösen. Da die Partei aber befürchtete, die aufrührerischen Intellektuellen könnten schon diese mehr platonische Umsetzung als einen Erfolg buchen und daraus neuen Mut schöpfen, vertagte man die Maßnahme erstmal auf unbestimmte Zeit. Der Becher-Gruppe war nämlich trotz aller Vorsicht doch noch eine peinliche Panne unterlaufen: Grade während der entscheidenden ZK-Sitzungen hatte das Kulturbundorgan *Sonntag* in einer Bildserie die Unsitte der »Sichtwerbung« und der »Beschallung« angeprangert. Man versteht darunter das Anbringen zahlloser Plakate und Transparente mit dem unsinnigsten Inhalt an allen möglichen und unmöglichen Orten (z. B. *»Es lebe der 1. Mai«* oder *»Senkt die Waldbrände um 50%«*) und die ununterbrochene, grell tönende Berieselung der Bevölkerung auf den Straßen und Plätzen mit Lautsprecherübertragungen von Agitationsreden und FDJ-Liedern. Die Beseitigung dieser Mißstände lag Becher als einem Mann mit Geschmack sehr am Herzen. So brachte der *Sonntag* u. a. ein mißlungenes Plakat mit dem Bilde Ulbrichts und dazu die Unterschrift »Dieses scheußliche Machwerk steht in Berlin«. Die Parteiführung bezog nun den Text nicht auf das Plakat, sondern auf den Ersten Sekretär

der SED selbst und ließ die ganze Ausgabe beschlagnahmen. Man kann sich vorstellen, daß Becher kein sehr freundliches Verhandlungsklima fand.

So blieb denn alles beim alten: Die Kunstkommission amtierte weiter, und die Intellektuellen murrten. Nur im Ministerium für Volksbildung, das in seinen terroristischen Exzessen nicht hinter der Kunstkommission zurückgestanden hatte, räumte Ulbricht persönlich auf: einmal, weil der Minister, Frau Else Zaisser, in den kritischen Tagen mit ihrem Mann zusammen gegen Ulbricht gestimmt hatte, zum anderen, weil, wie sich herumsprach, das Kind Lotte Ulbrichts von einem Lehrer geprügelt worden war.

Das Signal zeigt rot

Während in der Sowjetunion die Diskussion unter dem neuen Minister für Kultur Alexandrow noch ihrem Höhepunkt zustrebte – Chruschtschow entlarvte den Pflanzenmagier Lyssenko, Ehrenburg propagierte Joyce und Moravia, die Impressionisten wurden »amnestiert« (d. h. ihre Säle in den Museen geöffnet) und auf den Bühnen wurden die expressionistischen Satiren Majakowskis nach über zwanzig Jahren wiederaufgeführt –, war in der DDR die Atmosphäre stickig wie zuvor. Zwar war der Druck der Kunstkommission gemildert, denn ihre Funktionäre traten jetzt mit rührender Schüchternheit auf, zwar gab es jetzt etwas mehr Raum für die Initiative der einzelnen Intellektuellen in den Spielplänen, Ausstellungen, Buchproduktionen und Presseartikeln, aber da der alte Kurs niemals verurteilt, sondern eher verteidigt worden war, bewegte sich die ganze Kulturentwicklung nach dem Gesetz der Trägheit in der alten Richtung. Der einzelne, der dagegen anrannte, vergeudete seine Kräfte. Die Tausende von kleinen Funktionären in jedem Winkel des Landes arbeiteten im alten Trott. Die materiellen Grundlagen der Kultur, Zeitschriften, Kunsthochschulen, Etatmittel, waren in den alten Händen geblieben. Was nutzte es, daß z. B. die Plastiken des bekannten Bildhauers Fritz Cremer von den Zeitungen nun nicht mehr verrissen, sondern gelobt, sogar mit dem »Nationalpreis« prämiiert wurden, wenn die Funktionäre für die Stadtgestaltung sie nicht aufstellten? Daß man beschloß, zur Hebung des Bildungsniveaus an den Hochschulen das Übermaß an staatspolitischem Unterricht (dialektischer und historischer Materialismus, Politökonomie, Wehrsport, russischer und deutscher Sprachunterricht) zu reduzieren, dann aber nur die (für den Funktionärsnachwuchs bitter nötigen) Kurse in deutscher Sprache und Literatur einsparte, weil für eine Kürzung z. B. des Russischen oder des Politunterrichts niemand die Verantwortung zu übernehmen wagte?

Besonders deutlich wurde die Situation anläßlich der Ostberliner Aufführung des sowjetischen Theaterstücks *»Das grüne Signal«*. Dies Stück hatte eine interessante Geschichte. Es wurde in der Sowjetunion bald nach Kriegsende uraufgeführt und von der Partei propagiert, weil es die nach dem Siege eingerissene Bequemlichkeit und Selbstzufriedenheit der sowjetischen Managerschicht angriff. Der Riemen sollte wieder enger geschnallt und die Produktion gesteigert werden. Schluß mit weißen Schwänen, Flügeln, Kristallgläsern, Spielkarten, roten Damenhandschuhen, all diesen abscheulichen Ausgeburten westlicher Dekadenz; der Eisenbahnergeneral muß aus seiner Villa wieder in das Lokomotivdepot umziehen. Und Schluß auch mit der Anbiederung an das Ausland; wer in westlichen Fachblättern über die Sowjetwissenschaft schreibt, leistet der fremden Spionage Handlangerdienste. In dem vortrefflich realistischen Stück bespitzeln sich Mann und Frau, Eltern und Kinder, Kollegen, Lehrer und Schüler gegenseitig. Schließlich legen alle Selbstkritik ab und organisieren einen sozialistischen Wettbewerb. – Man kann sich vorstellen, daß der Sowjetbourgeoisie solch krasser Rückfall in den revolutionären Asketismus gar nicht schmeckte. Die Moskauer Rezensenten verrissen das Stück einmütig wegen seiner primitiven Schwarzweiß-Malerei. Daraufhin setzte sie Shdanow allesamt als eine »Gruppe kosmopolitischer Kritiker« vor die Tür und verlieh dem Stück den Stalinpreis. Mit dem Anbruch des Neuen Kurses waren die Thesen des Stücks natürlich überholt. *»Das grüne Signal«* verfiel der Vergessenheit ebenso wie sein verstorbener Schirmherr Shdanow.

Der Autor Surow wurde während der Ära Malenkow aus dem Schriftstellerverband ausgeschlossen, angeblich wegen »unmoralischen Verhaltens«.

Es gehörte schon die ganze Instinktlosigkeit eines Stalinisten dazu, dies Stück gleich nach der Proklamation des Neuen Kurses in Deutschland aufzuführen. Zwar sah sich das breite Publikum ein solches Schauspiel sowieso nicht an, aber auf die Funktionäre mußte es im Sinne ihrer alten Vorurteile wirken. Deshalb hielt ich es für notwendig, das Stück zu kritisieren, um so mehr, als ich mir eigentlich nicht vorstellen konnte, daß jemand ein Werk verteidigen würde, das so offensichtlich allen aktuellen Propagandathesen von der Verbesserung der Konsumgüterversorgung und der Freizügigkeit zwischen Ost und West ins Gesicht schlug. Aber meine Kritik, die in dem Kulturbundorgan *Sonntag* erscheinen sollte, wurde von Abusch und dem Sekretariat des Kulturbundes schon in der Druckerei liquidiert, weil man jeden Ärger vermeiden wollte und wieder mal die Gründung des Ministeriums für Kultur in Aussicht stand. (Es war außerdem in der DDR-Presse nicht üblich, Kritik an einem sowjetischen Werk zu üben.) Ich schickte daraufhin meine Rezension zum *ZK* und fragte an, wie es denn nun eigentlich mit dem Neuen Kurs stünde. Die Antwort war salomonisch: Ich hätte natürlich völlig recht und man dankte mir für meine Kritik, aber ich müßte doch einsehen: da die deutschen Schauspieler und das deutsche Publikum sowieso nichts für sowjetische Stücke übrig hätten, würde sie die Veröffentlichung meiner Kritik nur in ihren rückständigen Auffassungen bestärken. Daß diese Auffassungen viel eher durch die Aufführung eines schlechten Stückes bestärkt werden könnten, war ein ganz parteiwidriges Argument, das ich mir vorzubringen ersparte. Ein anderer Kritiker wagte dann doch noch eine negative Einschätzung, allerdings nicht des sowjetischen Stücks, sondern der deutschen Aufführung, was ungefährlicher war, und wurde darauf in einem Beschluß der Betriebsgewerkschaftsleitung des Theaters, der der Betriebsgewerkschaftsleitung der Zeitung zugestellt wurde, einer feindlichen Gesinnung bezichtigt.

Kurz darauf sprachen wir mit einem prominenten sowjetischen Gast, einem berühmten Maler und mehrfachen Stalinpreisträger, über das Stück und daß es heutzutage doch wohl etwas überholt sei. Der Gast lächelte: »Warum drükken Sie das so umständlich aus – meinen Sie, *früher* hätte sich das bei uns jemand gern angesehen?«[20]

Anders als Romeo und Julia

In jene Zeit fiel die Uraufführung des »ersten heiteren Liebesfilms« der DEFA, ein Geschenk des Neuen Kurses, denn bis dato war Lieben und Küssen im Film wie in der Literatur verpönt. Der Film *»Das kleine und das große Glück«* wurde eine arge Enttäuschung, denn wieder war die Liebe das kleine und die Arbeit das große Glück. Der Berliner Volksmund taufte den Film frei nach dem berühmten schwedischen Vorbild »Sie schippte nur einen Sommer«. Diesmal waren sich die Kritiker aller Zeitungen einig: So durfte es nicht weitergehen, wollte man nicht den letzten Zuschauer aus dem Kino vergraulen. Die *Berliner Zeitung* eröffnete eine Diskussion unter der Überschrift »Das kleine und das große Pech«, in der sich die Leser endlich einmal ihren Ärger über die schlechten DEFA-Filme vom Herzen schrieben.

Nun war das Problem Liebesfilm besonders heikel. Noch während des alten Kurses, als die Filmkünstler dringend nach einer Aufheiterung der Leinwand verlangten, hatte das *Neue Deutschland* darüber eine Aussprache zugelassen. Der Regisseur Kurt Stern beispielsweise berief sich darauf, Präsident Wilhelm Pieck hätte nach Besuch eines DEFA-Films verwundert geäußert: »Als ich achtzehn Jahre alt war, da habe ich, wenn ich mit meinem Mädchen zusammen war, nicht nur über Gewerkschaftsfragen mit ihr gesprochen.« Der Regisseur Kurt Maetzig schrieb: »Unsere Zuschauer meinen nicht einen Film über das Leben auf dem Dorfe, in das auch eine Liebesgeschichte hineinspielt, sie meinen nicht die Geschichte einer Aktivistenbrigade, bei deren glücklichem Beschluß auch ein junges Paar sich befindet, nein, sie meinen die Liebe selbst, so stark und gewaltig wie die Liebe von Romeo und Julia.«

Die Redaktion unter Herrnstadt antwortete prompt: »Und das ist eben der falsche Standpunkt ... Der Künstler kann nur einen einzigen Standpunkt einnehmen, den eines Kämpfers in der vordersten Linie, der mit dem Wort, mit dem Bild leidenschaftlich Partei ergreift.« Inzwischen war viel geschehen: der Neue Kurs verkündet, Herrnstadt mit Schimpf und Schande aus der Partei ausgeschlossen – aber da man sich darauf geeinigt hatte, lieber überhaupt keine Fehler mehr zuzugeben (Ulbricht stellte die schwer widerlegbare These auf, ohne den alten Kurs hätte es auch keinen neuen geben können), blieb die alte Deklaration des Zentralorgans über Liebesfilme in Kraft.

Es kam, wie es kommen mußte: Einberufung einer Tagung beim ZK, auf der die Kritiker gerügt wurden, Vorladung eines Redakteurs der *Berliner Zeitung* nach Karlshorst[21], sofortiger Abbruch der Diskussion. Und Ministerpräsident Grotewohl verurteilte schließlich persönlich in einer Rede die »nicht richtig orientierte Kritik, die die ersten zaghaften Gehversuche des realistischen Films in Grund und Boden zerschlägt«, freilich nicht ohne zu erwähnen, daß er das Recht der Kritik und freien Meinungsäußerung natürlich nicht einschränken wolle ...

Mit derselben Rede löste Grotewohl die Kunstkommission auf und ernannte Johannes R. Becher zum Minister für Kultur. Ist es ein Wunder, daß die ostdeutschen Intellektuellen diesem Ereignis, das sie ein halbes Jahr früher so stürmisch gefordert hatten, nun völlig gleichgültig gegenüberstanden?

Fragen an die Genossen Architekten

Einige der fanatischsten der ehemaligen Kunstdiktatoren wie der Diplomingenieur und Sonntagsmaler Kurt Magritz, der Initiator jener sowjetisch signierten Orlow-Artikel, die vermöge ihrer Autorität den meisten Schaden in der Kunst angerichtet hatten, zogen sich auf das Gebiet der Architektur zurück. Dort herrschte der alte Kunstterror mit unverminderter Kraft, einmal weil sich der ehemalige Tischler Ulbricht zur Baukunst besonders hingezogen fühlt, andererseits weil sich das Politbüro mit der Architektur als der Kunst, die die meisten öffentlichen Gelder verschlingt, am ausgiebigsten beschäftigt und dabei ganz im Sinne des alten Kurses engagiert hatte.

Das Politbüro hatte nicht nur das Berliner Schloß, den bedeutendsten Barockbau Norddeutschlands, als »Bollwerk des Militarismus« abreißen lassen, weil es im Zentrum der Hauptstadt einen Aufmarschplatz wünschte, es hatte sich auch intensiv dem Kampf gegen den Formalismus in der Baukunst gewidmet. Herrnstadt fand für die Entstehung des modernen westlichen Baustils folgende Erklärung: »Fällt eine Bombe, so werden die Scheiben und die Menschen hinausgepustet, die teure Stahlkonstruktion bleibt stehen; daher brauchen nur neue Scheiben und neue Mietzahler hineingesetzt zu werden, der für die Kapitalisten entstandene Schaden ist gering.« Als sich bei einer Leserumfrage der *Berliner Zeitung* herausstellte, daß die große Mehrheit der Berliner lichte, breite Fenster den traditionellen hohen und schmalen vorzog, wies der Präsident der Bauakademie, Dr. Kurt Liebknecht, ein derartig rückständiges Ansinnen mit der Begründung zurück, die bürgerlichen Architekten hätten nur deshalb breite Fenster gebaut, weil sie von den Glasfabrikanten bestochen worden seien.

Über die Projektierung der Ostberliner Prachtstraße Stalinallee[22] fanden Gespräche zwischen dem Politbüro und den Architekten statt, aus deren im *Neuen Deutschland* veröffentlichten Protokollen ich etwas zitieren möchte:

»Wir brauchen befriedigende Entwürfe in kurzer Frist, wann können sie fertig sein?«

»In zwei Monaten.«

»Zwei Monate sind zu lange.«

»Wieviel Zeit geben Sie?«

»Acht Tage.«

»Das ist unmöglich. Welches ist die kürzeste Frist?«

»Acht Tage.«

– Betretenes Schweigen bei den Architekten, Einanderansehen, dann:

»Also gut, in acht Tagen werden die Skizzen fertig sein.«

Der Architekt Paulick hatte seinen Entwurf schon in 24 Stunden fertig. Das Politbüro fragte:

»Wie vereinbaren Sie diesen fortschrittlichen Entwurf mit dem Eierkistenmodell, das Sie gestern vorlegten?«

»Gar nicht.«

»Wenn wir nun gestern zugestimmt hätten, so hätten Sie gebaut?«

»Wenn die Partei beschlossen hätte, es soll gebaut werden, so hätte ich gebaut.«

Der Chefarchitekt von Ost-Berlin, Henselmann, hatte über das monströse Gebäude der Sowjetbotschaft Unter den Linden vorsichtig geäußert, es würde in Architektenkreisen »bekanntlich unterschiedlich bewertet«. Herrnstadt »stellte die Frage scharf«:

»Genosse Henselmann, hältst du das Gebäude für schlecht, so sage das. Jede Auffassung kann man bei uns diskutieren, und niemand hält seine Leistungen für unübertrefflich, am wenigsten die sowjetischen Genossen, die am meisten leisten.«

Ulbricht sagte:

»Wenn der Genosse Henselmann Zeit braucht, sich über realistische Baukunst klarzuwerden, werden wir ihm diese Zeit geben. Bauen werden derweil andere.«

Es verging nicht mehr als ein Vierteljahr, da erschien im *Neuen Deutschland* ein Artikel vom Genossen Henselmann, der die moderne, »imperialistische« Architektur als besonders verabscheuungswürdig hinstellte.

Auch nach Proklamation des Neuen Kurses wandelte Ulbricht unermüdlich und unbeirrbar auf den Spuren der »realistischen« Baukunst, jetzt speziell auf dem Gebiet der Innenarchitektur, indem er mehr Stuck und Simse und Löwenköpfe an den Möbeln forderte. Aber das Politbüro in Moskau sollte doch noch dafür sorgen, daß auch hier die Bäume nicht in den Himmel wuchsen.

Vor dem Frost

Inzwischen hatte allerdings der Neue Kurs auch in der Sowjetunion seinen Zenit überschritten. Ehrenburgs Novelle *»Tauwetter«,* die den Frühling literarischer Wahrheit und Freiheit einleiten sollte, wurde wegen ihres depressiven Charakters verurteilt, der junge Kritiker Pomeranzew, der die Aufrichtigkeit als wichtigstes Kriterium eines Kunstwerkes verkündet hatte, eine, wie man meinen sollte, selbstverständliche These, wurde mit hundert Argumenten angegriffen, und der Chefredakteur der Zeitschrift *Nowy Mir,* die die Diskussion geführt hatte, wurde abgesetzt.[23] Man muß dabei bedenken, daß die sowjetischen Intellektuellen ihren Rückzug von einer weit vorgeschobeneren Position aus antraten als die deutschen, deren Vorstoß schon in seinen Anfängen zusammengebrochen war.

In der DDR fraß sich die Restauration lautlos weiter. Die Fanfaren waren auf beiden Seiten verstummt und an ihre Stelle ein versteckter Kleinkrieg getreten, in dem erbittert um jedes Quentchen Freiheit gerungen wurde. Man kann die Lage sehr treffend mit einem Zitat aus einer offiziellen Erklärung des Kulturministeriums beschreiben, das zwar auf Westdeutschland gemünzt, aber ausgesprochen für die DDR charakteristisch ist:

»Dem Ministerium ist bekannt, daß die Kräfte eines humanistischen kulturellen Schaffens weitaus stärker sind, als sie unter den gegenwärtigen Bedingungen öffentlich in Erscheinung treten. Es sind gerade die wertvollsten Menschen auf verschiedenen künstlerischen Arbeitsgebieten, die sich zu einem solchen Schaffen bekennen, deren Namen aber bei der herrschenden Unfreiheit und ihrer Angst vor der Vernichtung ihrer Existenz noch nicht genannt werden können, um sie nicht zu gefährden. Doch überall ist die Tatsache erkennbar, daß Männer und Frauen von humanistischer Gesinnung vorhanden sind, als schöpferische und nachschaffende Künstler, als Wissenschaftler und Erzieher, als Angehörige anderer intellektueller Berufe. Sie sagen ihre wahre Meinung oft nur unter vier Augen, aber sie leisten schon durch ihre Geisteshaltung, die aus ihren Werken, ihrer Arbeit weiterstrahlt, Widerstand gegen die antihumanistischen Kräfte des Militarismus und des Krieges. Viele Künstler lehnen Angebote ab, die ihrem künstlerischen Gewissen widersprechen, und bemühen sich, Werke zu schaffen, die den Geist des Friedens verbreiten helfen. Bekannt sind auch jene, die im täglichen Kleinkrieg um ihre Existenz gehindert sind, ihre wahre Meinung auszudrücken und die sie zwischen den Zeilen sichtbar zu machen versuchen. Nicht wenige Redakteure und Publizisten widerstehen der Verhetzung und setzen sich für einen sachlichen, menschlichen Ton ein. Auch sie sollen wissen, daß sie von uns verstanden werden und bei uns auf Vertrauen rechnen können.«

Ich möchte gerne wissen, wer von den Mitarbeitern des Ministeriums diesen Absatz geschrieben hat. Er wußte gut Bescheid.

Im Oktober 1954 wurde in Berlin eine »Leistungsschau der Bühnen der DDR« veranstaltet, in der die Provinztheater ihre Kunst zeigen sollten. Nun ist das Niveau vieler mittlerer und kleiner Bühnen in der DDR nicht so schlecht, wie im Westen immer angenommen wird, was um so mehr Achtung verdient, als jede künstlerische Leistung gegen den Unverstand der Parteigrößen durchgesetzt werden muß. Infolge einer hoffnungslosen Fehlorganisation, für die einige Beamte des Ministeriums verantwortlich waren, zeigte aber die Schau ein ziemlich trostloses Bild. Ich hielt es für meine Pflicht, die Ensembles der kleinen Theater zu verteidigen und die Schuld der Bürokraten an dem Versagen festzustellen. Als journalistischen »Aufhänger« setzte ich meinem Aufsatz eine philologische Streitfrage voran, die mir charakteristisch zu sein schien: »Als erstes den monströsen Titel ›Leistungsschau der Bühnen der DDR‹ ein für allemal in die Akten. Sagen wir auf gut deutsch, anschaulich und verständlich ›Theaterernte‹ [dieser Name hatte sich beim Publikum längst eingebürgert]. Wer, außer dem Ministerium für Kultur, ist dagegen?«

Dieser Passus, nicht so sehr die daran anschließende geharnischte Polemik, wurde mir zum Verhängnis. Der Sekretär des Zentralkomitees der SED rief den Minister für Kultur an. Becher versammelte seine Mitarbeiter und lud die Redakteure des *Sonntag* vor. Es stellte sich heraus, daß ich ein ungeheuerliches Verbrechen begangen hatte. »Warum«, fragte mich Minister Becher, »wollen Sie das Ministerium beseitigen? Sie schreiben: Alle Leute sprechen gutes Deutsch – nur das Ministerium nicht. Sie schreiben: Alle Leute sind sich einig – gegen das Ministerium für Kultur. Das heißt also: Weg mit dem Ministerium! Weg mit der Regierung! Das ist 17. Juni-Stimmung.« Becher bezog sich auf eine angebliche Anweisung des Bonner gesamtdeutschen Ministeriums, daß es die Hauptaufgabe wäre, die Ministerien der DDR von den Massen zu isolieren. Offensichtlich hätte ich im Sinne dieser Anweisung gehandelt. – Völlig umsonst versuchte ich darzulegen, daß ich nur das gemeint, was ich geschrieben hatte. »Sie sind ein viel zu geschickter Journalist«, meinte Becher, »als daß Ihnen so was aus Versehen passieren könnte.« Schließlich begann ich selbst daran zu glauben, daß mir hier eine tiefenpsychologische Fehlreaktion unterlaufen sein mußte.

Es hätte nur einer Handbewegung von Becher bedurft, um mich hinwegzuwischen. Dennoch unterhielt er sich drei Tage hintereinander sehr väterlich gütig mit mir über Fragen der Kulturpolitik. Warum? Langsam begriff ich: für Becher war der Zwischenfall beängstigender als für mich. Becher hatte den *horror vacui,* jene Erscheinung unheimlicher Beklemmung, wenn man keinen Widerstand mehr spürt, was manche Diktatoren zu sinnlosen Massenverfolgungen treibt. Seit der Gründung seines Ministeriums standen die Intellektuellen Becher kalt und schweigend gegenüber. Er hatte sie nicht gewonnen, obwohl er sich alle Mühe gegeben hatte und bestimmt ein besserer Taktiker als Holtzhauer war. Das aber war für sein Ministerium eine Existenzfrage, denn er mußte nun befürchten, daß das Politbüro seine Zustimmung zur Einrichtung des Ministeriums bereuen und vielleicht wieder rückgängig machen würde. Was haben bloß die Intellektuellen gegen mich, fragte sich Becher. Nun, da endlich mal einer von ihnen laut geworden war, sollte man ihn mundtot machen – damit dann nur wieder das unheimliche Schweigen eintrat? Becher entschloß sich dazu, mich lieber auszufragen.

Ich vertrat die Meinung, daß es nicht genüge, wenn das Ministerium selbst keinen Druck auf die Intellektuellen ausübt, es müsse sie auch vor dem Druck des Funktionärsapparats schützen. Nur dann hätten die Künstler und Wissenschaftler etwas vom Ministerium. Ich brachte

zwei Beispiele: Gerade war von der Erfurter Parteileitung die Aufführung des *»Prinzen von Homburg«* wegen Militarismus verboten, der Intendant Semmelrogge abgesetzt worden. Dieser Skandal, der an die Zensur des Zaren Nikolaus erinnere, müsse alle Bemühungen um einen freieren Spielplan vereiteln. Zweitens erwähnte ich die Lage in einigen Schlössern, mit der ich mich gerade beschäftigte. Rheinsberg war zu einem »Sanatorium Helmut Lehmann« umgebaut worden und ziemlich heruntergekommen. In Mosigkau bei Dessau war der Schloßleiter, der das Bauwerk vor der Sprengung durch die SED gerettet hatte, abgesetzt worden, weil er dagegen protestiert hatte, daß eine dort einquartierte Kindergärtnerinnen-Schule den kostbaren Stuck von der Decke trampelte. – Becher ging sofort den Dingen nach. Er beauftragte seinen Hauptabteilungsleiter für Darstellende Kunst mit der Klärung des Erfurter Vorfalls, rief selbst den Bezirk Potsdam wegen Rheinsberg an und sein zuständiger Referent ließ den Bezirk Halle wissen, daß der Mosigkauer Schloßleiter im Amt zu lassen sei.

Da es noch Hunderte solcher Beispiele gab, die der Minister beim besten Willen nicht alle selbst bereinigen konnte, schlug ich vor, endlich eine große öffentliche Diskussion über den Gedanken einer vernünftigen Kulturpolitik durchzuführen, damit auf diese Weise auch die Masse der Funktionäre etwas erleuchtet würde. Dies aber schien gerade Bechers Herzenswunsch, den er sofort verwirklichen wollte. Ich verließ Bechers Zimmer erfreut über so viel Interesse, Verständnis und guten Willen. Bei solchen Voraussetzungen konnte das Ministerium vielleicht doch ein Schirm für alle Intellektuellen werden, die nichts weiter wollten als unbehelligt arbeiten.

Konnte es das wirklich? Das Ministerium vermochte trotz wochenlanger Bemühungen den Erfurter Fall nicht zu regeln, und als dann endlich der bedrängte Intendant nach dem Westen flüchtete[24], schrieb Minister Becher dem westdeutschen Nachrichtenmagazin *Der Spiegel* einen fatalen Brief:

»In Ihrer Glosse ›Preußens Gloria‹ ist Ihnen ein Irrtum unterlaufen. Herr Semmelrogge ist nicht nach Ostberlin ins Ministerium für Kultur gefahren, um die Aufführung zu retten, infolgedessen konnte er sich auch *damit* kein Parteiverfahren zuziehen. Wir bedauern es, daß Herr Semmelrogge nicht das Ministerium für Kultur unterrichtet hat, sonst wäre es uns zweifellos gelungen, ihn von seinem ganz und gar unbegründeten und unüberlegten Schritt abzuhalten.«

Der Mosigkauer Museumsleiter blieb nach wie vor abgesetzt, und das Ministerium konnte ihm nur eine neue Stellung vermitteln. Und statt einer Änderung in Rheinsberg kam von den dortigen Instanzen ein gepfefferter Brief, der den verleumderischen Berichterstatter »umgehend zu einer prinzipiellen Klärung« vorlud.
Leider, leider – das Ministerium hatte gar keine Macht. Und so fanden denn auch all die Proklamationen, Kongresse, Diskussionen, mit denen Becher in den folgenden Monaten die Intelligenz aufzurütteln versuchte, keinen Widerhall. Die Bemühungen des Ministeriums kamen auch reichlich spät. Die Restauration war nicht mehr aufzuhalten.

Was nun?

Der Neue Kurs schien schon unwiderruflich erledigt, als Chruschtschow, der Rivale und Überwinder Malenkows, einer Bastion zu Leibe ging, die bis dahin allen Angriffen unversehrt getrotzt hatte, der Architektur. In einer programmatischen Rede sagte der Erste Sekretär der KPdSU:

»Einige Architekten verzieren die Gebäude gern mit Turmaufsätzen, wodurch diese kirchenähnlich wirken. Ich will nicht über den Geschmack streiten, aber für Wohnhäuser ist solches Aussehen nicht erforderlich. Ein modernes Wohnhaus darf durch die architektonische Gestaltung nicht in eine Kirche oder ein Museum verwandelt werden. Das schafft keinerlei Bequemlichkeit für die Bewohner des Hauses und erhöht die Unterhaltungskosten ... Einige Architekten versuchen ihre falschen Thesen und die Mängel in ihren Entwür-

fen damit zu rechtfertigen, daß sie auf die Notwendigkeit des Kampfes gegen den Konstruktivismus hinweisen. Doch unter dem Deckmantel des Kampfes gegen Konstruktivismus werden staatliche Mittel verschwendet.«

Diese Rede gab der Kunstideologie des SED-Politbüros wieder einen bösen Stoß, zumal sie, durch die Person des Redners bedingt, auch nach dem offiziellen Ende des Neuen Kurses nicht ihr Gewicht verlor. Das mochte sich wohl auch Becher gedacht haben, denn sein Presseorgan eröffnete eine scharfe Attacke auf die Bauakademie und forderte eine gründliche Überprüfung der sowjetzonalen Baukunst. Das Politbüro begriff, daß mit dieser Frage seine ganze kulturelle Autorität auf dem Spiele stand. Auf der Baukonferenz im April erklärte Walter Ulbricht:

»Von einigen Zeitungen wurde die Kritik der Moskauer Baukonferenz gegen übertriebenen Schmuck ausgenutzt, um formalistische und konstruktivistische Auffassungen zu verbreiten. Die Kritik der Moskauer Baukonferenz an den Hochhäusern kann man nicht schematisch auf unsere Verhältnisse übertragen, denn bei uns gibt es in diesem Sinne gar keine Hochhäuser. Wir müssen berücksichtigen, daß in Deutschland die Frage der vertikalen Dominanten im Stadtbild ein wesentlicher Bestandteil des Städtebaus ist ... Wir wissen, daß unser Weg unter den besonderen Bedingungen des nationalen und sozialen Kampfes in Deutschland der richtige ist.«

Man braucht weder Architekt noch Politiker zu sein, um festzustellen, daß Ulbricht hier das genaue Gegenteil von Chruschtschow sagt und aus Angst vor der Blamage pikanterweise einen besonderen deutschen Weg zum Sozialismus konstruiert, freilich nur in der Architektur. Aber es wird ihn gewiß nicht den Kopf kosten wie die Verfechter ähnlicher Theorien, denn letzten Endes wird Pankow [Sitz der DDR-Regierung in den fünfziger Jahren] natürlich doch so bauen wie Moskau.[25]

Anmerkungen

1 Trofim Lyssenko, Agrarbiologe, Präsident der sowjetischen Akademie der Landwirtschaftswissenschaften, vertrat, von Stalin unterstützt, die Theorie von der Verwandlung der Arten durch Umweltbedingungen (Neo-Lamarckismus). 1965 als »Pseudowissenschaftler« entlarvt und gestürzt.

2 Die Person Alexandrows ist ziemlich unwichtig. Der Name steht, wie wir heute wissen, als Kryptogramm für offiziöse (noch nicht offizielle) Meinungsäußerungen des Politbüros.

3 Er hieß Ernst Hoffmann, nicht identisch mit dem gleichnamigen Funktionär der Kunstkommission. Damals trat aber auch schon Prof. Georg Klaus auf, der später die Kybernetik in der DDR durchsetzte.

4 »Mehr schöpferischen Mut zum Realismus«, Berliner Zeitung, 21. 10. 1952 (Auszug in diesem Buch S. 204). Zu den Mitarbeitern Rühles in der Berliner Zeitung gehörten damals u. a. Edith Scholz (Feli Eick), Sabine Brandt, Fritz Raddatz, Egon Monk, die später im kulturellen Leben der Bundesrepublik bekannt wurden.

5 Helmut Holtzhauer: Nach seinem Sturz als Kunstkommissar 1954 Direktor der Nationalen Forschungs- und Gedenkstätten in Weimar, wo er sich als sehr liberal und gesamtdeutsch kooperativ erwies. Er trat auch öffentlich (in »Sinn und Form«) für schöpferische Freiheit auf. 1973 verstorben.

6 Die sog. »Orlow«-Artikel wurden von deutschen Kommunisten wie Prof. Kurt Magritz (Bildende Kunst), Prof. Kurt Liebknecht (Architektur), Prof. E. H. Meyer und Prof. Georg Knepler (Musik) u. a. unter Anleitung sowjetischer Kulturoffiziere verfaßt; ihre Veröffentlichung im Organ der Besatzungsmacht wirkte verbindlich für die Kulturpolitik der SED.

7 Hauptankläger waren die SED-Professoren Magritz, Girnus, Liebknecht sowie Walter Besenbruch, leitender Mitarbeiter des Zentralkomitees, der aber noch während der Sitzung angesichts der Intransigenz der stalinistischen Fraktion seine Meinung revidierte.

8 Der auf dieser Sitzung gefaßte Beschluß zur Verhaftung Rühles wurde durch Intervention Bechers vom Generalsekretär der SED, Walter Ulbricht, aufgehoben.

9 Czeslaw Milosz, Autor der Analyse »Verführtes Denken« (1952), Nobelpreis für Literatur 1980.

10 »Das Leben muß den Sieg erringen!«, Sonntag, Nr. 51/1952.

11 Die Sicherstellung war schon ein Gewinn. Becher, der in seiner Jugend den Isenheimer Altar bedichtet hatte, stellte sich auf Rühles Seite: Grünewald sei nicht ein »Vorläufer des Formalismus«, sondern der Maler des großen deutschen Bauernkriegs. (Rühle, »Das Geheimnis Grünewalds«, Berliner Zeitung, 2. 9. 1953). Im Museum für Deutsche Geschichte im Zeughaus Ost-Berlin stellte der Direktor, Prof. Alfred Meusel, ein braver, aber fundierter SED-Historiker, eine Kopie des Isenheimer Altars auf.

12 Heinar Kipphardt: seit 1959 in der Bundesrepublik, Autor des Stücks »In der Sache J. Robert Oppenheimer« (1964), auch in der DDR aufgeführt.

13 Wolfgang Harich: »Es gilt um den Realismus. Die bildenden Künste und die Kunstkommission«, Berliner Zeitung vom 14. Juli 1953. Auszug in diesem Heft S. 207. Neben Wilhelm Girnus und Kurt Magritz wurden die Kulturfunktionäre Helmut Holtzhauer, Leiter der Staatlichen Kommission für Kunstangelegenheiten, und Ernst Hoffmann, Hauptabteilungsleiter Bildende Kunst in dieser Kommission, persönlich für die Verfolgung der Künstler verantwortlich gemacht. Zu Holtzhauer und Girnus siehe Anm. 5 und 15. Ernst Hoffmann: Nach seinem Sturz 1954 verschiedene Funktionen in der Massenkulturarbeit, dem Filmwesen und dem Sport, zuletzt Hauptabteilungsleiter im Ministerium für Kultur. Magritz: Nach seinem Sturz als Kunstredakteur der sowjet-amtlichen »Täglichen Rundschau« 1954 Professor an der Hochschule für Graphik und Baukunst in Leipzig.

14 Harich: 1945 Journalist in West-Berlin, 1948 Lehrauftrag für Philosophie an der Humboldt-Universität Berlin (Ost), 1953 Chefredakteur der »Deutschen Zeitschrift für Philosophie«, 1956 verhaftet, 1957 zu 10 Jahren Zuchthaus verurteilt, 1964 entlassen; vorübergehend in der ökologischen Bewegung Österreichs und der Bundesrepublik tätig, 1981 Rückkehr in die DDR.

15 Wilhelm Girnus: Nach seinem Sturz als Kulturchef des »Neuen Deutschland« 1954–1957 Sekretär des Ausschusses für deutsche Einheit, 1957–1962 Staatssekretär für das Hoch- und Fachschulwesen, 1963–1981 Chefredakteur der Literaturzeitschrift »Sinn und Form«. Wie Holtzhauer erwies auch Girnus sich als »reumütiger Kommunist«; sowohl als Staatssekretär für Hochschulwesen wie als Chefredakteur von »Sinn und Form« wird ihm auch von Oppositionellen (u. a. Kantorowicz) Liberalität, Toleranz und Zivilcourage bescheinigt.

16 »Kultur und neuer Kurs«, Berliner Zeitung 16./18. 7. 1953.

17 Prof. Heinrich Ehmsen. Gefährdet war aber auch die Lehrtätigkeit der Akademiemitglieder Cremer, Seitz, Nagel.

18 Abusch, Altkommunist, Emigrant, seit 1946 engster Mitarbeiter Bechers, 1950 wegen seines westlichen Exils in Mexiko aus allen Funktionen entfernt, 1954 stellv. Minister für Kultur, 1957 Mitglied des ZK, 1961 Minister für Kultur, 1971 stellv. Vorsitzender des Ministerrats, 1982 verstorben.

19 Walter Ulbricht war nach Verkündung des Neuen Kurses entmündigt worden, die Macht war an die von Berija in Moskau geleitete Geheimpolizeifraktion von Herrnstadt (Chefredakteur »Neues Deutschland«) und Zaisser (Minister für Staatssicherheit) übergegangen. In dieser Zeit, als Ulbricht im »Neuen Deutschland« nicht mehr zu Wort kam, druckte Rühle, vermittelt durch Prof. Besenbruch, einige freimütige Artikel der nun selbstkritischen Ulbricht-Gruppe zu Kultur- und Gewerkschaftsfragen in der »Berliner Zeitung«. Nach dem 15. ZK-Plenum vom 24. bis 26. Juli, dem Sturz Berijas in Moskau und Ausschluß der Herrnstadt-Zaisser-Fraktion aus der SED-Führung, hob der wieder inthronisierte Ulbricht die bereits eingeleitete Strafverfolgung der intellektuellen Opposition auf, im Fall Rühles zum zweiten Mal. Basis des Kompromisses war die Zusage, die Kunstkommission aufzulösen, und die Gründung eines Ministeriums für Kultur unter Becher, der ein Freund Ulbrichts, aber auch Vertrauensmann der Opposition war. Ulbricht hat sich später, nach den dramatischen Ereignissen in Polen und Ungarn 1956, sehr vorsichtig von seinen 53er-Verbündeten distanziert: »Genossen, man kann doch eine Redaktion der ›Berliner Zeitung‹ nicht so weiter arbeiten lassen, daß man Angst hat, daß wieder etwas passiert. Die Redaktionen dieser Zeitungen müssen so zusammengesetzt sein, daß sie ein Kollektiv sind und wirksam die Linie der Partei durchführen . . . Die ›Berliner Zeitung‹ soll ganz breit sein. Das bedeutet aber

nicht, daß sie für Lukács Propaganda macht oder über ähnliche Geschichten . . .« (Schlußwort auf der 33. Tagung des ZK der SED vom 16. bis 19. Oktober 1957, fotomechanische Wiedergabe des Wortprotokolls).

20 Alexander Gerassimow, Präsident der sowjetischen Akademie der Künste.

21 Karlshorst: Vorort von Berlin, Hauptquartier der laut Siegerrecht »zeitweilig« stationierten »Gruppe sowjetischer Streitkräfte in Deutschland«.

22 Frühere Frankfurter Allee, jetzt Karl-Marx-Allee.

23 Alexander Twardowski, mehrfacher Lenin- und Stalinpreisträger, Doyen der liberalen Literatur in der Sowjetunion, wurde 1958 von Chruschtschow wieder eingesetzt. Er entdeckte und schützte Alexander Solschenizyn, den Nobelpreisträger von 1970. Verstorben 1971.

24 Willy Semmelrogge: heute bekannter Schauspieler in der Bundesrepublik.

25 Ulbricht wurde 1971 als Erster Sekretär der SED von den Sowjets abgelöst und durch Erich Honecker ersetzt, weil er sich der innerdeutschen Entspannungspolitik widersetzte. 1973 verstorben. Der Präsident der Bauakademie und stalinistische Säuberer in der Architektur, Professor Kurt Liebknecht, ein Neffe Karl Liebknechts, wurde bereits 1961 abgesetzt.

Dokumentation

Zum Ablauf der Ereignisse

Historisch ist der Arbeiteraufstand vom 17. Juni 1953 in Ost-Berlin und der DDR auf viele Ursachen zurückzuführen. Gleichwohl wurde mit der II. Parteikonferenz der SED (9.–12. Juli 1952) eine entscheidende Zäsur in der Entwicklung des »ersten deutschen Arbeiter-und-Bauern-Staates« gezogen: Ihr im folgenden auszugsweise wiedergegebener Beschluß über den Aufbau des Sozialismus hatte eine durchaus gewollte »Verschärfung des Klassenkampfes« zur Folge, in deren Konsequenz sich die innere Situation der DDR krisenhaft zuspitzte. Dokumentarische Texte, in denen zum Beispiel der Entzug von Lebensmittelkarten für bestimmte Bevölkerungsgruppen und die administrative Erhöhung der Arbeitsnormen niedergelegt waren, schließen sich dem an. Auszüge aus Situationsberichten aus Zeitungen der SED illustrieren die Stimmung, die im politischen Vorfeld des 17. Juni parteioffiziell geschürt wurde. Die Beschlüsse des Politbüros der SED und des DDR-Ministerrates über den Neuen Kurs standen dazu in sonderbarem Kontrast. Als am 16. Juni 1953 die Parteiführung die Normerhöhung zurückgenommen hatte – im Gegensatz zu deren Rechtfertigung durch die Zeitung des FDGB –, da ließ sich das Aufstandsgeschehen in seiner spontanen Gewalt dennoch nicht mehr bremsen. An einer Reihe von Dokumenten dazu werden die Verhängung des Ausnahmezustandes sowie Stellungnahmen der SED und Äußerungen des hernach gestürzten DDR-Justizministers Max Fechner in ihrer Widersprüchlichkeit deutlich. Walter Ulbrichts Legende, die den Aufstand zu einem »faschistischen Putschversuch« umfälschte, bestimmt seither im wesentlichen die Auseinandersetzung der SED mit dem 17. Juni. Auszüge aus dem Beschluß der 15. Tagung des Zentralkomitees der SED (24.–26. Juli 1953) schließen die Dokumentation: Die Ulbricht-Fraktion hatte in ihm ihren Sieg protokolliert.

---

12. Juli 1952

Beschluß der II. SED-Parteikonferenz:
Aufbau des Sozialismus und verschärfter Klassenkampf

Die Welt ist in zwei Lager gespalten, in das Lager des Friedens, der Demokratie und des Sozialismus und in das Lager des Imperialismus. Dementsprechend haben sich in der Welt zwei Hauptanziehungszentren gebildet: einerseits die Sowjetunion als das Zentrum der Länder des Friedens, der Demokratie und des Sozialismus sowie aller um ihre Befreiung kämpfenden Ausgebeuteten und Unterdrückten und andererseits die USA als das Zentrum der kapitalistischen Regierungen, der Kriegshetze, der reaktionären und ausbeuterischen Elemente in der Welt. Im Lager des Imperialismus herrschen Zerfall und Fäulnis. Im Lager des Sozialismus entfalten sich Aufbau, Fortschritt und Gemeinsamkeit der Interessen im Kampf für Demokratie, Frieden und Sozialismus.

Das Lager des Friedens wird geführt von der Sozialistischen Sowjetunion mit dem Führer der Völker, dem großen Stalin, an der Spitze. Seit der Großen Sozialistischen Oktoberrevolution besitzt die Menschheit die Perspektive eines dauerhaften Friedens. Diese Perspektive wird um so eher Wirklichkeit, je eher die Völker die Sache des Friedens in ihre eigenen Hände nehmen.

In Deutschland ist die zentrale Frage der Kampf um einen Friedensvertrag und um die Wiederherstellung der Einheit Deutschlands. Durch das Wiedererstehen des deutschen Militarismus und Imperialismus mit Hilfe der amerikanischen, britischen und französischen Okkupationsmächte, durch den Abschluß des Separatpaktes ist der Frieden bedroht und die deutsche Nation in Gefahr. Die angloamerikanischen Imperialisten wollen die Material- und Menschenreserven Westdeutschlands und Westeuropas an sich reißen im Interesse der Vorbereitung und Entfesselung eines neuen Weltkrieges. Indem sie dem deutschen Volk die Wiederherstellung der Einheit Deutschlands und einen Friedensvertrag verweigern, versuchen sie, es auf viele Jahre hinaus der Perspektive der Wiederherstellung der Einheit zu berauben. Mit Hilfe der westdeutschen Monopolherren und Großgrundbesitzer haben sie ein Regime der nationalen Versklavung und der sozialen Unterdrückung und Ausbeutung der Werktätigen errichtet. Die Versklavung und Ausplünderung Westdeutschlands durch den amerikanischen Imperialismus ist nur möglich, weil die Bonner Vasallenregierung und ihre Hintermänner, das westdeutsche Monopolkapital, sich mit den äußeren Feinden der deutschen Nation verbunden haben. Der Sturz des Bonner Vasallenregimes ist die Voraussetzung für die Wiederherstellung der Einheit Deutschlands.

Der Kampf um einen Friedensvertrag und gegen den von der Bonner Vasallenregierung unterzeichneten Generalkriegsvertrag erfordert, daß das deutsche Volk unter Führung der Arbeiterklasse die Sache der Erhaltung des Friedens und der Wiederherstellung der Einheit Deutschlands, die Schaffung eines einigen, demokratischen, friedliebenden und unabhängigen Deutschlands in seine eigenen Hände nimmt.

Daraus ergibt sich:

Erstens: Der nationale Befreiungskampf gegen die amerikanischen, englischen und französischen Okkupanten in Westdeutschland und für den Sturz ihrer Vasallenregierung in Bonn ist die Aufgabe aller friedliebenden und patriotischen Kräfte in Deutschland. Es gilt, alle Maßnahmen der Kriegstreiber zu entlarven sowie jener Elemente, die die Vorbereitung eines neuen Krieges zu rechtfertigen suchen.

Zweitens: Die Schaffung der Aktionseinheit der kommunistischen, sozialdemokratischen, christlichen und parteilosen Arbeiter, das Bündnis der Arbeiterklasse mit den werktätigen Bauern und der Zusammenschluß aller deutschen Patrioten in der Friedensbewegung und in der Nationalen Front des demokratischen Deutschland ist die vordringlichste Aufgabe. Der große Befreiungskampf der patriotischen Deutschen gegen die fremden imperialistischen Eindringlinge und Ausbeuter erfordert zugleich den entschiedenen Kampf gegen die rechten sozialdemokratischen Führer und Gewerkschaftsführer, die den Feinden der deutschen Nation Hilfsdienste leisten, indem sie gegen die Arbeiteraktionseinheit auftreten, die Forderungen der deutschen Imperialisten unterstützen, die Massen durch demagogische Manöver vom Kampf abzuhalten versuchen und damit zugleich die Ausbeutung der Arbeiter und der Werktätigen durch die ausländischen und westdeutschen Monopolherren unterstützen.

Drittens: Die Stärkung der brüderlichen Solidarität mit der Kommunistischen Partei Deutschlands, die ihre Reihen festigt und alle Anstrengungen unternimmt, damit sie ihre geschichtliche Aufgabe in den vordersten Reihen der nationalen Befreiungsbewegung in Westdeutschland erfüllen kann, ist die Pflicht aller patriotischen Kräfte in der Deutschen Demokratischen Republik.

Viertens: Die Sicherung des Friedens, des demokratischen Fortschritts und des sozialistischen Aufbaus in der Deutschen Demokratischen Republik und in Berlin gegenüber Aggressionsakten vom Westen erfordert die Festigung und Verteidigung der Grenzen der Deutschen Demokratischen Republik, die Stärkung der demokratischen Volksmacht, der demokratischen Ordnung und Gesetzlichkeit und die Organisierung bewaffneter Streitkräfte, die mit der neuesten Technik ausgerüstet und imstande sind, die Errungenschaften der Werktätigen vor einem imperialistischen Angriff zu schützen.

Fünftens: Es gilt, die Freundschaft mit der Sowjetunion, dem Bollwerk des Friedens, der Demokratie und des Sozialismus in der ganzen Welt, sowie die Freundschaft mit der Chinesischen Volksrepublik und mit den volksdemokratischen Ländern in Europa und Asien weiter zu festigen . . .

Die II. Parteikonferenz stellt fest:

Sechstens: Die politischen und die ökonomischen Bedingungen sowie das Bewußtsein der Arbeiterklasse und der Mehrheit der Werktätigen sind so weit entwickelt, daß der Aufbau des Sozialismus zur grundlegenden Aufgabe in der Deutschen Demokratischen Republik geworden ist. Das deutsche Volk, aus dem die bedeutendsten deutschen Wissenschaftler Karl Marx und Friedrich Engels, die Begründer des wissenschaftlichen Sozialismus, hervorgegangen sind, wird unter der Führung der Arbeiterklasse die großen Ideen des Sozialismus verwirklichen.

Siebentens: Das Hauptinstrument bei der Schaffung der Grundlagen des Sozialismus ist die Staatsmacht. Deshalb gilt es, die volksdemokratischen Grundlagen der Staatsmacht ständig zu festigen. Die führende Rolle hat die Arbeiterklasse, die das Bündnis mit den werktätigen Bauern, der Intelligenz und anderen Schichten der Werktätigen geschlossen hat. Es ist zu beachten, daß die Verschärfung des Klassenkampfes unvermeidlich ist und die Werktätigen den Widerstand der feindlichen Kräfte brechen müssen.

Achtens: Der Aufbau des Sozialismus erfordert:
a) Durchführung der grundsätzlichen Aufgaben der Volksmacht: den feindlichen Widerstand zu brechen und die feindlichen Agenten unschädlich zu machen; die Heimat und das Werk des sozialistischen Aufbaus durch die Organisierung bewaffneter Streitkräfte zu schützen; ihre Funktion als Instrument des Aufbaus des Sozialismus auszuüben . . .

Beschluß der II. Parteikonferenz der SED, 9.–12. Juli 1952, Quelle: Dokumente der SED, Band IV, Berlin (Ost) 1954, S. 70 ff.

9. April 1953

Entzug der Lebensmittelkarten für Grenzgänger und Selbständige

Verordnung über die Neuregelung der Lebensmittelkartenversorgung in der Deutschen Demokratischen Republik und im demokratischen Sektor von Groß-Berlin
Vom 9. April 1953

§ 1
An alle in der Deutschen Demokratischen Republik und im demokratischen Sektor von Groß-Berlin wohnenden Personen, die in Westberlin beschäftigt sind oder dort eine selbständige Existenz haben, und ihre Angehörigen, mit Ausnahme der Kinder unter 15 Jahren, werden keine Lebensmittelkarten ausgegeben.
§ 2
Durchführungsbestimmungen erläßt das Ministerium für Handel und Versorgung.
§ 3
Diese Verordnung tritt mit Wirkung vom 1. Mai 1953 in Kraft.
Berlin, den 9. April 1953
Die Regierung
der Deutschen Demokratischen Republik

Der Minister-	Ministerium für
präsident	Handel und
Grotewohl	Versorgung
	Wach
	Minister

Verordnung über die Ausgabe von Lebensmittelkarten in der Deutschen Demokratischen Republik und im Demokratischen Sektor von Groß-Berlin. Vom 9. April 1953

Da die Möglichkeit besteht, Waren frei zu kaufen, hält es der Ministerrat für angebracht, den Kreis der Kartenempfänger einzuschränken.

Es wird deshalb folgendes verordnet:
§ 1
Lebensmittelkarten werden nicht ausgegeben an Personen, die ihren wesentlichsten Lebensunterhalt bestreiten aus ihrem Einkommen als
a) Besitzer, Mitbesitzer, Aktionäre oder Pächter privater Industriebetriebe,
b) Besitzer, Mitbesitzer oder Pächter von Handwerksbetrieben mit mehr als fünf Beschäftigten,
c) freiberuflich tätige Rechtsanwälte,
d) private Großhändler,
e) freiberuflich tätige Helfer in Steuersachen und Bücherrevisoren,
f) Haus- und Grundstücksmakler,
g) Hausbesitzer (das sind solche Hausbesitzer, die überwiegend von Einkünften aus Mietzins leben. Eigenheime sind von dieser Regelung ausgenommen),
h) Besitzer und Pächter von Kaffees und sonstigen Schanklokalen,
i) Einzelhändler (Lebensmittelhändler, Fleischer, Bäcker, Gemüse-, Textilien- und Kurzwarenhändler usw.),
k) Handelsvertreter und Handlungsreisende von privaten Betrieben,
l) Besitzer von devastierten landwirtschaftlichen Betrieben
sowie deren Angehörige. Kinder unter 15 Jahren dieses Personenkreises fallen nicht unter diese Verordnung.
§ 2
Die Kartenstellen der Räte der Städte und Gemeinden werden beauftragt, den betroffenen Personenkreis namentlich listenmäßig festzulegen.
§ 3
Durchführungsbestimmungen erläßt das Ministerium für Handel und Versorgung.
§ 4
Diese Verordnung tritt mit Wirkung vom 1. Mai 1953 in Kraft.
Berlin, den 9. April 1953
Die Regierung
der Deutschen Demokratischen Republik

Der Ministerpräsident	Ministerium für
Grotewohl	Handel und Versorgung
	Wach
	Minister

Quelle: Gesetzblatt der DDR Nr. 48 vom 14. April 1953, S. 543.

13./14. Mai 1953

ZK der SED: Verschärfung des Klassenkampfes

... Das Zentralkomitee hält es für notwendig, die gesamte Partei und alle Werktätigen der Deutschen Demokratischen Republik ernsthaft darauf hinzuweisen, daß der Weg zum Sozialismus ein harter Kampf gegen die verzweifelten Versuche des Klassenfeindes ist, das alte fluchbeladene System des Kapitalismus wiederherzustellen. Gegenwärtig gibt es in unserer Partei nicht geringe Anzeichen dafür, daß einzelne leitende Funktionäre, ganze Parteileitungen und Parteiorganisationen die Verschärfung des Klassenkampfes nicht erkennen, sich blind gegenüber den Feinden des werktätigen Volkes verhalten und dadurch den sozialistischen Aufbau gefährden.
Die Prozesse in den Volksdemokratien gegen die Ver-

schwörerbanden der Rajk, Kostoff, Slansky und Konsorten zeigen uns eindeutig, daß die Imperialisten ihre Versuche zur Bildung neuer »Fünfter Kolonnen« nicht nur ständig wiederholen, sondern noch verstärken. Es wäre Opportunismus, sich dem Glauben hinzugeben, daß solche Versuche nicht auch bei uns in der Deutschen Demokratischen Republik unternommen würden. Die Voraussetzungen dafür sind durch die Spaltung Deutschlands und vor allem durch den imperialistischen Brückenkopf Westberlin besonders günstig. Die völlig ungenügende Auswertung des Beschlusses des ZK »Lehren aus dem Prozeß gegen das Verschwörerzentrum Slansky« in vielen Parteileitungen und Parteiorganisationen zeigt jedoch, daß eine solche opportunistische, dem Klassenfeind Vorschub leistende Auffassung bei uns vielfach Eingang gefunden hat. Offensichtlich hat die Verschärfung der allgemeinen Krise des Kapitalismus nach dem zweiten Weltkrieg, die fortschreitende Schwächung des imperialistischen Lagers, das ständige Wachsen der antiimperialistischen Kräfte und des von der Sowjetunion geführten Weltfriedenslagers manche Genossen vergessen lassen, daß

»die untergehenden Klassen nicht deshalb Widerstand leisten, weil sie stärker geworden sind als wir, sondern weil der Sozialismus schneller wächst als sie und sie schwächer werden als wir. Und gerade deshalb, weil sie schwächer werden, wittern sie die letzten Tage ihres Daseins und sind gezwungen, mit allen Kräften, mit allen Mitteln Widerstand zu leisten.« (J. Stalin, »Fragen des Leninismus«, Dietz Verlag, Berlin 1951, S. 283.)

Angesichts des erfolgreichen Aufbaus der Grundlagen des Sozialismus in der Deutschen Demokratischen Republik und des schnellen Tempos der Einschränkung der kapitalistischen Elemente ruft das Zentralkomitee die gesamte Partei auf, die Augen nicht davor zu verschließen, daß

»das Charakteristische der gegenwärtigen Situation in der Deutschen Demokratischen Republik eben gerade darin besteht, daß im Zusammenhang mit der Anwendung verschiedener ökonomischer Gesetze des Sozialismus einerseits und dem Bestreben der kapitalistischen Kräfte andrerseits, ihre Positionen zur Störung des sozialistischen Aufbaus auszunutzen, der Klassenkampf sich verschärft«. (Walter Ulbricht, »Lehren des XIX. Parteitages der KPdSU für den Aufbau des Sozialismus in der Deutschen Demokratischen Republik«, Dietz Verlag, Berlin 1952, S. 25.) . . .

Beschluß der 13. ZK-Tagung, 13./14. Mai 1953, zur Auswertung des ZK-Beschlusses über die Lehren des Slansky-Prozesses. Quelle: Dokumente der SED, Band IV, Berlin (Ost) 1954, S. 394 ff.

13./14. Mai 1953

ZK der SED: Normerhöhung um 10%

Der von der II. Parteikonferenz gefaßte Beschluß zur Schaffung der Grundlagen für den Aufbau des Sozialismus in der Deutschen Demokratischen Republik erfordert, wie es der Generalsekretär der Sozialistischen Einheitspartei Deutschlands, Genosse Walter Ulbricht, in seinem Bericht über die Lehren des XIX. Parteitages der KPdSU kennzeichnete, die Stärkung der sozialistischen Industrie, das heißt Rekonstruktion der bestehenden und Errichtung neuer sozialistischer Betriebe, Entwicklung der Schwerindustrie und des Maschinenbaus entsprechend den Gesetzen über die erweiterte Reproduktion der sozialistischen Wirtschaft. Die Lösung dieser Aufgaben erfordert vor allem ununterbrochene Steigerung der Arbeitsproduktivität und die ständige Senkung der Selbstkosten.

Alle diese Voraussetzungen können nur verwirklicht werden durch die Einführung eines strengen Sparsamkeitsregimes und die restlose Ausschöpfung aller zur Verfügung stehenden Akkumulationsquellen für den sozialistischen Aufbau in unserer Deutschen Demokratischen Republik. Nur auf diesem Wege können wir der Verwirklichung des ökonomischen Grundgesetzes des Sozialismus zustreben, das Genosse Stalin wie folgt formulierte:

»Sicherung der maximalen Befriedigung der ständig wachsenden materiellen und kulturellen Bedürfnisse der gesamten Gesellschaft durch ununterbrochenes Wachstum und stetige Vervollkommnung der sozialistischen Produktion auf der Basis der höchstentwickelten Technik.«

Die technische Basis der Produktion ist in vielen Betrieben veraltet und ungenügend. Die Erfüllung der Erfordernisse des sozialistischen Aufbaus und die Befriedigung der Bedürfnisse der Bevölkerung machen es notwendig, daß die Arbeit weit mehr als bisher für den Aufbau neuer Betriebe, für die Modernisierung und Vervollkommnung der bestehenden Betriebe, für den Bau neuer Wohnungen und kultureller Einrichtungen konzentriert und ein erheblicher Teil der Ergebnisse der Arbeit für die Realisierung dieser großen Aufgaben verwandt werden müssen.

Die dafür notwendigen Akkumulationsmittel können nur durch dauernde Steigerung der Arbeitsproduktivität und Senkung der Selbstkosten erreicht werden. Ein wichtiges Mittel dazu ist die Ausarbeitung und Einführung technisch begründeter Arbeitsnormen. Die völlig unbefriedigende Bestimmung der Arbeitsnormen in unseren sozialistischen Betrieben aller Wirtschaftszweige zeigt, daß der Verwirklichung dieser für unsere wirtschaftliche Entwicklung so bedeutungsvollen Erkenntnisse ungenügende Beachtung geschenkt wurde. Der Anteil der technisch begründeten Arbeitsnormen ist unbefriedigend niedrig und die bestehenden »erfahrungsstatistischen« Normen stehen im Gegensatz zu der entwickelten Technik, zu den Erfahrungen und Leistungen der Aktivisten, zur Organisation des Arbeitslaufs und zu der gewachsenen Qualifikation der Arbeiter. Sie sind ein ernstes Hemmnis unserer wirtschaftlichen gesellschaftlichen Entwicklung in der Deutschen Demokratischen Republik geworden.

Die Leitungen der Betriebe und der Wirtschaftsorgane schenken der Ausarbeitung und Einführung technisch begründeter Arbeitsnormen ungenügende Aufmerksamkeit und überlassen diese bedeutungsvollen Fragen dem Selbstlauf. Dadurch entstehen Normen, die zu den Interessen der Erhöhung des Lebensstandards der Bevölkerung in Widerspruch stehen. Ohne entsprechende Leistungen zu erzielen, werden Normenerfüllungen von 150 bis 200 Prozent erreicht.

Die Aufstellung von Arbeitsnormen auf falscher Grundlage wird begünstigt durch die in den vom Ministerium für Arbeit erlassenen Richtlinien über die Ausarbeitung und Einführung technisch begründeter Arbeitsnormen enthaltene Bestimmung, wonach bei Einführung neuer Arbeitsnormen eine Senkung des bisherigen Verdienstes nicht zulässig ist. Die Bestimmung hat sich als ein Fehler und als ein Hemmnis in der ganzen Entwicklung für die Ausarbeitung und Einführung technisch begründeter Arbeitsnormen erwiesen und muß korrigiert werden.

Das Zentralkomitee der Sozialistischen Einheitspartei Deutschlands steht auf dem Standpunkt, daß die Minister, Staatssekretäre sowie die Werkleiter alle erforderlichen Maßnahmen zur Beseitigung des schlechten Zustandes in der Arbeitsnormung einleiten und durchführen mit dem Ziel, die Arbeitsnormen auf ein normales Maß zu bringen und eine Erhöhung der für die Produktion entscheidenden Arbeitsnormen um durchschnittlich mindestens 10 Prozent bis zum 1. Juni 1953 sicherzustellen . . .

Beschluß der 13. ZK-Tagung, 13./14. Mai 1953. Quelle: Dokumente der SED, Band IV, Berlin (Ost) 1954, S. 410 ff.

---

28. Mai 1953

Beschluß des Ministerrates über die Erhöhung der Arbeitsnormen

. . . Die Regierung der Deutschen Demokratischen Republik begrüßt die Initiative der Arbeiter zur Erhöhung der Arbeitsnormen. Sie dankt allen Arbeitern, die ihre Normen erhöht haben, für ihre große patriotische Tat. Die Regierung der Deutschen Demokratischen Republik kommt gleichzeitig dem Wunsche der Arbeiter, die Normen generell zu überprüfen und zu erhöhen, nach. Diese generelle Erhöhung der Arbeitsnormen ist ein wichtiger Schritt zur Schaffung der Grundlagen des Sozialismus.

Die Regierung der Deutschen Demokratischen Republik hält dazu für erforderlich, daß die Minister, Staatssekretäre sowie Werkleiter alle erforderlichen Maßnahmen zur Überprüfung der Arbeitsnormen durchführen. Das Ziel dieser Maßnahmen ist, die Arbeitsnormen den Erfordernissen der Steigerung der Arbeitsproduktivität und der Senkung der Selbstkosten in Übereinstimmung zu bringen und zunächst eine Erhöhung der für die Produktion entscheidenden Arbeitsnormen im Durchschnitt um mindestens 10% bis zum 30. Juni 1953 sicherzustellen . . .

Quelle: Gesetzblatt der DDR Nr. 72 vom 2. Juni 1953, S. 781 ff.

Ende Februar bis Ende Mai 1953

Situationsberichte aus der SED-Presse vor dem 17. Juni

Neuer Weg, Organ des ZK der SED für Parteiarbeiter, Nr. 4/1953:

Nur die enge Verbindung mit den Massen sichert die führende Rolle der Partei

Es hat im Zusammenhang mit der Ausschüttung der Jahresabschlußprämie im Ernst-Thälmann-Werk, wie in ganz Magdeburg, feindliche Aktionen gegeben, die die Tendenzen der Gleichmacherei, wie sie bei vielen Kollegen auch in den Schwermaschinenbaubetrieben in Magdeburg noch vorhanden sind, ausnutzten. Das fand auch darin seinen Ausdruck, daß es in einigen Magdeburger Großbetrieben zu Arbeitsniederlegungen gekommen ist.

Es wäre falsch, zu behaupten, daß wir die Dinge endgültig beseitigt hätten. Natürlich haben wir auch etwas getan. Wir haben erreicht, daß die Arbeit wieder aufgenommen wurde, aber beseitigt sind die Dinge noch nicht. Warum nicht? Weil die Ursachen zu einem großen Teil noch vorhanden sind. Eine der wesentlichen Ursachen ist die, daß uns als Partei die Bindung zu den breiten Massen der Werktätigen fehlt. Das beginnt bei der Verbindung der Bezirksleitung zur Kreisleitung, von der Kreisleitung zu den Stadtbezirksleitungen bzw. zu den Parteiorganisationen der Betriebe. Das pflanzt sich fort von der zentralen Parteileitung der Betriebe zu den Grundorganisationen der Betriebe. Wenn die Bindung von den untersten Organen der Partei nicht vorhanden ist, dann fehlt auch die Bindung von der Grundorganisation zu den Kollegen am Schraubstock, zu den Werktätigen überhaupt. Daß das so ist, das hat uns diese Zeit der Jahresabschlußprämien in Magdeburg und besonders die Situation im Ernst-Thälmann-Werk bewiesen. Wir haben dort festgestellt, daß die Ursache der Arbeitsniederlegungen nicht etwa allein die Jahresabschlußprämie war, sondern daß es eine Fortsetzung der Zusammenballung einer Reihe von Mißständen war, die über Jahre hinweg die Partei nicht beachtet hat, wo sie nicht geholfen hat. Es waren Mißstände in der sozialen Betreuung, Mißstände bei den Lohn- und Gehaltsfragen, Mißstände also, für die die Partei einzig und allein verantwortlich sein muß ...

Neues Deutschland, Organ des ZK der SED, 22. April 1953:

Normenschaukelei hemmt Verbesserung der Arbeitsorganisation

Als das »Neue Deutschland« meinen Artikel »Brigade Konrad fordert technische Arbeitsnormen« veröffentlichte, löste er in den verschiedenen Abteilungen des Karl-Marx-Werkes heftige Diskussionen aus. »Weißt du überhaupt, was es heißt, nach technisch begründeten Arbeitsnormen zu arbeiten?« wurde ich gefragt. »Wir wollen Geld verdienen, und da denken wir nicht daran, unsere Minutenzeit von 90 auf 60 Minuten zu senken!« Solche und ähnliche falsche Meinungen mußte ich mir von den Drehern sagen lassen. Trotzdem schon bewiesen war, daß viele Normen falsch sind, stellten sich Kollegen auf den Standpunkt, sie seien nicht so »wahnsinnig«, ihre Norm freiwillig zu erhöhen. Diese oftmals sehr drastischen Stellungnahmen waren aber nur möglich, weil mit diesen Kollegen noch nicht über die Notwendigkeit technisch begründeter, fortschrittlicher Normen gesprochen worden war ...

Freiheit, Organ der SED-Bezirksleitung Halle, 13. Mai 1953:

Über einige Erscheinungen des Opportunismus im Bezirk Halle und wie wir dagegen kämpfen müssen

... In unserem Staatsapparat des Bezirkes gibt es einige Disziplinwidrigkeiten, die erkennen lassen, daß leitende Staatsfunktionäre nicht von diesem Klassenstandpunkt ausgehen.
Nennen wir einige Beispiele:
a) Seit Monaten verlangt das Sekretariat der Bezirksleitung von den Funktionären des Erfassungsapparates beim Rat des Bezirkes eine Klassendifferenzierung bei der Erfassung landwirtschaftlicher und tierischer Produkte. Trotz zahlreicher Diskussionen vor der Parteiorganisation, trotz der Ablösung des Abteilungsleiters Randel wurde die Aufstellung für das I. Quartal 1953 wiederum ohne Klassendifferenzierung gemacht. Was muß dabei herauskommen? Daß man werktätige Bauern bestraft und sabotierende Großbauern schützt. So ist es denn auch.
b) Seit Monaten drängt das Sekretariat der Bezirksleitung auf eine straffe und kompromißlose Einziehung rückständiger Steuerbeträge bei Unternehmern, Großhändlern und Großbauern. Trotzdem steigen die Steuerschulden republikfeindlicher Elemente. Was

muß dabei herauskommen? Die Staatsmacht, als die Macht der Arbeiter und Bauern, wird geschwächt, die Feinde der Arbeiter und Bauern haben den Vorteil. So ist das Ergebnis.
c) Seit Monaten verlangt das Sekretariat der Bezirksleitung, daß die leitenden Funktionäre der staatlichen Maschinen- und Traktoren-Stationen, wie es die Verordnung der Regierung besagt, die Privattraktoren zur Arbeit bei den werktätigen Bauern heranziehen. Wie sieht es wirklich aus? Der Einsatz von Privattraktoren ging mit der ständig dringender werdenden Arbeit in der Frühjahrsbestellung zurück. Privattraktoren wurden von Großbauern im Fuhrgeschäft eingesetzt, die werktätigen Bauern hatten das Nachsehen.
Was bedeuten diese Erscheinungen? Offenbar nehmen einige Staatsfunktionäre eine »neutrale Position« ein. Gerade diese »neutrale Position« ist Klassenharmonie, ist Verzicht auf den Sozialismus, ist Opportunismus. Hier handelt es sich nicht um »ideologische Schwächen«, um »Nichtkönnen«, um »man kann nicht alles auf einmal machen«, hier handelt es sich eben, nehmt alles nur in allem, um Opportunismus, der der Todfeind der Arbeiterklasse ist ...

Leipziger Volksstimme, Organ der SED-Bezirksleitung Leipzig, 23. Mai 1953:

Zum Kampf gegen den Sozialdemokratismus in einigen Parteiorganisationen graphischer Betriebe Leipzigs

... Aber überall dort, in all den Parteiorganisationen, wo ideologische Windstille herrscht, können sich Feinde der Arbeiterklasse, können sich antidemokratische, parteifeindliche Tendenzen entwickeln, wie das zum Beispiel in der Parteiorganisation des Leipziger Druckhauses zum Ausdruck kommt. So war es in der Parteigruppensitzung der Setzerei Werk 1 möglich, daß Genossen eine Diskussion führten, die zeigte, wie hier noch der Sozialdemokratismus als Hemmschuh gegen die Realisierung der Beschlüsse in Erscheinung tritt, ohne daß er von den Genossen prinzipiell bekämpft wird. So erklärte u. a. der Genosse Tschirpe, daß in der Partei der »alte Buchdruckergeist« wieder einziehen müsse. Er bezeichnet jeden ergebenen Parteiarbeiter, der die Beschlüsse der Partei durchführt, als »Befehlsempfänger«.
Wir verstehen unter dem alten Buchdruckergeist die revolutionäre Tradition der Buchdrucker und Setzer der »Neuen Rheinischen Zeitung«, das Handeln und Wirken des Mitgliedes des Thälmannschen ZK, Kappelle; also solcher Genossen, die ihre ganze Kraft im Interesse der Arbeiterklasse einsetzen und konsequent an der Verwirklichung der Beschlüsse der Partei arbeiten.
Es ist ganz logisch, daß entsprechend der Ideologie des Sozialdemokratismus der Genosse Tschirpe den Kampf gegen die Erhöhung der Normen, gegen technisch begründete Arbeitsnormen führte, da er ein Gegner des Leistungsprinzips ist. Dieser Genosse hat nicht begriffen, daß es ein Grundprinzip des Marxismus-Leninismus ist, das Leistungsprinzip in der Produktion durchzusetzen. Mit dieser Einstellung stellt

sich Tschirpe direkt gegen die Beschlüsse der Partei, im besonderen gegen den Beschluß »Feldzug für strenge Sparsamkeit«, und hemmt die Initiative der Parteilosen, die erkennen, daß nur über eine Steigerung der Arbeitsproduktivität ein besseres Leben für die Werktätigen geschaffen werden kann.

Solche Diskussionen wurden auch von anderen Genossen geführt. So unter anderem vom Genossen Ristau, der in einer offenen, parteifeindlichen Weise erklärte, es müsse erst wieder eine »richtige Wahl« kommen, dann würden die Genossen, die sich jetzt für die Beschlüsse einsetzen, »schon sehen, wo sie mit ihrer Partei hinkommen«. Diese Auffassung Ristaus entspricht den Lügen des RIAS. Er setzt sich damit in direkten Gegensatz zur Partei, deren konsequenter Kampf zur politischen Festigung der Deutschen Demokratischen Republik und zu ständigem wirtschaftlichen Aufschwung in unserem Lande führt. Ristau sabotiert damit genau wie Genosse Tschirpe die Politik der Partei.

Diese parteifeindlichen Auffassungen zeigen, daß im Leipziger Druckhaus diese Dinge keine Einzelerscheinungen sind, sondern daß der Sozialdemokratismus noch in hoher Blüte steht. Charakteristisch für diese Gruppe von Genossen ist, daß sie sich weigern, am Parteilehrjahr teilzunehmen, weil sie angeblich nichts mehr hinzuzulernen brauchen. Sie mißachten auch in dieser Frage schon seit Jahren die Beschlüsse der Partei.

Es ist klar, daß bei einem solch schlechten ideologischen Zustand bestimmter Mitglieder die reaktionären Elemente unter der Belegschaft offen auftreten und die feindlichen Ideologien des amerikanischen Imperialismus ungehindert verbreiten können. Das zeigt sich an der Tatsache, daß die Parteiorganisation des Leipziger Druckhauses in allen zentralen Fragen der Partei, wie Werbung für die VP, Entfaltung von Wettbewerben, Schaffung technisch begründeter Arbeitsnormen, Erziehung der Jugend im patriotischen Geiste, nicht vorankommt . . .

---

9. Juni 1953

SED-Politbüro leitet Neuen Kurs ein

Das Politbüro des Zentralkomitees der SED hat in seiner Sitzung vom 9. Juni 1953 beschlossen, der Regierung der Deutschen Demokratischen Republik die Durchführung einer Reihe von Maßnahmen zu empfehlen, die der entschiedenen Verbesserung der Lebenshaltung aller Teile der Bevölkerung und der Stärkung der Rechtssicherheit in der Deutschen Demokratischen Republik dienen. Das Politbüro des ZK der SED ging davon aus, daß seitens der SED und der Regierung der Deutschen Demokratischen Republik in der Vergangenheit eine Reihe von Fehlern begangen wurden, die ihren Ausdruck in Verordnungen und Anordnungen gefunden haben, wie zum Beispiel der Verordnung über die Neuregelung der Lebensmittelkartenversorgung, über die Übernahme devastierter landwirtschaftlicher Betriebe, in außerordentlichen Maßnahmen der Erfassung, in verschärften Methoden der Steuererhebung usw. Die Interessen solcher Bevölkerungsteile wie der Einzelbauern, der Einzelhändler, der Handwerker, der Intelligenz wurden vernachlässigt. Bei der Durchführung der erwähnten Verordnungen und Anordnungen sind außerdem ernste Fehler in den Bezirken, Kreisen und Orten begangen worden. Eine Folge war, daß zahlreiche Personen die Republik verlassen haben.

Das Politbüro hat bei seinen Beschlüssen das große Ziel der Herstellung der Einheit Deutschlands im Auge, welches von beiden Seiten Maßnahmen erfordert, die die Annäherung der beiden Teile Deutschlands konkret erleichtern.

Aus diesen Gründen hält das Politbüro des ZK der SED für nötig, daß in nächster Zeit im Zusammenhang mit Korrekturen des Planes der Schwerindustrie eine Reihe von Maßnahmen durchgeführt werden, die die begangenen Fehler korrigieren und die Lebenshaltung der Arbeiter, Bauern, der Intelligenz, der Hand-

werker und der übrigen Schichten des Mittelstandes verbessern. Auf der Sitzung am 9. Juni hat das Politbüro Maßnahmen auf dem Gebiet des Handels und der Versorgung, auf landwirtschaftlichem Gebiet und auch hinsichtlich der Erleichterung des Verkehrs zwischen der Deutschen Demokratischen Republik und Westdeutschland festgelegt.

Um die Erzeugung von Waren des Massenbedarfs zu vergrößern, die von kleinen und mittleren Privatbetrieben hergestellt werden, und um das Handelsnetz zu erweitern, wird vorgeschlagen, den Handwerkern, Einzel- und Großhändlern, privaten Industrie-, Bau- und Verkehrsbetrieben in ausreichendem Umfange kurzfristig Kredite zu gewähren. Die Zwangsmaßnahmen zur Beitreibung von Rückständen an Steuern und Sozialversicherungsbeiträgen, die bis zum Ende des Jahres 1951 entstanden sind, sollen für Klein-, Mittel- und Großbauern, Handwerker, Einzel- und Großhändler, private Industrie-, Bau- und Verkehrsbetriebe, das heißt in der gesamten privaten Wirtschaft, ausgesetzt werden.

Wenn Geschäftseigentümer, die in letzter Zeit ihre Geschäfte geschlossen oder abgegeben haben, den Wunsch äußern, diese wieder zu eröffnen, so ist diesem Wunsche unverzüglich Rechnung zu tragen. Außerdem soll die HO zur besseren Versorgung der Bevölkerung sofort Agenturverträge mit dem privaten Einzelhandel abschließen.

Das Politbüro schlägt ferner vor, daß die Verordnungen über die Übernahme devastierter landwirtschaftlicher Betriebe aufgehoben werden und die Einsetzung von Treuhändern wegen Nichterfüllung der Ablieferungspflichten oder wegen Steuerrückständen untersagt wird. Die Bauern, die im Zusammenhang mit Schwierigkeiten in der Weiterführung ihrer Wirtschaft ihre Höfe verlassen haben und nach Westberlin oder nach Westdeutschland geflüchtet sind (Kleinbauern, Mittelbauern, Großbauern), sollen die Möglichkeit erhalten, auf ihre Bauernhöfe zurückzukehren. Ist das in Ausnahmefällen nicht möglich, so sollen sie vollwertigen Ersatz erhalten. Es soll ihnen mit Krediten und landwirtschaftlichem Inventar geholfen werden, ihre Bauernwirtschaften zu entwickeln. Strafen, die wegen Nichterfüllung von Ablieferungsverpflichtungen oder Steuerverpflichtungen ausgesprochen wurden, sollen überprüft werden. Dabei wird vorgeschlagen, den Minister für Land- und Forstwirtschaft zu beauftragen, die erforderlichen Maßnahmen zu treffen, damit die Interessen der landwirtschaftlichen Produktionsgenossenschaften gewahrt bleiben.

Das Politbüro schlägt weiter vor, daß alle republikflüchtigen Personen, die in das Gebiet der Deutschen Demokratischen Republik und den demokratischen Sektor von Berlin zurückkehren, das auf Grund der Verordnung vom 17. Juli 1952 zur Sicherung von Vermögenswerten beschlagnahmte Eigentum zurückerhalten. Ist in Einzelfällen die Rückgabe nicht möglich, so soll Ersatz geleistet werden. Zurückkehrenden Republikflüchtigen darf aus der Tatsache der Republikflucht keine Benachteiligung entstehen. Sie sollen durch die zuständigen Organe der Räte der Bezirke und Kreise entsprechend ihrer fachlichen Qualifikation wieder in das wirtschaftliche und gesellschaftliche Leben eingegliedert werden und ihre vollen Bürgerrechte erhalten. (Deutscher Personalausweis, Lebensmittelkarte usw.) Für die Rückkehrer sind Auskunftsstellen einzurichten, die ihnen in allen Fragen Rat und Auskunft erteilen.

Das Politbüro ist ferner der Auffassung, daß die Frage der Aufenthaltsgenehmigungen für Westdeutsche und Westberliner sowie die Frage der Ausstellung von Interzonenpässen im Sinne der Erleichterung des Verkehrs zwischen Ost- und Westdeutschland neu geregelt werden müssen. Bei Antrag auf Ausstellung von Aufenthaltsgenehmigungen für Westdeutsche und Westberliner sind familiäre Gründe anzuerkennen, ebenso bei Anträgen auf Ausstellung von Interzonenpässen. Insbesondere ist Wissenschaftlern und Künstlern die Teilnahme an Tagungen in Westdeutschland zu ermöglichen, ebenso ist Künstlern aus Westdeutschland die Teilnahme an Tagungen in der Deutschen Demokratischen Republik zu ermöglichen.

Das Politbüro schlägt ferner vor, daß alle im Zusammenhang mit der Überprüfung der Oberschüler und der Diskussion über die Tätigkeit der Jungen Gemeinde aus den Oberschulen entfernten Schüler sofort wieder zum Unterricht zuzulassen sind und daß ihnen die Möglichkeit gegeben wird, die versäumten Prüfungen nachzuholen. Ebenso sollen die im Zusammenhang mit der Überprüfung der Oberschulen ausgesprochenen Kündigungen und Versetzungen von Lehrern rückgängig gemacht werden. Die in den letzten Monaten ausgesprochenen Exmatrikulationen an Hochschulen und Universitäten sollen sofort überprüft und bis zum 20. Juni 1953 entschieden werden. Bei Immatrikulationen an den Hochschulen und Universitäten dürfen befähigte Jugendliche aus den Mittelschichten nicht benachteiligt werden.

Ferner empfiehlt das Politbüro der Regierung der Deutschen Demokratischen Republik, die Justizorgane zu beauftragen, diejenigen Verurteilten sofort zu entlassen, die nach dem Gesetz zum Schutz des Volkseigentums zu ein bis drei Jahren verurteilt worden sind, mit Ausnahme der Fälle, in denen schwere Folgen eintraten.

Ebenso empfiehlt es, diejenigen Untersuchungshäftlinge sofort zu entlassen, gegen die ein Verfahren nach dem Gesetz zum Schutz des Volkseigentums anhängig gemacht wurde und bei denen keine höheren Strafen als die gesetzlichen Mindeststrafen von ein bis drei Jahren zu erwarten sind.

Das Politbüro hat schließlich beschlossen, der Regierung der Deutschen Demokratischen Republik zu empfehlen, daß ab 1. Juli 1953 wieder an alle Bürger der Deutschen Demokratischen Republik und des demokratischen Sektors von Groß-Berlin Lebensmittelkarten entsprechend den gesetzlich festgelegten Tätigkeitsmerkmalen ausgegeben werden. Es wird weiter vorgeschlagen, die im April 1953 durchgeführten Preiserhöhungen für Marmelade, Kunsthonig und andere Süß- und Backwaren mit Wirkung vom 15. Juni 1953 rückgängig zu machen, die Fahrpreisermäßigungen in Höhe von 50 Prozent ab 1. Juli 1953 bei Arbeiterrückfahrkarten auf alle berechtigten Personen ohne Rücksicht auf die Höhe ihres Einkommens auszudehnen, die Fahrpreisermäßigungen für Schüler und Lehrlinge und auch bestimmte Schichten der Arbeiter wiederherzustellen und auch die Fahrpreisermäßigungen für Schwerbeschädigte, Kleingärtner usw. sowie die Erstattung von Fahrgeld durch die Sozialversicherung beim Besuch bei Fachärzten wieder einzuführen.

Beschluß des Politbüros vom 9. Juni 1953.
Quelle: Dokumente der SED, Band IV, Berlin (Ost) 1954, S. 428 ff.

---

11. Juni 1953

Ministerrat beschließt Neuen Kurs

Das Presseamt beim Ministerpräsidenten teilt mit: Der Ministerrat hat in seiner Sitzung vom 11. Juni 1953 eine Anzahl von Maßnahmen beschlossen, durch welche die auf den verschiedensten Gebieten begangenen Fehler der Regierung und der staatlichen Verwaltungsorgane korrigiert werden. Durch die jetzt vom Ministerrat beschlossenen Maßnahmen wird die Verbesserung der Lebenshaltung der Arbeiter und der Intelligenz, der Bauern und Handwerker und der übrigen Schichten des Mittelstandes eingeleitet.

Bei der Begründung der entsprechenden Verordnungen und Beschlüsse ging der Ministerpräsident von den verschiedenen Maßnahmen in der Vergangenheit aus, die sich als fehlerhaft erwiesen haben. Der Ministerpräsident führte diese Fehler, wie sie zum Beispiel bei der Lebensmittelkartenversorgung, bei Erfassungsmaßnahmen, bei der Steuererhebung und bei anderen Maßnahmen begangen wurden, darauf zurück, daß erhebliche Mittel im Staatshaushalt für Aufwendungen in Betracht gezogen wurden, die nicht im Fünfjahrplan vorgesehen waren. Außerdem wurden für das nächste Planjahr vorgesehene Aufgaben zum Teil in das Planjahr 1953 einbezogen und bestimmte Teile des Fünfjahrplans wurden zugunsten der Entwicklung der Schwerindustrie zu früh von 1955 auf 1952 und 1953 verlagert.

Die dadurch entstandene und durch Rückstände in der vorjährigen Ernte sowie durch Ablieferungsrückstände verschärfte Lage versuchte die Regierung in der zurückliegenden Zeit durch eine Anzahl von Maßnahmen zu meistern, die sich in ihrer Wirkung als falsch erwiesen haben. »Die unverzügliche Korrektur der entsprechenden Verordnungen«, erklärte der Ministerpräsident, »wird zur Verbesserung der Lebenshaltung unserer Bevölkerung führen und die Verbundenheit der Bevölkerung mit der Regierung stärken und festigen. Eine solche Politik unserer Regierung entspricht zugleich dem Grundinteresse der Annäherung und Verständigung aller deutschen Patrioten im Kampfe für die Einheit Deutschlands und den Frieden.«

In einer gründlichen Aussprache, an der sich der Stellvertreter des Ministerpräsidenten, Walter Ulbricht, der Stellvertreter des Ministerpräsidenten, Nuschke, der Stellvertreter des Ministerpräsidenten, Scholz, der Stellvertreter des Ministerpräsidenten, Loch, der Stellvertreter des Ministerpräsidenten, Rau, die Minister Steidle, Feldmann, die Vorsitzende der Staatlichen Kommission für Handel und Versorgung, Elli Schmidt, und Staatssekretär Hafrang beteiligten, wurde die durch den Ministerpräsidenten erfolgte Klarstellung der begangenen Fehler anerkannt und die von ihm begründeten neuen Beschlüsse allseitig unterstützt. Der Ministerrat erteilte diesen Beschlüssen seine Zustimmung. Durch diese Beschlüsse wird ein aus den gegenwärtigen Engpässen herausführender Entwicklungsprozeß eingeleitet. In der nächsten Zeit werden Veränderungen des Fünfjahrplans durchgeführt werden, welche die weitere Verbesserung der Lebenslage ermöglichen.

Der Ministerrat faßte folgende Beschlüsse:

Die Beschränkungen für die Ausgabe von Lebensmittelkarten werden aufgehoben. Ab 1. Juli 1953 werden an alle Bürger der Deutschen Demokratischen Republik und des demokratischen Sektors von Groß-Berlin wieder Lebensmittelkarten wie früher ausgegeben.

Bei der Handelsorganisation (HO) werden die Preise für zuckerhaltige Erzeugnisse, wie Süßwaren, Dauerbackwaren, Feinbackwaren sowie Kunsthonig mit 10 Prozent Bienenhonig auf den Stand zurückgeführt, der für diese Preise am 19. April 1953 gegeben war. Das gleiche gilt für den Preis für Marmelade aller Art, Kunsthonig und Fruchtsirup. Die Preisherabsetzung tritt mit dem 15. Juni 1953 in Kraft.

In der gesamten Wirtschaft, bei Klein-, Mittel- und Großbauern, Handwerkern, Einzel- und Großhändlern, privaten Industrie-, Bau- und Verkehrsbetrieben, sind Zwangsmaßnahmen zur Beitreibung von Rückständen an Steuern und Sozialversicherungsbeiträgen, die aus der wirtschaftlichen Tätigkeit in der Zeit bis zum Ende des Jahres 1950 entstanden sind, auszusetzen.

Handwerker, Einzel- und Großhändler, private Industrie-, Bau- und Verkehrsbetriebe erhalten auf Antrag ihre Betriebe zurück. Kurzfristige Kredite sind zu gewähren.

Ab 1. Juli 1953 ist die Fahrpreisermäßigung in Höhe von 50 Prozent bei Arbeiterrückfahrkarten auf alle berechtigten Personen ohne Rücksicht auf die Höhe ihres Einkommens auszudehnen. Darüber hinaus ist die bis zum 1. April 1953 gewährte Fahrpreisermäßigung für Schwerbeschädigte, Schüler, Studenten, Lehrlinge und Kleingärtner wieder einzuführen. Ebenso ist die bis zum 1. April 1953 gewährte Fahrpreisermäßigung für Sonntagsrückfahrkarten, Schichtarbeiter-Rückfahrkarten und Gesellschaftsfahrten ab 1. Juli 1953 wieder einzuführen.

Härten bei der Sozialversicherung und der Sozialfürsorge werden beseitigt und die Leistungen werden auf den ursprünglichen Stand gebracht.

Landwirtschaftliche Betriebe, deren Eigentümern auf Grund einer Verordnung vom 19. Februar 1953 die weitere Bewirtschaftung untersagt wurde, werden zurückgegeben.

Republikflüchtige Personen, die in das Gebiet der Deutschen Demokratischen Republik und den demokratischen Sektor von Berlin zurückkehren, erhalten ihr Eigentum zurück. Die Rückkehrer sind in ihre vollen Bürgerrechte einzusetzen und entsprechend ihrer Qualifikation in das wirtschaftliche und gesellschaftliche Leben einzugliedern.

Bauern, die im Zusammenhang mit Schwierigkeiten in der Weiterführung ihrer Wirtschaft ihre Höfe verlassen haben und republikflüchtig geworden sind, können auf ihre Höfe zurückkehren. Wenn in Ausnahmefällen die Rückgabe ihres landwirtschaftlichen Besitzes nicht möglich ist, so erhalten sie vollwertigen Ersatz. Das Justizministerium und der Generalstaatsanwalt haben alle Verhaftungen, Strafverfahren und Urteile zur Beseitigung etwa vorliegender Härten sofort zu überprüfen.

Der Ministerrat nahm zustimmend von den Vereinbarungen Kenntnis, die der Ministerpräsident mit den Vertretern der Kirche getroffen hat.

Quelle: Neues Deutschland vom 12. Juni 1953.

14. Juni 1953

SED-Zentralorgan gegen Holzhammermethoden

...»Du schreibst ja doch nicht in die Zeitung, was wir dir sagen!« Mit diesen Worten wurden wir von den erregten Mitgliedern der Brigade Zock empfangen, als wir in ihre Baubude am Strausberger Platz traten: Als die Abrechnung für diese Brigade bekanntgeworden war, stellte sich heraus, daß sie durchschnittlich nur 1,63 DM Leistungsstundenlohn im Monat Mai verdient hatte. Die Brigade verlangte eine Überprüfung. Darauf geschah nichts. Sie weigerte sich weiterzuarbeiten. Darauf bequemten sich die verantwortungslosen Mitarbeiter des VEB Wohnungsbau endlich, die Überprüfung der Abrechnung vorzunehmen. Und was stellte sich heraus? Daß man falsch gerechnet hatte und daß den Arbeitern ein durchschnittlicher Leistungsstundenlohn von 1,99 DM zustand.
»Seit Monaten gibt es Differenzen mit der Normenabteilung«, erklärten die Brigade-Mitglieder. »Immer stimmt unsere Abrechnung nicht. Müssen wir um unseren Lohn wie um Almosen betteln?« Nach einer längeren Diskussion sagten sie schließlich: »Du mußt uns doch verstehen. Wir arbeiten ja, wir wollen ja auch aufbauen. Wir sind nur so erregt, weil es mit der Arbeit in der Zentrale nicht klappt.« Der Rüsterbrigade Bornemann erging es ähnlich wie der Brigade Zock.
Die Normenbearbeiter vom VEB Wohnungsbau haben jede Verbindung mit ihren Kollegen auf den Baustellen verloren. Sie behandeln sie hochnäsig und wundern sich, wenn ihnen die Bauarbeiter mißtrauisch gegenüberstehen. Wenn die Normenbearbeiter annehmen, daß sie sich mit ihren gefährlichen Tricks bei der Betriebsleitung einen guten Namen verschaffen könnten, so irren sie sich. Denn sie haben die Bauarbeiter gegen sich, ohne die der Betrieb niemals reibungslos arbeiten kann. Die Normenabteilung soll nicht glauben, daß es ihr sehr lange gelingen kann, ungestraft gegen die Interessen der Bauarbeiter zu handeln.
Die Normenbearbeiter müssen Helfer der Brigaden sein und gemeinsam mit ihnen die Ermittlung fortschrittlicher Normen durchführen. In der Normenabteilung des VEB Wohnungsbau muß darüber schnellstens vollständige Klarheit geschaffen werden. Jeder

Mitarbeiter dieser Abteilung muß sich bemühen, ein Vertrauensverhältnis zwischen der Abteilung und den Bauarbeitern herzustellen, um die gegenwärtigen durch sie selbst hervorgerufenen Spannungen zu beseitigen...
Das selbstherrliche und überhebliche Auftreten besonders der Genossen Rank und Lemberg aus der Normenabteilung hat natürlich seinen Ursprung. Ihr »Vorbild« ist Parteisekretär Müller.
Aber auch das selbstherrliche und überhebliche Auftreten des Genossen Müller kommt nicht von ungefähr. Er glaubt, er handelt richtig, wenn er an die Stelle der Überzeugungsarbeit den Holzhammer setzt, denn noch nie wurde er deswegen von seiner Parteiorganisation kritisiert. Ja, auch die Bezirksleitung hat bisher keinen Anstoß daran genommen. Im Gegenteil. Genosse Müller wird in seiner »Methode« noch gestärkt, wenn Genosse Baum als Mitglied des Sekretariats der Bezirksleitung Groß-Berlin der SED auf einer Besprechung mit Parteifunktionären der Berliner Bauindustrie am 27. Mai erklärt, daß es bei Vorfällen, wie sie sich auf der Baustelle G-Nord ereignet haben, auch einmal notwendig sei, ein Exempel zu statuieren. Man müsse eine der Bauarbeiterbrigaden, die die Arbeitsdisziplin auf der Baustelle gestört haben, fristlos entlassen.
Das heißt mit anderen Worten, die Bauarbeiter, die durch ihre Aktion eine Verbesserung der Arbeit in der Verwaltung und dadurch eine Verbesserung der Produktion erreichen wollten, weil ihnen die Partei und die Betriebsleitung nicht halfen, sollen dafür auch noch bestraft werden. So geht es natürlich nicht!
Wenn eine Betriebsparteiorganisation und leitende Wirtschaftsfunktionäre, die Mitglieder unserer Partei sind, das Vertrauen der Arbeiter mißbrauchen, können sie nicht erwarten, daß sich die Arbeiter so einfach damit abfinden...

Originaltitel und Quelle: Es wird Zeit, den Holzhammer beiseite zu legen, Neues Deutschland vom 14. Juni 1953.

---

16. Juni 1953

FDGB besteht auf Normerhöhung

Im Zusammenhang mit der Veröffentlichung der Kommuniqués des Politbüros und des Ministerrats vom 9. bzw. 11. Juni 1953 wird in einigen Fällen die Frage gestellt, inwieweit die Beschlüsse über die Erhöhung der Arbeitsnormen noch richtig sind und aufrechterhalten bleiben. Die Beschlüsse über die Erhöhung der Normen sind in vollem Umfang richtig. Gestützt auf das unbedingte Vertrauen der Bevölkerung zu ihrer Regierung haben das Politbüro des Zentralkomitees der SED und die Regierung der Deutschen Demokrati-

schen Republik offen vor dem ganzen Volke einige Fehler der Vergangenheit in ihrer Arbeit dargelegt und sofort Maßnahmen eingeleitet, die einer entschiedenen Verbesserung der Lebenshaltung aller Teile der Bevölkerung der Deutschen Demokratischen Republik dienen. Weil aber all das davon abhängt, inwieweit wir die großen Aufgaben des Fünfjahrplanes auf der Grundlage eines fortgesetzten Anwachsens der Arbeitsproduktivität bei strengster Sparsamkeit erreichen können, gilt es, den Beschluß des Ministerrats über die Erhöhung der Arbeitsnormen um durchschnittlich 10 Prozent bis zum 30. Juni 1953 mit aller Kraft durchzuführen.

Von dieser Erkenntnis müssen sich die Wirtschafts- und Gewerkschaftsleitungen bei der Durchführung des Beschlusses des Ministerrats im Interesse der weiteren Verbesserung der Lebensbedingungen der werktätigen Bevölkerung leiten lassen. Otto Lehmann

Originaltitel und Quelle: Zu einigen schädlichen Erscheinungen bei der Erhöhung der Arbeitsnormen, Tribüne (Organ des FDGB-Bundesvorstandes), 16. Juni 1953. Der Autor Otto Lehmann war Sekretär des FDGB-Bundesvorstandes.

---

16. Juni 1953

Politbüro der SED nimmt Normerhöhung zurück

Anläßlich von Anfragen der Arbeiter einer Reihe von Betrieben und Baustellen zur Frage der Erhöhung der Arbeitsnormen hält es das Politbüro des ZK der SED für erforderlich, zu erklären:

1. Der Aufbau eines neuen Lebens und die Verbesserung der Lebensbedingungen der Arbeiter sowie der gesamten Bevölkerung sind einzig und allein auf der Grundlage der Erhöhung der Arbeitsproduktivität und der Steigerung der Produktion möglich. Nur die Verwirklichung der alten Losung unserer Partei »Mehr produzieren – besser leben« hat zur Wiederherstellung und zur schnellen Entwicklung der Volkswirtschaft der Deutschen Demokratischen Republik nach dem Kriege geführt. Dieser Weg war und bleibt der einzig richtige Weg.

Deshalb ist das Politbüro der Auffassung, daß die Initiative der fortgeschrittensten Arbeiter, die freiwillig zur Erhöhung der Arbeitsnormen übergegangen sind, ein wichtiger Schritt auf dem Wege zum Aufbau eines neuen Lebens ist, der dem gesamten Volk den Ausweg aus den bestehenden Schwierigkeiten weist.

Das Politbüro ist dabei der Meinung, daß eine der wichtigsten Aufgaben der Betriebsleiter, der Partei- und Gewerkschaftsorganisationen darin besteht, Maßnahmen zur Verbesserung der Arbeitsorganisation und der Produktion zu ergreifen, damit in der nächsten Zeit der Lohn der Arbeiter, die ihre Normen erhöht haben, gesteigert werden kann.

2. Das Politbüro hält es zugleich für völlig falsch, die Erhöhung der Arbeitsnormen in den Betrieben der volkseigenen Industrie um 10 Prozent auf administrativem Wege durchzuführen.

Die Erhöhung der Arbeitsnormen darf und kann nicht mit administrativen Methoden durchgeführt werden, sondern einzig und allein auf der Grundlage der Überzeugung und der Freiwilligkeit.

3. Es wird vorgeschlagen, die von den einzelnen Ministerien angeordnete obligatorische Erhöhung der Arbeitsnormen als unrichtig aufzuheben. Der Beschluß der Regierung vom 28. Mai 1953 ist gemeinsam mit den Gewerkschaften zu überprüfen.

Das Politbüro fordert die Arbeiter auf, sich um die Partei und um die Regierung zusammenzuschließen und die feindlichen Provokateure zu entlarven, welche versuchen, Unstimmigkeiten und Verwirrung in die Reihen der Arbeiterklasse hineinzutragen.

Beschluß des Politbüros vom 16. Juni 1953. Quelle: Dokumente der SED, Band IV Berlin (Ost) 1954, S. 432 f.

---

16. Juni 1953

Otto Grotewohl:
Wenn die Menschen sich von uns abwenden, dann ist diese Politik falsch

... Der erfolgreiche, wirtschaftliche und kulturelle Aufbau in der Deutschen Demokratischen Republik eilte, dank der aufopferungsvollen Arbeit unserer Arbeiter, Bauern, unserer Wissenschaftler und Techniker, bereits den Planzielen des Fünfjahresplanes voraus. Trotz aller Schwierigkeiten in der Beschaffung von Rohstoffen und Materialien steigerte sich der Produktionsumfang dauernd und anhaltend. In der Landwirtschaft hatten wir bereits die Ziffern der Hektarerträge von 1936 überflügelt. Diese geradlinig nach oben steigende Kurve berechtigte uns im Vorjahr zu der Annahme, daß wir den Zustand erreicht hätten, bei dem wir mit der beschleunigten Schaffung der Grundlagen zum Aufbau des Sozialismus beginnen konnten. Hier beginnen nun einige finanzielle und ökonomische Vorbelastungen, die die Erfüllung unseres Zieles erschwerten und verhinderten. Einige dieser Auswirkungen wurden uns durch die aggressiven militärischen Vorbereitungen gegen die DDR aufgezwungen, andere entsprangen der falschen Anwendung unserer Gesetze in den Betrieben und auf der mittleren Linie unserer Verwaltung. Sie veranlaßten uns zu Maßnahmen, um die schädlichen Wirkungen zu beseitigen. Wenn ich nur die wesentlichsten und entscheidendsten dieser Fragen heute hier anführe, so hoffe ich, daß trotzdem vor den Augen der Genossen ein klares und zusammenhängendes Bild entsteht. Die erste, tief einschneidende Wirkung ergab sich im zweiten Halbjahr 1952 insofern aus der Bonner Kriegspolitik, als wir dadurch gezwungen wurden, zum Schutze unseres Staates und unserer Errungenschaften erhebliche unvorhergesehene Ausgaben zu machen.

Die zweite Verschiebung des normalen Wirtschaftsablaufs entstand aus einer falschen Anwendung unserer

Beschlüsse zur Verbesserung der Löhne für die ersten vier Lohnstufen unserer Grundindustrien. Das Ergebnis dieses Fehlers zeigte sich uns aber erst endgültig und in seiner ganzen Größe bei den Jahresabrechnungen für 1952. Politbüro und Regierung hatten beschlossen, diese Lohnerhöhungen im Gesamtwert von 700 Millionen als erste Stufe im Jahre 1952 durchzuführen, um im Jahre 1953 eine zweite Stufe der Lohnerhöhung folgen zu lassen. Auf der mittleren Ebene der Verwaltung und in den Betrieben wurde diese Linie völlig verändert. Das ergab eine völlige Verschiebung zwischen dem Lohn- und Warenfonds, denn der Warenfonds folgte nicht im richtigen Verhältnis. Der Warenfonds hatte eine Höhe von 14 Milliarden, während der Lohnfonds am Ende des Jahres 1953 bereits eine Höhe von 18 Milliarden Mark erreicht hatte. Diese plötzlich unter völliger Verschleierung entstandene Differenz von 4 Milliarden Mark zwischen Lohn und Ware mußte zwangsläufig zu einem tiefen Einfall in die Versorgungslage der Bevölkerung führen. Dazu kam die auf dem Zucker- und Lebensmittelmarkt überall aus der Schlechtwetterperiode sich ergebende Verknappung der Lebensmittel. Sabotage und fehlerhafte Arbeit führte zu jenen Schwierigkeiten in der Versorgung, die uns allen bekannt sind.

Zu alledem hatten wir die Entwicklung unserer Schwerindustrie und anderer wichtiger Abschnitte aus dem Fünfjahrplan in das Jahr 1952 vorverlegt. Unsere sichere Erwartung ging davon aus, daß die forcierte Entwicklung der Schwerindustrie zum beschleunigten Aufbau unserer Waren- und Verbrauchsindustrie führe und wir gleichzeitig auf diesem Wege eine erhebliche Verbesserung unseres Außenhandels herbeiführen könnten. Diese Absicht hat sich als falsch erwiesen, und es ist uns heute völlig klar, daß nicht eine einzige Stufe im Prozeß der Höherentwicklung übersprungen werden kann. Ein allgemeines Gesetz der politischen Ökonomie kann durch Beschlüsse nicht aufgehoben werden. Das alles ist heute nach dem Ablauf der Ereignisse völlig klar. Daraus gilt es die entscheidenden Schlußfolgerungen zu ziehen.

Aber ökonomische Ereignisse stehen nicht losgelöst im Leben, sondern sie sind immer mit tiefen und großen gesellschaftlichen Einwirkungen verbunden. Bei der Durchführung aller dieser Maßnahmen stießen wir auf den erbitterten Widerstand des Gegners. Der Klassenkampf verschärfte sich auf der ganzen Linie und in allen gesellschaftlichen Äußerungen. Hetze und Verleumdung aller Art führten zur Nichterfüllung bei der Ablieferung, zur künstlichen Erhöhung von Steuerschulden und zum stillen und oft auch offenen Widerstand gegen die Maßnahmen in der Wirtschaft und im Staat. Wir versuchten die Beseitigung dieser Mängel mit fast ausschließlich administrativen Mitteln. Das war falsch. Die Methode des Administrierens, der polizeilichen Eingriffe und die Schärfe der Justiz ist falsch und erstickt schöpferische Kräfte eines Volkes.

Das zeigte uns die darauf einsetzende Wirkung: die Einschränkung der allgemeinen Versorgung, die Einengung und zerstörende Wirkung auf Einzelhändler und Mittelstand, die Flucht der Bauern nach dem Westen Deutschlands und das berechtigte Anwachsen der Unzufriedenheit in der Arbeiterschaft über die verschiedensten Maßnahmen in der Sozialversicherung, bei der Abschaffung der Fahrpreisermäßigungen usw. Die Flucht nach dem Westen bedeutete die Schaffung einer großen Propagandaarmee im Westen, die sich gegen den Osten, gegen die DDR wendete. Darüber hinaus aber mußte die Auswirkung dieser Politik zur Verbreiterung der Kluft zwischen den Menschen im Westen und im Osten Deutschlands führen.

Das ist natürlich letzten Endes ein unerträglicher Fehler und Zustand, denn er berührt gleichzeitig das zentralste und entscheidendste Problem der ganzen deutschen Nation. Die Einheit Deutschlands ist das feste Fundament für eine bessere Zukunft und für einen Zustand des Friedens in Deutschland und Europa. Wenn sich Menschen von uns abwenden, wenn neben der staatlichen und wirtschaftlichen Spaltung noch die menschlichen Beziehungen zwischen den Deutschen zerrissen werden, dann ist diese Politik falsch. Daraus muß man unerschrocken und entschieden alle Schlußfolgerungen ziehen. Die Vorhut der deutschen Arbeiterklasse muß sich noch fester mit den Massen vereinigen, und unsere Aufgabe ist es, diese Vereinigung herbeizuführen. Es gibt keinen anderen Weg aus all diesen Gründen. Man muß eine Wendung vollziehen. Es handelt sich nicht um die Durchführung kleiner und unbedeutender taktischer Maßnahmen, sondern es handelt sich für uns jetzt darum, die notwendige und unaufschiebbare Schwenkung in der erforderlichen Ordnung und Disziplin zu vollziehen . . .

Otto Grotewohl vor dem Parteiaktiv der SED-Bezirksleitung Groß-Berlin am Abend des 16. Juni 1953, Quelle: Neues Deutschland vom 18. Juni 1953.

---

17. Juni 1953

SED-Zentralorgan über die Demonstrationen am 16. Juni

Berlin (Eig. Bericht). Am Dienstag ließ sich ein Teil der Bauarbeiter des demokratischen Sektors von Berlin zu einer Demonstration verleiten, die von den in Westberlin sitzenden Urhebern als Provokation zur Störung der immer stärker werdenden Verständigungsbewegung unter den Deutschen gedacht war. Unsere eigenen Fehler, die unzulässigen administrativen Maßnahmen der Baubetriebsleitungen zur Erhöhung der Normen, die sich in vielen Fällen in direkten Lohnkürzungen für die Bauarbeiter auswirkten, hatten den Provokateuren einen günstigen Boden für ihre Umtriebe geschaffen.

Diese unstatthaften und schädlichen administrativen Methoden zur Erhöhung der Arbeitsnormen traten in den letzten Wochen in vielen Betrieben zutage. Das Politbüro der SED schlug deshalb am gestrigen Tage vor, daß der Beschluß der Regierung vom 28. Mai gemeinsam mit den Gewerkschaften überprüft werden soll und daß die von den einzelnen Ministerien angeordnete obligatorische Erhöhung der Arbeitsnormen als unrichtig aufzuheben ist.

Die Erregung der Berliner Bauarbeiter über die falsche, teilweise gewalttätige Form der Normenfestsetzung auf zahlreichen Baustellen wurde von den in Westberlin sitzenden Feinden des friedlichen Aufbaus der DDR und im demokratischen Sektor Berlins und ihren Agenten dazu benutzt, einen Teil der Bauarbeiter des demokratischen Sektors von Berlin, teilweise durch üble Methoden der Gewalt und Verhetzung, zum Verlassen ihrer Baustellen zu veranlassen. Einem jugendlichen Bauarbeiter wurde z.B. das Fahrrad weggenommen und ihm zugerufen: »Mitkommen, sonst kriegst du es nicht wieder!«

Am Fernheizwerk versuchte ein Mann im braunen Zivilanzug, der einen großen Schäferhund an der Leine führte, die Bauarbeiter zur Arbeitsniederlegung aufzuhetzen. Als er von Passanten und Bauarbeitern gefragt wurde, wer er sei und was er mit den Bauarbeitern und ihren Normen zu tun habe, verzog er sich unter wüsten Schimpfworten.

Im Verlauf der Demonstration, die ohne jede Behinderung durch die Volkspolizei durchgeführt wurde, konzentrierten die Provokateure ihre Aktivität vor allem darauf, alle Mitteilungen über die Erklärung des Politbüros des ZK der SED unmöglich zu machen. Unter den Linden versuchten die Provokateure, den Demonstrationszug der Bauarbeiter durch das Brandenburger Tor nach Westberlin zu führen. Dies verbrecherische Spiel wurde von den demonstrierenden Bauarbeitern selbst verhindert. Sie stellten sich den Provokateuren entgegen und leiteten ihren Zug in die Wilhelmstraße.

Die Mehrheit der Bauarbeiter des demokratischen Sektors von Berlin hatte die Teilnahme an der Demonstration abgelehnt. An einer Baustelle in der Behren-

straße bedrohten einige Provokateure die Bauarbeiter und schrien sie an, vom Bau herunterzukommen. Ein großer breitschultriger Bauarbeiter trat ihnen ruhig entgegen. »Wir haben euch schon gehört«, sagte er, »und beschlossen, daß wir diesen Weg nicht mit euch gehen.« Auf der Baustelle ging die Aufbauarbeit weiter. Angewidert von dem verbrecherischen Treiben der Provokateure im Demonstrationszuge, verließen bereits während der Kundgebung am Haus der Ministerien große Gruppen von Bauarbeitern den Zug, so daß zuletzt nur ein Teil der ursprünglichen Demonstranten zur Stalinallee zurückkehrte.

Aus dieser Demonstration der Bauarbeiter ergeben sich eine Reihe ernster Lehren. Die wichtigste ist: es muß endgültig und radikal Schluß gemacht werden mit jeglicher Methode des Administrierens in der Normenfrage. Die Forderungen der Bauarbeiter nach Verbesserung der Arbeitsorganisation und nach Überprüfung tatsächlich falsch berechneter Normen müssen unbedingt beachtet werden. Die IG Bau-Holz des FDGB muß sich dabei zum wirklichen Interessenvertreter der Bauarbeiter machen und darf nicht als Anhängsel der Betriebsleitungen auftreten.

Wenn die Westberliner Provokateure glauben, sie könnten die Arbeiter des demokratischen Sektors von Berlin vor ihren Kriegskarren spannen, wie es ihnen für einige Stunden mit einer Gruppe von Bauarbeitern gelungen war, so irren sie sich gewaltig. Die Berliner Werktätigen, einschließlich der Bauarbeiter, scharen sich noch enger um die Regierung der Deutschen Demokratischen Republik, die ihnen den Weg der friedlichen Entwicklung zur Verbesserung des Lebens, zum wachsenden Wohlstand, zur Einheit Deutschlands und Berlins weist.

Das trat besonders in den gestrigen Abendstunden zutage, als die Bevölkerung an der Beruhigung der Westberliner Provokateure aktiv teilnahm.

Originaltitel und Quelle: Eine ernste Lehre – Nur engste Verbundenheit mit den Massen verhindert Provokationen. Neues Deutschland vom 17. Juni 1953.

---

17. Juni 1953

Der Ausnahmezustand wird verhängt

Befehl des Militärkommandanten des sowjetischen Sektors von Berlin – Betrifft: Erklärung des Ausnahmezustandes im sowjetischen Sektor von Berlin

Für die Herbeiführung einer festen öffentlichen Ordnung im sowjetischen Sektor von Berlin wird befohlen:

1. Ab 13 Uhr des 17. Uhr 1953 wird im sowjetischen Sektor von Berlin der Ausnahmezustand verhängt.

2. Alle Demonstrationen, Versammlungen, Kundgebungen und sonstige Menschenansammlungen über drei Personen werden auf Straßen und Plätzen wie auch in öffentlichen Gebäuden verboten.

3. Jeglicher Verkehr von Fußgängern und der Verkehr

von Kraftfahrzeugen und anderen Fahrzeugen wird von 21 Uhr bis 5 Uhr verboten.

Diejenigen, die gegen diesen Befehl verstoßen, werden nach den Kriegsgesetzen bestraft.

Militärkommandant des sowjetischen Sektors von Groß-Berlin

gez. Dibrowa, Generalmajor

Befehl des Militärkommandanten der Stadt Halle vom 17. Juni 1953

Befehl!
Über die Stadt Halle ist der
Ausnahmezustand
verhängt. Demonstrationen, Versammlungen und Zusammenrottungen jeder Art sind verboten.

Jeder Aufenthalt auf den Straßen ist von 21.00 Uhr bis 4.00 Uhr verboten.
Im Falle von Widerstand wird von der Waffe Gebrauch gemacht.
Chef der Garnison und Militärkommandant der Stadt Halle-Saale
Halle, den 17. Juni 1953

Befehl des Militärkommandanten des Bezirks Magdeburg vom 17. Juni 1953

Befehl des Militärkommandanten des Bezirkes Magdeburg
Für die Herbeiführung einer festen öffentlichen Ordnung wird befohlen:

1. Ab 14 Uhr des 17. Juni 1953 wird für den Bezirk Magdeburg der Ausnahmezustand verhängt.

2. Alle Demonstrationen, Versammlungen, Kundgebungen und Ansammlungen über drei Personen werden auf Straßen, Plätzen sowie vor öffentlichen Gebäuden verboten.

3. Jeglicher Verkehr von Fußgängern, Kraftfahrzeugen und Fahrzeugen wird von 21 Uhr abends bis 5 Uhr morgens verboten.

4. Diejenigen, die gegen diesen Befehl verstoßen, werden nach dem Kriegsgesetz bestraft.
Militärkommando für den Bezirk Magdeburg

Dienstanweisung des Werksleiters der Filmfabrik Agfa Wolfen

Auf Grund des Befehls Nr. 1 und 2 des Militärkommandanten der Stadt Bitterfeld wird folgende Anweisung gegeben:

1. Unser Kreisgebiet befindet sich im *Kriegszustand*. Jegliche Demonstration oder Ansammlungen über 3 Personen sind auch im gesamten Werksgelände verboten.

2. Die Arbeit in dem gesamten Werk ist unverzüglich voll wiederaufzunehmen. Das Nichtantreten der Arbeit wird betrachtet als der Wunsch zu nicht weiterer Arbeit in der Fabrik.

3. Der Juni- und Quartals-Produktionsplan muß erfüllt werden.

4. An allen Arbeitsplätzen und Abschnitten ist die Sichtwerbung sofort wieder neu herzustellen.

5. Alle demokratischen Fahnen sind sofort aufzuziehen.

6. Für die Durchführung dieser Maßnahmen sind alle Direktoren, Abteilungs- und Betriebsleiter sowie Meister *persönlich* mitverantwortlich. Der Werksleiter seinerseits ist für die strikte Einhaltung dieser Anweisung dem Generaldirektor verantwortlich.
Wolfen, den 19. Juni 1953

Werksleitung

---

21. Juni 1953

Erste Stellungnahme des ZK der SED zum 17. Juni: Falsche Politik und faschistischer Putsch

Das Zentralkomitee der Sozialistischen Einheitspartei Deutschlands hat in seiner Tagung vom 21. Juni 1953 die Lage in der Deutschen Demokratischen Republik geprüft und den folgenden Beschluß gefaßt:

I. Die Entwicklung der Ereignisse

Die Ereignisse in der Deutschen Demokratischen Republik hängen unmittelbar mit der Entwicklung der internationalen und nationalen Lage zusammen. Das entscheidende Merkmal der internationalen Lage besteht in dem gewaltigen Anwachsen der Kräfte des Weltfriedenslagers in den letzten Monaten. In Korea steht der Waffenstillstand bevor. In Italien hat das Volk einen großen Sieg über die Reaktion errungen. In England und Frankreich wächst der Widerstand gegen die Teilnahme an der amerikanischen Kriegspolitik. In Westdeutschland wächst die patriotische Bewegung für die Wiedervereinigung Deutschlands. Auf Grund der Initiative des Weltfriedenslagers beginnt eine weltumspannende Bewegung der Völker für die Lösung aller strittigen Fragen auf dem Wege friedlicher Verhandlungen. In jedem Lande setzt sich die Friedenspolitik der Sowjetunion, Chinas, der Deutschen Demokratischen Republik und der anderen

Teile des Weltfriedenslagers, weil sie mit den Interessen der Völker identisch ist, zusehends durch.
Dadurch sind die amerikanischen und deutschen Kriegstreiber in eine schwere Lage geraten. Sie sehen ihre Pläne scheitern. Der dritte Weltkrieg, den sie möglichst rasch entfesseln wollen, rückt in die Ferne.
In ihrer Beunruhigung greifen sie zu abenteuerlichen Maßnahmen. Eine von ihnen ist die Ansetzung des Tages X, an dem sie von Berlin aus die Deutsche Demokratische Republik aufrollen wollten, auf den 17. Juni 1953. Das ist der Versuch, den Kriegsbrand, den die Völker der Welt in Korea eben austreten, mit Hilfe des Brückenkopfes Westberlin nach Deutschland hinüberzuwerfen. Er wird mißlingen.
Warum entschlossen sich die Kriegstreiber gerade in diesen Tagen zu ihrer faschistischen Provokation gegen die Deutsche Demokratische Republik? Die Regierung der Deutschen Demokratischen Republik hatte am 11. Juni Maßnahmen beschlossen, die zu einer weiteren Stärkung der Deutschen Demokratischen Republik führen und den Kampf um die Einheit Deutschlands, die Verständigung der Deutschen untereinander wesentlich fördern werden. Sie hatte, um eine entschiedene Hebung der Lebenslage der Werktätigen, vor allem auch der Arbeiter, in der Deutschen

Demokratischen Republik herbeizuführen, eine Reihe von Maßnahmen beschlossen, unter anderem die Konsumgüterproduktion zu steigern und die private Initiative des Handwerks, der kleinen und mittleren Industrie durch Gewährung von Krediten und Zuteilung der notwendigen Rohstoffe und Materialien breit zu fördern. Sie hatte die Überspitzungen in der Finanzpolitik auf dem Gebiet der Fahrpreistarife und der Sozialversicherung rückgängig gemacht. Den Republikflüchtigen, darunter auch den Großbauern, wurde die Rückkehr freigegeben und dazu ihr beschlagnahmtes Vermögen; Tausende von Verhafteten wurden entlassen. Von den Oberschulen verwiesene Lehrer und Schüler wurden wieder zugelassen. Die Zonengrenzen und die Sektorengrenzen in Berlin wurden weit geöffnet.

Die Wirkung der Beschlüsse des Politbüros und der Regierung in allen Teilen Deutschlands gestaltete die Position der Kriegstreiber noch schwieriger und veranlaßte sie, den von langer Hand vorbereiteten Tag X kurzfristig zu provozieren.

Partei und Regierung hatten die Korrektur der bisherigen politischen Linie der Deutschen Demokratischen Republik eingeleitet, weil diese Linie nicht zu einer schnellen Hebung des Lebensstandards der Bevölkerung der Deutschen Demokratischen Republik führte und dem gesamtdeutschen Kampf um Einheit und Frieden nicht entsprach. Das Politbüro hatte festgestellt, daß die Gesamtlage den bisher für richtig gehaltenen Kurs in einem neuen Licht erscheinen ließ. Als Führung einer marxistisch-leninistischen Partei hatte das Politbüro seine Erkenntnis öffentlich mitgeteilt, auf die im letzten Jahre begangenen Fehler verwiesen und der Regierung erste Maßnahmen zur Korrektur der Fehler empfohlen. Nun war es gerade dabei, den Gesamtplan zur Verbesserung der Lebenslage der Werktätigen auszuarbeiten und dem Zentralkomitee zur Bestätigung zu unterbreiten. In diesem Augenblick entschlossen sich die westlichen Agenturen zum Tage X, um die eingeleitete Wendung zur Verbesserung der Lebenslage in der Deutschen Demokratischen Republik zu durchkreuzen.

Über die Vorbereitungen für den Tag X haben die Feinde des Volkes selber offen gesprochen. Jakob Kaiser erklärte: »Es liegt im Bereich der Möglichkeit, daß dieser Tag X rascher kommt . . . es ist unsere Aufgabe, für alle Probleme bestmöglich vorbereitet zu sein. Der Generalstabsplan ist so gut wie fertig!«

In Westdeutschland saßen und sitzen die amerikanischen Agenturen, die auf Anweisung von Washington die Pläne für Krieg und Bürgerkrieg ausarbeiten. In Westdeutschland und Westberlin organisierten die Adenauer, Ollenhauer, Kaiser und Reuter die unmittelbare Vorbereitung des Tages X. So wurde im Ministerium von Jakob Kaiser mit aktiver amerikanischer Unterstützung unter dem Tarnnamen »Forschungsbeirat« ein spezieller Stab für Diversions- und Bürgerkriegsakte geschaffen, dem Millionen Mark aus den Geheimfonds aus- und inländischer Imperialisten zuflossen. In Westberlin wurden von den Kaiser und Reuter systematisch Kriegsverbrecher, Militaristen und kriminelle Elemente in Terrororganisationen vorbereitet und ausgerüstet. Zu den alten faschistischen Morderfahrungen kamen noch zusätzlich die Methoden der amerikanischen Gangster. So wurde der faschistische Auswurf wieder großgezogen. Neben den ausländischen Kriegstreibern tragen Adenauer, Ollenhauer, Kaiser und Reuter die volle Verantwortung für das Blut, das bei der Niederschlagung des faschistischen Abenteuers geflossen ist.

Der Gegner benutzte zur Auslösung seiner Provokation die Mißstimmung einiger Teile der Bevölkerung, die durch Folgen unserer Politik im letzten Jahr entstanden war. Er organisierte unter dem Vorwand einer Dampferpartie der Betriebsangehörigen des VEB Industriebau Berlin, unter Hinzuziehung seiner Agenten aus einzelnen Großbetrieben, am Sonnabend, dem 13. Juni 1953, den Streik der Bauarbeiter und bestimmte Dienstag, den 16. Juni 1953, als Termin für die Provokation. Er warf gleichzeitig seine mit Schwefel-, Phosphor- und Benzinflaschen sowie mit Waffen ausgerüsteten Banditenkolonnen über die Sektorengrenzen mit der Aufgabe, die Arbeitsniederlegung ehrlicher Bauarbeiter durch Hetzlosungen in eine Demonstration gegen die Regierung umzufälschen und dieser Demonstration durch Brandstiftungen, Plünderungen und Schießereien den Charakter eines Aufruhrs zu geben. Zugleich gab er seinen Agentengruppen an einigen anderen Stellen der Republik die Anweisung, am nächsten Tage – in anderen Orten am übernächsten Tage – ähnliche Aktionen zu organisieren. Die von Westberlin eingeschleuste und von dort dirigierte faschistische Brut organisierte Überfälle auf Lebensmittellager, Lehrlingsheime, Klubhäuser, Verkaufsstellen sowie Mordüberfälle auf Funktionäre der Partei, der Massenorganisationen und des Staatsapparates, die mutig unsere demokratische Ordnung verteidigten. An Hand der in den Westberliner Agentenzentralen vorbereiteten Listen wurden vorübergehend faschistische und kriminelle Verbrecher aus der Haftanstalt herausgeholt, wie zum Beispiel die wegen bestialischer Verbrechen gegen die Menschlichkeit von der demokratischen Justiz verurteilte SS-Kommandeuse des Frauenkonzentrationslagers Ravensbrück, Erna Dorn. So sollte in der Deutschen Demokratischen Republik eine faschistische Macht errichtet und Deutschland der Weg zu Einheit und Frieden verlegt werden.

Durch das rechtzeitige Eingreifen breiter Teile der Bevölkerung, die durch die Volkspolizei heldenhaft unterstützt wurden, sowie durch das Eingreifen der sowjetischen Besatzungsmacht, die den Ausnahmezustand verhängte, ist der niederträchtige Anschlag auf die Deutsche Demokratische Republik, auf Deutschland, auf den Weltfrieden innerhalb von 24 Stunden schmählich zusammengebrochen. Dadurch wurde das beabsichtigte Massenblutbad verhindert.

II. Die gegenwärtige Lage

In der Republik herrscht Ruhe. Es wird normal gearbeitet. Eine große Anzahl von Provokateuren ist verhaftet. Der verbliebene Teil wagt gegenwärtig nicht hervorzutreten. Aber die Ruhe ist noch keineswegs endgültig gesichert. Der Feind setzt seine Wühlarbeit fort. Ausländische Flugzeuge setzen, wie bereits in den vergangenen Tagen, über Thüringen, Sachsen-Anhalt usw. durch Fallschirme Gruppen von Banditen mit Waffen und Geheimsendern ab. Lastwagen mit Waffen für noch nicht entdeckte Gruppen wurden an der Autobahn Leipzig–Berlin abgefangen. Der Gegner geht zu großen Sabotageakten über. Unter Beteiligung von Adenauer, Ollenhauer, Kaiser und Reuter, welche die Banditenkolonnen persönlich anleiten, arbeitet der Hetzsender RIAS auf vollen Touren, um dem gescheiterten Abenteuer neues Leben einzublasen.

Dabei sind Veränderungen in der Taktik des Gegners zu beobachten. Den noch verbliebenen Teilen seiner Agentur hat er Befehl gegeben, sich durch Verstecken und Tarnungen zu erhalten. Gleichzeitig verbreitet er Flüsterparolen und sucht neue Unruhen zu provozieren. Da große Massen der Arbeiter nunmehr erkennen, wozu ihre Mißstimmung mißbraucht werden sollte, versucht der Gegner auf dem flachen Lande zu provozieren. Er hetzt zur Sabotage der Versorgung der städtischen Bevölkerung, um dadurch eine neue Handhabe zu bekommen, unter den Arbeitern Mißstimmung zu säen.

Daher besteht die Aufgabe jetzt darin, den angeschlagenen Gegner entscheidend zu schlagen, die faschistischen Banden restlos zu liquidieren, die Ordnung aus eigenen Kräften auf feste Grundlagen zu stellen und die Durchführung des neuen Kurses von Partei und Regierung zu sichern. Was ist dazu erforderlich?

III. Unsere Partei und die Arbeiterklasse

Dazu ist vor allem erforderlich, daß diejenigen Teile der Arbeiterklasse, die sich vom Gegner täuschen ließen, aus der Verwirrung herausgerissen werden, daß sie, die, ohne es zu sehen und zu wollen, unter den Einfluß ihrer geschworenen Feinde, der Monopolkapitalisten und Faschisten geraten sind, sich von diesem Einfluß frei machen, daß das Vertrauensverhältnis zwischen Arbeiterklasse, Partei und Regierung wiederhergestellt wird.

Wie ist die Lage heute?

Weitaus die meisten Betriebe in der Republik haben an den Streiks nicht teilgenommen. In vielen Fällen haben die Arbeiter ankommenden Gruppen, die sie zu Streiks aufforderten, die Tür gewiesen und die Arbeit als Demonstration gegen die Arbeitsniederlegung fortgesetzt. In vielen Fällen haben Belegschaften spontan Verpflichtungen übernommen, die Produktion zu erhöhen, um ihre Treue zu unserer Partei und zur Republik zu bekunden und die Produktionsausfälle wettzumachen. Aber in vielen Betrieben, in denen gestreikt wurde und in denen nun wieder gearbeitet wird, ist ein Teil der Arbeiter verbittert. Sie glauben sich von der Partei und der Regierung verlassen. Ihnen ist noch nicht klar, daß die Niederschlagung der faschistischen Provokation auch ihnen nützt, daß sie die Grundlage für ihr weiteres Leben ist. Ihnen sind die Zusammenhänge noch nicht klar, daher haben sie nur ihre örtlichen oder betrieblichen Forderungen im Auge. Und daher verlieren sie die entscheidende Tatsache aus dem Auge, daß die faschistische Provokation einsetzte, *weil* und *nachdem* die Regierung eine Kette von Maßnahmen beschlossen hatte – nicht nur, um berechtigte Forderungen der Werktätigen zu befriedigen, sondern um – das ist der neue Kurs! – ein solches Wirtschaftsleben und solche Verhältnisse in den Betrieben und in der ganzen Deutschen Demokratischen Republik zu schaffen, die verhindern, daß berechtigte Forderungen ein zweites Mal übersehen werden. Diese Arbeiter erkennen vor allem nicht, daß ihr schlimmster Feind, der amerikanische und deutsche Großkapitalist, der bei sich die Arbeiter tritt, Millionen auf die Straße setzt, verhungern läßt und demoralisiert, ihre Forderungen ausnutzt, um *seine* Ziele zu verwirklichen, und zwar Ziele, die unweigerlich dazu führen müßten, daß die Sicherheit, das Leben der Arbeiter in der Deutschen Demokratischen Republik bedroht ist. Der großen Mehrheit der Arbeiter, die sich von den Provokateuren täuschen ließen, ist das blitzartig klargeworden, als sie einsahen, wie unter den Händen der Provokateure ihre mit Schweiß erarbeiteten Errungenschaften, Klubhäuser, Lehrlingsheime, Betriebskantinen durch Benzin und Phosphor in Flammen aufgingen. »Das ist nicht unser Wille!« sagten sie. »Hier sind wir auf dem falschen Wege.«

Die Partei wird in diesem Augenblick, der Taten fordert, dem Gegner nicht dadurch in die Hände spielen, daß sie ihre Kräfte in Erörterungen darüber erschöpft, wie es zu solchen Mißverständnissen bei einem Teil der Werktätigen kommen konnte. Heute kommt alles auf die Taten an. Daher erklärt das Zentralkomitee zu diesem entscheidenden Punkt heute nur das eine: Wenn Massen von Arbeitern die Partei nicht verstehen, ist die Partei schuld, nicht der Arbeiter!

Aus dieser grundlegenden Feststellung ergibt sich für alle Mitglieder und Funktionäre unserer Partei die Notwendigkeit, mit größter Sorgsamkeit zu unterscheiden zwischen den ehrlichen, um ihre Interessen besorgten Werktätigen, die zeitweise den Provokateuren Gehör schenkten – und den Provokateuren selber. Ehrliche Arbeiter, die zeitweilig irregingen, haben deswegen nicht aufgehört, ehrliche Arbeiter zu sein, und sind als solche zu achten. Auch ehrliche Arbeiter, die ihren Irrtum jetzt noch nicht erkennen, haben deswegen nicht aufgehört, ehrliche Arbeiter zu sein, und sind als solche zu achten. Gerade sie brauchen jetzt am meisten die Hilfe und Geduld der Partei, gerade sie brauchen heute am meisten die Sozialistische Einheitspartei Deutschlands, auch wenn ihnen das selbst noch nicht klar ist. Das Zentralkomitee erwartet von allen Mitgliedern und Funktionären, daß sie nun die Reife ihres Bewußtseins und die Weite ihrer Herzen unter Beweis stellen in der leidenschaftlichen Beschäftigung mit gerade diesem Teil der Arbeiterschaft.

Das Zentralkomitee erwartet zugleich von allen Mitgliedern und Funktionären, daß sie mit geschärftem Auge gegen die tatsächlichen Provokateure vorgehen, sie vor der Masse der Werktätigen entlarven und mit ihrer Hilfe den Sicherheitsorganen übergeben. Entschlossen, die Interessen der Arbeiter gegen die faschistische Provokation mit eiserner Hand zu verteidigen, gibt sich das Zentralkomitee zugleich Rechenschaft davon, daß – untrennbar hiermit verbunden –

die Partei eine Wendung vollziehen muß in ihrem Herantreten an die Arbeiterschaft, und zwar mit dem heutigen Tage!

Daß diese Wendung erforderlich ist, zeigt das Verhalten vieler Funktionäre und Parteimitglieder auch in diesen Tagen. Während Zehntausende unserer Funktionäre und Mitglieder in engster Fühlung mit den Massen standen und stehen, sitzen andere Zehntausende in ihren Büros, schreiben irgendwelche Papiere und warten ab. Die Partei gehört zu jedem Zeitpunkt, besonders aber in solchen Tagen, in die Massen! Es ist notwendig, die ganze Partei zu mobilisieren zur geduldigen Überzeugung der Massen. Das Zentralkomitee erwartet daher, daß die Funktionäre auf allen Ebenen, die Funktionäre des zentralen Apparates, in den Bezirken und in den Kreisen, mit dem morgigen Tage in die Betriebe gehen. In allen Betrieben sind Partei- und Belegschaftsversammlungen abzuhalten, auf denen unsere Funktionäre die Fragen der Arbeiter und der anderen Werktätigen offen und kühn beantworten und den konsequenten Kampf aufnehmen *für* die Interessen der Arbeiterschaft, *für* das Wohl aller Werktätigen, *für* die Erklärung und Durchsetzung des neuen Kurses, *für* die Überwindung unrichtiger Auffassungen ehrlicher Arbeiter, aber gegen die Provokateure.

Der Prüfstein für den Erfolg unserer Aufklärungsarbeit werden die von den Belegschaften aus innerer Überzeugung angenommenen Beschlüsse der Unterstützung des neuen politischen Kurses von Partei und Regierung und ihre Einsicht in die Notwendigkeit zur aktiven Bekämpfung aller offenen und versteckten Provokateure sein.

IV. Die nächsten Maßnahmen

Das Zentralkomitee wird sich durch keinerlei noch so niederträchtige Störungsversuche der ausländischen und deutschen Kriegstreiber von der Verwirklichung des neuen Kurses abdrängen lassen. Es sieht in diesen Versuchen nur eine zusätzliche Bestätigung für seine Richtigkeit. Es setzt den neuen Kurs planmäßig fort.

Mit dem Beschluß des Politbüros des ZK vom 9. Juni und der Regierung der DDR vom 11. Juni wurden die ersten Maßnahmen im Rahmen des neuen Kurses festgelegt, dessen Hauptziel ist, im Zusammenhang mit Kürzungen an den Planaufgaben der Schwerindustrie die Lebenshaltung der Arbeiter, Bauern, der Intelligenz, der Handwerker und der übrigen Schichten des Mittelstandes zu verbessern.

Das Zentralkomitee beschließt heute im Rahmen der großen wirtschaftlichen Veränderungen, welche die Durchführung des neuen Kurses erfordert, eine zweite Reihe von Maßnahmen:

1. Den Lohnabrechnungen sind ab sofort diejenigen Arbeitsnormen zugrunde zu legen, die am 1. April 1953 Gültigkeit hatten.

2. Die Fahrpreisermäßigung für Arbeiterrückfahrkarten beträgt ab 1. Juli 1953 für diejenigen Arbeiter und Angestellten, die ein Monatseinkommen bis 500,— DM brutto haben, entsprechend der früheren Regelung 75 Prozent.

3. Die Mindestrenten für Alters-, Invaliden- und Unfallrentner werden von 65,— DM auf 75,— DM pro Monat erhöht.

Die Mindestrenten der Witwen werden von 55,— DM auf 65,— DM pro Monat erhöht.

Der monatliche Fürsorgesatz für Hauptunterstützungsempfänger bei der Sozialfürsorge wird von 45,— DM auf 55,— DM erhöht.

Soweit Ehegatten von Alters-, Invaliden- oder Unfallvollrentnern keine eigene Rente beziehen und arbeitsunfähig sind oder die Altersgrenze überschritten haben, wird der Ehegattenzuschlag erhöht, so daß Rente und Ehegattenzuschlag mindestens den Betrag von 95,— DM monatlich erreichen.

4. Die Anrechnung des Jahresurlaubs bei Heil- und Genesungskuren der Sozialversicherung wird aufgehoben.

5. Die Verordnung vom 19. März 1953 über die Herausnahme der freiwilligen Versicherung aus der Sozialversicherung wird aufgehoben.

Für alle Bürger werden die am 31. März 1953 bestandenen Rentenversicherungen, Zusatzrentenversicherungen und Zusatzsterbegeldversicherungen zu den alten Beiträgen mit den alten Ansprüchen wiederhergestellt.

Die Deutsche Versicherungs-Anstalt übernimmt die freiwillig gegen Krankheit bei der Sozialversicherung Versicherten ohne Prüfung des Gesundheitszustandes zu dem am 1. April 1953 eingeführten Tarif.

6. Der Bau und die Instandsetzung von Wohnungen, besonders in großen Städten und Industriezentren, ist beträchtlich zu erhöhen. Aus Einsparungen durch Herabsetzung der Investitionen bei der Schwer- und Grundstoffindustrie sind für die Gewinnung von neuem Wohnraum (Neubau, Ausbau, Reparaturen sowie für die Instandsetzung von Straßen) für das Jahr 1953 über den bisherigen Plan hinaus zusätzlich Investitionsmittel und Lizenzkredite in Höhe bis zu 600 Millionen DM zu stellen.

7. Zur Verbesserung hygienischer und sanitärer Einrichtungen in volkseigenen Betrieben sind 30 Millionen DM Investitionsmittel im Jahre 1953 zusätzlich zur Verfügung zu stellen. Die Betriebsgewerkschaftsleitungen haben die entsprechenden Vorschläge an die Zentralvorstände ihrer Gewerkschaften zu machen, die diese Vorschläge überprüfen und mit ihrer Stellungnahme dem jeweils zuständigen Fachministerium zur Beschlußfassung übermitteln. Für die örtlichen volkseigenen Betriebe sind die Anträge an die Bezirke zu richten.

8. Für die Errichtung und den Ausbau und Wiederaufbau von Gebäuden des Kultur-, Sozial- und Gesundheitswesens, wie Feierabendheime, Erholungsstätten des Feriendienstes der Gewerkschaften, Kindergärten und Kinderkrippen, sind im Jahre 1953 zusätzlich 40 Millionen DM Investitionsmittel bereitzustellen.

9. Die Versorgung der Werktätigen mit Arbeitskleidung, Arbeitsschuhen und Arbeitsschutzkleidung ist entsprechend den Vorschlägen des Bundesvorstandes des FDGB zu verbessern.

10. Die täglichen Stromabschaltungen bei der Bevölkerung sind im III. Quartal 1953 durch Einschränkun-

gen im Stromverbrauch der Schwer- und Grundstoffindustrie aufzuheben. Das Staatssekretariat für Energie wird aufgefordert, für die weitere Regelung der ausreichenden Stromversorgung der Bevölkerung in den Wintermonaten die erforderlichen Vorschläge der Regierung bis zum 1. August 1953 zu unterbreiten.

Das Zentralkomitee wird demnächst erneut zusammentreten, um – nach inzwischen erfolgter Ausarbeitung weiterer notwendiger Maßnahmen – Partei und Öffentlichkeit in einer zusammenhängenden Darstellung über alle Probleme der neuen politischen und wirtschaftlichen Aufgaben zu informieren. Es lenkt aber schon heute die Aufmerksamkeit auf die grundlegende Tatsache, daß diese von Partei und Regierung ergriffene weitreichende Initiative zur Verbesserung der Lebenshaltung aller Schichten der Bevölkerung

nur erfolgreich verwirklicht werden kann, wenn die Werktätigen, von der Notwendigkeit der ständigen Steigerung der Arbeitsproduktivität überzeugt, den Wettbewerb breiter entfalten, die Neuerermethoden verbreiten und die Leitung und Organisation der volkseigenen Industrie auf die gebührende Höhe bringen. Das Zentralkomitee begrüßt daher die Beschlüsse von vielen Belegschaften, die zur Aufholung der durch die Zerstörungen und Ausschreitungen verursachten erheblichen Produktionsverluste aufgerufen haben . . .

Beschluß der 14. Tagung des ZK der SED, 21. Juni 1953. Quelle: Dokumente der SED, Band IV, Berlin (Ost) 1954, S. 436 ff.

---

25. Juni bis 1. Juli 1953

Situationsberichte aus der SED-Presse nach dem 17. Juni

**Märkische Volksstimme, Organ der
SED-Bezirksleitung Potsdam, 25. Juni 1953:**

Hört auf die Kritik der Werktätigen!

Hennigsdorf (MV.) Aus den vergangenen Tagen die Lehren ziehen und den neuen Kurs der Partei in allen Betrieben verwirklichen, das war der Hauptgedanke der Parteiaktivtagung in dem LEW »Hans Beimler«. Der 1. Sekretär der Betriebsleitung, Genosse Kurt Seibt, schilderte den neuen Kurs der Partei. Offen sprach er aus, daß auch die Bezirksleitung Fehler gemacht hat, die zu falschen Maßnahmen führten, die von den Werktätigen nicht verstanden wurden. Diese Fehler werden wir aber Schritt um Schritt beseitigen. Ein zweites Mal lassen wir uns nicht von den Provokateuren überraschen, sondern werden wachsam sein und den Feinden, Agenten und Diversanten das Handwerk legen. Es gibt Leute, die behaupten, daß die Maßnahmen des Zentralkomitees nur »ein Pflaster auf die Wunde« seien. Dem ist nicht so. Natürlich kann man nicht sofort alle Fehler und Mängel mit einer Maßnahme beseitigen, aber es ist zu erkennen, daß Partei und Regierung im Interesse der Werktätigen handeln und sich für die Verbesserung der Lebenslage einsetzen. Kritisch setzten sich die Diskussionsredner mit den Vorkommnissen am 17. Juni auseinander. »Warum sprechen wir in den Versammlungen anders als in den Diskussionen? Weil oft Genossen und Kollegen, die nicht klar formulierten oder Kritik übten, zurechtgewiesen und ihnen gleich die Schlagworte Sektierer oder Opportunist an den Kopf geworfen wurden. Damals zogen sie es vor zu schweigen«, erklärte der Genosse Schubert.

»Jawohl, wir haben alles geschluckt, was uns der Parteisekretär, Genosse Schneckmann, vorgesetzt hat«, rief Genosse Kingler. »Wir haben unseren Parteisekretär rechtzeitig auf die Stimmung am 17. Juni hingewiesen – aber die Parteileitung hatte Sitzung und saß so lange, bis es zu spät war.«

**Märkische Volksstimme, Organ der
SED-Bezirksleitung Potsdam, 27. Juni 1953:**

Der Schönfärberei den Hals abdrehen

Am 24. Juni veröffentlichte die »Märkische Volksstimme« auf der Kreisseite Brandenburg-Stadt eine Erklärung der Belegschaft des Konsum-Bekleidungswerkes II Brandenburg, in der die Empörung der Belegschaft über den Mord am Ehepaar Rosenberg zum Ausdruck gebracht wurde. Weiterhin verpflichtete sich nach dieser Erklärung die Belegschaft, mit ganzer Kraft für die Erhaltung des Weltfriedens zu kämpfen und sich in diesem Kampf nicht durch Provokateure beirren zu lassen. Über diese Veröffentlichung war die Belegschaft entrüstet.

Am gleichen Tage berichtete »Neues Deutschland« über eine Sonderschicht, die die Kollegen der Abteilung Drehgestellbau im Karl-Marx-Werk Potsdam-Babelsberg zur Aufholung der durch Arbeitsniederlegung entstandenen Produktionsverluste geleistet hatten. Über diesen Bericht waren die Kollegen im Karl-Marx-Werk gleichfalls entrüstet.

Wie können Werktätige entrüstet sein, wenn die Presse der Partei über ihre vorbildliche Einstellung zum Friedenskampf und zur Erfüllung unseres Fünfjahrplanes berichtet? Sind unsere Werktätigen so bescheiden? Oder wo liegt hier der Grund?

Die Antwort ist sehr einfach: Der Grund liegt in der Ehrlichkeit unserer echten Arbeiter. So wußte die Belegschaft des Konsum-Bekleidungswerkes in Brandenburg nichts von einer solchen Erklärung: Der Sekretär der Betriebsparteiorganisation hatte sie verfaßt und sie – ohne mit der Belegschaft darüber zu sprechen – an die Kreisleitung gesandt. Es besteht kein Zweifel darüber, daß die Belegschaft der gleichen Ansicht wie der Parteisekretär ist, aber sie verwahrt sich gegen einen solchen Bericht, weil er nicht der Tatsache entspricht. Und wie war es im Karl-Marx-Werk Potsdam-Babelsberg?

Die Kollegen hatten überhaupt keine Sonderschicht gefahren, aber der BGL-Vorsitzende hatte eine solche Phantasiemeldung an den Allgemeinen Deutschen Nachrichtendienst gegeben.

Diese beiden Beispiele stehen nicht vereinzelt da. Wir finden diese Schönfärberei nicht nur in den Spalten der Parteipresse, sondern oft genug auch in den Berichten an die Parteileitungen oder in Diskussionsbeiträgen.

Was nützt uns eine solche Schönfärberei? Die Antwort auf diese Frage gaben in einer Belegschaftsversammlung in den LEW »Hans Beimler«, Hennigsdorf, vor einigen Tagen mehrere Arbeiter. Es stehen viele gute Beispiele in unserer Presse, so sagten sie, aber sie entsprechen manchmal nicht der Wahrheit. Unsere Presse muß jedoch die Wahrheit berichten. Oft wird das Positive mehr als übertrieben, und fast immer wird nicht darauf eingegangen, was noch schlecht ist, was krank ist. Dadurch entsteht ein falsches Bild. Dreht dieser Schönfärberei den Hals ab, weil sie weder der Partei noch den werktätigen Massen hilft! Sie schadet nur.

Neues Deutschland, Organ des ZK der SED, 28. Juni 1953:

Kuba bei den Bauarbeitern

Dann spricht Genosse Kuba – er war selbst Bauarbeiter – und erläutert den neuen Kurs der Partei und der Regierung. Die Regierung, so sagte er, hat bereits vor dem 17. Juni deutlich ihre Absicht ausgesprochen, die Lage zu ändern und den alten Kurs zu korrigieren. Bestand daher die Notwendigkeit, zu Mitteln der Gewaltanwendung zu greifen? Nein! Der Feind aber, der seine Pläne zur Verschärfung der internationalen Lage durchkreuzt sah, versuchte gerade in dem Moment sich des Steuers zu bemächtigen, wo die Regierung selbst im Begriff war, das Steuer herumzuwerfen. Das ist ihm vollständig mißlungen, denn die breite Masse der Werktätigen hat nicht mitgemacht, und die Sowjetarmee war auf der Hut. Damit haben sie den Frieden gerettet. Aber jetzt muß zwischen Partei und Arbeiterklasse alles ausgesprochen werden, sonst kann sich die Lage der Werktätigen nicht grundlegend bessern. Diese Aussprache begann dann auch, und es hagelte Beschwerden und Kritik.

Wäret ihr nur früher gekommen und hättet mit uns gesprochen, dann wäre vieles nicht passiert! ruft ein Arbeiter. Ja, warum seid ihr denn nicht gekommen, entgegnet ihm Kuba, das Politbüro hätte bestimmt auf eure Stimme gehört.

Ja, so antwortet ihm der Kollege, willst du wissen, warum das Politbüro nicht die volle Wahrheit erfuhr? Weil man befürchtete, ein Wort zuviel zu sagen. Auf die Alten, die Erfahrung haben, wurde ja nicht mehr gehört. Die wurden an die Wand gequetscht. Jeder, der Kritik übte, befürchtete als Feind angesehen zu werden. Aber so geht's nicht! Wenn ich eine Arbeiterregierung habe, will ich spüren, daß ich meine Rechte als Arbeiter habe.

Wie war es denn bei uns, erklärt der Brigadier Jänischer, der letzten Normenregelung hatten wir nicht zu-

gestimmt. Aber zehn Tage nach dem 28. Mai drückte man uns Listen in die Hand, auf denen wir unsere »freiwillige Zustimmung« zur Normenerhöhung geben sollten. Wenn an solchen Methoden nichts geändert wird, dann bleibt der Ärger.

Wie sieht's mit unserer Warenbelieferung aus? Ein Paar Maurersocken im Quartal! – Dann die Stiefel! Da geniert man sich ja, auf die Straße zu gehen. Die Ware muß so sein, daß wir sie nicht in acht Tagen von den Beinen verlieren. Hier hat die Gewerkschaft viel gesündigt. Die BGL muß in erster Linie für uns da sein.

Und wie steht es mit folgender Sache: Am 1. Mai war die große Dekoration Unter den Linden, die großen Säulen – direkt uns gegenüber – aus rotem Manchester. Ist das nicht Verschwendung? Genügt da nicht gewöhnliches Fahnentuch? Man darf nicht zu dicke tun, wenn die Arbeiter keine Manchesterhose auf dem Hintern haben. So etwas sehen wir Arbeiter.

Dann erhebt sich ein anderer Kollege und beschwert sich über die Mißachtung des Willens der Arbeiter durch die Betriebsleitung. Für die Prämienverteilung, so erklärt er, wurde eine Kommission geschaffen. Sie suchte ganz bestimmte Kollegen aus. Aber ganz andere, als wir vorgeschlagen hatten, haben die Prämien bekommen. Die es verdient haben, die sollen auch die Prämien bekommen. Aber in Wirklichkeit haben nur diejenigen sie erhalten, die »ideologisch richtig ausgerichtet sind« . . .

Freiheit, Organ der SED-Bezirksleitung Halle, 1. Juli 1953:

Antworten auf einige Fragen aus Belegschaftsversammlungen im elektrochemischen Kombinat Bitterfeld – Was war am 17. Juni los?

Einige Belegschaftsangehörige haben uns gesagt, daß es also doch notwendig war, am 17. Juni zu streiken, um all das zu erzwingen, was jetzt möglich ist. Haben die Kollegen recht? Nein, sie haben unrecht, weil der neue Kurs der Partei nicht am 17. Juni »erzwungen« wurde, sondern mit der Erklärung des Politbüros am 9. Juni begann. Die Feinde kennen uns, sie wissen, wenn unser Politbüro etwas sagt, wird es auch in die Tat umgesetzt. Sie wußten also, daß mit dem 9. Juni diese Politik Wirklichkeit wird, die jetzt in allen Maßnahmen der Regierung, in den Beschlüssen unsers ZK und in den Belegschaftsversammlungen unserer Parteileitungen ihren Ausdruck findet. Gerade deswegen hatten es Adenauer, Kaiser und Ollenhauer so eilig, ihren Tag X, den Tag des faschistischen Putsches, zu starten, weil ihnen einige Wochen später kein einziger Arbeiter mehr gefolgt wäre.

Die Arbeitsniederlegung im Elektrochemischen Kombinat hat dem Werk große Produktionsverluste gebracht. Jeder Arbeiter wird sich denken können, daß dadurch die Maßnahmen der Regierung verzögert und die Interessen der ganzen Belegschaft geschädigt worden sind. Das hat die verfluchte Bande der Kriegstreiber immerhin erreicht. So – wie oft in der Geschichte der Arbeiterbewegung – ist es ihnen also gelungen, wenn auch nur in geringem Maße zum Verhältnis ihres Zieles, viele Arbeiter vor ihren Karren zu spannen.

Von diesem Gesichtspunkt aus muß man die Forderungen einiger Kollegen betrachten, die eine volle Bezahlung der Streiktage verlangen. Es könnte der geschlagenen Bande der Kriegstreiber passen, dem Betrieb durch diese Forderung nochmals Verluste und damit den Arbeitern nochmals Schaden zuzufügen. Unsere Regierung hat eine Regelung gefunden, die sowohl die Interessen des einzelnen wie der Gesamtheit berücksichtigt. Bisher war es allen Menschen klar, daß man für nicht geleistete Arbeit auch keine Bezahlung erhielt.

Wie steht es mit den Inhaftierten?
In einigen Belegschaftsversammlungen wurde die Forderung auf Freilassung der am 17. Juni Verhafteten gestellt. In einer Abteilung verfaßte man dazu sogar eine Entschließung. Anscheinend nehmen die Kollegen doch an, daß die Verhafteten schuldlos sitzen, und bringen damit ihr Solidaritätsgefühl zum Ausdruck. Aber kann man annehmen, daß unsere Staatsorgane Unschuldige verhaften, nur weil sie Spaß am Verhaften haben? Jeder Einsichtige wird zugeben müssen, daß ein solcher Unsinn nur der Politik unserer Partei und Regierung abträglich sein könnte. Immerhin hat sich doch etwas ereignet am 17. Juni. Wurden nicht Bilder gestürmt, wurde nicht der Sturz der Regierung gefordert, wurden nicht faschistische Lieder gesungen, wurden nicht Funktionäre tätlich angegriffen? Oder, was alle Bitterfelder interessieren wird, wurde von einigen Banditen nicht der Versuch unternommen, das Kraftwerk stillzulegen, um das Chlorgas ausströmen und Tausende und aber Tausende eines schrecklichen Todes sterben zu lassen? Wie kann man angesichts dieser allen bekannten Tatsachen behaupten, daß wahllos Unschuldige verhaftet wurden? Wir haben Verständnis dafür, daß der RIAS gern seine Schäfchen wieder ins »trockene« bringen möchte, aber wir haben, offen gesagt, nicht das mindeste Verständnis dafür, daß sich ehrliche Arbeiter mit Banditen solidarisieren . . .

---

30. Juni 1953

Justizminister Fechner:
Streikrecht ist verfassungsmäßig garantiert

Berlin (Eig. Ber.). Zu den Verhaftungen und Prozessen, die mit dem 17. Juni zusammenhängen, gab der Minister der Justiz folgendes Interview:

Frage: Im Zusammenhang mit den Ereignissen vom 17. Juni 1953 sind in der Deutschen Demokratischen Republik und im demokratischen Sektor von Berlin eine Reihe von Verhaftungen vorgenommen worden. Um welche Personen handelt es sich hierbei?

Antwort: Es handelt sich zum großen Teil um von den Faschisten irregeführte Werktätige, zum Teil aber auch um bewußte Provokateure. In den Prozessen, die schnellstens vor den ordentlichen Gerichten durchgeführt werden, wird festgestellt, ob sich die Inhaftierten wirklicher Verbrechen schuldig gemacht haben oder ob es sich lediglich um irregeleitete Teilnehmer an Aktionen handelt, die von den Provokateuren inszeniert wurden.

Frage: Haben sich die Justizorgane zur beschleunigten Durchführung des Strafverfahrens besonderer Gerichte bedient?

Antwort: Nein, es gibt in der Deutschen Demokratischen Republik keinerlei Sondergerichte. Die Verfahren werden vor den ordentlichen Gerichten durchgeführt. Die Verhandlungen sind öffentlich. Die Richter wurden vom Ministerium der Justiz darauf hingewiesen, die Verfahrensvorschriften genauestens einzuhalten. Insbesondere wird allen Inhaftierten die Möglichkeit gegeben, sich in jeder Phase des Verfahrens eines Verteidigers zu bedienen.

Frage: Werden alle diejenigen, die inhaftiert sind, bestraft werden?

Antwort: Es dürfen nur solche Personen bestraft werden, die sich eines schweren Verbrechens schuldig machten. Andere Personen werden nicht bestraft. Dies trifft auch für Angehörige der Streikleitung zu. Selbst Rädelsführer dürfen nicht auf bloßen Verdacht oder schweren Verdacht hin bestraft werden. Kann ihnen ein Verbrechen nicht nachgewiesen werden, sind keine Beweise vorhanden, erfolgt keine Bestrafung. Es werden also nur diejenigen der Bestrafung zugeführt, die Brände anlegten, die raubten, mordeten oder andere gefährliche Verbrechen begangen haben. Es wird also nicht etwa gegenüber denen, die gestreikt oder demonstriert haben, eine Rachepolitik betrieben.

Frage: Handeln die Gerichtsorgane auch gemäß der Anleitung des Ministeriums der Justiz?

Antwort: Die Gerichte haben durchweg nach der Anleitung des Ministeriums der Justiz gehandelt. Sie haben jeden einzelnen Fall sorgfältig geprüft und die wirklichen Verbrecher, sofern ihnen Verbrechen nachgewiesen wurden, bestraft. Bei dem großen Teil der anderen inhaftierten Personen ist das Verfahren entweder eingestellt worden, oder es erfolgte Freispruch. Soweit Verfahren noch durchzuführen sind, wird in den nächsten Tagen entschieden. Dort, wo von seiten der Gerichte die Anleitung des Ministeriums der Justiz nicht beachtet wurde und unrechtmäßige Verhaftungen erfolgt sind – wie zum Beispiel in Leipzig, wo Mitglieder der Streikleitung eines Betriebes mit 3500 Betriebsangehörigen allein wegen ihrer Betätigung in der Streikleitung verhaftet wurden –, wurden diese Fehler durch laufende Kontrolle des Ministeriums der Justiz und der Justizverwaltungsstellen aufgedeckt und von den Gerichten beseitigt. Wo Fehler und Mängel noch nicht beseitigt wurden, wird dies sofort geschehen.

Frage: Können Sie vielleicht an Hand von Beispielen Ihre Ausführungen erläutern?

Antwort: Zwei Beispiele sollen zeigen, daß lediglich Verbrecher bestraft werden.

Das Bezirksgericht Halle bestrafte den 24jährigen beschäftigungslosen Erich Wendt wegen Gefangenenbefreiung zu drei Jahren Gefängnis. Wer ist Erich Wendt, und was hat er getan? Bereits mit 14 Jahren wurde Wendt in ein Erziehungsheim eingewiesen, Wechsel der Arbeitsstellen ohne Beachtung der Kündigungs- und Anmeldevorschriften waren an der Tagesordnung. Er war wegen mehrerer Diebstähle vorbestraft. Am 17. Juni 1953 erbrach er mit anderen das Tor der Haftanstalt II in der Kleinen Steinstraße in Halle. Er schlug mit einem Gummiknüppel, den er einem Volkspolizisten entrissen hatte, auf Angehörige der Volkspolizei ein. Wendt war an der Freisetzung der dort einsitzenden Häftlinge maßgeblich beteiligt und kontrollierte sogar die Zellen der Haftanstalt, um sich zu vergewissern, ob tatsächlich alle Häftlinge entlaufen seien.

Dieser Verbrecher hat zweifellos eine Strafe von drei Jahren Gefängnis wohl verdient.

Zu einem anderen Ergebnis kam in einem Strafverfahren das Bezirksgericht in Frankfurt/Oder. Es verhandelte gegen einen im Jahre 1904 geborenen Bergmann, der in den Rüdersdorfer Kalk- und Zementwerken beschäftigt ist. Das Gericht hat das Verfahren gegen diesen Bergmann eingestellt. Er hatte am 17. Juni, also nachdem die Forderungen der Arbeiter durch die Erklärung des Ministerrats bereits erfüllt waren, in einer Versammlung ausgerufen, daß jeder, der die Arbeit wiederaufnehme, ein Arbeiterverräter sei. Er verfolgte also den Zweck, die Arbeiter, obwohl deren Forderungen bereits erfüllt waren, zur Fortsetzung des Streiks zu bewegen und sie an der Wiederaufnahme der Arbeit zu hindern. Der Staatsanwalt hatte gegen ihn Anklage gemäß Artikel 6 der Verfassung erhoben. Das Bezirksgericht kam nach sorgfältiger Prüfung zu dem Entschluß, den Bergmann nicht zu bestrafen. Diese Maßnahme ist richtig und entspricht der Anleitung des Ministeriums der Justiz.

Frage: Welche Bedeutung messen Sie der sorgfältigen Prüfung durch die Gerichte und der unverzüglichen Entlassung des überwiegenden Teils der Inhaftierten bei?

Antwort: Die Verfahren vor den Gerichten, die mit den Ereignissen am 17. Juni im Zusammenhang stehen, sind der Ausdruck der Festigung der demokratischen Gesetzlichkeit und der Stärkung der Rechtssicherheit. Indem die tatsächlichen Volksfeinde bestraft und die inhaftierten irregeführten Arbeiter nach sofortiger Überprüfung unverzüglich entlassen werden, wird sich das Vertrauen der Bevölkerung zur Justiz in der Deutschen Demokratischen Republik immer mehr festigen.

Quelle: Neues Deutschland vom 30. Juni 1953.

---

2. Juli 1953

Berichtigung

Durch einen technischen Fehler sind in der gestrigen Ausgabe in einem Teil der Auflage im Interview mit dem Minister der Justiz, Max Fechner, einige Sätze ausgelassen worden.

Es muß richtig heißen: Es dürfen nur solche Personen bestraft werden, die sich eines schweren Verbrechens schuldig machten. Andere Personen werden nicht bestraft. Dies trifft auch für die Angehörigen der Streikleitung zu. Das Streikrecht ist verfassungsmäßig garantiert. Die Angehörigen der Streikleitung werden für ihre Tätigkeit als Mitglieder der Streikleitung nicht bestraft. Dabei weise ich rasch auf folgendes hin: Selbst Rädelsführer dürfen nicht auf bloßen Verdacht oder schweren Verdacht hin bestraft werden. Kann ihnen ein Verbrechen nicht nachgewiesen werden, sind keine Beweise vorhanden, erfolgt keine Bestrafung. Es werden also, ich darf das noch einmal wiederholen, nur diejenigen der Bestrafung zugeführt, die Brände anlegten, die raubten, mordeten oder andere gefährliche Verbrechen begangen haben. Es wird also nicht etwa gegenüber denen, die gestreikt oder demonstriert haben, eine Rachepolitik betrieben.

Quelle: Neues Deutschland vom 2. Juli 1953.

24.–26. Juli 1953

Zweite Stellungnahme des ZK der SED zum 17. Juni: Abrechnung mit den Ulbricht-Gegnern

Referat Ulbrichts auf der 15. Tagung des ZK der SED

... In unserer Partei wurden Grundprinzipien des Marxismus-Leninismus vielfach verletzt. Statt die Kraft und Initiative der werktätigen Massen, der Schöpfer der Geschichte, zur Entfaltung zu bringen, wurde der Personenkult durch idealistische Auffassungen über die Rolle der Persönlichkeit in der Geschichte gefördert und dadurch die Initiative der Massen selbst gelähmt. Die innerparteiliche Demokratie wurde schwach entwickelt. Das zeigte sich vor allem in der geringen Kritik von unten, die von den leitenden Organen nicht gefördert, sondern eher gebremst wurde. Die mangelnde innerparteiliche Demokratie zeigte sich auch in der schwachen Selbstkritik und Kritik von unten in den Mitgliederversammlungen, Parteiaktivtagungen und in den Tagungen der leitenden Organe der Partei. An die

Stelle der gründlichen Überzeugungsarbeit trat oft nacktes Kommandieren. Das wurde verschärft dadurch, daß im Zusammenhang mit dem beschleunigten Tempo des Aufbaus des Sozialismus viele staatliche Verwaltungsaufgaben von den Parteiorganen übernommen wurden.

Ich möchte hier vor dem höchsten Forum der Partei offen feststellen, daß in der Parteiführung ich für diese Fehler die größte Verantwortung trage. Damit steht im Zusammenhang, daß auch in der Parteiführung das Prinzip der kollektiven Leitung mißachtet und vielfach durch Einzelentscheidungen ersetzt wurde. Im Sekretariat des Zentralkomitees trat dieser Mangel an kollektiver Zusammenarbeit bei der Festlegung der Entscheidungen durch mich besonders zutage. Es kommt hinzu, daß das Sekretariat des Zentralkomitees bei der Durchführung der Beschlüsse der Partei und der Regierung sich mit Fragen beschäftigte, die nicht zur Kompetenz des Sekretariats gehören, woraus die Tendenz entstand, das Sekretariat über das Politbüro zu stellen.

Auch im Politbüro des Zentralkomitees war die kollektive Arbeit ungenügend entwickelt. Es bestand keine exakte Arbeitsteilung und keine genaue Verantwortlichkeit der einzelnen Genossen. Oft wurden Fragen von den vom Politbüro eingesetzten Kommissionen mangelhaft vorbereitet und auch im Politbüro nicht sorgfältig behandelt, so daß ungenügend durchgearbeitete und überhastete Beschlüsse zustande kamen. Allerdings ergaben sich diese Fehler zum Teil auch aus der Zusammensetzung des Politbüros, die nicht die Gewähr bietet, daß auf dem Gebiete des wirtschaftlichen und staatlichen Lebens die notwendigen Beschlüsse allseitig und umfassend bearbeitet und entschieden werden.

Ich möchte nun einiges sagen zur Tätigkeit der Gruppe Herrnstadt-Zaisser, die einen innerparteilichen Fraktionskampf geführt hat. Der Übergang zur Politik des neuen Kurses in unserer Republik rief einen erbitterten Widerstand der feindlichen Kräfte sowohl innerhalb des Landes wie auch besonders auf seiten der amerikanischen Imperialisten und der Monopolherren hervor, da der neue Kurs in der Politik der Deutschen Demokratischen Republik überzeugend bewies, daß nach der Beseitigung der vorhandenen Mängel die Deutsche Demokratische Republik mit noch schnelleren Schritten zur Verbesserung der Lebenshaltung der Werktätigen und zur Konsolidierung aller demokratischen Kräfte vorwärtsschreiten wird.

Durch die Provokation am 17. Juni wollten die amerikanischen Imperialisten in der Deutschen Demokratischen Republik eine Situation schaffen, die den Übergang zum neuen Kurs unmöglich machen und die Regierung der Deutschen Demokratischen Republik zwingen sollte, den Weg tiefer politischer Zuspitzungen gegenüber den werktätigen Massen zu beschreiten. Die Ereignisse des 17. Juni konnten jedoch trotz all ihrer Schnelligkeit und trotz des Einsatzes großer provokatorischer faschistischer Kräfte aus Westberlin und Westdeutschland in keiner Weise die Stabilität unserer neuen Gesellschaftsordnung erschüttern. Die Westberliner und die westdeutsche Presse versuch-

ten, die Ereignisse des 17. Juni derart aufzubauschen, als sei in der Deutschen Demokratischen Republik eine bürgerkriegsähnliche Lage entstanden. Die Ereignisse sowie die gewaltigen Anstrengungen der feindlichen Propaganda mußten natürlich einige weniger gefestigte Elemente innerhalb der Arbeiterklasse und auch in der SED schwankend machen. Diese in Verwirrung geratenen und erschreckten Elemente sind auf den Köder der westdeutschen provokatorischen Propaganda hereingefallen. Sie begannen, die Arbeit in der Deutschen Demokratischen Republik nicht vom Gesichtspunkt des Marxismus, sondern vom Gesichtspunkt des Sozialdemokratismus zu beurteilen. Während Fechner unter Ausnutzung seiner Stellung als Justizminister offen gegen die Politik der Partei und der Regierung auftrat, die eine entschiedene Abrechnung mit den Provokationen der Westberliner faschistischen Verschwörer forderte, stellte ihm Genosse Herrnstadt die Seiten des »Neuen Deutschland« zur Verbreitung seiner regierungsfeindlichen Ansichten zur Verfügung.

Die Genossen Herrnstadt und Zaisser haben eine politische Plattform entwickelt und versucht, sie dem Politbüro aufzuzwingen. Der Hauptinhalt dieser schriftlich und mündlich entwickelten Plattform waren folgende Gesichtspunkte:

1. Die Politik der Partei sei in der Hauptrichtung fehlerhaft.
2. Die Partei sei entartet, deshalb sei eine grundlegende Erneuerung der Partei notwendig, weshalb sie auch in ihren schriftlichen Darlegungen eine »Erneuerung der Partei« – so heißt wörtlich die Überschrift – forderten. Diese »Erneuerung« sollte eine entschiedene Änderung der Parteileitung bedeuten.
3. Sie traten in ihrer Plattform mit der sozialdemokratischen These auf, daß die SED die Partei des ganzen Volkes sein soll. Sie wichen damit von dem grundlegenden marxistischen Lehrsatz ab, daß die SED eine Partei des Proletariats, eine Partei der Arbeiterklasse ist. In der Plattform wird eine These aufgestellt, daß die Partei der wirtschaftlichen Tätigkeit der kapitalistischen Elemente große Freiheit gewähren solle; das ist eine These, die die Restaurierung des Kapitalismus in der Deutschen Demokratischen Republik bedeutet und gewissen sozialdemokratischen Forderungen entspricht.

Die Genossen Herrnstadt und Zaisser beschränkten sich nicht auf die Aufstellung solcher kapitulantenhaften Forderungen, die, wie sie sagten, als Grundlage zu einer »Erneuerung der Partei« dienen soll. Sie wußten, daß die gegenwärtige Parteiführung nicht auf eine solche liquidatorische Politik eingehen wird. Deshalb stellten sie die These von der Neubesetzung der Parteiführung auf. Auf einer Sitzung der Kommission des Politbüros, die sich mit den organisatorischen Fragen der Vorbereitung des Zentralkomitees beschäftigte, machte Genosse Zaisser den Vorschlag, Walter Ulbricht als Generalsekretär abzusetzen, und schlug als 1. Sekretär des Zentralkomitees den Genossen Herrnstadt vor. Genosse Herrnstadt erklärte seinerseits auf der Sitzung der Kommission, daß ihn die Partei unterstützen werde.

Aber Herrnstadt und Zaisser haben sich in ihrer Fraktionstätigkeit nicht auf diese Plattform und auf die Forderung nach einer Neubesetzung der Führung beschränkt, sondern sie führten auch einen innerparteilichen fraktionsmäßigen Kampf im Sinne ihrer Plattform. Beginnend mit dem 9. Juni veröffentlichte Genosse Herrnstadt im »Neuen Deutschland« Beiträge, die eine direkte Unterstützung der Streikenden darstellten, während die Beschlüsse der Partei zur Beseitigung verschiedener Mängel als eine Erfüllung der Forderungen der Streikenden dargestellt wurden.

Genosse Zaisser seinerseits hat die Arbeit des Ministeriums für Staatssicherheit so organisiert, daß dieses Ministerium faktisch von der Parteiführung isoliert wurde. Er vertrat eine kapitulantenhafte bürgerliche Politik und informierte das Politbüro nicht über die wirkliche Lage im Ministerium für Staatssicherheit. Das Ministerium für Staatssicherheit hat im Kampf gegen die feindlichen Agenturen völlig versagt. Das Ministerium für Staatssicherheit verfügte nach Ansicht des Politbüros über keinerlei Anhaltspunkte, die auf die großangelegte feindliche Provokation hingewiesen hätten. Die Parteiorgane des Ministeriums für Staatssicherheit waren unabhängig von den Organen des Zentralkomitees.

Auf Grund dieser Tatsachen muß das Plenum des Zentralkomitees den kapitulantenhaften Standpunkt der Gruppe Herrnstadt-Zaisser einschätzen und daraus die notwendigen organisatorischen Schlußfolgerungen ziehen.

Ich möchte noch erwähnen, daß Genosse Herrnstadt bereits im Verlaufe der Beratungen in der Kommission die Absetzung des Bundesvorstandes des FDGB forderte. Er unterstützte damit indirekt die Parole der kapitalistischen Kräfte, die gegen die Gewerkschaften den Kampf aufgenommen hatten. Genosse Herrnstadt zeigte damit aber auch, daß er noch nicht verstanden hat, wie notwendig es ist, die innergewerkschaftliche Demokratie im FDGB zu entwickeln und sie zu achten und nicht durch Anordnungen der Parteiführung, sondern durch Verbesserung und Verstärkung der Arbeit unserer Genossen in den Gewerkschaften einen entschiedenen Umschwung in den Gewerkschaften herbeizuführen.

Fragen der freien Gewerkschaften

... In den Beschlüssen vom 9. und 21. Juni wurden zuerst die großen wirtschaftlichen Fragen behandelt, deren Lösung die Verbesserung der Lebenslage der Arbeiter und der Bevölkerung ermöglicht. Es wurden jedoch dabei die besonderen unmittelbaren Nöte der Arbeiter nicht genügend berücksichtigt, deren Beseitigung man sofort in Angriff nehmen mußte. Die faschistischen Provokateure richteten am 17. Juni den Stoß besonders gegen die Gewerkschaften und suchten die Gewerkschaften zu diskreditieren, indem sie diese für die Folgen des forcierten Tempos des Aufbaus des Sozialismus und der Fehler im Volkswirtschaftsplan verantwortlich machten. Ich muß jedoch sagen, daß weder der Bundesvorstand des FDGB noch die Vorstände der Industriegewerkschaften an der Ausarbei-

tung der Verordnungen über die Normenfestsetzungen durch die einzelnen Ministerien, die Rückstufungen oder die Erhöhung der Preise für Rückfahrkarten bzw. Einschränkung ihrer Ausgabe beteiligt waren.

Die Provokateure verstanden geschickt, die Unzufriedenheit eines Teiles der Arbeiter über die eingetretenen Verschlechterungen und bestimmte Versorgungsschwierigkeiten auszunutzen zum Stoße gegen die Gewerkschaft als die Klassenorganisation der Arbeiter, als die größte Massenorganisation, die den Aufbau des Sozialismus als ihre Hauptaufgabe betrachtet. Der Fehler der Gewerkschaftsleitungen bestand darin, daß sie bei der Verwirklichung der Losung »Mehr produzieren, um besser leben zu können« oftmals zum verlängerten Arm der Werkdirektion wurden und nicht genügend die täglichen Interessen der Arbeiter vertraten. Mit Recht sagten Gewerkschaftsmitglieder: Wir produzieren mehr, aber wir wollen auch etwas davon haben. Die Arbeiter verlangten mit Recht, daß die Produktionssteigerung verbunden sein müsse mit der schrittweisen Erhöhung der Lebenshaltung der Arbeiterklasse und der Werktätigen.

In den Gewerkschaftsleitungen herrschte eine allgemeine Schönfärberei. Es wurde kein entschiedener Kampf für die Durchführung der Betriebskollektivverträge geführt, und bestehende Mißstände wurden nicht beseitigt. Viele Gewerkschaftsleitungen waren über die Unzufriedenheit der Arbeiter nicht genügend informiert und wußten vor allem nichts über das politische Denken der Arbeiter in den Großbetrieben. Daher kam es, daß leitende Funktionäre der Gewerkschaften den Ereignissen in vielen Großbetrieben ratlos gegenüberstanden. Einige Gewerkschaftsfunktionäre kamen selbst ins Schwanken, und manche beteiligten sich aktiv an den faschistischen Provokationen. Ein Teil der Arbeiter war unzufrieden darüber, daß die Organisation der Produktion in ihrem Industriezweig eine schlechte war, daß sie nicht kontinuierlich arbeiten konnten, während die Presse über hohe »freiwillige« Verpflichtungen der Arbeiter geschrieben hat.

Der Bundesvorstand des FDGB ließ den Vorständen der Industriegewerkschaften keine genügende Initiative und Selbständigkeit der Entscheidung. Im Bundesvorstand des FDGB, in den Vorständen der Industriegewerkschaften sowie in den Betriebsgewerkschaftsorganisationen bestimmten nicht die gewählten Leitungen, sondern die angestellten Sekretäre. Es wurden nur wenig ehrenamtliche Mitarbeiter zur Arbeit in den Gewerkschaftsleitungen herangezogen. Die innergewerkschaftliche Demokratie wurde vielfach verletzt. Das hatte zur Folge, daß die Gewerkschaftsleitungen über die wirkliche Meinung der Mitglieder nicht informiert waren und daß die Initiative der Mitarbeiter nicht zur Entfaltung kommen konnte.

Die Betriebsparteiorganisationen beschäftigen sich nicht genügend oder oberflächlich mit der Arbeit der Genossen in den Gewerkschaften. Statt dessen wurde oft in die Arbeit der Gewerkschaften hineinkommandiert. Gewählte Gewerkschaftsfunktionäre wurden von Parteileitungen abberufen und in andere Funktionen versetzt, oder es wurden, statt die Vorschläge der Gewerkschaften anzuhören und sorgfältig zu prüfen, den Gewerkschaften einfach Vorschriften gemacht. Es gab Fälle, wo die Betriebsgewerkschaftsleitungen schwach arbeiteten und wo die Parteileitungen dazu übergingen, selbst Gewerkschaftsfunktionen auszuüben, statt zu helfen, daß die Gewerkschaftsarbeit verbessert wird und die betreffenden Gewerkschaftsleitungen verstärkt werden. Die leitenden Parteiorgane müssen erkennen, daß der Freie Deutsche Gewerkschaftsbund für die Kaderpolitik in den Gewerkschaften selbst verantwortlich ist. Es können also keine Abkommandierungen oder Versetzungen erfolgen, die nicht von den zuständigen Gewerkschaftsleitungen beschlossen wurden.

Die Fehler der Partei in bezug auf die Gewerkschaftsarbeit haben dazu beigetragen, daß die Beziehungen zwischen der Partei und der Arbeiterklasse teilweise gestört wurden. Die Gewerkschaften sind der wichtigste Transmissionsriemen zwischen der Partei und den Arbeitermassen. Wenn Fehler der Partei in bezug auf die Gewerkschaftsarbeit zugelassen werden, so muß sich das in der Störung der Beziehungen zwischen der Partei und den Arbeitermassen auswirken.

Da die faschistischen Untergrundorganisationen auf Anweisung der amerikanischen Rundfunkstationen die Losung der »Neutralität« der Gewerkschaften ausgegeben haben, ist es notwendig, daß eine breite politische Massenaufklärungsarbeit unter den Gewerkschaftsmitgliedern über die Rolle der Gewerkschaften als Klassenorganisation der Arbeiter durchgeführt wird.

Wir verstehen, daß die Konzernherren und Bankherren, die amerikanischen wie die westdeutschen, nichts sehnlicher wünschen, als daß die Gewerkschaften sich »neutral« verhalten gegenüber den Machtansprüchen und der aggressiven Politik faschistischer Provokateure, die vom westdeutschen Monopolkapital in die Deutsche Demokratische Republik geschickt werden. Leider wird diese Politik der feindlichen Kräfte von manchen Gewerkschaftsfunktionären begünstigt. So wurde in manchen Betrieben zugelassen, daß klassenfremde Elemente in Gewerkschaftsleitungen oder als Gruppenorganisatoren gewählt wurden, die dann am 17. Juni als Organisatoren von Streiks und von faschistischen Provokationen auftraten.

Man muß auch die politische Arbeit einiger leitender Genossen Funktionäre der Industriegewerkschaften überprüfen. Es ist bezeichnend, daß in einer Anzahl Großbetriebe die leitenden Gewerkschaftsfunktionäre am 17. Juni und danach wohl die wirtschaftlichen Forderungen einsammelten, als aber diese Forderungen mit dem Kampf gegen die Regierung der Deutschen Demokratischen Republik verbunden wurden, wurde gegen diese feindliche Arbeit der Provokateure nicht gekämpft, und in den Betriebsversammlungen wurde nicht Stellung genommen.

Ein lehrreiches Beispiel dafür ist der Verlauf der Gewerkschaftsaktivtagung am 9. Juli 1953 im volkseigenen Betrieb Zeiß, Jena. Der Vorsitzende der IG Metall, Genosse Schmidt, hielt ein allgemeines Referat, so daß es nicht gelang, die schwankenden Elemente von den Provokateuren zu trennen. Die Provokateure hatten Forderungen gestellt, unter anderem die Forderung der Freilassung des Provokateurs und Nazis Norkus, Forderungen gegen die SED, gegen die Oder-Neiße-Grenze, für die Freilassung der Kriegsverbrecher und andere, die geschickt mit wirtschaftlichen Teilforderungen der Arbeiter des Betriebes verbunden waren. Der Vorsitzende der IG Metall, der offenkundig infolge schönfärberischer Berichte die Lage im Zeiß-Werk falsch eingeschätzt hatte, behauptete darauf in seinem Schlußwort, nachdem in der Versammlung diese provokatorischen Forderungen vorgeschlagen waren und schriftlich vorlagen, daß eine »offene und freie« Aussprache stattgefunden habe, daß er aber nicht zu allen Fragen Stellung nehmen könne und daß auf diese Fragen in einer Versammlung in vier Wochen geantwortet werde; also auf die Frage des Sturzes der Regierung antwortet er in vier Wochen. Er sagte weiter, die Gewerkschaft müsse das Forum der offenen Aussprache sein, damit die Gewerkschaft wisse, was die Kollegen denken und damit die Vorschläge der Regierung unterbreitet werden können. Sollte etwa die Forderung auf Beseitigung der Regierung der Deutschen Demokratischen Republik und auf die Beseitigung der Oder-Neiße-Grenze der Regierung unterbreitet werden? Er selbst ging nicht auf diese provokatorischen Forderungen ein; er verhielt sich wirklich »neutral«. Man muß sagen, daß ein solches Auftreten nichts anderes bedeutet als eine Unterstützung der feindlichen Kräfte im Zeiß-Werk.

Ich gebe diesen Bericht, weil er mir gerade als letzter unter die Hände kam. Vielleicht gibt es noch andere Fälle, aber da er für das Auftreten einiger Genossen charakteristisch ist, ist es notwendig, auch über diese Frage hier offen zu sprechen. Ich würde vorschlagen, daß dem Genossen Schmidt als IG-Vorsitzender der Brief des parteilosen Arbeiters Alexander Wons, der im VEB Stemag arbeitet und der in der Presse veröffentlicht wurde, zum sorgfältigen Studium gegeben wird, damit der Genosse Schmidt diese Vorschläge des parteilosen Arbeiters als Richtlinie für seine Gewerkschaftsarbeit nimmt. Dann wird die Sache besser gehen.

Offensichtlich herrscht bei manchen Gewerkschaftsangestellten keine Klarheit über die politischen Probleme. Wie wäre es sonst möglich, daß der Vorsitzende der Gewerkschaft Verwaltungen, Banken, Versicherungen im Gebiet Grimma in einem Brief an die Staatliche Kontrollkommission einen Monat nach der faschistischen Provokation provozierend schreibt: »Wenn Ihr es verantworten wollt, daß unsere Reinemachefrauen von ihrem verfassungsmäßig festgelegten Recht der Arbeitsniederlegung Gebrauch machen sollen, dann arbeitet in diesem Tempo weiter.« Er drohte also mit dem Streik der Reinemachefrauen. Ich muß sagen, daß ist doch eine merkwürdige Gewerkschaftspolitik, die in diesem Brief ihren Ausdruck findet.

(Zwischenruf Herbert Warnke: Vorher war aber das Interview von Fechner veröffentlicht! Vielleicht hat er davon gelernt!)

Vielleicht hat er davon gelernt, aber vielleicht hat er auch vom Ostbüro gelernt. Das kann ich jetzt nicht sagen. Soll der FDGB das nachprüfen. Aber wenn dieser Gewerkschaftsangestellte selbst solche Auffassungen vertritt, kann man sich vorstellen, wie seine Erzie-hungsarbeit unter den Mitgliedern der Gewerkschaft aussieht . . .

Quelle: Protokoll der 15. Tagung des ZK der SED, 24. bis 26. Juli 1953 (internes Parteimaterial)

24.–26. Juli 1953

Beschluß der 15. ZK-Tagung

II
Die faschistische Provokation am 17. Juni
[. . .]
4. Die Verkündung und Durchführung des neuen Kurses hat die Kriegstreiber und Feinde der deutschen Einheit in Verwirrung gebracht und in Wut versetzt. Sie erkannten die große Gefahr, die der neue Kurs für die Verwirklichung ihrer verbrecherischen Kriegspläne, für die Verwirklichung des Generalkriegsvertrages bedeutet, und beschlossen deshalb, den von langer Hand vorbereiteten Tag X beschleunigt festzusetzen, um die Durchführung des neuen Kurses zu stören.
5. Dabei waren zur Festlegung des faschistischen Putsches auf den 17. und 18. Juni internationale Gründe entscheidend.
Seit längerer Zeit wird die Stärkung des Lagers des Friedens, der Demokratie und des Sozialismus immer offenkundiger. Sein Einfluß wächst in aller Welt. Die konsequente Friedenspolitik der Regierung der UdSSR gewinnt ständig an Einfluß. Dies kommt besonders in der von der Regierung der UdSSR eingeleiteten Entspannung der internationalen Lage zum Ausdruck, in der wachsenden Bewegung für die Verständigung der Großmächte, in den Fortschritten bei den Verhandlungen über einen Waffenstillstand in Korea, in dem Anwachsen der Weltfriedensbewegung nach der eindrucksvollen Tagung des Weltfriedensrates in Budapest wie auch in dem zunehmenden Widerstand gegen die amerikanische Bevormundung im kapitalistischen Lager selbst.
Die sich entwickelnde internationale Entspannung läßt in Millionen Menschen die Erkenntnis reifen, daß alle internationalen Streitfragen auf friedlichem Wege durch Verhandlungen gelöst werden können.
Eine solche Entwicklung widerspricht aber den Interessen und Absichten der amerikanischen Rüstungsmonopole. Darum unternehmen die reaktionären Kreise der USA alle Anstrengungen, die Entspannung zu verhindern, die Lage zu komplizieren und zu verschärfen. Sie veranlaßten deshalb fast am gleichen Tage in verschiedenen Teilen der Welt zwei Angriffe auf den Weltfrieden.
6. Kurz nachdem in Panmunjon das Abkommen über die Repatriierung der Kriegsgefangenen unterzeichnet war, wurden auf Befehl der amerikanischen Marionette Li Syng Man in der Nacht zum 18. Juni in Masan, Pusan und anderen Lagern, die amerikanischem Kommando unterstehen, entgegen den beschlossenen Repatriierungsbedingungen massenhaft Kämpfer der koreanischen Volksarmee »freigelassen«, die unter den Schutz der Kommission der neutralen Länder gestellt werden sollten. Diese Provokation verfolgte das Ziel, den Abschluß eines Waffenstillstandsabkommens in Korea zu hintertreiben.
Fast zu derselben Zeit unternahmen faschistische Provokateure, die von amerikanischen Offizieren mit Waffen, Benzinflaschen und Instruktionen versehen waren, im demokratischen Sektor von Berlin einen faschistischen Putschversuch. Gleichzeitig traten die in einigen anderen Städten der Deutschen Demokratischen Republik seit langem organisierten Agentengruppen in Tätigkeit und organisierten faschistische Unruhen. Sie erhielten durch den amerikanischen Hetzsender RIAS ihre operative Anleitung.
Auch die Entlarvung des imperialistischen Agenten Beria weist auf die internationalen Zusammenhänge der großangelegten Provokation hin. Das Zentralkomitee der SED dankt dem Zentralkomitee der KPdSU für die rechtzeitige Entlarvung des Verräters Beria. Es drückt dem Zentralkomitee der KPdSU sein festes Vertrauen aus und bekundet seine unwandelbare Verbundenheit mit der Partei Lenins und Stalins.
7. An der Vorbereitung des faschistischen Putschversuches am 17. Juni haben die monopolkapitalistischen und junkerlichen Kreise Westdeutschlands als Helfer des amerikanischen Imperialismus bedeutenden Anteil gehabt. Seitdem in der Deutschen Demokratischen Republik die Macht der Werktätigen errichtet wurde, seitdem die kapitalistischen Monopole und Junker enteignet sind und nicht mehr zugelassen werden, führen diese Kreise, die in Westdeutschland die Macht in den Händen haben, einen erbitterten Kampf um die Restaurierung der alten kapitalistischen Ordnung in der Deutschen Demokratischen Republik. Sie scheuen keine Verbrechen, um die Volksmacht und den friedlichen Aufbau in der DDR zu untergraben und den Arbeitern die Betriebe und den Bauern das Land wieder abzunehmen. Ihre politischen Beauftragten, die Adenauer und Kaiser, hatten den faschistischen Tag X offen angekündigt. Der ganz besondere Haß dieser reaktionären Kreise richtet sich gegen die Sozialistische Einheitspartei Deutschlands als die führende Kraft beim Aufbau der Grundlagen der volksdemokratischen Ordnung.
Die Absichten der westdeutschen Monopolkapitalisten und Junker haben am 17. Juni in den volksfeindlichen Forderungen der faschistischen Provokateure auf Sturz der Regierung der DDR und Wiedererrich-

tung der Macht der Großkapitalisten und Junker ihre Widerspiegelung gefunden.

8. Der faschistische Putschversuch am 17. Juni ist gescheitert. Die Mehrheit der Bevölkerung der DDR, besonders der Arbeiterklasse, hat die Provokateure nicht unterstützt, sondern energisch zurückgewiesen. Der von den Putschisten geplante und proklamierte Generalstreik war nicht zustande gekommen, weil die überwältigende Mehrheit der Arbeiter nicht mitmachte. Nur etwa fünf Prozent der Arbeiterschaft der Republik hat an Streiks teilgenommen. Zahlreiche hervorragende Betriebe der Republik – wie die Max-Hütte Unterwellenborn, die Großkokerei Lauchhammer, das Edelstahlwerk Döhlen, das Kunstfaserwerk »Wilhelm Pieck«, das Kombinat »Otto Grotewohl« in Böhlen, Secura in Berlin, Kraftwerk Klingenberg in Berlin, Plamag in Plauen und viele andere – erteilten den Provokateuren durch disziplinierte Arbeit und Produktionssteigerung eine Abfuhr. Auch die große Mehrheit der werktätigen Intelligenz hat fest hinter der Regierung der DDR gestanden. Auch bei den Massen der Bauernschaft stießen die Provokateure auf Ablehnung. In den meisten Städten und Betrieben sind die Parteiorganisationen der SED an der Spitze der Arbeiter den Provokateuren energisch entgegengetreten und haben dadurch den Putsch vereitelt. Diese Zurückweisung der Provokateure durch die Mehrheit der Bevölkerung ist der Hauptgrund für die Niederlage der faschistischen Putschisten am 17. Juni.

Die Staatsorgane der Republik und besonders die sowjetischen Besatzungstruppen haben entscheidend zur Vereitelung der faschistischen Kriegsprovokation beigetragen.

Der mißglückte Putschversuch am 17. Juni hat den Beweis erbracht, daß die demokratische Ordnung in der Deutschen Demokratischen Republik fest und unerschütterlich ist, weil sie sich auf die Mehrheit der Werktätigen stützt.

9. Die Partei muß aber aus den Ereignissen am 17. Juni ernsthafte Lehren ziehen und die an diesem Tage in Erscheinung getretenen Mängel in der Arbeit der Partei rasch überwinden.

Der 17. Juni hat bewiesen, daß in der DDR eine von den Amerikanern organisierte und unterstützte faschistische Untergrundbewegung vorhanden ist. An diesem Tage traten in einigen Städten (Magdeburg, Halle, Görlitz u. a.) ganze Gruppen maskierter Volksfeinde aus der Anonymität hervor und provozierten Unruhen. Es wurden illegale faschistische Organisationen mit eigenen Zentren, eigener Disziplin und ständigen Verbindungen mit den Agentenorganisationen in Westberlin aufgedeckt.

In ihnen spielten ehemals aktive Nazisten eine führende Rolle. So gab es zum Beispiel im Buna-Werk in der Werkstätte G 32 eine faschistische Zentrale, die nach den Direktiven des RIAS Unruhen im Werke organisierte. Im Leuna-Werk stand ein früherer SS-Mann an der Spitze des Provokationszentrums. In diesen großen chemischen Werken traten bei der Anleitung der Provokationen die in den Werken noch vorhandenen Agenten des IG-Farben-Konzerns besonders hervor.

10. Außerdem bestanden in einigen Städten (Magdeburg, Leipzig u. a.) illegale Organisationen aus ehemaligen SPD-Mitgliedern, die noch immer den arbeiterfeindlichen Auffassungen des Sozialdemokratismus anhingen und darum leicht Opfer der Agenten des Ostbüros wurden, welche unter den Arbeitern faschistische Losungen verbreiteten und Streiks organisierten. Die ehrlichen Arbeiter, die früher Mitglieder der SPD waren und den Agenten Gehör schenkten, begriffen nicht, daß sie damit gegen ihre eigenen Klasseninteressen und gegen die alten Ideale der deutschen Arbeiterbewegung auftraten.

Es ist die Aufgabe unserer Parteiorganisationen, diesen schwankenden und irregeleiteten früheren Sozialdemokraten zu helfen, den Klassencharakter des Putschversuches zu erkennen, den Sozialdemokratismus zu überwinden und den Weg in die Reihen des klassenbewußten Proletariats zurückzufinden. Dies ist mit dem systematischen Kampf gegen die noch vorhandenen Agenturen des Ostbüros zu verbinden, um ihrem schädlichen Treiben ein Ende zu machen.

11. In einigen Städten waren auch verschiedene andere feindliche Gruppen konzentriert, wie brandleristische Spionagegruppen, Trotzkisten, SAP-Gruppen und andere. Auch aus unserer Partei entfernte feindliche Elemente beteiligten sich aktiv an den Provokationen.

Die Betriebsorganisationen der Partei hatten verabsäumt, alle diese Feinde zu isolieren und aus den Großbetrieben zu entfernen. Daraus entsteht für die Partei die ernste Aufgabe, besonders in den Großbetrieben mit Hilfe der Arbeiter die feindlichen Elemente zu entlarven und für ihre Entlassung aus den Betrieben zu sorgen.

12. Die Provokateure konnten in einigen Gegenden (den Bezirken Berlin, Dresden, Halle u. a.) bestimmte Teile der Arbeiterschaft irreführen und zur Teilnahme an den Streiks veranlassen. Die Hauptgründe für die Beteiligung bestimmter Teile der Arbeiterschaft an den Streiks und antidemokratischen Demonstrationen waren folgende:

a) In der Arbeiterklasse der DDR sind in den letzten acht Jahren große Veränderungen vor sich gegangen. Ein großer Teil der fortschrittlichsten Arbeiter wurde aus den Betrieben genommen und zum Aufbau der Staats- und Wirtschaftsorgane entsandt, wodurch die Betriebsparteiorganisationen der SED, besonders in den Großbetrieben, geschwächt wurden. Andererseits gingen viele nichtproletarische Elemente aus dem Kleinbürgertum und dem Bürgertum, darunter nicht wenige faschistische Elemente, ehemalige Staatsbeamte und Unternehmer, die nach 1945 ihre privilegierte Stellung verloren haben und von der Wiederherstellung der alten Privilegien träumen, als »Arbeiter« in die Betriebe. Diese Menschen trugen kleinbürgerliche und bürgerliche Anschauungen und Stimmungen in die Arbeiterklasse, ein nichtproletarisches Verhältnis zur Arbeit und zur Arbeitsdisziplin, das Streben, vom Staat soviel wie möglich zu nehmen, ohne gleichzeitig die Arbeitsproduktivität zu erhöhen, sowie eine negative Einstellung zu den volkseigenen Betrieben überhaupt. Ein gewisser Teil dieser als Arbeiter Beschäftigten hat eine feindliche Einstellung zur Arbeiterklasse und zur demokratischen Ordnung in der DDR und träumt von der Restaurierung der Macht der Großkapitalisten und Gutsbesitzer in der DDR. Solche feindlichen Elemente haben sich unter Ausnutzung der mangelhaften Wachsamkeit der örtlichen Organisationen in einigen Großbetrieben und Bau-Unionen konzentriert.

b) Die politisch-ideologische Arbeit zur Entwicklung des proletarischen Klassenbewußtseins der Arbeiter war nicht ausreichend. Sie trug insbesondere nicht der Tatsache Rechnung, daß breite Teile auch der Arbeiterschaft nach zwölfjähriger faschistischer Diktatur stark von der Naziideologie vergiftet waren. Der Charakter der Staatsmacht in der DDR und der volkseigenen Betriebe wurde den Arbeitern nicht in überzeugender Weise dargelegt. Die Partei hat nur ungenügend den Kampf gegen die bürgerliche Ideologie und ihren Einfluß auf die Arbeiterklasse geführt und in den Arbeitern nur unzureichend das Gefühl der Verantwortung der Arbeiterklasse für den Aufbau und die Festigung des Arbeiter- und Bauernstaates in der DDR geweckt.

Die Agitationsarbeit entsprach oftmals nicht den Anforderungen eines bedeutenden Teiles der Arbeiterschaft, sie war nicht konkret genug und entlarvte nicht in genügendem Maße und nicht rechtzeitig die vom Westen kommende feindliche Propaganda.

Die Arbeiter, die sich an Streiks beteiligten und faktisch die Provokateure unterstützten, haben gegen ihre eigenen Klasseninteressen gehandelt, da die faschistischen Provokationen den Sturz der Macht der Arbeiter in der DDR, die Wiederherstellung der früheren kapitalistischen Ausbeutung zum Ziel hatten und deshalb eine tödliche Bedrohung für die gesamte Arbeiterklasse bedeuteten.

c) Die in der letzten Zeit in großem Ausmaß durchgeführten, nicht genügend durchdachten und überstürzten administrativen Maßnahmen zur Erhöhung der Arbeitsnormen sowie die Entstellungen in der Politik des Sparsamkeitsregimes haben für einige Kategorien der Arbeiter eine teilweise Verschlechterung ihrer Lebenslage gebracht, was unter ihnen Unzufriedenheit hervorrief.

So hat das Ministerium für Allgemeinen Maschinenbau durch seine eigenmächtige Festsetzung unbegründet hoher Normen eine berechtigte Empörung unter den Arbeitern hervorgerufen. In dem VEB Schleifscheibenfabrik Reick, Dresden, wurde im Mai 1953 ohne Prüfung der Verhältnisse im Betrieb die Arbeitsnormkennziffer um 33 Prozent erhöht. Im Betrieb Kjellberg, Finsterwalde, wurde auf rein administrativem Wege eine Normenzeitsenkung um 25 Prozent verfügt, wodurch die Normen in diesem Betrieb um durchschnittlich 33 Prozent erhöht wurden.

Die bürokratischen Entstellungen in der Arbeit einer Reihe anderer Ministerien und Staatssekretariate haben ebenfalls unter der Arbeiterschaft und anderen Bevölkerungsschichten zu Unzufriedenheit Anlaß gegeben.

d) In einige Organe der Verwaltung und in einige Gewerkschaftsleitungen waren feindliche Agenten eingedrungen, die durch arbeiterfeindliche Maßnahmen (Lohnabbau, Verweigerung der Ausgabe von Arbeitsschutzkleidung, Verletzung der Bestimmungen des Arbeitsschutzes, Ignorierung der sozialen Nöte der Arbeiter u. a.) die Unzufriedenheit künstlich schürten.

13. Die Ereignisse des 17. Juni führten zu einer Belebung der feindlichen, antidemokratischen Elemente in der Politik, der Ideologie und der Wirtschaft, die in verschiedenen Formen Forderungen erhoben, die auf die Schwächung und letzten Endes auf die Beseitigung der demokratischen Ordnung in der DDR gerichtet sind. Die Aufgabe der Partei besteht darin, der Aktivierung dieser feindlichen Kräfte entschlossen entgegenzutreten und vor der Bevölkerung ihr volksfeindliches Wesen zu entlarven.

14. Nach der Niederschlagung der Provokationen unternahm der Feind den Versuch, seine ans Licht getretenen Agenturen vor dem Zugriff der demokratischen Staatsorgane zu schützen.

Der staatsfeindlicher Tätigkeit überführte frühere Justizminister Fechner hat seine Position ausgenutzt, um die faschistischen Provokateure vor der verdienten Strafe zu schützen. Auf Anweisung Fechners wurde eine Reihe aktiver Organisatoren feindlicher Aktionen freigelassen. Die Justizorgane erhielten von ihm die Orientierung auf ausnahmslose Freisprechung von amerikanischen Agenten und Rädelsführern der Provokationen.

Dies war eine direkte und bewußte Hilfe für den Feind – die amerikanischen und westdeutschen Sabotageorganisationen und Faschisten.

Zur gleichen Zeit trug Fechner als Minister der Justiz die Verantwortung für zahlreiche Ungesetzlichkeiten und ungerechtfertigt hohe Strafen gegenüber den Werktätigen der Republik.

Das Zentralkomitee beschließt, Fechner als Feind der Partei und des Staates aus dem ZK der SED und aus den Reihen der SED auszuschließen.

15. Der Versuch der Feinde des deutschen Volkes, die Partei und die Regierung durch die faschistische Provokation von der Durchführung des neuen Kurses abzubringen, ist gescheitert.

Die Sozialistische Einheitspartei Deutschlands und ihre Vertreter in der Regierung der Deutschen Demokratischen Republik werden nun mit um so größerer Energie an die Verwirklichung des neuen Kurses gehen, der mit dem Beschluß des Politbüros vom 9. Juni eingeleitet wurde. Die Beseitigung aller aufgetretenen Mängel ist eine dringende Aufgabe des Zentralkomitees und aller Parteiorganisationen . . .

[. . .]

IV.

Die Politik der Partei, ihre Erfolge und Fehler

27. Die Partei hat die in der Vergangenheit begangenen Fehler erkannt, anerkannt und offen ausgesprochen, um allen das Wesen des neuen Kurses verständlich zu machen und seine Durchführung zu erleichtern. Dabei war sich die Parteiführung bewußt, daß durch das offenmütige Bekennen der Fehler Schwierigkeiten entstehen konnten. Dennoch ent-

schloß sie sich für diesen Weg und veröffentlichte das Kommuniqué vom 9. Juni, um den neuen Kurs weithin sichtbar zu machen.

Die freimütige Anerkennung der begangenen Fehler vor den breitesten Massen wurde von den Feinden ausgenutzt, um die Partei zu diskreditieren und lügnerisch zu behaupten, die ganze Politik der Partei sei falsch gewesen. Auch diese Behauptung diente dem Zwecke, die Partei von dem neuen Kurs abzubringen. Die Partei ließ und läßt sich jedoch durch keinerlei Verleumdung beirren und von dem Weg abdrängen, den sie als geschichtlich richtig und notwendig erkannt hat.

28. Die Sozialistische Einheitspartei Deutschlands hat in ihrer kurzen Geschichte große historische Erfolge errungen. Gestützt auf die nach jahrzehntelangem Ringen erkämpfte Einheit der Arbeiterklasse hat unsere Partei in führender Position einen neuen demokratischen Staat errichtet, in dem die Arbeiterklasse den entscheidenden Einfluß besitzt. Sie hat den Aufbau einer neuen Wirtschaftsordnung eingeleitet, in der für kapitalistische Ausbeutung kein Platz mehr ist. Sie war führend an der Entmachtung und Enteignung der Junker beteiligt, hat damit ein neues demokratisches Leben im Dorf geschaffen und zum ersten Male in der Geschichte der deutschen Arbeiterbewegung eine feste Grundlage für das Bündnis der Arbeiterklasse mit den werktätigen Bauern gelegt. Unsere Partei hatte die Initiative bei der Einleitung einer neuen kulturellen Entwicklung, die zu einer neuen Blüte der deutschen Wissenschaft und Kunst führen wird.

Das Verdienst um diese wahrhaft großen Errungenschaften, die für immer in die Geschichte des deutschen Volkes eingezeichnet sind, kann niemand und nichts der Sozialistischen Einheitspartei Deutschlands nehmen.

Unsere Partei hat sich in Deutschland an die Spitze des Kampfes um die Erhaltung des Friedens gestellt, sie hat die Initiative zur Bildung der großen patriotischen Bewegung für die Einheit Deutschlands ergriffen. Auf Vorschlag und unter führender Anteilnahme unserer Partei wurde die Nationale Front des demokratischen Deutschland gebildet. Unsere Partei hat wiederholt konkrete Vorschläge zur Lösung der großen nationalen Frage des deutschen Volkes unterbreitet und in der Deutschen Demokratischen Republik die Basis für den nationalen Kampf der Deutschen gestärkt. Sie hat die patriotische Erziehung des deutschen Volkes eingeleitet und das Banner des nationalen Kampfes breit entfaltet. Diese Politik unserer Partei war völlig richtig. Sie hat bewiesen, daß die Sozialistische Einheitspartei Deutschlands die wahre nationale Partei des deutschen Volkes ist.

Es war richtig, daß unsere Partei sich auf die Arbeiterklasse und die werktätigen Bauern orientierte, daß sie kein Monopolkapital, keine Junker, keine faschistischen Organisationen und keine Kriegshetze zugelassen hat.

Es war richtig, daß unsere Partei die Politik der Wiederherstellung der Industrie und der Entwicklung der Produktivkräfte aus eigener Kraft durchführte. Dank dieser Politik wurden bereits im Jahre 1952 157 Pro-

zent des Vorkriegsstandes der industriellen Produktion erreicht. Damit wurde auch in der DDR der Beweis erbracht, daß die Arbeiterklasse die Wirtschaft besser aufbauen kann als die Kapitalisten.

Richtig war die Politik unserer Partei zur Wiederherstellung und Entwicklung der landwirtschaftlichen Produktion. Dank dieser Politik wurden bereits im Jahre 1952 die Ernteerträge der Vorkriegszeit überschritten und Westdeutschland in der Produktivität von Ackerbau und Viehzucht überholt. Damit wurde auch in der DDR der Beweis erbracht, daß die Arbeiterklasse die Landwirtschaft zu einer Entwicklung führen kann, die im Kapitalismus unerreichbar ist.

Es war auch richtig, daß unsere Partei Deutschland auf den Weg des Sozialismus führte und in der Deutschen Demokratischen Republik mit der Errichtung der Grundlagen des Sozialismus begann.

Diese Generallinie der Partei war und bleibt richtig.

29. Trotz dieser richtigen Generallinie hat die Partei in der letzten Zeit eine Reihe Fehler begangen. Diese Fehler waren folgende:

a) Die Partei, die den richtigen Kurs auf den Aufbau der Grundlagen des Sozialismus in der DDR genommen hatte, beschritt den falschen Weg der beschleunigten Lösung dieser Aufgabe ohne entsprechende Berücksichtigung der realen inneren und äußeren Voraussetzungen. Das führte zu einem überspitzten Entwicklungstempo der Wirtschaft, besonders in der Schwerindustrie, zu falschen Versuchen der Verdrängung und Liquidierung des städtischen Mittel- und Kleinbürgertums sowie der Großbauernschaft auf dem Lande, was nachteilige Folgen für die Versorgung der Bevölkerung hatte und in gewissem Maße zur Störung der richtigen Beziehungen zwischen der Partei und den werktätigen Massen und zur Anwendung von Methoden des Administrierens an Stelle einer breiten und geduldigen Aufklärungsarbeit unter den Massen führte.

b) Es war richtig, daß die Parteiorganisationen die in der DDR auf Initiative der werktätigen Bauern entstandene Bewegung zur Bildung von Landwirtschaftlichen Produktionsgenossenschaften unterstützten. Die Parteiorganisationen haben jedoch in einigen Kreisen die Verletzung des Prinzips der strengsten Freiwilligkeit bei der Bildung solcher Produktionsgenossenschaften geduldet, haben versucht, ihr zahlenmäßiges Wachstum zu forcieren, ohne der organisatorisch-wirtschaftlichen Festigung der bestehenden Genossenschaften die nötige Aufmerksamkeit zu widmen, was die Hauptaufgabe der Partei auf dem Gebiet des genossenschaftlichen Aufbaus im Dorfe ist.

Zugleich haben viele örtliche Parteiorganisationen die Arbeit unter den Einzelbauern, die die Hauptmasse der landwirtschaftlichen Produzenten sind, vernachlässigt.

Falsch waren die von der Regierung gefaßten Beschlüsse, für die großen Bauernwirtschaften ein solches Abgabesoll festzusetzen, das ihre wirtschaftlichen Möglichkeiten oft überstieg.

c) Der Aufbau des neuen Lebens in der DDR erfolgt unter der Bedingung der Spaltung des Landes. Daraus ergeben sich spezifische Besonderheiten und

Schwierigkeiten bei diesem Aufbau; die in Westdeutschland an der Macht befindlichen Monopolkapitalisten führen gegen die DDR eine illegale Unterwühlungsarbeit durch, wobei sie die Unterstützung der amerikanischen Imperialisten genießen und umfangreiche Möglichkeiten zur Organisierung der Unterwühlungsarbeit im Herzen der DDR selbst – in Westberlin – haben.

Infolge der Spaltung wurden alte ökonomische Verbindungen innerhalb des Landes zerrissen, was sich auch auf die wirtschaftliche Lage in der DDR ungünstig auswirkte. Diese wirtschaftlichen Schwierigkeiten können jedoch mit Hilfe der Sowjetunion und des demokratischen Weltmarktes überwunden werden.

30. Die Tatsache der Spaltung Deutschlands, die für das deutsche Volk ein großes Unglück darstellt und eine Gefährdung des Friedens in Europa bedeutet, macht den Kampf um die Wiedervereinigung Deutschlands auf demokratischer und friedlicher Grundlage zur Hauptaufgabe der Partei. Darum ist es notwendig, die ganze Arbeit in der DDR so durchzuführen, daß sie der Einheit Deutschlands dient und auch von den Werktätigen in Westdeutschland verstanden wird. Dabei ist zu beachten, daß große Teile der Bevölkerung Westdeutschlands infolge der ständigen Beeinflussung durch die bürgerliche Presse und den Rundfunk unter starkem reaktionärem Einfluß stehen und an einer aktiven demokratischen Bewußtseinsbildung gehindert werden.

Die Politik der Partei in der DDR muß deshalb einfach und klar, offen und zielstrebig sein, damit sie von den einfachen Menschen verstanden wird. Eine solche Politik ist der neue Kurs der Partei.

V.
Die Partei
[...]

a) Viele Parteiorganisationen haben in den Tagen der faschistischen Provokationen nicht die notwendige Aktivität und Standhaftigkeit gezeigt, sie vermochten es infolge der schwachen politischen Bildung ihrer Mitglieder nicht, rasch das Wesen der faschistischen Provokationen zu begreifen und die Werktätigen zur entschlossenen Abwehr der Provokateure zu mobilisieren. In einer Reihe von Fällen haben sich Parteimitglieder selbst im Schlepptau der Provokateure befunden und an den von den Provokateuren organisierten Kundgebungen und Demonstrationen teilgenommen. Andere Parteimitglieder wiederum sind in Panik verfallen, auf die Positionen des Kapitulantentums und des Opportunismus gegenüber den Parteifeinden und faschistischen Provokateuren abgeglitten (Kreissekretär Weichhold in Görlitz, Mitglied des Sekretariats des ZK der SED Hengst, Minister Weinberger).

b) Die Arbeit der Parteipresse und des Rundfunks war unbefriedigend. In den Zeitungen und Sendungen kamen die Massen selbst wenig zu Worte, die Mängel wurden häufig vertuscht, die Zuschriften und Wünsche der Werktätigen mißachtet und schöngefärbte Berichte gegeben. Die mangelhafte Verbundenheit mit den Massen äußerte sich in einer schwerverständlichen, ledernen Sprache und in ungenügender Überzeugungskraft. Nach dem 17. Juni verloren einige Redakteure den Kopf, wichen – statt die Feinde zu entlarven – vor dem Druck des Gegners zurück und machten sich zum Teil sogar zu seinem Sprachrohr.

Das Zentralkomitee verurteilt besonders die unrichtige, kapitulantenhafte Linie, die in einer Reihe Aufsätze des Organs des ZK »Neues Deutschland« vertreten wurde, dessen Chefredakteur Genosse Herrnstadt in der Zeitung eine kapitulantenhafte, im Wesen sozialdemokratische Auffassung zum Ausdruck brachte.

[...]

d) Die organisatorischen Grundprinzipien des Marxismus-Leninismus wurden vielfach verletzt, die innerparteiliche Demokratie schwach entwickelt und Kritik und Selbstkritik ungenügend entfaltet. Besonders wurde die Kritik von unten – häufig aus Angst vor Vergeltung – nur spärlich angewandt. An die Stelle der Überzeugungsarbeit trat oft nacktes Kommandieren. Statt objektiver Berichte über das wirkliche Lage wurden schöngefärbte Berichte an die oberen Parteileitungen gegeben, um einen ›guten Eindruck‹ zu machen. Die Arbeitsmethode der Parteileitungen, angefangen beim Zentralkomitee, war nicht lebendig genug, sondern häufig papiermäßig-bürokratisch, ohne daß diese Methode genügend energisch bekämpft wurde.

e) In den meisten Parteileitungen, angefangen von den Organen des Zentralkomitees, wurde das leninistische Prinzip der kollektiven Leitung in starkem Maße mißachtet und durch Einzelentscheidungen ersetzt.

f) Im Politbüro des ZK machte sich bei einigen Genossen ein Zurückweichen vor der feindlichen Propaganda bemerkbar, die das Hauptfeuer gegen den Kern der Parteiführung richtete. Diese Genossen traten als parteifeindliche Fraktion mit einer defätistischen, gegen die Einheit der Partei gerichteten Linie auf und vertraten eine die Partei verleumdende, auf die Spaltung der Parteiführung gerichtete Plattform (Genosse Zaisser und Herrnstadt).

Das Zentralkomitee beschließt den Ausschluß der Genossen Zaisser und Herrnstadt aus dem Zentralkomitee der SED.

Im Politbüro vertrat Genosse Ackermann gegenüber diesen Genossen eine versöhnlerische Position.

Beschluß der 15. Tagung des ZK der SED, 24.–26. Juli 1953. Quelle: Dokumente der SED, Band IV, Berlin (Ost), 1954, S. 451 ff.

Dokumentation zur Kulturpolitik

Die nachstehend zusammengestellten Dokumente gehören thematisch zu dem Beitrag von Jürgen Rühle: »Der 17. Juni und die Intellektuellen« (S. 156). Die Intellektuellen haben nach dem 17. Juni ihre Forderungen offen angemeldet, massiv und mit Erfolg: Sie erreichten, daß die schlimmste Zensurbehörde, die Staatliche Kunstkommission, aufgelöst und durch ein Kulturministerium unter Johannes R. Becher ersetzt wurde. Dies war ein früher Auftakt für den »Aufstand der Intellektuellen« (Heinz Kersten), der nach dem XX. Parteitag der KPdSU 1956 in der DDR wie in Polen und Ungarn stattfand. Unser erster Beitrag ist ein Auszug aus Jürgen Rühles Artikel bereits 1952, in dem er kulturpolitische Schlußfolgerungen aus dem XIX. Parteitag der KPdSU zu ziehen sucht. Mit Hilfe sowjetischer Zitate verkündete hier die »Berliner Zeitung« den Neuen Kurs, der erst nach Stalins Tod im Frühjahr 1953 parteioffiziell wurde, schon zu einer Zeit, als die Diktatur der Kunstkommission noch ungebrochen war. »Berliner Zeitung« und »Sonntag«, die Wochenzeitung des Kulturbundes, bekannten sich öffentlich als Verteidiger und Fürsprecher der von der offiziellen Kulturpolitik verfemten Künstler. Die intellektuelle Opposition wird dokumentiert durch die Erklärung des Kulturbundes sowie den direkten Angriff auf die Kunstkommission von Wolfgang Harich. Dazu kommt der berühmte Artikel von Erich Loest »Elfenbeinturm und rote Fahne«, eine scharfe Abrechnung mit der Pressepolitik der SED, die einzige öffentliche Unterstützung der Berliner Intellektuellen aus der Provinz. Der Artikel brachte Loest den Haß der Leipziger SED-Bürokratie ein und war ein wesentliches Motiv für seine Verhaftung und Verurteilung 1956. Auf der 15. ZK-Tagung akzeptierte die von langen Fraktionskämpfen geschüttelte, wiedereingesetzte Ulbricht-Fraktion wesentliche Forderungen der Intellektuellen. Die Dokumentation schließt mit dem Beitrag des damaligen Staatssekretärs für das Hoch- und Fachschulwesen, Wilhelm Girnus, auf der SED-Kulturkonferenz im Oktober 1957, in dem die intellektuelle Opposition zum Staatsfeind erklärt wurde.

Jürgen Rühle
Mehr Mut zum Realismus
. . .

Formalismus und Form

In der sowjetischen Diskussion wird als ein entscheidender Fehler bezeichnet, daß der Kampf gegen den Formalismus nicht immer richtig verstanden wird. Der Formalismus ist eine Gestaltungsmethode, die die beherrschende Rolle des Inhalts, der Idee, des Gedankens eines Kunstwerkes leugnet, die die Form zum Selbstzweck macht und so die Einheit von Form und Inhalt, somit die Kunst überhaupt zerstört. Eine solche

Kunst ist nicht mehr, wie Marx sagt, die »künstlerisch praktische Methode, sich die Welt anzueignen«, sie trennt sich vom Leben und vom Volk, sie entwaffnet den eigentlichen aktiven und parteilichen Sinn der Kunst, sie zersetzt das Nationalbewußtsein, das eine realistische Kunst repräsentiert. So dient sie objektiv dem Zerstörungswerk des Imperialismus. Aber das ist beileibe nicht die einzige Erscheinung, die die Kunst zersetzt. Es gibt den Naturalismus, der die Wirklichkeit einfach abfotografiert, den Proletkult, der das große Kulturerbe über Bord werfen und eine proletarische Kunst aus der Luft heraus schaffen will, das sterile und langweilige Epigonentum und den Kitsch. Jede dieser Erscheinungen ist der wirklichen Kunst feindlich. Und was den Kampf gegen sie anbelangt, so sei an jene Frage an Stalin erinnert, welche Abweichung die gefährlichere sei, die rechte oder die linke. Stalin antwortete: »Die, gegen die man aufhört zu kämpfen.«
Dazu kommt, daß viele den Formalismus mit dem Ringen um künstlerische Form verwechseln. Die Form gehört genau so zur Kunst wie der Inhalt. Ohne Form gibt es keine Kunst. Marx definiert einmal: »Das Tier schafft nur das, was zur Erhaltung des Lebens der Art, der es angehört, notwendig ist. Nur der Mensch kann entsprechend dem Maß des Bedarfs einer jeden Art produzieren und kann an jeden Gegenstand mit dem passenden Maß herangehen, das heißt, alle potentiellen Möglichkeiten der Natur, der Dinge, der menschlichen Fähigkeiten entfalten. Darum schafft er auch nach den Gesetzen der Schönheit.« Oft genug vergessen wir noch, daß man die Kunst nicht *studiert*, sondern *genießt*. Man verstehe das richtig: Wenn eine Kunst fade und langweilig ist, wird sie wirkungslos. »Ein Werk, das kein gutes Kunstwerk ist«, so sagt Mao Tse-tung, »hat keine Überzeugungskraft, möge das politische Denken des Künstlers und seines Kreises auch noch so fortschrittlich sein.« Die Kunst erzieht niemals durch direkte Belehrung, sondern durch Erlebnisse und Emotionen. Wer glaubt, daß die Werktätigen die künstlerische Form nicht verstehen, daß sie den erhobenen Zeigefinger brauchen, zeigt damit nur seine Geringschätzung gegenüber der Intelligenz der Massen. Stalin sagt, der Schriftsteller sei der »Ingenieur der menschlichen Seele«. Der Seele, wohlgemerkt.

Das Neue in der Kunst

Mit der künstlerischen Form aber ist es nun eine besondere Sache. Sie muß organisch mit dem Inhalt verschmelzen. Man kann nicht das Thema der Aktivistenbewegung nehmen und das Pathos Händels und dann hat man die neue Kunst. Der neue Inhalt verlangt entsprechende Formen. Die neuen Formen müssen erarbeitet und entwickelt werden. Darum hat das Suchen nach neuen Formen noch nichts mit Formalismus zu tun. Darum hat der Künstler das Recht zum Experiment. Oft aber fürchtet man sich noch vor dem Neuen, Ungewöhnlichen, Unerwarteten und will es von vornherein als formalistisch, snobistisch abtun. »Statt das Neue zu suchen, wandern wir, wie es oft geschieht, bescheiden und ergeben auf den erprobten Wegen in den stillen Tälern und fürchten, zu unbekannten Höhen hinaufzusteigen.« (Popow in der Zeitschrift »Teatr«). Eine solche Auffassung hat natürlich nichts mit einem wirklichen Verständnis für den schöpferischen Charakter des Realismus zu tun.

Ich will das Beispiel eines dogmatischen Verhaltens gegenüber künstlerischer Arbeit erzählen: Eine Malerin, noch dazu siebzigjährig, die bis dato impressionistische Landschaften gemalt hatte, wurde von ihren Parteifreunden ersucht, nunmehr »realistische Themen und Menschen« zu malen. Der Erfolg waren künstlerisch schlechte und ideologisch schiefe Bilder. Was wäre richtig gewesen? Man hätte die Künstlerin mit in ein Werk nehmen und dort ihre Bilder ausstellen können. Man hätte ihr vorschlagen können, einmal die landschaftliche Umgebung dieses Werkes zu malen und mit den Arbeitern darüber zu diskutieren. Kein Zweifel, daß die Frau die Atmosphäre ihrer neuen Erlebnisse nach und nach zwanglos in ihre Bilder getragen hätte, aber auch, daß die Arbeiter Verständnis für die Kunst gewonnen hätten, die ihnen so lange vorenthalten wurde. Nur so können wir zu einer neuen realistischen Kunst kommen. Wir dürfen die Künstler nicht kommandieren, wir müssen sie anregen, ihnen helfen und raten, in ihnen denselben Enthusiasmus erwecken, wie ihn die Aktivisten an der Werkbank besitzen. Die fortschrittlichen Künstler verdienen dieses Vertrauen.

Malenkow geht sehr intensiv auf die Frage des Typischen ein. »Unsere Maler, Schriftsteller und Künstler müssen bei der schöpferischen Arbeit an ihren künstlerischen Gestalten stets daran denken, daß das Typische nicht nur das, was am häufigsten vorkommt, sondern das ist, was am vollständigsten und am einprägsamsten das Wesen der gegebenen sozialen Kraft zum Ausdruck bringt.« Das ist ein Grundbegriff der marxistischen Ästhetik, aber leider Gottes ist er ziemlich in Vergessenheit geraten. Erläutern wir die Frage des Typischen an einem Beispiel: In dem Roman von Claudius »Menschen an unserer Seite« kommt eine SED-Betriebsgruppe vor, die dem Aktivisten Schwierigkeiten macht. Wie jeder weiß, ist das keineswegs normal für das Verhalten der Partei der Arbeiterklasse zur Aktivistenbewegung. Der Realismus von Claudius besteht nun gerade darin, daß er am Versagen dieser Betriebsgruppe verdeutlichte, wie notwendig die Partei als Motor der Bewegung ist.

Das Typische im Helden

Ein anderes, viel diskutiertes Beispiel ist der Conny aus dem Film »Frauenschicksale«. Man warf dem Regisseur Dudow vor, daß es erstens eine solche Gestalt in der Wirklichkeit überhaupt nicht gibt; zweitens,

daß er ein negativer Held wäre. Malenkow sagt aber: »Bewußte Übertreibung und Zuspitzung einer Gestalt schließt das Typische nicht aus, sondern offenbart und unterstreicht es vollständiger.« Daß aber so ein Conny in sehr sehr vielen Männern von heute steckt, das zeigt sich schon darin, daß er eine jener wenigen Gestalten unserer neuen Kunst ist, die populär geworden ist. Was nun den negativen Helden anbelangt, so hat zum Beispiel Gorki für sein größtes und letztes Werk den bürgerlichen Individualisten Klim Samgin zum Helden gewählt. War das ein Rückfall aus dem sozialistischen in den kritischen Realismus? Keineswegs, denn es gibt in diesem Roman durchaus auch positive Helden. Was man Dudow also lediglich vorwerfen muß, ist, daß er seine positiven Helden, nämlich die Frauen, nicht so plastisch und einprägsam, so sprichwörtlich, eben so typisch gestaltet hat wie den Conny.

»Die größte Sünde, die ein Künstler begehen kann, ist es, sich vor der Wahrheit des Lebens zu fürchten.« (Prawda zur Theater-Diskussion.) Darum fordert Malenkow, daß die Künstler offen und rückhaltlos die Laster, Mängel und krankhaften Erscheinungen, die es in der fortschrittlichen Gesellschaft noch gibt, geißeln sollen. »Was wir brauchen, sind sowjetische Gogols und Stschedrins, die mit der Flamme der Satire alles Negative, Vermoderte, Überlebte, alles das, was die Vorwärtsbewegung hemmt, aus dem Leben ausbrennen.« Auch unser Leben bietet reichlich Stoff zur Satire. Leider fehlt nur oft das Vertrauen zu ihrer treffenden Wirkung, obwohl sie nach Malenkow »eines der wirksamsten Erziehungsmittel« ist. Aber wer hat nicht schon erlebt, daß an die Pointe ein Kommentar gehängt, die Ironie in Gänsefüßchen gesetzt wurde, »damit es auch jeder versteht«. Nur wurde dabei auch der ganze Witz zerstört. Das humoreske Genre hat auch seine Gesetze. Ich glaube, daß gerade dieses Gebiet einer sehr gründlichen Erörterung bedarf, damit man nicht weiterhin diese scharfe und wirkungsvolle Waffe durch Engstirnigkeit, tierischen Ernst und Unkenntnis der künstlerischen Möglichkeiten stumpf macht.

Die sowjetischen Erörterungen bieten uns Diskussionsmöglichkeiten in Hülle und Fülle, wobei dann vor allem auch das Charakteristische des sozialistischen Realismus herausgearbeitet werden muß. Dieser Artikel sollte nur einige Probleme andeuten, mit denen wir uns auseinandersetzen müssen, um der Forderung Malenkows gerecht zu werden: »Die hohe und edle Aufgabe, die vor den Literatur- und Kunstschaffenden steht, ist nur dann zu lösen, wenn wir das Stümpern in der Arbeit unserer Künstler und Literaturschaffenden entschlossen bekämpfen, wenn Lüge und Fäulnis erbarmungslos aus den Werken der Literatur und Kunst ausgemerzt werden.«

Originaltitel und Quelle: Jürgen Rühle, Mehr schöpferischen Mut zum Realismus. Bemerkungen zu Malenkows Ausführungen über Fragen der künstlerischen Gestaltung, Berliner Zeitung vom 21. Oktober 1952.

Vorschläge des Kulturbundes vom 3. Juli 1953

Die Intelligenz hat in ihrer Mehrheit am 17. Juni ihre loyale Haltung zur Regierung der Deutschen Demokratischen Republik und ihre Verbundenheit mit dem Werk unseres demokratischen Aufbaus bewiesen. Sie hat zahlreiche Beispiele eines mutigen und aufopfernden Eintretens für unsere Republik gegeben. Es zeigte sich auch damit, daß die Kritik unserer Intelligenz, die sich auf der zentralen Vorkonferenz in Jena am 21. April und auf der zentralen Konferenz in Berlin, wie in Hunderten von kleineren Konferenzen, in den vergangenen Monaten entwickelte, eine konstruktive und schöpferische Kritik ist.

Der Präsidialrat des Kulturbundes zur demokratischen Erneuerung Deutschlands bestätigt noch einmal die Wendung, die der Kulturbund begonnen hat, um die Sammlung der Intelligenz durchzuführen und zum Sprecher ihrer berechtigten Wünsche zu werden. Der Präsidialrat hält es für notwendig, den Kulturbund zur umfassenden überparteilichen Organisation der demokratischen Selbsttätigkeit der Intelligenz zu entwickeln. Die künftige Arbeit des Kulturbundes soll deshalb auf die Verwirklichung folgender Vorschläge gerichtet sein:

1. Der Kulturbund tritt dafür ein, daß in allen wissenschaftlichen und künstlerischen Diskussionen die Freiheit der Meinungen gewährleistet wird. Jede wissenschaftliche Ansicht oder künstlerische Auffassung muß in echter Gleichberechtigung die Möglichkeit zur geistigen Auseinandersetzung erhalten. In den Foren und in den Klubs des Kulturbundes muß dabei beispielhaft vorangegangen werden.

2. Die eigene Verantwortung der Schriftsteller und Verleger, der bildenden Künstler, der Leiter der Theater und der Orchester in den Fragen des künstlerischen Schaffens ist zu sichern. Dadurch soll die Mannigfaltigkeit und die Reichhaltigkeit der künstlerischen und literarischen Produktion gefördert werden, wie sie den Bedürfnissen unseres Volkes entspricht. Die administrative Einmischung staatlicher Stellen in die schöpferischen Fragen der Kunst und Literatur muß aufhören.

3. Die Freiheit der wissenschaftlichen Forschung und Lehre ist gemäß der Verfassung der Deutschen Demokratischen Republik zu sichern, unter selbstverständlicher Ausschaltung jeder Form der Kriegs- und Revanchehetze und der Rassendiskriminierung. Für den Lehrkörper und die Studierenden an den Hochschulen sind klare Disziplinarverhältnisse zu schaffen. Wissenschaftliche Gesellschaften sollen gebildet und gefördert werden.

4. Die Selbständigkeit des Lehrers im Unterricht und seine Verantwortung für den Unterricht sowie die Einhaltung der pädagogischen Grundsätze in der Praxis an den allgemeinbildenden Schulen und Oberschulen sind gegen kleinliche Angriffe und schematische Vorschriften zu schützen.

5. Die Voraussetzung für dies alles ist die Rechtssicherheit auf der Grundlage der unantastbaren Verfassung unserer Republik.

6. Eine tiefgehende Umgestaltung des Inhalts und der Sprache unserer Tageszeitungen und unseres Rundfunks ist notwendig. Presse und Rundfunk sollen künftig für die wirklichkeitsgetreue Information der Bevölkerung in einer lebendigen und verständlichen Sprache sorgen, keine Schönfärberei dulden und Mängel in einer offenen demokratischen Weise besprechen. Die Verantwortlichkeit der Journalisten muß wiederhergestellt und das Recht auf Berichtigung von Irrtümern zugestanden werden. Bei der Ausbildung des journalistischen Nachwuchses soll der Sprachkunde, der Sprachpflege, der klassischen und der modernen Literatur ein weiter Raum gegeben werden.

7. Der Kulturbund wird darauf achten, daß alle kulturellen Maßnahmen in der Deutschen Demokratischen Republik stets von dem Gesichtspunkt getragen werden, der Einheit Deutschlands förderlich zu sein. Er setzt sich für die verstärkte Teilnahme unserer Wissenschaftler, Techniker, Pädagogen, Ärzte, Künstler und Schriftsteller an allen gesamtdeutschen Tagungen ein, um immer wieder tatkräftig die unzerstörbare Einheit des deutschen Geistes und unseres Vaterlandes zu bekunden. Der Kulturbund wird dabei auch jene Bestrebungen fördern, die auf der »Deutschen Kulturtagung 1952« in Bayreuth Kulturschaffende aus West und Ost zum deutschen Kulturgespräch vereint haben.

8. Durch Veranstaltung von internationalen Tagungen mit den Wissenschaftlern, Technikern und Künstlern aller Länder und Teilnahme an solchen Tagungen sowie durch Entsendung von Studiendelegationen ist der wissenschaftliche Erfahrungs- und Meinungsaustausch zu fördern.

9. Der Kulturbund hält die Aufnahme von engen Beziehungen zwischen den deutschen und französischen Kulturschaffenden für besonders notwendig, um auch dadurch für die friedliche Lösung der deutschen Frage und für die Sicherung des Friedens in Europa zu wirken.

10. Der Kulturbund setzt sich dafür ein, daß die wissenschaftlichen Institute bei der Durchführung ihrer Arbeiten und der Verwaltung ihrer Mittel, insbesondere für kleinere Forschungsaufträge, eine größere Selbständigkeit erhalten. Das gleiche gilt für die Anschaffung von laufenden Arbeitsmitteln in Schulen, Krankenhäusern und ähnlichen Institutionen. Die Beschaffung von Fachliteratur aus Westdeutschland und dem Ausland ist den entsprechenden Instituten, nach Festsetzung bestimmter Beträge, selbst zu überlassen. Ebenso ist Wissenschaftlern die private Beschaffung wissenschaftlicher Literatur zu ermöglichen.
. . .

Um diese Vorschläge im Kleinen wie im Großen zu verwirklichen, beschließt der Präsidialrat:

a) Die Abgeordneten des Kulturbundes in den Gemeinden, Kreisen, Bezirken und in der Volkskammer erhalten den Sonderauftrag, sich mit den Wünschen und Sorgen der Intelligenz zu befassen und dazu besondere Sprechstunden für sie einzurichten.

b) Zur Verwirklichung all dieser Aufgaben müssen die falschen Methoden und Halbheiten, welche die Umge-

staltung des Kulturbundes zu einer wirklichen Organisation der Intelligenz hemmten, durch unsere gemeinsame Bemühung überwunden werden. Das bedeutet, die Leitungen des Kulturbundes von oben bis unten durch weiteste Einbeziehung aller aktiven Kräfte der Intelligenz neu zu bilden.
c) Der 4. Bundestag des Kulturbundes zur demokratischen Erneuerung Deutschlands wird bereits für den Herbst dieses Jahres einberufen.
Der Präsidialrat ist davon überzeugt, daß die Verwirklichung dieser Vorschläge und Aufgaben den Kulturbund noch mehr zu der Organisation machen wird, in der die Intelligenz in einer Atmosphäre des freien Meinungsaustausches und des gegenseitigen Vertrauens die Erfüllung ihrer wissenschaftlichen und kulturellen Wünsche findet. In dieser Entwicklung wird der Kulturbund die Verwirklichung der Maßnahmen unserer Regierung durch Kontrolle, Kritik und Vorschläge unterstützen, unserem Kulturleben neue Impulse geben und eine ungehemmte schöpferische Mitarbeit der Intelligenz am Aufbau unserer unabhängigen nationalen Friedenswirtschaft herbeiführen.
Der Präsidialrat des Kulturbundes zur demokratischen Erneuerung Deutschlands appelliert in dieser neuen Phase der Entwicklung an die deutschen Kulturschaffenden in Ost und West, mit all ihren Möglichkeiten für die Verständigung zwischen Deutschen und für eine weitere internationale Entspannung zu wirken. Der Kulturbund dient damit seiner Grundaufgabe: der demokratischen Erneuerung und der Wiedervereinigung unseres deutschen Vaterlandes in Frieden.

Quelle: Neues Deutschland vom 8. Juli 1953.
(Vgl. auch Erklärung der Akademie der Künste, Berliner Zeitung vom 1. Juli 1953.)

Wolfgang Harich
Es geht um den Realismus

Im Rahmen des neuen Kurses müssen auch auf dem Gebiet der Kulturpolitik Maßnahmen getroffen werden, die geeignet sind, eine freiheitliche Atmosphäre herzustellen und ernste Mißstände zu beseitigen. Nur so kann ein allseitiger Aufschwung des Kulturlebens in der DDR gesichert werden; nur so kann es gelingen, die vielfältigen, auch geistigen Bedürfnisse der Bevölkerung zu befriedigen und breite Schichten unserer Nation von der Richtigkeit unserer Republik zu überzeugen.

Mehr konkrete Selbstkritik! Mehr Charakter!

Der Erfolg dieser Maßnahmen hängt davon ab, daß die Menschen, die sie durchführen werden, es ehrlich meinen und aus ihren Erfahrungen zu lernen gewillt sind. Zu den Kriterien ihrer Ehrlichkeit gehören der Mut zur Kritik und die Bereitschaft zur Selbstkritik – Eigenschaften, die sich, als moralische, nicht von selbst verstehen, sondern errungen werden müssen. Weil das so ist, kann man nicht deutlich genug alle diejenigen an ihre Verantwortung erinnern, die heute

das Eingeständnis: »Es wurden Fehler gemacht«, möglichst abstrakt zu halten wünschen und es am liebsten nur auf kollektive Verantwortlichkeit beziehen (auf »die Partei« und »die Regierung« im allgemeinen), statt ganz bestimmte Fehler, an denen sie selbst beteiligt sind, rückhaltlos aufzudecken. Verhielte man sich diesen Menschen gegenüber nachgiebig, so könnte ihr bequemes, selbstgerechtes Verhalten die Gefahr heraufbeschwören, daß der neue Kurs von vornherein mit verharmlosten und vertuschten Fehlern aus der Vergangenheit wie mit einem Bleiklotz belastet wird.
Als die führenden Funktionäre der Staatlichen Kommission für Kunstangelegenheiten, Staatssekretär Helmuth Holtzhauer und Hauptabteilungsleiter Ernst Hoffmann, vor kurzem mit dem Plenum der Akademie der Künste zusammentrafen, um über ihre bisherige Tätigkeit Rechenschaft abzulegen und die Perspektiven des neuen Kurses aufzuzeigen, gaben sie ein klassisches Beispiel für völligen Mangel an Selbstkritik. In abstracto gestanden sie zu, ebenfalls Fehler begangen zu haben, aber jeden einzelnen konkreten Fall, in dem sie Künstler beleidigt und Kunstwerke unterdrückt hatten, stritten sie ab oder beschönigten ihn oder fanden gar, daß sie gerade hierbei richtig gehandelt hätten.
»Trotz eifrigsten Nachdenkens können sie sich nicht bestimmter Fehler erinnern, jedoch bestanden sie heftig darauf, Fehler gemacht zu haben«, schreibt Bertolt Brecht. – Es wäre den Funktionären der Kunstkommission und auch den journalistischen Kunstpäpsten, die an ihren Sünden beteiligt sind, zu wünschen, daß sie endlich die Lehre beherzigten, die ihnen da von unserem größten lebenden Dramatiker erteilt wird, und sich nunmehr bereit fänden, öffentlich Rede und Antwort zu stehen.

Kunstpolitik – gegen die Mehrheit der Künstler

Man darf jetzt nichts verkleistern, am wenigsten den Unterschied zwischen dem alten Kurs als solchem und all den Überspitzungen und Dummheiten, die auch unter seiner Voraussetzung Fehler waren und auch ohne jeden Kurswechsel längst hätten aufgedeckt und bekämpft werden müssen. Zum Wesen des alten Kurses gehörte es, jegliche Tätigkeit auf kulturellem Gebiet von seiten des Staates unmittelbar zu lenken und anzuleiten. Es gehörte niemals dazu, dies vorwiegend mit administrativen Methoden zu tun und vor der Aufgabe der Überzeugung der Intellektuellen zu versagen. Hochmut, Ignoranz, Sektierertum, Mangel an Feingefühl, Bürokratismus waren immer falsch und werden es immer bleiben.
Es rede sich also keiner auf die allgemeine Linie von gestern heraus! Es gibt kulturpolitische Institutionen und Organisationen der Republik, die im Sinne eben dieser Linie gearbeitet und es nichtsdestoweniger verstanden haben, die Mehrheit der von ihnen angeleiteten Kulturschaffenden von Maßnahmen zu überzeugen, die unter bestimmten Bedingungen einfach notwendig und richtig waren und durchaus gute Resultate zeitigten.

Warum steht die Staatliche Kunstkommission so gänzlich anders da? Warum wird sie von der überwiegenden Mehrheit der Künstler, vornehmlich der bildenden Künstler, einfach verabscheut? Warum werden ihre führenden Funktionäre gefürchtet oder lächerlich gefunden? Warum gilt sie, zusammen mit den Kritikern Wilhelm Girnus und Kurt Magritz, als hauptverantwortlich für Schaffenskrisen psychotischen Charakters selbst bei Menschen, die als hervorragende Künstler politisch ohne Schwankung auf dem Boden unserer Republik stehen? Liegt das wirklich am alten Kurs und an den Prinzipien, denen die kulturell erzieherische Funktion des Staates Geltung verschaffen sollte?
Keineswegs! Die Mehrheit der bildenden Künstler in der DDR ist durchaus dagegen, daß die Republik mit den Machwerken abstrakter Kunst überschwemmt wird. Sie ist durchaus bereit, alle Maßnahmen zu bejahen, die der Erziehung des Nachwuchses zu hoher technischer Meisterschaft dienlich sind. Sie versteht sehr gut, daß die Hanswurstereien der dekadenten Modernismus in eine Sackgasse geführt haben. Sie ringt ehrlich darum, von ausgeklügelter Atelierproblematik loszukommen und eine Kunst zu schaffen, die der Bevölkerung verständlich ist, ihr Genuß gewährt und sie in ideeller und geschmacklicher Hinsicht zu objektiven Werten erzieht. Und es ist dieser Mehrheit der Künstler auch ohne Schwierigkeit klarzumachen, daß die dekadenten Strömungen in der modernen Kunst den Niedergang des kapitalistischen Systems widerspiegeln und objektiv den Interessen der Kräfte dienen, die durch alle Arten von Lüge (auch durch gemalte und in Stein gehauene) den Imperialismus zu erhalten streben; sie verlangt nur, daß die komplizierten Zwischenglieder, die diesen Zusammenhang vermitteln, nicht unterschlagen, sondern analysiert werden; und sie verbittet sich mit Recht, daß man problematische Schaffensmethoden, Eigenarten des individuellen Stils usw. als Merkzeichen einer politisch feindlichen Gesinnung wertet.
Es liegt also nicht an den Prinzipien der marxistischen Ästhetik und der sozialistischen Kulturpoltik, wenn die Kunstkommission, zusammen mit den publizistischen Einpeitschern ihrer Überspitzungen, bei der Mehrheit der bildenden Künstler verhaßt ist. Es liegt an den Menschen, die es fertigbrachten, diese Prinzipien allgemein in Verruf zu bringen . . .

Dilettantismus, Schikanen, Lieblosigkeit

Es wäre leicht, aber es brauchte auch sehr viel Raum, zahllose Beispiele anzuführen, die dies bestätigen. Nur einiges wenige sei herausgegriffen und stichwortartig angedeutet.
Der Bildhauer Gustav Seitz wurde 1950 als Professor der Westberliner Kunsthochschule und der Technischen Universität wegen seines Eintretens für den Frieden vom Reuter-Magistrat entlassen (mit sofortigem Hausverbot); die Methoden der Kunstkommission und die autoritative Geltung der Kritiken von Girnus und Magritz haben für ihn, der Nationalpreisträger und Mitglied der Akademie ist, in den drei Jahren

seiner Tätigkeit in der DDR allmählich die Gefahr einer ernsten Schaffenskrise heraufbeschworen und schließlich dazu geführt, daß er, irritiert und seelisch bedrückt, nach Westdeutschland gehen wollte; von diesem Schritt hielt ihn, den Parteilosen, dann doch seine innere Verbundenheit mit unserer Republik zurück. Er blieb bei uns, weil er erkannte, daß unsere Feinde aus seinem Fortgehen propagandistisches Kapital schlagen würden.
Das Schaffen der Graphikerin Sella Hasse, die seit langen Jahrzehnten in ihrer Gesinnung und ihrem Werk der Arbeiterbewegung aufs engste verbunden ist, wird von der Kunstkommission mißachtet; nur so konnte es geschehen, daß zu ihrem 75. Geburtstag, abgesehen von einer kleinen, schamhaft versteckten Ausstellung ihrer Holzschnitte im Kunstkabinett Kollwitzstraße, keine angemessene Würdigung ihres Lebenswerkes erfolgte.
Die Methoden, die bei der Auftragserteilung angewandt wurden, liefen in zahlreichen Fällen auf eine quälende Schikanierung der betroffenen Künstler hinaus, von denen einige (so der Bildhauer Fritz Cremer) oft jahre- und monatelang in Ungewißheit lebten, ob ihre Entwürfe angenommen würden oder nicht.
Einer groben Mißachtung und schikanösen Behandlung waren der Maler Professor Ehmsen, die Illustratoren Professor Schwimmer und Professor Klemm, der Bildhauer Waldemar Grzimmek und viele andere ausgesetzt. Mehrere Künstler verließen infolge überspitzter administrativer Maßnahmen und offener Drohungen die Republik (so Knispel, Mart Stamm und Strempel).
Erschreckender Dilettantismus kennzeichnete die theoretischen Konferenzen, die die Kunstkommission veranstaltete; auf Grund der ungenügenden Vorbereitung, der unqualifizierten Referate und verkrampften Tagungen gingen die Diskussionen, für die große Summen Geldes zum Fenster hinausgeworfen wurden, jedesmal wie das Hornberger Schießen aus. Derselbe Dilettantismus zeigte sich in der taktlosen Form der Werbung westdeutscher Teilnehmer für die III. Deutsche Kunstausstellung, in der Vorbereitung der Dürer-Ausstellung in Berlin usw.
Die Kunstkommission erwies sich als unfähig, bedeutende Kunsthistoriker wie Professor Hamann, Professor Ladendorf und andere (die sich von ihren Praktiken natürlich abgestoßen fühlten) für die Beteiligung am wissenschaftlichen Meinungskampf um die Probleme der Ästhetik und des klassischen Erbes zu gewinnen.
Die unzureichenden Kenntnisse der leitenden Funktionäre der Kunstkommission und deren Neigung zu groben Geschmacklosigkeiten haben sich auf die bisher erschienenen Hefte der »Bildenden Kunst« so verhängnisvoll ausgewirkt, daß diese Zeitschrift bei allen, die etwas von der Sache verstehen, als unseriös gilt und wertvolle Fachkräfte von der Mitarbeit abhält.
Für all dies sind Staatssekretär Holtzhauer und Ernst Hoffmann, Wilhelm Girnus und Kurt Magritz entweder direkt verantwortlich oder auch indirekt, sofern sie nämlich durch ihre Methoden in anderen Institutionen und Organisationen (wie dem Verband der bildenden

Künstler), in Verlagen und Redaktionen, bei den Leitungen von Kunstkabinetten usw. einen Geist der Furcht, der Unaufrichtigkeit und der Kriecherei großgezüchtet haben . . .

Es ist eine Tatsache, daß Funktionäre der Kunstkommission abweichende ästhetische Meinungen als Ausdruck antidemokratischer Ideologien abzustempeln und politisch zu diffamieren pflegen, auch und gerade dann, wenn sie von treuen, bewährten Mitgliedern ihrer eigenen Partei geäußert werden. Es ist weiter eine Tatsache, daß Girnus und Magritz in der Kunstkritik unserer Presse eine angemaßte Monopolstellung einnehmen, die jahrelang so unanfechtbar war, daß niemand gegen diese beiden, die Kunstkommission beratenden Kritiker offen und klar zu polemisieren wagte. Hier liegt die Ursache für viele Mißstände, unter anderem dafür, daß marxistische Kunsthistoriker wie Heinz Mansfeld, marxistische Kunstkritiker wie Heinz Lüdecke und Max Schröder schon seit geraumer Zeit den aktuellen Fragen des Kampfes um den Realismus ausweichen und, wenn sie sich überhaupt noch dazu äußern, eine Zaghaftigkeit an den Tag legen, die sich für Angehörige der Arbeiterbewegung – wie sie sehr wohl ahnen werden – nicht geziemt.

Man muß daher den genannten Funktionären der Kunstkommission und auch den Kritikern, die sich in ihrem Sinne betätigen, vor allem zum Vorwurf machen, daß sie mit ihren Maßnahmen und ihren entehrenden politischen Unterstellungen eine unerträgliche, geisttötende und herzbeklemmende Atmosphäre erzeugten, die wertvolle, progressiv gesinnte Intellektuelle der Gefahr aussetzte, charakterlos zu werden und sich mit charakterverderbenden Praktiken abzufinden, und daß sie damit zugleich den Fortschritt der Wissenschaft *und* der Kunst hemmten«.

»Nur bei der Arbeiterklasse«, sagt Engels, »besteht der deutsche theoretische Sinn unverkümmert fort. Hier ist er nicht auszurotten; hier finden keine Rücksichten statt auf Karriere, auf Profitmacherei, auf gnädige Protektion von oben; im Gegenteil, je rücksichtsloser und unbefangener die Wissenschaft vorgeht, desto mehr befindet sie sich im Einklang mit den Interessen und Strebungen der Arbeiter.« Und Stalin sagt: »Es ist allgemein anerkannt, daß keine Wissenschaft ohne Freiheit der Kritik, ohne Kampf der Meinungen sich entwickeln und gedeihen kann.« Erst wenn die Kunstkommission, aber auch alle, die mit ihr unzufrieden sind, diesen Grundsätzen Geltung verschaffen, werden die bildenden Künstler in Deutschland aus Überzeugung, mit Schaffenslust und tief verbunden mit der deutschen Arbeiterklasse und ihrer marxistisch-leninistischen Partei, dem Realismus zum Sieg verhelfen.

Quelle: Berliner Zeitung vom 14. Juli 1953.

Erich Loest
Elfenbeinturm und rote Fahne

Wir dürfen es uns mit den Provokateuren vom 17. Juni nicht zu leicht machen. Auf der einen Seite stand ihre wohlgerüstete Organisation, und ihre Arbeit gipfelte in Brand, Terror und Mord. Auf der anderen Seiten standen die Demonstrationen von Arbeitern, die sich gegen Mißstände auf manchen Gebieten, vor allem in der Normenfrage, zur Wehr setzten. Es wäre den Provokateuren nicht gelungen, Teile der Arbeiterschaft vor ihren Karren zu spannen, wenn nicht von Regierung und Partei, wenn nicht von allen führenden und leitenden Organen innerhalb der Deutschen Demokratischen Republik Fehler von zum Teil ernstem Ausmaß begangen worden wären. Die Zeit, diese Fehler zu untersuchen, ist jetzt gekommen, um so mehr, als diese Fehler nicht etwa mit dem 17. Juni automatisch abgestorben sind, sondern hartnäckig trachten, weiterhin am Leben zu bleiben. Dies trifft auch auf die Fehler der Presse zu. Es ist vermutlich nicht mathematischer Sicherheit festzustellen, welche Ministerien, welche Parteiorganisationen, welche Behörden und Institutionen am meisten beigetragen haben, Staat und Partei von den Massen zu entfernen, und es dürfte auch müßig sein, dies zu tun; fest steht: Schuld tragen sie alle, und ein gerüttelt Maß an Schuld kommt auf das Konto unserer Presse . . .

Unsere Presse glaubte in den zurückliegenden Jahren, sie würde sich in ihrer Berichterstattung und Kommentierung auf die fortgeschrittensten Kräfte konzentrieren, und sie hoffte, dadurch die anderen mitzureißen. Sie machte aber schon in der Präzisierung des Fortgeschrittensten entscheidende Fehler. Sie hielt in der Regel den für am fortschrittlichsten, der allen Maßnahmen der Partei und der Regierung den lautesten Beifall zollte. Ob er auch von dem überzeugt war, was er sagte, interessierte die Zeitungsleute kaum oder gar nicht. Die Hauptsache für sie war: sie hatten wieder eine »Stimme«. Wozu haben wir nicht alles Stimmen gelesen! Die Fahrpreiserhöhung wurde vom Berufsschüler X als ein Beitrag zur Verbesserung des Lebensstandards begrüßt, und einige Wochen später begeisterte sich die Hausfrau Y für die Herabsetzung der Fahrpreise – sie sah darin einen Beitrag zur Verbesserung des Lebensstandards. Jahrelang ging das so, die kritiklosen Ja-Sager hatten das Wort. Aber sind kritiklose Ja-Sager die fortschrittlichsten Menschen? Natürlich sind sie es nicht. Es ist der am wertvollsten für unseren Staat, der sich Gedanken macht, der verbessern will, den Maßnahmen, die er für schädlich hält, mit Schmerz erfüllen. Aber die ehrliche Meinung dieses Mannes war kaum zu lesen. Kritik in der Presse war nicht gefragt . . .

Ein weiteres Grundübel unserer Zeitungen war das fast völlige Verschweigen von Mißständen. Beispielsweise war es – vor allem in jüngster Zeit – hin und wieder vorgekommen, daß Partei- oder Gewerkschaftsfunktionäre von den Arbeitern, zu denen sie sprechen wollten, nicht angehört worden waren. Darüber las man nichts in den Zeitungen. Vor allem aber las man nichts über die Gründe, die die Arbeiter zu ihrer ablehnenden Haltung bewogen hatten. Hier wäre es notwendig gewesen, klärend einzugreifen, die Gründe zu untersuchen und beizutragen, sie zu beseitigen. Wir lasen täglich, welche Brigaden ihre Normen erhöht, wir lasen nichts, welche Brigaden die Erhöhung abgelehnt hatten, und vor allem lasen wir nichts über die Motive. Wir lasen nichts über kurze Proteststreiks in einigen Betrieben, mit denen sich die Arbeiter gegenüber Funktionären zur Wehr setzten, die sie in der Normenfrage übers Ohr hauen wollten. Hätte hier die Presse rechtzeitig eingegriffen, wäre es den Provokateuren nicht gelungen, am 17. Juni diese Arbeiter zur Arbeitsniederlegung und zur Demonstration zu bewegen.

Das Negative wurde verschwiegen, das Positive aufgebauscht. Die Proportionen wurden verschoben, und getäuscht wurden nicht etwa unsere Feinde, sondern täuschen ließen sich nur die fortschrittlichen Kräfte innerhalb unserer Republik, täuschen ließen sich nicht zuletzt die Genossen der SED. Kaum eine Zeitung gab es, die nicht auf dem verderblichen Kurs der Selbsttäuschung mitfuhr, und an der Spitze steuerten zweifellos die Bezirkszeitungen der Sozialistischen Einheitspartei. Diese Redakteure machten sich selbst etwas vor, sie hatten sich kilometerweit von den Realitäten entfernt. Sie boten ein gleich lächerliches wie tief beklagenswertes Bild: sie saßen im Elfenbeinturm und schwangen die rote Fahne.

Und nach dem 17. Juni?

Diese Zeilen brauchten nicht geschrieben zu werden, wenn auf einmal alles in Butter wäre. Aber alte Gewohnheiten sind nicht von einem Tag auf den anderen auszurotten, und auch das Gewitter des 17. Juni hat nicht alle üblen Zeitungssitten der vergangenen Jahre in die Gosse gespült. Mancher atmete am 18. Juni auf: Was war da plötzlich für ein ehrlicher, klarer Ton! Schnitzler hielt einen prächtigen Rundfunkkommentar, das »Neue Deutschland« schrieb einen sachlichen, in jeder Weise den Tatsachen entsprechenden Leitartikel. Aber schon wenige Tage später ging es mit dem Beschönigen und Vertuschen wieder los. Selbst das »Neue Deutschland« schlich sich von der glatten Straße der Offenheit auf einen holprigen Seitenweg. Im Leitartikel des »Neuen Deutschland« vom 19. Juni stand zu lesen, es sei den Banditen gelungen, »im demokratischen Sektor von Berlin und in zahlreichen Orten der Republik Teile der Werktätigen, an einigen Orten beträchtliche Teile zur Arbeitsniederlegung und zu Demonstrationen zu bewegen!« Zwei Tage später reduzierte das »Neue Deutschland« schon beträchtlich: »Im sowjetischen Sektor von Berlin wie in einigen Orten der Deutschen Demokratischen Republik gelang es den Provokateuren durch Täuschung und Betrug, einen kleinen Teil der Werktätigen mit sich zu ziehen!« Und was das Zentralorgan tat, machten die anderen Zeitungen fleißig mit. Mit voller Kraft kämpften sie gegen die Provokateure, aber von den Fehlern der Re-

gierung und der Partei, die viele Arbeiter für Stunden in das Garn der Agenten getrieben hatten, sprachen sie nur am Rande. Es schien beinahe so, als ob nur Provokateure auf den Straßen gewesen seien. Die Folge war, daß sich die Arbeiter, die für eine anständige Sache demonstriert hatten, mit den Faschisten in einen Topf geworfen fühlten . . .

Die Minister und führenden ZK-Mitglieder, die nach dem 17. Juni in den Betrieben gesprochen haben, waren von einer imponierenden Offenheit. Ministerpräsident Grotewohl scheute sich nicht, zu erklären, die Regierung habe »den Karren in den Dreck gefahren«. Und da sollen sich einige Zeitungen nicht hinstellen und so tun, als wäre der Karren schon wieder draußen. Von der Offenheit unseres Ministerpräsidenten können sich die Redakteure unserer Zeitungen, voran die der Bezirksorgane der Sozialistischen Einheitspartei, eine dicke Scheibe abschneiden.

Unsere Zeitungen müssen umfassender informieren, wenn sie mit Interesse gelesen werden sollen. Sie müssen sich bewußt sein, daß ein Leser, der sich nicht genug informiert fühlt, den Rias einschaltet und damit in Gefahr gerät, den Lügen des Gegners zum Opfer zu fallen. Unsere Zeitungen müssen besser kommentieren, weniger phrasenhaft und völlig ungeschminkt. Sie müssen sich auf den wirklich besten Teil unseres Volkes orientieren, und das ist nicht der, der zu jeder Maßnahme von Partei und Regierung gewaltige Begeisterung heuchelt. Sie dürfen den nicht an die Wand drücken, der nicht jede Maßnahme sofort versteht, und sie dürfen nicht in jedem einen bezahlten Agenten sehen, der mit einer Maßnahme nicht einverstanden ist. Sie müssen aufmerksam auf das lauschen, was die Massen sprechen, denken, wollen, sie müssen gewissenhaft und liebevoll bemüht auf diese Gedanken, Gefühle und Wünsche eingehen und sie behutsam und geschickt in die Richtung lenken, die den Massen den größten Nutzen bringt. Es nützt nichts, im Elfenbeinturm zu sitzen und die rote Fahne zu schwingen. Man muß zu den Massen hingehen und ihnen die Fahne vorantragen.

Quelle: Börsenblatt für den deutschen Buchhandel, Leipzig, Nr. 27 vom 4. Juli 1953.

SED akzeptiert Forderungen der Künstler

. . . Die Angehörigen der Intelligenz haben in den Tagen der faschistischen Provokationen loyal gearbeitet. Die meisten haben den neuen Kurs der Regierung begrüßt. Die Durchführung dieses politischen Kurses bedeutet, daß die wesentlichen Vorschläge, die auf den Konferenzen des Kulturbundes in der ersten Hälfte dieses Jahres unterbreitet wurden, nunmehr verwirklicht werden. Die Kritik, die von der Intelligenz geübt wurde, war eine schöpferische Kritik, die dem Willen entsprang, das wissenschaftliche und künstlerische Schaffen in der Deutschen Demokratischen Republik auf ein höheres Niveau zu heben. Das Präsidium des Kulturbundes zur demokratischen Erneuerung Deutschlands hat diese Vorschläge in einer Tagung am 3. Juli zusammengefaßt. Die Vorschläge dieser überparteilichen Organisation können nur begrüßt werden. Wenn auch einige der Vorschläge ernst geprüft werden müssen, so läßt sich doch der größte Teil verwirklichen. Auch die Vorschläge der Akademie der Künste verdienen ernste Prüfung und baldige Durchführung . . .

Walter Ulbricht auf der 15. ZK-Tagung, 24.–26. Juli 1953. Quelle: Berliner Zeitung, 31. 7. 1953.

Wilhelm Girnus
Kulturfragen sind Machtfragen

Nach einigen bisherigen Veröffentlichungen und Diskussionsbeiträgen konnte der Eindruck aufkommen, als ob die Polen und die Ungarn daran schuld sind, daß bei uns der Revisionismus sein Haupt erhoben hat. Oder wenn man noch weiter gehen wollte, wären sogar der XX. Parteitag der KPdSU und die Kritik an gewissen Fehlern Stalins daran schuld, daß es in der Deutschen Demokratischen Republik einen Revisionismus gegeben hat und Schwankungen bei einem Teil der Intellektuellen zutage traten.
Ich glaube, wir werden uns darüber einig sein, daß ein solcher Eindruck grundfalsch wäre. Der Revisionismus hat bei uns sein Haupt offen nach dem 17. Juni 1953 erhoben. Es ist jener skandalöse Artikel von Harich in der »Berliner Zeitung« gewesen, der das allgemeine Signal für die Offensive revisionistischer Elemente bei uns gab. Und dieser Artikel wiederum war nichts anderes als das Hervorbrechen unterirdisch schwelender revisionistischer Tendenzen, die es schon vorher gegeben hat und die ja in einer Reihe von Stellungnahmen Harichs bereits vorher in Erscheinung getreten waren. Das ist historische Wahrheit. Von diesen Artikeln Harichs bis zu seinem Verrat, bis zu seiner Forderung der Liquidierung unserer Partei und des Staatssicherheitsministeriums führt ein gradliniger Weg. Wir dürfen dabei nicht vergessen, daß Harich in seinem Vorgehen von vielen Seiten unterstützt und ermuntert wurde. Und wenn manche Leute es heute so darstellen wollen, als ob sie unschuldige Babys gewesen sind, die sich hätten überfahren lassen, so gebietet die historische Wahrheit, hier festzustellen, daß es Elemente gegeben hat, die tapfer mitgetreten haben.

Auf unserer Kulturkonferenz wurde davon gesprochen, daß es einen Fall Feli Eik* gibt. Das ist richtig; es gibt einen solchen Fall, aber nicht erst seit Monaten. Diese saubere Dame hat seit Jahren in der »Berliner Zeitung« systematisch die Politik der Nadelstiche gegen die Kulturpolitik unserer Partei betrieben, sie hat in der »Berliner Zeitung« Verleumdungen und Unwahrheiten über die Kunstpolitik unserer Partei veröffentlichen dürfen. Sie hat Fritz Cremer von dem richtigen Weg, den er nach anfänglichen Schwankungen und inneren Auseinandersetzungen in seiner künstlerischen Entwicklung eingeschlagen hat, durch hämische und niederträchtige Angriffe zurückzureißen versucht. Sie hat mit dem amerikanischen Agenten Jürgen Rühle engste Beziehungen unterhalten. Und obwohl diese Tatsache aus Tonart und Inhalt ihrer Artikel deutlich genug hervorging, hat sie immer wieder in der »Berliner Zeitung« eine entsprechende Plattform für die Verbreitung dieser parteifeindlichen Bestrebungen gefunden. Es gab vor allem die Tätigkeit von Jürgen Rühle in der »Berliner Zeitung«, der sich dann später in seinen Veröffentlichungen in der amerikanischen Zeitschrift »Der Monat« offen gebrüstet hat, daß er bewußt gegen unseren Staat und unsere Partei gearbeitet habe, und dies durch entsprechende Zitate aus seinen Artikeln, die in der »Berliner Zeitung« erschienen sind, belegt. Die Redaktion der »Berliner Zeitung« ist wiederholt auf das parteifeindliche Treiben dieser Elemente aufmerksam gemacht worden, und es wurden ihr sogar rechtzeitig sehr deutliche Hinweise dafür gegeben, daß Rühle ein Agent ist. Trotzdem haben bis in die letzte Zeit ihre Spalten diesen feindlichen, unverhüllt revisionistischen Strömungen offengestanden. Gerade durch die Verbreitung dieser Artikel ist in einem Teil unserer Intelligenz Verwirrung angestiftet worden; denn sie mußte annehmen, daß ein demokratisches Organ mit Duldung höherer Stellen diesen Tendenzen freien Raum gab.

Aus dem Diskussionsbeitrag für die Kulturkonferenz des ZK der SED, 23. und 24. Oktober 1957, der »aus Zeitmangel« nicht vorgetragen werden konnte. Girnus war damals Staatssekretär für das Hoch- und Fachschulwesen der DDR. Quelle: Sonntag Nr. 3 vom 19. Januar 1958.

* Pseudonym von Edith Scholz.

Der 17. Juni und der RIAS

Der »Rundfunk im amerikanischen Sektor« – RIAS – hat beim Juni-Aufstand insofern eine Rolle gespielt, als er die wichtigste Quelle für die Verbreitung von Informationen über die Ereignisse in Ost-Berlin und den verschiedenen Streik- und Demonstrationszentren für die gesamte DDR war. Das Landesarchiv Berlin publiziert jetzt in seinem Jahrbuch, 1. Jahrg. 1982, ein Gespräch seiner Mitarbeiter Brewster S. Chamberlin und Jürgen Wetzel mit einem ehemaligen amerikanischen RIAS-Direktor, Gordon Ewing, woraus wir hier Ausschnitte über die Situation im RIAS in den entscheidenden Juni-Tagen abdrucken. Daraus geht, wie die Herausgeber in der Einleitung betonen, mit aller nur wünschenswerten Klarheit hervor, »daß – entgegen den seit nahezu dreißig Jahren stereotyp wiederholten Behauptungen der östlichen Seite – weder die Vereinigten Staaten im allgemeinen noch der RIAS im besonderen am 16./17. Juni 1953 eine wirklich aktive, das Geschehen in Ost-Berlin und in der DDR tatsächlich bestimmende Rolle spielten«.

Ewing: 1953, am Anfang von 1953, begannen die Leute, die im Rundfunk die ganze Zeit über die sowjetische Zone arbeiteten, in den Redaktionssitzungen darüber zu sprechen, was sie für den sich entwickelnden neuen Geist in der Zone hielten. Sie bekamen ein Gespür, daß sich größerer Widerstand entwickelte. Es hatte sich tatsächlich nicht so viel ereignet, aber es wuchs die Bereitschaft, der Wunsch, all den Maßnahmen, von denen ich sprach, zu widerstehen. Es war nichts, was man in diesem frühen Stadium zusammenfassen konnte, um grundlegende Vorhersagen darüber machen zu können. Aber dann im März, Anfang März, starb Stalin. Das war natürlich eine sehr wichtige Stufe für das, was danach geschah. Wir erhielten Berichte aus allen Teilen der Zone und bemerkenswerterweise aus kleinen Städten, Berichte, die verdeutlichten, daß der Widerstand in der Zone kühner und selbstbewußter wurde. Der psychologische Effekt war – wie ich meine – nach dem Tode von Stalin in Ost-Berlin sehr wichtig. Wir erhielten Berichte und diese Berichte waren wahr, je mehr die Zeit fortschritt. Sie waren offensichtlich wahr und manchmal konnte man sie sogar schriftlich belegen von Leuten, die sich gegen einen von den Kommunisten eingesetzten Bürgermeister wandten, ihn belästigten, ihm das Leben schwer machten, ihm unangenehme Fragen stellten, ihn bloßstellten, diese Art von Widerstand. Und das entwickelte sich zunehmend vom Tode Stalins Anfang März bis zur Explosion . . .

Am 16. Juni ereignete sich – wie soll ich es ausdrücken – ein typischer Fall von Pech. Ein Mann kam vom Hauptquartier in Mehlem, um den RIAS-Direktor und mich zu besuchen. Und ich hatte gerade durch Flüsterpropaganda gehört, daß dieser Mann unser nächster Chef in Washington werden würde. Mit anderen Worten, das würde heute der Direktorposten von USIA sein. Aber er war es damals noch nicht; er war in Bonn offensichtlich ein fachlicher Berater. Tatsächlich aber machte er sich mit allen Vorgängen vertraut, bevor er die von ihm angestrebte Stellung übernahm. Daher war mir bewußt, daß er für Fred Taylor, den RIAS-Direktor, und für mich sehr wichtig war.

Also, am Vormittag des 16. Juni saß ich mit Fred Taylor und diesem Mann fest. Der deutsche Leiter der Politischen Abteilung kam in mein Vorzimmer und fragte meine Sekretärin, ob sie mich nicht herausholen könnte. Das war die einzige Möglichkeit, mich diesem Mann zu entziehen. Wir diskutierten nichts als Verwaltungsangelegenheiten, die man nicht mehr hören konnte, ob wir damit fortfahren sollten, das Symphonie-Orchester zu unterstützen, ob wir weiterhin so viel Geld für die freien Mitarbeiter aufwenden sollten usw. Und die Leute in der Politischen Abteilung berichteten, daß sich einiges in Ost-Berlin anbahnte. Also, ungefähr am Mittag konnte mich der dritte Amerikaner in der RIAS-Leitung aus dem Büro herausholen. Er sagte: »Schauen Sie, wir haben inzwischen Besucher. Das ist wirklich eine große Sache, die sich hier anbahnt.« Und er informierte mich kurz über die Aktivitäten der Bauarbeiter von der Stalinallee. Er sagte zu mir: »Können Sie diese zwei Männer nicht allein lassen und zur Politischen Abteilung zurückkehren? Diese Sache weitet sich wirklich aus.« Ich sagte: »Ich kann das nicht tun. Wissen Sie, wer dieser Mann ist? Er wird demnächst unser höchster Chef in Washington.« Und er war ein guter und freundlicher Mann, er entwickelte sich nach meiner Auffassung zu einem sehr guten Direktor der Behörde, war aber nicht der Mann, der genaueres über Politik im allgemeinen und besonders über die europäische Politik wußte.

Und so war ich dort angebunden bis zur Mittagszeit. Ich erinnere mich, daß wir eine kleine Nachrichtensendung hatten . . . wir hatten damals eine Nachrichtensendung jede halbe Stunde, ich meine zu jeder vollen und halben Stunde. Meiner Erinnerung nach brachte sie kurze Berichte von Ost-Berlin. Wir wußten natürlich noch nichts Genaueres über den Streik in der Stalinallee.

Also, der Mann von Washington kam nach dem Mittagessen zurück und begann wieder von vorn, bis der vorgenannte Amerikaner, der uns heute morgen unterbrochen hatte, mich in das Vorzimmer zog und sagte: »Gehen Sie mit mir zur Eingangshalle.« Die Korridore vor der Politischen Abteilung des RIAS waren überfüllt mit Leuten, jeder sprach, jeder war erregt, einige waren so erregt, daß sie weinten. Die meisten von ihnen waren Leute aus Ost-Berlin. Unsere Redakteure hatten sich unter sie gemischt, sprachen mit ihnen, suchten die Vorgänge zu verstehen und versuchten, sie zu beruhigen.

Im Korridor war eine echte Delegation. Ich glaube, es waren drei Arbeiter, die an diesem Morgen an den Vorgängen in der Stalinallee teilgenommen hatten, und sie gaben nun unseren Redakteuren einen ausführlichen Bericht. Sie wollten gleich eine Sendung machen und so begann es, die ganze politische Frage. Wir waren weit und breit die ersten, die die

Nachricht brachten, um 4.30 Uhr am Nachmittag des 16., daß in Ost-Berlin tatsächlich eine größere Streikaktion stattfand.

Nun, die Presseagenturen, die amerikanischen Dienste, dpa. Agence France Press, Reuter, sie glaubten es nicht. Sie dachten zuerst, wir wären zu weit gegangen. Wir begannen, unser gesamtes Programm zu ändern, als wir bemerkten, daß sich die Vorgänge zu einem großen Ereignis ausweiteten. Wir warfen alle anderen Nachrichten heraus und widmeten die gesamte Nachrichtenzeit den detaillierten Berichten von den Ereignissen in Ost-Berlin. Und natürlich wurden sie sehr schnell bestätigt durch – wenn ich mich richtig erinnere – skandinavische Reporter, vielleicht waren es auch holländische, die gerade in Ost-Berlin weilten und tatsächlich die Vorgänge bezeugen konnten. Sie rannten in ihre Büros und riefen Oslo und Stockholm an. Die dortigen Zeitungen versuchten nun, Berlin telefonisch zu erreichen. Und – wie Sie sehen – empfand jeder, daß dieser von uns um 4.30 Uhr ausgestrahlte große Bericht den Tatsachen entsprach.

Man muß sich zurückbesinnen auf die offizielle östliche Version: man hatte keine Streiks in kommunistischen Ländern zu haben, unerhört, man durfte sie nicht haben. Als ich die Leute in der Mission anrief und ihnen von dem zu erzählen begann, was wir hörten, waren sie natürlich zu Anfang sehr skeptisch. Den Kommentar, den Hauptkommentar des Tages, der den Abendnachrichten folgte, sprach Eberhard Schütz. Zuerst hatten wir vor allem zu entscheiden, ob wir eine Sendung mit jenen drei Arbeitern ausstrahlen konnten. Nein, wir konnten es nicht. Erstens war die Gefahr für sie – es sei denn sie blieben – zu offensichtlich. Zweitens konnte es uns in die Position eines Teilnehmers anstatt in die eines Berichterstatters bringen. Es hätte die Station in eine Position gebracht, in der sie nicht sein durfte . . .

Also, ganz offensichtlich konnte der Abendkommentar über nichts anderes handeln als über die Ereignisse. Darüber hinaus wies ich den Programmdirektor an, das ganze Programm umzustellen und nun keine Sendungen mehr mit festen Zeiten zu bringen, damit die Nachrichten die Zeit bekamen, die sie benötigten. Und das einzige Thema der Nachrichten sollten nur die Ereignisse sein; eine Ausnahme bestand darin, daß wir von Zeit zu Zeit eine kurze Zusammenfassung von den wichtigsten Dingen brachten, die sich anderswo in der Welt ereigneten. Unsere Zeit wurde im wesentlichen mit diesem Ereignis ausgefüllt, und wir dachten darüber nach, was wir sagen konnten, am 16. Juni mit Schütz.

Normalerweise schrieben unsere Kommentatoren ihre Manuskripte am Nachmittag, und dann wurden sie aufgenommen und spielten sie nach den Abendnachrichten vom Band. Natürlich nicht bei dieser Gelegenheit. Schütz schwitzte, bis die Sendung begann; ich schaute ihm über die Schulter und schwitzte noch mehr. Er machte es exzellent.

Wie Sie sich wohl denken können, hatten wir einen wunderbaren Teamgeist im RIAS, besonders in der Politischen Abteilung. Nun, diese Entscheidungen wurden kollegial getroffen. Es konnte keine Rede davon sein, meinen offiziellen Standpunkt durchzusetzen. Wir sind niemals auf diese Weise vorgegangen. Ich fühlte immer, daß meine Mitwirkung im RIAS im Grunde . . . z.B.: Außenstehende und besonders Deutsche würden denken, oh, natürlich müssen die deutschen Mitarbeiter schreiben oder sprechen, was die Amerikaner ihnen vorschreiben. Das war eine ganz falsche Auffassung von dem, was im Rundfunk vor sich ging. An einem x-beliebigen Tag ging z.B. das Thema des Abendkommentars über dies oder das. Nach der Redaktionssitzung, in der das entschieden wurde, gingen der Kommentator und ich in mein Büro oder in sein Büro oder vielleicht zum Mittagessen oder in den Stadtpark, wo wir darüber sprachen. Dann, wenn er ihn geschrieben hatte, sandte er seine Sekretärin damit zu mir und ich las den abgeschlossenen Text. Nehmen wir an, er war gut, ausgenommen vielleicht ein Punkt. Wir konnten es so drehen, daß wir dasselbe, aber mit anderen Worten sagten. Sie wissen, wie solche Dinge gehen. Das war die Art, wie wir die Materie behandelten und konsequenterweise auch während dieses großen Tests. In der Nacht vom 16. auf den 17. Juni waren wir deshalb in der Lage, sehr schnell und ohne besondere Anweisungen zu reagieren.

Nun muß ich noch hinzufügen, daß ich dieses Thema seit damals mit verschiedenen Prominenten, mit Eleanor Dulles und so weiter, besprochen habe. Während der gesamten Krise, dabei meine ich besonders den 16. und den 17. Juni und den 18. zum Schluß, für drei bis fünf Tage hatte ich keine Anweisungen, darauf lief es am Ende hinaus. Dr. Conant, der Hohe Kommissar, und Alfred Boerner, dem die Programme der öffentlichen Angelegenheiten unterstanden und der deshalb mein höchster Vorgesetzter auf amerikanischer Seite war, saßen zufällig in Washington bei den Haushaltsberatungen. Sie hatten die gleichen Probleme, die ich mit der Verwaltung und dem Haushalt hatte. Das war die eine Sache. Aber die wichtigste Sache war, wer war überhaupt verantwortlich für die Richtlinien? Wir strahlten die Sendungen aus . . . im Endeffekt konnten nur wir entscheiden, nur wir waren an Ort und Stelle. Wir mußten darüber beraten, über jeden Punkt und die Konsequenzen tragen. Wenn jemand damit unzufrieden war, dann verlor bei uns jemand seinen Job, aber man mußte es tun. Es war nicht möglich . . . ich kritisiere nicht andere Leute . . . es war für den Vorgesetzten im State Department schlechterdings unmöglich, mir zu sagen, was in jener Nacht im RIAS getan werden sollte. Er konnte begreiflicherweise nicht genug wissen bzw. hatte keine Vorstellung davon. Ein rechtes Gefühl für dieses außergewöhnliche Ereignis und für diese Angelegenheit hatte auch ein in Bonn Sitzender nicht. Der einzige Mann, mit dem ich darüber sprach, ging herum, um zu sehen, ob er irgendwelche Vorschläge von den Politikern in der Hohen Kommission bekommen konnte, und rief zurück und sagte: »Ich vermute, Ihre Richtung ist die positive Berichterstattung.« Das klingt komisch und im gewissen Sinne ist es das auch. Die Angelegenheit war in der Tat sehr sensibel. Wir waren weder ein politisches Element noch ein militärisches noch sonst irgend etwas.

Wir waren eine Rundfunkstation. Wir hatten zwar diese große publizistische Macht, die vielen Leuten nun bewußt wurde. Wir konnten nicht so sprechen, als ob die Alliierten eine Intervention oder diese oder jene Aktion unternehmen würden.

Sie wissen vielleicht, daß es an diesem Abend sehr stark regnete und daß der Regen die Massen, die Demonstranten in Ost-Berlin auseinandertrieb, so daß um Mitternacht die Menschen von den Straßen verschwunden waren und sich dadurch die Erregung abkühlte . . .

Dann, nach dem heftigen Regen und der Beruhigung der Lage, waren einige von uns imstande, sich hinzusetzen, um über den nächsten Tag nachzudenken. Uns wurde von Leuten aus Ost-Berlin berichtet, daß ein Treffen auf dem Strausberger Platz, ich glaube, es war ganz früh morgens, um acht Uhr am Morgen des 17. Juni, vorbereitet wurde. Wir saßen und diskutierten, wie wir das behandeln sollten und was unsere Rolle sein würde, wenn es sich so entwickelte, wie es den Anschein hatte, daß es sich entwickeln würde. Und zu uns kamen Leute in die Station, Berliner Persönlichkeiten, die mit uns sprachen und Vorschläge machten. Ein sehr guter Freund von mir, in den Eastern Affairs Element, Charles Hulick, den ich schon erwähnte, Charlie war beunruhigt. Es wurde ihm klar, daß uns dort in Washington niemand sagen konnte, was zu tun war, daß wir in dieser Nacht auf uns selbst gestellt waren, und er wachte die ganze Nacht, um durch den RIAS auf dem laufenden zu bleiben. An einem Punkt in den kurzen Stunden vor dem Morgen rief mich Charlie an und sagte: »Mein Gott, Gordon, sei vorsichtig. Du kannst einen Krieg mit dieser Station auslösen.« Er hatte vollkommen recht. Und ich sagte: »Ich weiß das.« Stewart Alsop druckte diese Bemerkung später in seiner Kolumne, ohne die Quellen anzugeben . . .

Also in dieser Nacht erschien Ernst Scharnowski und war Feuer und Flamme. Er wollte eine Rundfunkrede halten. Ich glaube, er hatte sogar ein Manuskript vorbereitet und in seiner Tasche, zumindest in Stichworten. Er wollte zu einem Generalstreik aufrufen. Also, wie Sie sich denken können, hatten wir darüber große Debatten. Am Ende gingen sie friedlich aus, und wir brachten seine Sendung, aber mit einem sorgfältig modifizierten Skript . . . Es war kein Appell für einen Generalstreik. Im Kommentar von Schütz hatten wir früher am Abend gesagt: Nur sie, Frauen und Männer in der Zone, jeder für sich selbst, kann entscheiden, was er glaubt tun zu müssen, und es war, was ich meine, ein exzellenter und einfühlsamer Kommentar, und er wurde sicherlich sehr tief empfunden, eine beeindruckende Leistung. Natürlich, in den frühen Morgenstunden des 17. brachten wir wieder und wieder und noch einmal als Nachrichtenbericht die Angelegenheit vom Strausberger Platz. Wir riefen nicht dazu auf, wir berichteten bloß, daß auf dem Strausberger Platz ein Treffen vorbereitet wurde. Die Leute wußten sofort, was gemeint war, und früh am Morgen begannen sie – wie wir herausfanden – dorthin zu strömen. Das war ein gutes Beispiel von dem, worüber ich später viele Gespräche und Debatten hatte.

Wetzel: Das war in der Tat ein Problem. Die Menschen in Ost-Berlin verfügten über keine Nachrichten, und Sie lieferten sie ihnen.

Ewing: Am Ende waren es die Nachrichten, nicht der Kommentar, die persönliche Sicht oder was auch immer, die aktuellen Nachrichten, die die Leute hören und gebrauchen konnten. Nun, wie wir später von allen möglichen Einwohnern herausfanden, blieben auch in der Zone die Leute auf, überall in der Zone, und verfolgten die Sendungen. Es ärgert mich bis zu diesem Tag, daß die Presse außerhalb Deutschlands immer nur von der Ost-Berliner Revolte spricht. Also, zur Hölle, es war die gesamte sowjetische Zone am Nachmittag des 17. Juni. Es war nicht nur ein Ost-Berliner Ereignis, es begann dort. Leute überall in der Zone hörten die Sendung, und sie fuhren natürlich damit fort den ganzen nächsten Tag. Und außergewöhnliche Dinge geschahen in allen größeren Städten und viel auch in den kleinen. Sie wissen vielleicht, in Magdeburg stürmten sie das Parteihauptquartier, warfen die Akten auf die Straße, verbrannten sie und holten Leute aus dem Gefängnis, politische Gefangene wurden freigelassen. Sie schlugen kommunistische Ortsfunktionäre, sie besetzten Gebäude in verschiedenen Städten und hielten sie für mindestens mehrere Stunden. . .

Zur Mittagszeit planten einige von uns die Programmdetails, wie wir den Rest des Tages ausfüllen konnten. Zur selben Zeit hatten wir zwei Radioapparate im Büro, einen für unsere eigenen Sendungen und den anderen für den Berliner Rundfunk. Ich erinnere mich an den sowjetischen Stadtkommandanten General Dibrowa. General Dibrowa verkündete den Ausnahmezustand. Und wie ich sagte, wir saßen dort die ganze Zeit, das Radio mit dem Sender Berlin eingeschaltet, und einer der deutschen Redakteure und ich hörten es mit einem Ohr. Ich erinnere mich, daß wir uns ansahen, aus dem Büro rasten, Stühle umstießen, den Fahrstuhl links liegen ließen und zu dem Sendestudio zwei Treppen hinaufrannten . . . Wir rannten zum Sendestudio, und nachdem wir hereinkamen, kritzelte der deutsche Mitarbeiter zwei oder drei Sätze über den Ausnahmezustand auf einen Zettel und überreichte ihn dem Ansager. Wir schrien es uns zu, als wir weiterliefen, buchstäblich, wie es so offensichtlich schien, daß dies getan werden mußte. Wir wiesen den Sprecher an zu sagen: Versucht nicht gegen die Russen mit nackten Fäusten zu kämpfen, oder irgend etwas in dieser Richtung. Provoziert nicht die russischen Truppen, weil – wie er sagte und wie Sie wissen – unsere Diskussion während der Nacht klar ergab, daß keine alliierten Militäraktionen stattfinden würden. Das war der eine Punkt. Ein anderer war: Alle wichtigen mit diesem Ereignis in Zusammenhang stehenden Entscheidungen wurden nicht in Ost-Berlin, sondern in Moskau gefällt; deshalb drittens, konnte es nicht Teil der RIAS-Aufgabe sein, auch nur moralische Unterstützung zu geben, um die Leute zu Aktionen aufzuwiegeln, die ganz offensichtlich zum Tode oder ins Gefängnis führen mußten, in einer Situation, die am Ende nur hoffnungslos sein konnte, wenn es tatsächlich zu einem Kampf kommen sollte. Und das war nun die Linie, die wir verfolgten . . .

Wir nahmen das normale Programm im RIAS nicht wieder auf, glaube ich, bis zum 22., vielleicht war es sogar ein paar Tage später. Wir hatten wenigstens fünf Tage kein normales Programm, berichteten nur über die Ereignisse um uns herum. Und natürlich am Abend des 17. und am Morgen des 18. diskutierte jeder mit jedem, den er erreichen konnte. Was sollten sie dort drüben tun? Es würde keine Panzer geben, die sich nach Osten bewegten. Was sollten sie also tun? Welchen Rat, welche Hilfe konnte man geben? Natürlich wurden viele Ideen besprochen. Da gab es eine, die uns eine Weile beschäftigte und die einiges für sich hatte. Unter den prominenten Journalisten, die angekommen waren, befand sich Louis Fischer, und – wie Sie vielleicht wissen werden, Fischer war tatsächlich mein Freund gewesen. Ich kannte Louis sehr gut. Er wurde durch seine Besuche und durch seine Studien über Indien und Gandhi stark beeinflußt. Er hatte eine Biographie über Gandhi geschrieben, und passiver Widerstand lag ihm im Blut. Und Louis hat uns ständig bearbeitet und wurde dabei von anderen unterstützt. Sie – gemeint sind die Arbeiter in Ost-Berlin – konnten das, was sich in amerikanischen Automobilfabriken ereignete, nachahmen: die »sit down« Streiks. Das Konzept war amerikanisch und nicht das Konzept für den Ort, wo wir waren. Es ist doch einfach genug, um es zu beschreiben. Doch er fuhr fort zu argumentieren, daß Männer in die Fabriken gehen sollten; im Gegensatz zu dem Aufruf, nicht in die Fabriken zu gehen; man sollte ihnen sagen, in die Fabriken zu gehen und sie nicht zu verlassen, sich in den Fabriken niederzulassen, nicht zu arbeiten, aber dort zu bleiben. Nun, wir taten dies bis zu einem gewissen Umfang, als die Tage vorübergingen, doch wir sagten: Aber Louis, die Sowjets würden sich nicht scheuen, sie auszuhungern. Nun, sagte er, der nächste Schritt ist, daß ihnen die Frauen das Essen bringen und es durch die Gitter und Fenster reichen. Er sagte, die Sowjets, die Rote Armee werde diese Frauen nicht vor den Augen der ganzen Welt erschießen. Natürlich, sie hätten bestimmt nicht, sie hätten einen besseren Weg gefunden. Sie haben wahrscheinlich diesen Kommentar gehört: Im Gegensatz zu der Sensationsberichterstattung und den Berichten der tendenziösen Presse zeigte die Rote Armee während der Ereignisse in Berlin äußerste Disziplin.

Es gab Zwischenfälle; es wurden am Ende einige Menschen getötet, vor allem am Potsdamer Platz, als sie die Panzer auffuhren und ein Mann von einem Panzer überrollt wurde. Also gut, das konnte sich unter diesen Umständen ereignen. Doch bis zu einem gewissen Grade wurden sie zu anderen Aktionen durch die sie umgebenden Leuten herausgefordert, die mit Steinen und Eisenstücken oder was sie gerade fanden, nach ihnen warfen. Sie versuchten, über die Menge zu schießen, und viele von den Leuten wurden verletzt, es wurden sicher wenige am Potsdamer Platz tatsächlich durch Querschläger von den Gebäuden getötet. Offensichtlich konnte kein einfühlsamer Kommandant mit oder ohne politische Instruktionen aus Moskau gewünscht haben, seine Panzerkanonen durch Schüsse auf die Menge zu leeren. Nein, auf keinen Fall, denn was würde das Endresultat sein, und wie würden sie dastehen? Und natürlich wußten sie sehr genau, daß die Stadt schon mit Journalisten von überallher angefüllt war und daß sie in jeder Minute unter Beobachtung standen. Aber auf jeden Fall muß man sagen, daß sie sich wie eine Armee benahmen, wie eine disziplinierte Armee.

Ich sagte zu Louis Fischer im Zusammenhang mit dem Thema der Männer in den Fabriken: Es könnte wohl sein, daß sie die Frauen nicht vor den westlichen Kameras niedermähen würden, aber um Himmels willen, es gibt unendlich viele Möglichkeiten, die Frauen zu behindern, ausgenommen das erste Mal; nach dem ersten Tag würden sie keine Gelegenheit mehr erhalten, in die Nähe der Fabriken zu kommen. Und wir diskutierten diese Art von Vorschlägen von vorne bis hinten. Jeder hatte eine andere Idee, zu guter Letzt aber konnte man nur die moralische Unterstützung ausdehnen und – soweit RIAS betroffen war – mit den praktischen Vorschlägen für den Alltag fortfahren. Das konnte durch die Sendungen mit all unseren besonderen Programmen für die Sowjetzone geschehen. Aber das war hart. Das war ein besonderer Test für den Korpsgeist, den ich schon früher erwähnte. Wir hätten am 16. und am 17. Juni mit dem RIAS mitgerissen werden können, mit uns selbst zerstritten. Einige Redakteure wollten sehr weit gehen. Ich erinnere mich aber an niemand, der der Überzeugung war, daß die westlichen Alliierten militärisch intervenieren sollten. Jeder akzeptierte, daß das nicht geschehen durfte. Nicht, daß sie es gewollt hätten, sie mußten es akzeptieren. Doch es gab einige, die am liebsten eine Menge flammender Aufrufe ausgestrahlt hätten, natürlich gibt es immer solche.

Wir hatten heiße Debatten, am Ende aber gab es keine echten Schwierigkeiten, in der Abendsendung eine Richtung einzuschlagen, die tatsächlich ausgestrahlt wurde. Und es gelang uns, damit durchzukommen und die Harmonie unter den Mitarbeitern zu erhalten.

Wetzel: Gab es später einige Äußerungen der Enttäuschung von den Menschen aus der Zone?

Ewing: Ja, allerdings nicht in dem Ausmaße, wie ich es erwartete . . . Wenn sie enttäuscht oder ärgerlich über die westliche Antwort waren, waren ihre Gefühle nicht gegen uns, sondern gegen die westlichen Mächte und zum Teil gegen Westdeutschland, gegen West-Berlin oder die westdeutsche Bürokratie oder die Gewerkschaften und so weiter gerichtet. Weil, wie ich vermute, sie wußten, daß wir eine Rundfunkstation waren, wir führten keine Armee.

Quelle: Brewster S. Chamberlin/Jürgen Wetzel: „Der 17. Juni und der RIAS. Aus einem Gespräch mit dem früheren RIAS-Direktor Gordon Ewing, in: Berlin in Geschichte und Gegenwart, Jahrbuch des Landesarchivs Berlin, 1. Jahrgang 1982, Berlin (West) 1982, S. 165–190.

Chronik/Ausgewählte Literatur

1952

9.–12. Juli
In Ost-Berlin tagt die 2. Parteikonferenz der SED und proklamiert nach einem Grundsatzreferat von Walter Ulbricht den »planmäßigen Aufbau des Sozialismus« in der DDR. Die Richtlinien haben folgende Schwerpunkte: Auf- und Ausbau der Schwerindustrie, Kollektivierung der Landwirtschaft, Stärkung der Staatsmacht, Organisierung militärischer Streitkräfte, »Verschärfung des Klassenkampfes« im Innern und nach außen.

23. Juli
Die Volkskammer verabschiedet ein Gesetz über die Neugliederung der Verwaltung, durch das die Eigenständigkeit der Länder Brandenburg, Mecklenburg, Sachsen, Sachsen-Anhalt und Thüringen aufgehoben wird. Mit ihrer Umwandlung in vierzehn Verwaltungsbezirke sind Aufbau und Arbeitsweise der Staatsmacht in der DDR total zentralisiert.

25. Juli
Der Ministerrat ordnet die Gründung der Organisation »Dienst für Deutschland« an, deren Aufgabe darin besteht, für alle Jugendlichen nach Abschluß ihrer Lehre oder Schulausbildung einen 6monatigen »freiwilligen« Arbeitsdienst zu organisieren. Der »Dienst für Deutschland« existiert nur wenige Monate.

31. Juli
Im Monat Juli werden 15 190 Menschen, die die DDR verlassen haben, in westlichen Notaufnahmelagern registriert.

31. Juli/1. August
Der Bundesvorstand des FDGB solidarisiert sich mit dem Beschluß der 2. Parteikonferenz der SED über den Aufbau des Sozialismus in der DDR.

7. August
Im Zuge der verstärkten Militarisierung in Staat und Gesellschaft wird durch Verordnung des Ministerrats in der DDR die Gesellschaft für Sport und Technik gegründet.

28. August
Der Ministerrat erläßt die Verordnung über die Neu-gliederung der Gerichte, die mit der Zentralisierung im Gerichtsaufbau die politische Anleitung und Kontrolle der Rechtsprechung sichern soll.

31. August
Im Monat August werden 18 045 Menschen, die die DDR verlassen haben, in westlichen Notaufnahmelagern registriert.

23. September
Das Politbüro der SED erläßt Richtlinien für die Arbeit der Politischen Abteilungen der Maschinen-Ausleih-Stationen, die als »Zentren der organisatorischen, wirtschaftlichen und politischen Arbeit unter den werktätigen Bauern und der Umgestaltung des Dorfes auf sozialistischer Grundlage« zu Instrumenten der Kollektivierung der Landwirtschaft gedacht sind.

25. September
Der Ministerrat beschließt eine Verordnung, wonach DDR-Bürger über 17 Jahre, »die bereit sind, aktiv an der Sicherung der staatlichen Ordnung« mitzuwirken, als »Helfer der Volkspolizei« eingesetzt werden können.

30. September
Im Monat September werden 23 331 Menschen, die die DDR verlassen haben, in westlichen Notaufnahmelagern registriert.

2. Oktober
Die Volkskammer beschließt ein neues Gerichtsverfassungsgesetz, mit dem das Gerichtssystem endgültig der territorialen Verwaltungsgliederung angepaßt und zentralisiert wird. »Die Rechtsprechung der Gerichte der Deutschen Demokratischen Republik dient dem Aufbau des Sozialismus« (§ 2). Eine neue Strafprozeßordnung gewährleistet fortan die Wahrung der »Parteilichkeit« und der »sozialistischen Gesetzlichkeit« im Strafverfahren. Schließlich verabschiedet die Volkskammer ein Gesetz zum Schutze des Volkseigentums, nach dem in der Folgezeit härteste Strafen wegen geringfügiger Eigentumsdelikte verhängt werden.

5.–14. Oktober
In Moskau tagt der XIX. Parteitag der KPdSU. Die SED
wird durch eine Delegation unter Leitung von Wilhelm
Pieck vertreten.

10. Oktober
Die in Elbingerode (Bezirk Magdeburg) tagende Syn-
ode der Evangelischen Kirche in Deutschland versichert die Christen in der DDR ihrer Solidarität: »Wir
wissen um eure Nöte, um euer Seufzen unter dem
Druck der Entrechtung und der Nötigung zur Lüge, um
eure Ängste vor Enteignung und Verhaftung.«

21. Oktober
Das Politbüro der SED legt in einer Erklärung zu den
Ergebnissen des XIX. Parteitags der KPdSU ein Be-
kenntnis zur »führenden Rolle der KPdSU und ihrem
Führer Stalin« ab.

31. Oktober
Im Monat Oktober werden 19 475 Menschen, die die
DDR verlassen haben, in westlichen Notaufnahmela-
gern registriert.

6. November
Ministerpräsident Otto Grotewohl führt in einem Bericht an den Ministerrat die Versorgungskrise in der
DDR auf Mängel in der Arbeit des Ministeriums für
Handel und Versorgung zurück sowie auf »planmäßige Schädlingsarbeit« durch »kapitalistische Elemente«.

20.–22. November
Das Zentralkomitee der SED berät auf seinem 10. Plenum »die Lehren des XIX. Parteitages der KPdSU für
den Aufbau des Sozialismus in der DDR« und die »Arbeit auf dem Lande«. Der Vorrang der Schwerindustrie
gegenüber anderen Industriezweigen in der Volkswirtschaft der DDR wird betont. Das Jahr 1953 wird zum
Karl-Marx-Jahr erklärt. Gleichzeitig wird zur »Entfaltung eines schonungslosen Kampfes gegen alle
Spielarten des Sozialdemokratismus« aufgerufen.

27. November
In Prag verurteilt der Staatsgerichtshof nach mehrtägigem Schauprozeß den früheren Generalsekretär der
KPČ, Rudolf Slansky, den früheren Außenminister Vla-
dimir Clementis und weitere zwölf Angeklagte meist
»jüdischer Herkunft« als »trotzkistisch-titoistische Verräter und Feinde des Volkes« zum Tode (in drei Fällen
zu Freiheitsstrafen). Der Prozeß löste eine Säube-
rungswelle auch in der SED aus.
Der Magistrat von Ost-Berlin verbietet wegen anhal-
tender Versorgungsschwierigkeiten den bis dahin
propagierten Verkauf von Lebensmitteln und Indu-
striewaren an Westberliner Bürger.

30. November
Im Monat November werden 17 156 Menschen, die die
DDR verlassen haben, in westlichen Notaufnahmela-
gern registriert.

5./6. Dezember
1. Konferenz der Vorsitzenden und Aktivisten der LPG
(landwirtschaftliche Produktionsgenossenschaften) in
Ost-Berlin zum Erfahrungsaustausch über die »sozialistische Umgestaltung der Landwirtschaft«.

15. Dezember
Dr. Karl Hamann (LDPD), Minister für Handel und Versorgung, Staatssekretär Rudolf Albrecht (DBD) und
Staatssekretär Paul Baender (SED) werden für die
schwierige Versorgungslage in der DDR verantwortlich gemacht und verhaftet.

19. Dezember
Der Ministerrat veröffentlicht Musterstatuten für die
Landwirtschaftlichen Produktionsgenossenschaften,
die die Bildung von drei verschiedenen Typen von
LPG mit unterschiedlicher Betriebsordnung vorsehen.

20. Dezember
Das Zentralkomitee der SED beschließt auf seiner 11.
Tagung ein Dokument »Lehren aus dem Prozeß gegen das Verschwörerzentrum Slansky«. Darin werden
Paul Merker, ehemals Mitglied des Politbüros der
SED, sowie die ehemaligen Mitglieder der Leitung der
KPD in der Bundesrepublik Kurt Müller und Fritz Sper-
ling als »zionistische Agenten«, »Spione« und »Saboteure« verunglimpft. Zum Zeitpunkt der Veröffentlichung dieses Beschlusses befinden sie sich bereits
in Haft.

21. Dezember
Der Deutsche Fernsehfunk in Ost-Berlin-Adlershof
beginnt zu Ehren des Geburtstages J.W. Stalins mit
der Ausstrahlung eines regelmäßigen Fernsehpro-
gramms.

28. Dezember
Ein sowjetisches Militärtribunal in Ost-Berlin verurteilt
den ehemaligen Chefredakteur des Deutschlandsen-
ders, Leo Bauer, sowie die Mitangeklagte Erica Glaser
zum Tode. Bereits 1950 waren sie im Zusammenhang
mit dem Schauprozeß gegen Laszlo Rajk und andere
prominente ungarische Kommunisten verhaftet worden. Das Urteil wird später in 25 Jahre Zwangsarbeit
umgewandelt.

31. Dezember
Im Monat Dezember werden 16 970 Menschen, die die
DDR verlassen haben, in westlichen Notaufnahmela-
gern registriert.

1953

4. Januar
Das Zentralkomitee der SED kündigt eine Überprüfung aller Parteimitglieder an, die vor 1945 in westlichen Staaten gelebt haben.

15. Januar
Außenminister Georg Dertinger (DDR-CDU) wird wegen »feindlicher Tätigkeit« gegen die DDR verhaftet.

20. Januar
Das Generalsekretariat der Vereinigung der Verfolgten des Naziregimes gibt den Ausschluß jüdischer Mitglieder als »zionistische Agenten« bekannt.

31. Januar
Im Monat Januar werden 22 396 Menschen, die die DDR verlassen haben, in westlichen Notaufnahmelagern registriert.

11. Februar
Das Bezirksgericht Potsdam verurteilt nach mehrtägigem Schauprozeß in Klein-Machnow neun »Schädlinge« und »Saboteure« zu hohen Zuchthausstrafen. Der Prozeß, in dem im einzelnen die Hausverwalter und Makler Willi Stein, Reinhard Felsch, Paul Sinnreich, die ehemaligen Bürgermeister von Klein-Machnow, Fritz Rosenbaum und Fritz Liebenow, sowie die Angeklagten Gerhard Juhr, Nathan Pikarski, Walter Beier und Frieda Stein verurteilt werden, trägt deutlich »antizionistische« Züge.

13. Februar
Das Bezirksgericht Dresden verurteilt zwölf Angeklagte wegen »illegaler Gruppenbildung«, »Spionage« und »Terrorismus« zu hohen Zuchthausstrafen. Die drei Hauptangeklagten Otto Schulze, Horst Gulder und Werner Kleinert werden zu lebenslangem Zuchthaus verurteilt.

25. Februar
Das Bezirksgericht Potsdam verurteilt sieben Angehörige eines als »Widerstandsgruppe deutscher Patrioten« tätig gewesenen Widerstandskreises zu hohen Zuchthausstrafen.

28. Februar
Im Monat Februar werden 31 613 Menschen, die die DDR verlassen haben, in westlichen Notaufnahmelagern registriert.

2. März
Der Minister der Justiz ordnet durch Rundverfügung Nr. 4/53 mehr Strenge in gerichtlichen Strafverfahren gegen »Großbauern« an.

5. März
In Moskau stirbt J. W. Stalin.

6. März
Das Zentralkomitee der SED erklärt in einer Trauersitzung anläßlich des Ablebens von Stalin, es werde »der siegreichen Lehre Stalins stets die Treue wahren«. Der Ministerrat der DDR ordnet bis zu Stalins Beisetzung »Landestrauer« an.

17. März
Das Zentralkomitee der SED beschließt »zur Ehre und zum Ruhme des großen Stalin« die Umbenennung des Marx-Engels-Lenin-Instituts in Marx-Engels-Lenin-Stalin-Institut, die Herstellung von Stalin-Büsten und Stalin-Statuen, die Umbenennung der Wohnstadt

des Eisenhüttenkombinats Ost in Stalinstadt, des Elektro-Apparate-Werkes Treptow in EAW-J. W. Stalin. Die Hochschule für Planökonomie erhält ebenfalls den Namen Stalins.

30. März
Das Sekretariat des Zentralkomitees der SED beschließt, in der Zeit vom 11. Mai bis 3. August 1953 Stalinkurse für Parteimitglieder und Parteilose durchzuführen.

31. März
Im Monat März werden 58 605 Menschen, die die DDR verlassen haben, in westlichen Notaufnahmelagern registriert.

9. April
Der Ministerrat beschließt die Neuregelung der Lebensmittelversorgung. »Nicht in der Produktion Tätige« (Privatunternehmer und Großhändler, selbständige Rechtsanwälte und Steuerberater, Einzelhändler und Hausbesitzer, die überwiegend vom Mietzins leben) erhalten ab 1. Mai keine Lebensmittelkarten mehr.

17. April
Das Bezirksgericht Leipzig verurteilt zwei Arbeiter wegen »Verächtlichmachung« des verstorbenen J. W. Stalin zu vier beziehungsweise sechs Jahren Zuchthaus.

20. April
Das Bezirksgericht Chemnitz verurteilt den Pfarrer Albin Drechsler aus Annaberg-Buchholz wegen »verleumderischer Hetze« zu zehn Jahren Zuchthaus.

20. April
Der Ministerrat beschließt drastische Preiserhöhungen für Fleisch, Fleischwaren, zuckerhaltige Erzeugnisse und andere bewirtschaftete Lebensmittel.

23. April
Das Sekretariat des Zentralkomitees der SED proklamiert die Losung »Arbeiter auf das Land«. Zur unmittelbaren Hilfe bei der »sozialistischen Umgestaltung« des Dorfes wird den volkseigenen Betrieben empfohlen, mit den Produktionsgenossenschaften Patenschaften abzuschließen. Innerhalb eines Jahres wurden 31 422 Parteimitglieder und »klassenbewußte parteilose« Arbeiter auf die Dörfer geschickt.

28. April
Das Staatssekretariat für innere Angelegenheiten im Dienstbereich des Ministeriums des Innern erklärt die Junge Gemeinde der Evangelischen Kirche zur »illegalen Organisation«. Wörtlich heißt es in einer Erklärung: »Eine Feststellung im Ministerium des Innern hat ergeben, daß die Junge Gemeinde niemals erlaubt wurde und nach den Enthüllungen über die feindliche Tätigkeit dieser illegalen Organisation auch niemals erlaubt werden kann.«

30. April
Im Monat April werden 36 695 Menschen, die die DDR verlassen haben, in westlichen Notaufnahmelagern registriert.

5. Mai
Anläßlich einer Gedenkkundgebung zum 135. Geburtstag von Karl Marx charakterisiert Walter Ulbricht die »antifaschistisch-demokratische Ordnung« der DDR erstmals als »Diktatur des Proletariats«. Gleichzeitig beschließt das Zentralkomitee der SED die Umbenennung von Stadt und Bezirk Chemnitz in Karl-Marx-Stadt.

7. Mai
Das Bezirksgericht Magdeburg verurteilt den Bauern Friedrich Plunkte wegen »illegalen Widerstands« gegen die Kollektivierung der Landwirtschaft zu lebenslangem Zuchthaus.

8. Mai
Das Bezirksgericht Erfurt verurteilt sieben Bauern wegen Widerstands gegen die Kollektivierung der Landwirtschaft zu hohen Zuchthausstrafen. Die Hauptangeklagten Erich Hemme und Alexander Schmiedel erhalten lebenslanges Zuchthaus, vier weitere Angeklagte Strafen zwischen 10 und 15 Jahren Zuchthaus.

13. Mai
In Eisleben streiken Schlackensteinhersteller wegen Lohnminderung. Ihre Wortführer werden verhaftet. Nach fünfstündigem Sympathiestreik anderer Abteilungen werden sie wieder freigelassen.

13./14. Mai
Das Zentralkomitee der SED tritt zu seiner 13. Tagung zusammen. Wichtigste Tagesordnungspunkte: »Lehren aus dem Prozeß gegen das Verschwörerzentrum Slansky« und neue Aufgaben der Industrie beim »sozialistischen Aufbau«. Franz Dahlem wird aus dem Politbüro und aus dem Zentralkomitee ausgeschlossen. Gleichzeitig »empfiehlt« das ZK eine Erhöhung aller Arbeitsnormen um mindestens 10 Prozent bis zum 30. Juni.

15. Mai
Der Ministerrat erläßt die Verordnung über die Bildung von Rechtsanwaltskollegien, die praktisch das Ende der selbständigen Anwaltschaft einleitet.

16. Mai
Im Zuge des Kesseltreibens gegen die Junge Gemeinde verurteilt das Bezirksgericht Rostock den Diakon Herbert Bütge wegen »Boykotthetze« zu acht Jahren Zuchthaus.

18. Mai
Das Bezirksgericht Frankfurt/Oder verurteilt den Angestellten Helmut Lucke wegen politisch motivierter Brandstiftung im Reifenwerk Fürstenwalde zum Tode. Das Urteil wird vollstreckt. Drei Mitangeklagte erhalten Zuchthausstrafen von insgesamt 24 Jahren.

25. Mai
Bei der Reichsbahn-Bau-Union in Ost-Berlin kündigen etwa 40 Arbeiter, als sie ihren Lohn nach der neuen Berechnung erhalten (1,50 DM bis 2,50 DM täglich weniger als bisher). Es kommt zu erregten Auseinandersetzungen.

27. Mai
Die tausendköpfige Belegschaft des VEB Fimag in Finsterwalde streikt wegen Normerhöhungen. Gestreikt wird auch im VEB Gaselan in Finsterwalde.

28. Mai
Der Ministerrat der UdSSR beschließt die Auflösung der Sowjetischen Kontrollkommission und entbindet den Oberkommandierenden der Gruppe der Sowjetischen Streitkräfte in Deutschland von der Ausübung von Kontrollfunktionen in der DDR. Dafür wird das Amt eines Hohen Kommissars der UdSSR in Deutschland mit dem Sitz in Ost-Berlin geschaffen. Zum Hohen Kommissar wird Botschafter W. S. Semjonow ernannt.

28. Mai
Der Ministerrat beschließt gemäß »Empfehlung« des Zentralkomitees der SED eine administrative Erhöhung der Arbeitsnormen in allen volkseigenen Betrieben um mindestens 10 Prozent bis 30. Juni.

3000 Arbeiter im VEB Elektromaschinen Kjellberg in Finsterwalde treten in den Ausstand.

29. Mai
Kurzstreik in der Wickelei des Reichsbahnausbesserungswerkes Treptow.

31. Mai
Im Monat Mai werden 35 484 Menschen, die die DDR verlassen haben, in westlichen Notaufnahmelagern registriert.

1. Juni
Im VEB Nagema in Karl-Marx-Stadt tritt die Belegschaft in den Sitzstreik. In Finsterwalde legen etwa 1000 Arbeiter einer Schraubenfabrik die Arbeit nieder.

4. Juni
Im »Fortschrittsschacht« Eisleben wird wegen Normerhöhungen die Arbeit niedergelegt. Leerwagen blockieren die Zugänge. Es wird daraufhin nach der bisherigen Norm weitergearbeitet.

6./7. Juni
Konferenz des Zentralkomitees der SED und der Regierung der DDR mit Agrarfunktionären. Bernhard Gründert, LPG-Vorsitzender in Worin, erklärt, daß keine Enteignungen und Verhaftungen wegen Ablieferungsrückständen mehr vorkommen dürften und Gerichtsurteile, »die gegen Bauern gefällt wurden, überprüft werden«. Auch die Austrittsmöglichkeit aus den LPG wird angekündigt.

9. Juni
Im VEB-Stahl- und Walzwerk Hennigsdorf protestiert die Belegschaft gegen die Normerhöhung. Der Staatssicherheitsdienst verhaftet fünf der Protestierenden. Die Belegschaft setzt daraufhin am folgenden Tag ihren Sitzstreik fort, bis die Verhafteten wieder freigelassen sind. Die Werkleitung setzt 1000 Mark Prämie für Namhaftmachung der »Rädelsführer« aus. Die Normerhöhung wird zurückgestellt.
Das Politbüro des Zentralkomitees der SED beschließt die Politik des Neuen Kurses, die »der entschiedenen Verbesserung der Lebenshaltung aller Teile der Bevölkerung und der Stärkung der Rechtssicherheit in der Deutschen Demokratischen Republik dienen« soll. Die administrativ verfügte Normerhöhung wird nicht zurückgenommen.

11. Juni
Der Ministerrat bekräftigt in einem Beschluß die Politik des Neuen Kurses und verfügt in bezug auf die Rechtsprechung: »Das Justizministerium und der Generalstaatsanwalt haben alle Verhaftungen, Strafverfahren und Urteile zur Beseitigung etwa vorliegender Härten sofort zu überprüfen.« Die Erhöhung der Arbeitsnormen wird nicht aufgehoben.
Im Landkreis Apolda kommt es spontan zu Bauernversammlungen, die zu erregten Auseinandersetzungen mit SED-Funktionären führen. In Eckeltstedt wird das Dorf festlich geschmückt, als vier Bauern heimkehren, die wegen mangelnder Sollerfüllung verhaftet wurden.

12. Juni
In Brandenburg strömen gegen 16 Uhr etwa 800 Menschen vor dem Amtsgericht in der Steinstraße zusammen. Sie fordern die Entlassung eines politischen Gefangenen. Die Polizei wird niedergeschrien und beiseite gedrängt. Es kommt zu Schlägereien. Gegen 19 Uhr 30 transportiert die Polizei einige Häftlinge ab, da sie fürchten muß, daß die Menge das Gefängnis stürmen wird. Sprechchöre fordern die Freilassung der Gefangenen und drohen mit Streik. Gegen 22 Uhr 30 wird die Forderung der Bevölkerung erfüllt.
VEB-Bau Rüdersdorfer Schule: Zusammen mit der Baustelle E-Süd wird die Arbeit unter Protest gegen die Normenerhöhung niedergelegt. Betriebsfremde SED-Funktionäre sagen die Weiterleitung des Protests zu. Daraufhin wurde die Arbeit bis zum 16. Juni wieder aufgenommen.

13. Juni
In der VEB Schwermaschinenfabrik ABUS-Gotha sollen Arbeiter verhaftet werden, die in erregten Versammlungen zur Belegschaft gesprochen hatten. Es kommt zu einem allgemeinen Ausstand, der die Werkleitung von allen Zwangsmaßnahmen absehen läßt. Beim VEB Industriebau und auf der Baustelle »Zentral-Bettenhaus« kommt es zu Arbeitsniederlegungen. Im Kabelwerk Köpenick will die Betriebsleitung die Arbeitszeit um die Länge der Mittagspause verlängern. Die Arbeiterschaft hält sich nicht an diese Anordnung.

15. Juni
Eine Nachtschicht von Streckenarbeitern bei der Bau-Union Brandenburg streikt aufgrund der Normerhöhung. Im Krankenhaus Friedrichshain legen sieben bis acht Kolonnen (je 14 Mann) die Arbeit nieder und fordern zur Betriebsversammlung auf. Es wird eine Resolution verfaßt, die drei Arbeiter der Regierung überbringen wollen. Auf dem Wege dorthin werden sie verhaftet.
Auf Block 40 der Stalinallee wird zeitweise die Arbeit niedergelegt. Die Arbeiter verhindern den Einsatz von FDJ-Streikbrechern. Funktionäre der SED verhandeln ergebnislos. Der Bauleiter zwingt die Arbeiter mit einem Einsatzkommando der Volkspolizei zur Arbeit.

16. Juni
Bei Arbeitsbeginn beschließen Bauarbeiter auf Block 40 der Stalinallee in Ost-Berlin, aus Protest gegen Normerhöhungen in den Streik zu treten. Sie formieren sich zu einem Protestzug zum Haus der Ministerien in der Leipziger Straße. Die Arbeiter anderer Baustellen solidarisieren sich mit ihren Kollegen, sie legen die Arbeit ebenfalls nieder und schließen sich dem Demonstrationszug an. Gegen 9.30 Uhr erreichen die Demonstranten den Strausberger Platz. Der Zug bewegt sich weiter in Richtung Alexanderplatz und Unter den Linden. In den Mittagsstunden haben sich mehrere Tausend Arbeiter vor dem Haus der Ministerien versammelt. In Sprechchören »Nieder mit den Normen«, »Rücktritt der Regierung« artikulieren sie ihre Forderungen. Vergeblich verlangen sie, Walter Ulbricht und Otto Grotewohl zu sprechen. Beide verweigern sich den Arbeitern. Der Minister für Erzbergbau und Hüttenwesen, Fritz Selbmann, scheitert bei dem Versuch, zu den Arbeitern zu sprechen. In den frühen Nachmittagsstunden beginnen die Demonstranten zurück zur Stalinallee zu ziehen. Unterwegs geben Lautsprecherwagen der Regierung die Rücknahme des Normenbeschlusses bekannt, aber sie erreichen oder überzeugen die Demonstranten nicht. Deren Losung für den nächsten Tag: »Generalstreik«.

17. Juni
Trotz strömenden Regens haben sich in den frühen Morgenstunden Tausende Berliner Arbeiter auf dem Strausberger Platz eingefunden. Zur selben Zeit formieren sich aus den industriellen Außenbezirken Ost-Berlins Demonstrationszüge streikender Arbeiter. Die Arbeitsniederlegung, am Vortage von den Bauarbeitern der Stalinallee initiiert, hat auf nahezu alle Betriebe, Industriebereiche und Großbaustellen Ost-Berlins übergegriffen. Agitatoren und Propagandisten der SED versuchen vergebens, die Eskalation des Streiks zum Aufstand aufzuhalten.
Gegen 9 Uhr treffen auf dem Alexanderplatz die ersten sowjetischen Panzerspähwagen ein. Von dieser Zeit an beginnen in den Hauptstraßen Ost-Berlins Tausende, Zehntausende Menschen zu sammeln – streikende Arbeiter, Schüler und Studenten, Geschäftsleute und Angestellte, Hausfrauen und Rentner. Immer mehr Betriebe stellen die Arbeit ein. Auf dem Alexanderplatz kommt es zu ersten Tumulten.

Das HO-Warenhaus schließt. Aus dem Stahl- und Walzwerk Hennigsdorf ziehen 12000 Arbeiter durch West-Berlin in das Zentrum Ost-Berlins. Demonstrationszüge aus Richtung Schöneweide, Köpenick und Treptow marschieren heran. Etwa um 10 Uhr stoßen Demonstranten in der Leipziger Straße auf absperrende Volkspolizeiketten. Es kommt zu tätlichen Auseinandersetzungen. Auf dem Potsdamer Platz sammeln sich ebenfalls nach Tausenden zählende Demonstranten – darunter viele Sympathisanten aus West-Berlin. Das Gelände am Columbushaus, wo eine Volkspolizeiwache verjagt wird, wird besetzt. Der S-Bahn-Verkehr wird eingestellt. U-Bahn und Straßenbahn in Ost-Berlin verkehren nur noch unregelmäßig. Nach und nach schließt sich das Fahrpersonal den Streikenden an.

Kurz nach 11 Uhr wird vom Brandenburger Tor die dort gehißte rote Fahne heruntergeholt und unter dem Beifall Tausender Demonstranten zerrissen. Die ersten Schüsse und Salven aus Maschinenpistolen und Maschinengewehren. In den Mittagsstunden sind schwere sowjetische Panzer vom Typ T 34 auf dem Alexanderplatz und in anderen Zentren der zum Aufstand eskalierenden Massendemonstrationen aufgezogen. Gleichzeitig drängen noch immer Demonstrationszüge in das Innere von Ost-Berlin. Aus allen Stadtteilen sind Schüsse zu hören. Am Potsdamer Platz haben Demonstranten die Barrieren der Sektorengrenze niedergerissen, Propagandalokale der Nationalen Front und Zeitungskioske gehen in Flammen auf, HO-Läden werden geplündert, Parteibüros und Polizeidienststellen werden gestürmt. Allenthalben wird von der Schußwaffe Gebrauch gemacht, nicht immer werden nur Warnschüsse abgegeben.

Um 13 Uhr verkündet der sowjetische Militärkommandant, Generalmajor P. T. Dibrowa, für Ost-Berlin den Ausnahmezustand. Alle Demonstrationen, Versammlungen, Kundgebungen und Menschenansammlungen auf Straßen und Plätzen werden verboten. Zwischen 21 Uhr und 5 Uhr ist jeder Aufenthalt im Freien verboten. Gleichwohl dauern die Unruhen in Ost-Berlin bis in den frühen Abend hinein an. Es gibt Verletzte und Tote unter den Demonstranten wie auf Seiten der Sicherungskräfte. An allen wichtigen Knotenpunkten haben Sowjetsoldaten Posten bezogen. Ab 21 Uhr sind die Straßen Ost-Berlins leer.

In 272 Städten und Ortschaften der DDR kommt es, den Unruhen in Ost-Berlin vergleichbar, zu Arbeitsniederlegungen, Demonstrationen, Kundgebungen und Aufruhr – wenn auch in unterschiedlicher Intensität. Innerhalb von 24 Stunden wird über 167 von 217 Stadt- und Landkreisen der DDR der Ausnahmezustand verhängt. Die öffentliche Sicherheit und Ordnung wird von der Sowjetarmee wiederhergestellt und gewährleistet.

18. Juni

Der Militärkommandant des sowjetischen Sektors von Berlin gibt bekannt, daß der aus West-Berlin stammende Arbeiter Willy Göttling wegen Beteiligung am Juni-Aufstand zum Tode durch Erschießen verurteilt und hingerichtet wurde.

Ein sowjetisches Standgericht in Leipzig verurteilt als Aufständische Peter Heider, Walter Schädlich und Heinz Sonntag zum Tode durch Erschießen. Sie werden hingerichtet.

Ein sowjetisches Standgericht verurteilt in Magdeburg Alfred Dartsch und Herbert Strauch wegen Beteiligung am Juni-Aufstand zum Tode durch Erschießen. Beide werden hingerichtet.

Das Bezirksgericht Rostock verurteilt den Angeklagten Dahlen wegen »Rädelsführerschaft« während des Juni-Aufstands zu 25 Jahren Zuchthaus.

19. Juni

Ein sowjetisches Standgericht in Stralsund verurteilt die Seepolizei-Angehörigen Ernst Markgraff und Hans Wojkowsky wegen aktiver Unterstützung von Juni-Aufständischen zum Tode durch Erschießen. Beide wurden hingerichtet.

20. Juni

Der Militärkommandant der Stadt Jena gibt bekannt, daß der Arbeiter Alfred Diener wegen Beteiligung am Juni-Aufstand zum Tode durch Erschießen verurteilt und hingerichtet wurde.

Ein sowjetisches Standgericht in Görlitz verurteilt den Ingenieur Herbert Tschirner wegen Beteiligung am Juni-Aufstand zum Tode durch Erschießen. Das Urteil wird später in eine Freiheitsstrafe umgewandelt.

Ein sowjetisches Standgericht in Apolda verurteilt den 17jährigen Axel Schäger wegen Beteiligung am Juni-Aufstand zum Tode durch Erschießen. Das Urteil wird vollstreckt.

21. Juni

Das Zentralkomitee der SED tritt zu seiner 14. Tagung zusammen und berät über die Lage und die unmittelbaren Aufgaben der Partei. In einer Entschließung wird der Arbeiteraufstand in Ost-Berlin und der DDR als »faschistische Provokation« gebrandmarkt, für die »westliche Agentenzentralen« verantwortlich gemacht werden. Selbstkritisch heißt es: »Der Gegner benutzte zur Auslösung seiner Provokation die Mißstimmung einiger Teile der Bevölkerung, die durch Folgen unserer Politik im letzten Jahr entstanden war.« Zur Bekräftigung des Neuen Kurses beschließt das ZK, die Löhne nach den am 1. April 1953 gültigen Arbeitsnormen berechnen zu lassen, es empfiehlt die Erhöhung aller Mindestrenten um 10 Mark pro Monat und sichert Verbesserungen in der Versorgung zu.

22. Juni

Das Bezirksgericht Potsdam verurteilt den Arbeiter Prahst wegen Beteiligung am Juni-Aufstand zum Tode. Das Urteil wird vollstreckt.

Ein sowjetisches Standgericht in Gotha verurteilt den Angehörigen der Kasernierten Volkspolizei Günter Schwarzer wegen Beteiligung am Juni-Aufstand zum Tode durch Erschießen. Das Urteil wird vollstreckt.

23./24. Juni

Mitglieder und Kandidaten des Politbüros der SED gehen in Großbetriebe in Ost-Berlin und der DDR, um die Politik der Partei zu rechtfertigen.

25. Juni
Der Ministerrat beschließt die vom Zentralkomitee der SED vier Tage zuvor empfohlenen Maßnahmen zur Verbesserung der Versorgung sowie zur Erhöhung der Mindestrenten und zur Berechnung der Arbeitslöhne nach alten Normen. Staatssicherheitsminister Wilhelm Zaisser teilt mit, daß während des Aufstands 19 Demonstranten und 2 unbeteiligte Personen sowie 3 Volkspolizisten und 1 Mitarbeiter des Ministeriums für Staatssicherheit den Tod fanden. Die Zahlen sind zu niedrig gegriffen, weil das Ausmaß der Erhebung verschleiert werden soll.

27. Juni
Das Bezirksgericht Gera verurteilt den Vorsitzenden der LPG in Maua (Kreis Jena), Kurt Unbehauen, wegen »Rädelsführerschaft« während des Juni-Aufstands zu lebenslangem Zuchthaus.

30. Juni
Im Monat Juni werden 40 381 Menschen, die die DDR verlassen haben, in westlichen Notaufnahmelagern registriert.

4. Juli
Ein sowjetisches Standgericht in Eisleben verurteilt Wilhelm Anders aus Siersleben, Walter Krüger aus Leimbach und Hermann Stahl aus Großörner wegen Beteiligung am Juni-Aufstand zum Tode durch Erschießen. Das Urteil wird vollstreckt.

9. Juli
Das Bezirksgericht Dresden verurteilt fünf Angeklagte wegen Beteiligung am Juni-Aufstand in Görlitz zu Zuchthausstrafen bis zu 15 Jahren.

11. Juli
Der Ministerrat beschließt Maßnahmen zur Verbesserung der Lebenslage der Arbeiter.

14. Juli
Das Politbüro der SED empfiehlt dem Ministerrat die Erhöhung der Mindestlöhne in den unteren vier Lohngruppen.

15. Juli
Max Fechner, Minister der Justiz, wird wegen eines Zeitungsinterviews verhaftet. Darin hatte er den Streik als in der Verfassung verankertes Recht verteidigt und streikenden Arbeitern Straffreiheit zugesichert.

18. Juli
Das Bezirksgericht Dresden verurteilt sechzehn Angeklagte wegen Beteiligung am Juni-Aufstand in Niesky und Görlitz zu hohen Zuchthausstrafen. Der Hauptangeklagte Lothar Markwirth wird zu lebenslangem Zuchthaus verurteilt.

19. Juli
Das Bezirksgericht Erfurt verurteilt den Pfarrer Edgar Mitzenheim aus Eckolstädt (Kreis Apolda) wegen Beteiligung am Juni-Aufstand zu sechs Jahren Zucht-

haus – drei weitere Angeklagte zu Gefängnis bis zu zwei Jahren.

20. Juli
Die Sowjetregierung beschließt zusätzliche Exporte an Lebensmitteln und Rohstoffen in die DDR, vor allem die Lieferung dringend benötigter tierischer und pflanzlicher Fette und Fleisch.

23. Juli
Der Ministerrat beschließt, die Arbeitslöhne für Arbeiter der »volkseigenen« Industrie in den unteren Lohngruppen um monatlich 20 bis 38 Mark zu erhöhen sowie die Gehälter des Verkaufspersonals im staatlichen Handel um monatlich 50 Mark anzuheben.

24. Juli
Das Ministerium für Staatssicherheit verliert wegen seines Versagens am 17. Juni 1953 seine Selbständigkeit und wird dem Ministerium des Innern als Staatssekretariat eingegliedert. Staatssicherheitsminister Wilhelm Zaisser wird seiner Funktion entbunden und durch Ernst Wollweber als Chef der Staatssicherheit ersetzt.

24.–26. Juli
Das Zentralkomitee der SED hält in Ost-Berlin seine 15. Tagung ab. Das Politbüro erstattet den Bericht über die gegenwärtige Lage und den neuen Kurs der Partei. Das ZK beschließt, die Produktion der Nahrungs- und Genußmittelindustrie sowie der Leichtindustrie auf Kosten der Schwerindustrie zu steigern. Durch die Entfaltung des privaten Handels und der Privatindustrie sowie durch die Förderung der bäuerlichen Wirtschaften soll eine Verbesserung der materiellen Lage der Bevölkerung erzielt werden. Staatssicherheitsminister Wilhelm Zaisser, Mitglied des Politbüros, sowie Rudolf Herrnstadt, Chefredakteur des SED-Zentralorgans »Neues Deutschland« und Kandidat des Politbüros, werden als »oppositionelle Fraktionsmacher« aus der Führung der Partei ausgeschlossen. Der inzwischen bereits verhaftete ehemalige Justizminister Max Fechner wird wegen »Sozialdemokratismus in der Justiz« aus der Partei ausgeschlossen. Walter Ulbricht, bis dahin Generalsekretär, wird zum Ersten Sekretär des ZK gewählt.

31. Juli
Im Monat Juli werden 17 260 Menschen, die die DDR verlassen haben, in westlichen Notaufnahmelagern registriert.

5. August
Das Zentralkomitee der SED dankt der KPdSU für »uneigennützige Hilfe« der Sowjetunion.

7./8. August
Der Berliner 1. Bezirkssekretär Hans Jendretzky wird von seinem Posten wegen »objektiver Unterstützung der parteifeindlichen Fraktion Zaisser/Herrnstadt« abberufen.

24. August
Das Bezirksgericht Magdeburg verurteilt den Angeklagten Gerhard Römer als »Rädelsführer« wegen Beteiligung am Juni-Aufstand zu lebenslangem Zuchthaus.

25. August
Das Bezirksgericht Magdeburg verurteilt den Gärtner Ernst Jennrich wegen Beteiligung am Juni-Aufstand zu lebenslangem Zuchthaus. Der Verurteilte war an der Befreiung politischer Häftlinge beteiligt. In zweiter Instanz wird das Urteil am 6. November 1953 in ein Todesurteil umgewandelt.

31. August
Im Monat August werden 14 682 Menschen, die die DDR verlassen haben, in westlichen Notaufnahmelagern registriert.

17.–19. September
Auf der 16. ZK-Tagung eröffnet Walter Ulbricht eine politische Offensive, die die Rückkehr der SED zu innerer Stabilität demonstrieren soll. Mit Eingeständnissen schwerwiegender Mängel in Wirtschaft und Versorgung verbindet er die Ankündigung neuer Normerhöhungen. Gleichzeitig stellt er die Aufhebung der Lebensmittelrationierung für 1954 sowie Preissenkungen in Aussicht.

Ausgewählte Literatur

Ammer, Thomas/Gunhild Bohm: »Die Provokation des 17. Juni«, in: Politische Studien Nr. 221/1975, S. 275 ff.

Baring, Arnulf: Der 17. Juni 1953, Mit einem Vorwort von Richard Löwenthal, Köln/Berlin 1965.

Bark, Dennis L.: Die Berlin-Frage 1949–1955, Berlin/New York 1972, speziell S. 334 ff.

Bartsch, Günter: Revolution und Gegenrevolution in Osteuropa 1948–1968, Bonn 1971, speziell S. 32 ff.

Barzel, Rainer: »Der 17. Juni 1953 – Zehn Jahre danach«, in: Deutsche Fragen Nr. 6/1963, S. 101 f.

Bock, Stephan: »Der 17. Juni in der Literatur der DDR«, Eine Bibliographie, in: Jahrbuch Literatur der DDR, Bd. 1, Bonn 1980, S. 148 ff.

Brandt, Heinz: Ein Traum, der nicht entführbar ist, Mein Weg zwischen Ost und West, Mit einem Vorwort von Erich Fromm, München 1967, speziell S. 2907 ff.

Brandt, Heinz: »Zum Stellenwert des 17. Juni im Geschichtskalender«, in: Die Neue Gesellschaft, Juli 1971.

Brandt, Willy: Arbeiter und Nation, Bonn 1954.

Brant, Stefan: (= Klaus Harpprecht) unter Mitarbeit von Klaus Bölling: Der Aufstand, Vorgeschichte, Geschichte und Deutung des 17. Juni 1953, Stuttgart 1954.

Bust-Bartels, Axel: »Der Arbeiteraufstand am 17. Juni 1953«, Ursachen, Verlauf und gesellschaftspolitische Ziele, in: Aus Politik und Zeitgeschichte, Beilage 25/1980 der Wochenzeitung Das Parlament, S. 24 ff.

Conze, Werner: Der 17. Juni, Frankfurt/Main 1960.

Der Aufstand der Arbeiterschaft im Ostsektor von Berlin und in der sowjetischen Besatzungszone Deutschlands, Tätigkeitsbericht der Hauptabteilung Politik des Rundfunks im amerikanischen Sektor in der Zeit vom 16. Juni bis zum 23. Juni 1953, herausgegeben von der RIAS-Hauptabteilung Politik, Berlin 1953.

Der Aufstand im Juni, Ein dokumentarischer Bericht, Berlin 1954.

Der Volksaufstand vom 17. Juni 1953, Denkschrift über den Juni-Aufstand in der sowjetischen Besatzungszone Deutschlands und in Ost-Berlin, herausgegeben vom Bundesministerium für gesamtdeutsche Fragen, Bonn 1953.

Dutschke, Rudi: »Der Kommunismus, die despotische Verfremdung desselben in der UdSSR und der Weg der DDR zum Arbeiteraufstand vom 17. Juni 1953«, in: Die Sowjetunion, Solschenizyn und die westliche Linke, hrsgg. von Rudi Dutschke und Manfred Wilke, Reinbek 1975, S. 261 ff.

Ebert, Theodor: »Gewaltfreier Widerstand gegen stalinistische Regime? – Der Juni-Aufstand in der DDR 1953«, in: Gewaltfreier Widerstand, herausgegeben von A. Roberts, Göttingen 1971, S. 108 ff.

Es geschah im Juni 1953, Fakten und Daten, herausgegeben vom Bundesministerium für gesamtdeutsche Fragen, 2., verbesserte Auflage, Bonn/Berlin 1965.

Fricke, Karl Wilhelm: Die DDR-Staatssicherheit, Entwicklung, Strukturen, Aktionsfelder, Köln 1982, speziell S. 27 ff.

Fricke, Karl Wilhelm: »Juni-Aufstand und Justiz«, in: Deutschland Archiv, Nr. 6/1978, S. 617 ff.

Havemann, Robert: Fragen – Antworten – Fragen, Aus der Biographie eines deutschen Marxisten, München 1970, speziell S. 131 ff.

Heym, Stefan: 5 Tage im Juni, Roman, München 1974.

Heym, Stefan: »Memorandum« (zum 17. Juni), in: Wege und Umwege, München 1980, S. 201 ff.

Hildebrandt, Rainer: Als die Fesseln fielen . . ., Neun Schicksale in einem Aufstand, Berlin 1956.

Hildebrandt, Rainer: »Was lehrte der 17. Juni?«, Eine Denkschrift, Berlin 1954.

Holzweißig, Gunter: »Der Volksaufstand am 17. Juni 1953 in der DDR«, in: Aufstände unter dem roten Stern, Bonn 1979, S. 55 ff.

Jäger, Manfred, Kultur und Politik in der DDR, Ein historischer Abriß, Edition Deutschland Archiv, Köln 1982, speziell S. 65 ff.

Jänicke, Martin: Der dritte Weg, Die antistalinistische Opposition gegen Ulbricht seit 1953, Köln 1964, speziell S. 42 ff.

Jänicke, Martin: »Krise und Entwicklung in der DDR – Der 17. Juni 1953 und seine Folgen«, in: Innere Systemkrisen der Gegenwart, ein Studienbuch zur Zeitgeschichte, herausgegeben von Hartmut Elsenhans und Martin Jänicke, Reinbek 1975, S. 148 ff.

Juni-Aufstand, Dokumente und Berichte über den Volksaufstand in Ost-Berlin und in der Sowjetzone, herausgegeben vom Bundesministerium für gesamtdeutsche Fragen, 2. erweiterte Auflage, Bonn 1953.

Leithäuser, Joachim G.: »Der Aufstand im Juni«, in: Der Monat Nr. 60–61/1953; erschienen auch als Sonderdruck mit einem Geleitwort von Theodor Heuß, Berlin 1953.

Lippmann, Heinz: Honecker, Porträt eines Nachfolgers, Köln 1971, speziell S. 136 ff.

Loest, Erich: Durch die Erde ein Riß, Ein Lebenslauf, Hamburg 1981, speziell S. 196 ff.

Mohr, Heinrich: »Der 17. Juni als Thema der Literatur in der DDR«, in: Deutschland Archiv, Nr. 6/1978 S. 591 ff.

Niekisch, Ernst: Erinnerungen eines deutschen Revolutionärs, Zweiter Band, Gegen den Strom 1945–1967, Mit einer Einleitung von Hans Schwab-Felisch, Köln 1974, speziell S. 192 ff.

Panzer am Potsdamer Platz, herausgegeben von Arno Scholz und Werner Nieke, Berlin 1954.

Plogstedt, Sybille: »Oppositionelle Strömungen in der DDR«, in: Die Internationale, Theoretische Zeitschrift der Gruppe Internationale Marxisten, Nr. 5/1974, S. 58 ff.

Rühle, Jürgen: »Kulturpolitik im Tauwetter – Die kurze Geschichte des Neuen Kurses in der Sowjetzone«, in: Der Monat Nr. 82/1955, S. 2 ff.

Sarel, Benno: Arbeiter gegen den ›Kommunismus‹, Zur Geschichte des proletarischen Widerstandes in der DDR (1945–1958), München 1975, S. 121 ff.

Schenk, Fritz: Im Vorzimmer der Diktatur, 12 Jahre Pankow, Köln/Berlin 1962, speziell S. 195 ff.

Scholmer, Joseph: »Die Opposition in der Sowjetzone am 17. Juni 1953 und heute«, in: Aus Politik und Zeitgeschichte, Beilage XXIII/1957 der Wochenzeitung Das Parlament.

Theisen, Heinz: »Bibliographie zu den Ereignissen des 17. Juni 1953«, in: Aus Politik und Zeitgeschichte, Beilage Nr. 23/1978 der Wochenzeitung das Parlament.

Weber, Hermann: Kleine Geschichte der DDR, Edition Deutschland Archiv, Köln 1980, speziell S. 67 ff.

Winkler, Erich: Warum 17. Juni?, Voraussetzungen und Ursachen des 17. Juni, herausgegeben im Auftrag des Internationalen Bundes Freier Gewerkschaften und des DGB, Berlin 1954.

Literatur aus der DDR

Autorenkollektiv unter Leitung von Heinz Heitzer: DDR/Werden und Wachsen, Zur Geschichte der Deutschen Demokratischen Republik, (Ost-)Berlin 1974, speziell S. 231 ff.

Autorenkollektiv unter Leitung von Rolf Badstübner: Geschichte der Deutschen Demokratischen Republik, (Ost-)Berlin 1981, S. 156 ff.

Der Neue Kurs und die Aufgaben der Partei, 15. Tagung des Zentralkomitees der Sozialistischen Einheitspartei Deutschlands vom 24. bis 26. Juli 1953, (Ost-)Berlin 1953.

»Der 17. Juni 1953«, Eine Dokumentation über die faschistische Provokation, in: Dokumentation der Zeit, (Ost-)Berlin, Nr. 51/1953, Spalte 2772 ff.

Geschichte der Sozialistischen Einheitspartei Deutschlands, Abriß, (Ost-)Berlin 1978, speziell S. 288 ff.

Honecker, Erich: Aus meinem Leben, Frankfurt/Main (Ost-)Berlin 1980, speziell S. 184 f.

Klassenkampf/Tradition/Sozialismus, von den Anfängen der Geschichte des deutschen Volkes bis zur Gestaltung der entwickelten sozialistischen Gesellschaft in der Deutschen Demokratischen Republik, Grundriß, herausgegeben vom Zentralinstitut für Geschichte der Akademie der Wissenschaften der DDR, (Ost-)Berlin 1974, speziell S. 624 ff.

Teller, Hans: Der kalte Krieg gegen die DDR, Von seinen Anfängen bis 1961, (Ost-)Berlin 1979.